하이탑 무료 스마트러닝

첫째 QR코드 스캔하여 1초 만에 바로 강의 시청

둘째 최적화된 강의 커리큘럼으로 학습 효과 UP!

1권 초등 과학 개념 강의
학습시 강의를 활용하여 빈틈없는 개념 완성

2권 심화 문제 풀이 강의
창의 서술형 문제 풀고, 심화 문제 풀이 강의로 마무리하여 영재고·영재원
입시 완벽 대비

줄기는 물이 이동하는 통로
역할을 한다.

#하이탑#초등과학#개념강의#무료

하이탑 초등 과학 6학년 강의 목록

하이탑
초등 과학 6학년
학습 계획표

학습 계획표를 따라
차근차근 과학 공부를
시작해 보세요.
하이탑과 함께라면
과학 공부, 어렵지 않습니다.

구분	단원명	교재 쪽수		학습한 날	
		1권 개념	2권 심화		
1학기	1. 과학자처럼 탐구해 볼까요?	8~15쪽		1일차	월 일
	2. 지구와 달의 운동	16~21쪽		2일차	월 일
		22~25쪽		3일차	월 일
		26~29쪽		4일차	월 일
		30~33쪽		5일차	월 일
		34~39쪽		6일차	월 일
			6~15쪽	7일차	월 일
	3. 여러 가지 기체	40~47쪽		8일차	월 일
		48~51쪽		9일차	월 일
		52~55쪽		10일차	월 일
		56~59쪽		11일차	월 일
		60~65쪽		12일차	월 일
			16~25쪽	13일차	월 일
	4. 식물의 구조와 기능	66~71쪽		14일차	월 일
		72~75쪽		15일차	월 일
		76~79쪽		16일차	월 일
		80~83쪽		17일차	월 일
		84~89쪽		18일차	월 일
			26~35쪽	19일차	월 일
	5. 빛과 렌즈	90~95쪽		20일차	월 일
		96~99쪽		21일차	월 일
		100~103쪽		22일차	월 일
		104~111쪽		23일차	월 일
			36~45쪽	24일차	월 일
2학기	1. 전기의 이용	8~13쪽		1일차	월 일
		14~17쪽		2일차	월 일
		18~21쪽		3일차	월 일
		22~27쪽		4일차	월 일
			46~55쪽	5일차	월 일
	2. 계절의 변화	28~33쪽		6일차	월 일
		34~37쪽		7일차	월 일
		38~41쪽		8일차	월 일
		42~47쪽		9일차	월 일
			56~65쪽	10일차	월 일
	3. 연소와 소화	48~53쪽		11일차	월 일
		54~57쪽		12일차	월 일
		58~61쪽		13일차	월 일
		62~67쪽		14일차	월 일
			66~75쪽	15일차	월 일
	4. 우리 몸의 구조와 기능	68~73쪽		16일차	월 일
		74~77쪽		17일차	월 일
		78~81쪽		18일차	월 일
		82~85쪽		19일차	월 일
		86~91쪽		20일차	월 일
			76~85쪽	21일차	월 일
	5. 에너지와 생활	92~97쪽		22일차	월 일
		98~101쪽		23일차	월 일
		102~105쪽		24일차	월 일
		106~111쪽		25일차	월 일
			86~95쪽	26일차	월 일

개념

HIGHTOP
> > > 하이탑 초등 과학

6학년

1학기

Start

1 단계

① 만화로 보는 주제

단원 시작 전에 한 컷 만화로 핵심 주제에 대해 알고 하이탑 시작!

② 개념 학습

과학 이야기를 읽듯이 차근차근 읽다 보면 과학 개념을 체계적으로 이해할 수 있습니다.

③ Mini 탐구

과학 교과서의 기본 탐구를 개념 학습과 함께 익힐 수 있습니다.

---

3 여러 가지 기체

3 온도 변화에 따른 기체의 부피

만화로 보는
'온도와 기체의 부피'

더우니까 붇지 매!

누가 할 소리!

나가고 싶어!

여름철과 겨울철에 자동차 바퀴에 넣는 공기 양의 차이

여름철에는 기온이 높아 자동차 바퀴 속 공기의 부피가 늘어나기 때문에 겨울철에 비해 바퀴 속에 공기를 적게 넣는다.

식탁 위에서 저절로 움직이는 그릇

뜨거운 국이나 밥을 담은 그릇을 식탁 위에 올렸을 때 그릇이 저절로 움직이는 경우가 있다. 그릇 하단의 움푹 파인 부분의 공기가 열 때문에 팽창하여 그릇을 살짝 들어 올릴 때 식탁의 표면에 물이 있으면 그릇이 미끄러진다.

1. 온도 변화에 따른 기체의 부피 변화 기체는 온도에 따라 부피가 달라진다. 온도가 높아지면 기체의 부피는 커지고, 온도가 낮아지면 기체의 부피는 작아진다. [심화편 탐구] 54쪽

① 뜨거운 음식을 비닐 랩으로 씌우면 처음에는 그릇 안 기체 온도가 높아지면서 그릇 윗부분의 비닐 랩이 부풀어 오르지만, 음식이 식으면 기체의 온도가 낮아지면서 부피가 작아져 윗부분의 비닐 랩이 오목하게 들어간다.

▲ 음식이 뜨거울 때 비닐 랩이 부풀어 올랐다가 음식이 식으면 비닐 랩이 오목하게 들어간다.

② 물이 조금 담긴 페트병을 마개로 막아 냉장고에 넣고 시간이 지나면 찌그러진다. 냉장고 속에 있는 찌그러진 페트병을 다시 냉장고 밖에 꺼내 놓으면 페트병 속 기체의 온도가 높아져서 찌그러진 페트병이 펴진다.

Mini 탐구 온도 변화에 따른 고무풍선의 부피 변화

과정

1. 삼각 플라스크 입구에 고무풍선을 씌운 뒤 삼각 플라스크를 뜨거운 물이 든 비커에 넣고, 고무풍선의 변화를 관찰한다.

2. 삼각 플라스크를 얼음물이 든 비커에 넣고, 고무풍선의 변화를 관찰한다.

고무풍선

결과 고무풍선의 부피 변화

뜨거운 물이 든 비커에 넣었을 때	얼음물이 든 비커에 넣었을 때
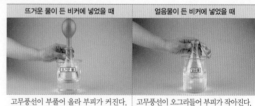	
고무풍선이 부풀어 올라 부피가 커진다.	고무풍선이 오그라들어 부피가 작아진다.

• 온도가 높아지면 기체의 부피는 커지고, 온도가 낮아지면 기체의 부피는 작아진다.

2. **공기를 이루는 여러 가지 기체** **공기는** 대부분 질소와 산소로 이루어져 있으며, 이 밖에도 아르곤, 수소, 네온, 헬륨, 이산화 탄소 등의 기체가 섞여 있는 혼합물이다.

- 아르곤 0.94 %
- 이산화 탄소 0.03 %
- 기타 0.03 %
- 산소 21 %
- 질소 78 %

▲ 공기를 구성하는 여러 가지 기체

① 질소: 다른 물질과 잘 반응하지 않기 때문에 과일을 신선하게 유지하거나 과자, 차, 분유, 견과류 등을 포장할 때 이용된다. 혈액, 세포 등을 보존할 때, 비행기 타이어나 자동차 에어백을 채우는 데에도 이용된다. ― 질소는 몸에 해롭지 않다.

② 산소: 응급 환자의 호흡 장치, 잠수부의 압축 공기통, 우주 비행사의 호흡 장치, 물질의 연소 등에 이용된다. ┌ 불에 잘 타는 성질이 있다.

③ 수소: 가장 가벼운 기체인 수소는 탈 때 물이 생성되고 오염 물질이 나오지 않는 청정 연료로 전기를 만드는 데 이용된다. 수소 발전소에서는 수소 기체를 이용해 전기를 만든다. 수소 자동차, 수소 자전거에도 이용된다.

④ 이산화 탄소: 소화기, 드라이아이스, 탄산음료의 재료 등으로 이용된다.

⑤ 네온: 일정한 *전압에서 특유의 빛을 내므로 조명 기구나 네온 광고에 이용된다.

⑥ 헬륨: 불에 타지 않아 폭발의 위험이 적기 때문에 비행선이나 풍선을 공중에 띄우는 용도로 이용된다. 목소리를 변조하거나 냉각제로 이용하기도 한다.

▲ 질소 충전 포장   ▲ 수소 자동차   ▲ 네온 광고   ▲ 헬륨 풍선

④ ● **보충 플러스** **거품이 오래가는 목욕제 만들기**

탄산수소 나트륨과 시트르산이 들어 있는 목욕제를 물에 넣으면 이산화 탄소가 만들어져 거품이 생긴다. 탄산수소 나트륨, 시트르산, 녹말을 골고루 섞은 후 물을 조금 넣고 섞은 뒤 작은 종이컵에 눌러 담아 목욕제를 만든다. 일정한 양의 물이 든 그릇에 목욕제를 넣으면 이산화 탄소가 만들어져 나오면서 거품이 생긴다.

 →

▲ 탄산수소 나트륨과 시트르산이 섞이면 물과 이산화 탄소가 만들어진다.

수소 발전
수소 발전은 수소 연료 전지에 수소 기체를 이용하여 전기를 생산한다. 전기를 발생시킬 때 생산 과정에서 물이 나오지만, 이산화 탄소와 같은 오염 물질이 전혀 나오지 않는다.

용어
●**전압** 전기가 흐르는 힘의 세기.

④ **보충 플러스**

과학 원리에 대한 보충 설명으로 개념을 더 쉽게 이해할 수 있습니다.

⑤ **심화**

초등 과학 개념보다 확장된 내용으로 이해의 폭을 넓힐 수 있습니다.

● **심화** **기체의 압력**

기체는 매우 작은 입자로 이루어져 있다. 공기가 들어 있는 고무풍선을 손으로 누르면 고무풍선의 크기가 작아지는 것은 기체가 매우 작은 입자로 이루어져 있으며, 입자들 사이에 빈 공간이 있기 때문이다. 고무풍선 속 기체 입자는 모든 방향으로 끊임없이 운동하면서 고무풍선 안쪽 벽에 충돌하며 힘을 가해 고무풍선의 모양을 유지한다. 기체의 압력은 기체 입자들이 용기의 벽면에 충돌하여 나타나므로 기체 입자가 많을수록, 기체 입자의 충돌 횟수가 많을수록 기체의 압력이 커진다.

고무풍선 안쪽

고무풍선 안쪽의 기체 입자

▲ 고무풍선 안쪽 기체 입자의 운동

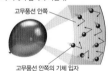

무료 스마트러닝
• 1권 초등 과학 개념 강의

개념 동영상 강의를 보고 들으면서 좀 더 쉽게 학습할 수 있습니다.

HIGHTOP 초등 과학의 **구성과 특징**

2 단계

① 교과서 속 탐구

과학 교과서의 핵심 탐구를 과정, 결과, 알 수 있는 사실까지 꼼꼼하게 정리할 수 있습니다.

② 탐구문제

탐구 관련 문제를 풀면서 탐구로 알 수 있는 사실을 다시 한 번 정리할 수 있습니다.

③ 확인 문제

문제를 풀면서 오늘 공부한 개념을 정리하고 다질 수 있습니다.

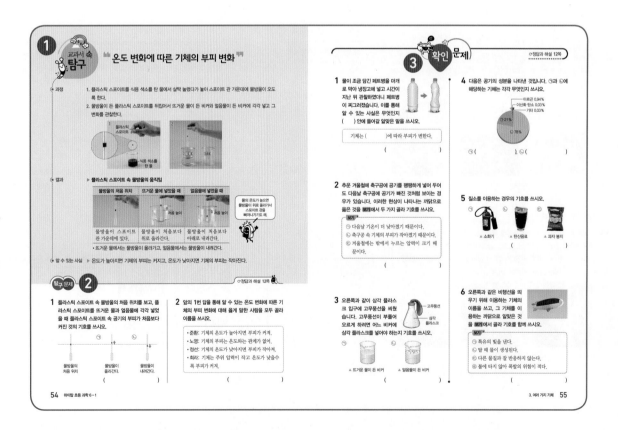

3단계

① 단원평가

학교에서 실시하는 단원평가에 자주 출제되는 문제 유형으로 구성하였습니다. 문제를 푼 후 틀린 문제는 자세한 풀이를 보면서 확실하게 이해할 수 있습니다.

② 서술형 문제

서술형 문제를 풀면서 답을 쓸 때 꼭 들어가야 하는 핵심 내용을 정리하는 습관을 들일 수 있습니다.

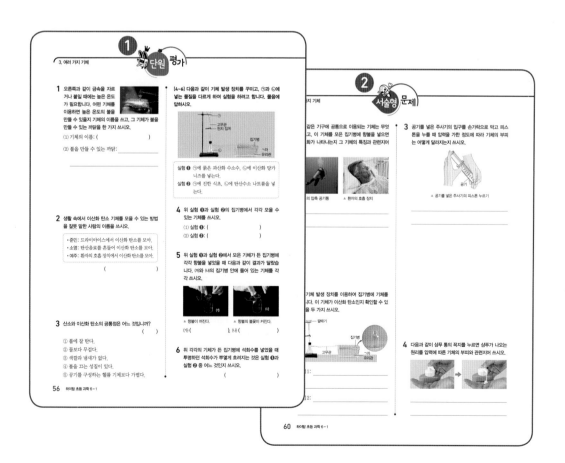

식물의 구조와 기능

빛과 렌즈

1

과학자처럼
탐구해 볼까요?

1 과학자처럼 탐구하기

과학자는 우리 주변의
과학 현상에 대해
궁금한 점이 생기면
이를 해결하려고 탐구를 해.

**선수
학습**

• 3~4학년군

과학자는 어떻게 탐구할까요?

재미있는 나의 탐구

과학자처럼 탐구해 볼까요?

• 5~6학년군

과학자는 어떻게 탐구할까요?

재미있는 나의 탐구

**이 단원의
학습**

• 5~6학년군

과학자처럼 탐구해 볼까요?

과학자처럼 탐구하기

만화로 보는
'탐구'

1. 탐구 문제 정하기 자연 현상의 관찰로부터 문제를 파악하고, 궁금한 점에서 탐구의 방법 및 내용 등이 분명하게 드러나도록 탐구 문제를 찾아 명확하게 나타낸다.

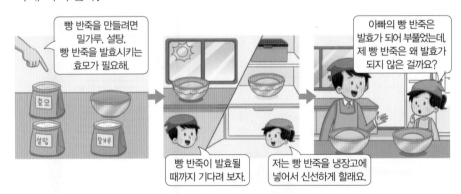

2. 가설 세우기 ─ 두 가지 이상의 조건을 다르게 하여 실험하면 그 결과가 어떤 조건 때문에 나타난 것인지 알 수 없다.

(1) **가설 설정** 탐구 문제를 정하고 탐구의 결과를 예상하는 것으로, 내가 관찰한 사실이나 경험, 책에서 알게 된 내용 등을 바탕으로 세울 수 있다.

(2) **가설을 세울 때 생각할 점** 탐구를 하여 알아보려는 내용이 분명하게 드러나야 하고, 이해하기 쉽도록 간결하게 표현하며, 탐구를 하여 가설이 맞는지 확인할 수 있어야 한다.

가설의 중요성
가설은 자연 현상을 관찰하면서 생긴 의문에서 과학적 설명으로 진입하는 단계이기 때문에 과학적 탐구에서 핵심적인 역할을 한다.

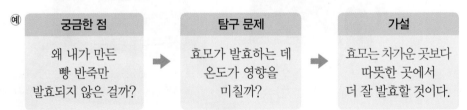

(예)

궁금한 점	탐구 문제	가설
왜 내가 만든 빵 반죽만 발효되지 않은 걸까?	효모가 발효하는 데 온도가 영향을 미칠까?	효모는 차가운 곳보다 따뜻한 곳에서 더 잘 발효할 것이다.

3. 실험 계획하기

(1) **변인 통제** 실험 계획을 세울 때에는 가설이 맞는지 확인할 수 있는 실험 방법을 생각한다. 그리고 실험에서 다르게 해야 할 조건(조작 변인)과 같게 해야 할 조건(통제 변인)을 정한다.

(2) **실험 계획** 실험 조건을 정한 후, 실험하면서 관찰하거나 측정해야 할 것이 무엇인지 확인하고 실험에 필요한 준비물, 실험 과정, 모둠 구성원의 역할 등을 정한다.
└ 구체적으로 정한다.

용어

● **변인** 성질 · 모습 · 상태 등이 변하게 하는 원인.

4. 실험 해 보기 교과서속 탐구 12쪽

① 실험은 변인을 통제하면서 계획한 과정대로 진행해야 한다.

② 실험을 하는 동안 관찰하거나 측정한 내용은 바로 빠짐없이 기록하고, 실험 결과가 예상과 다르더라도 고치거나 빼지 않는다.

5. 실험 결과를 ●변환하고 해석하기

(1) **자료 변환** 관찰한 내용이나 측정한 결과에서 얻은 자료를 기록하고, 자료의 의미를 해석할 수 있도록 표나 그래프 등으로 정리하는 것이다. 자료 변환을 하면 실험 결과로 얻은 자료의 특징을 한눈에 비교하기 쉽다.
└ 실험 결과를 가장 효과적으로 전달할 수 있는 방법을 정한다.

① 표는 많은 양의 자료를 한눈에 알아보기 쉽게 나타낼 수 있다.

② 그래프는 실험 조건과 결과의 관계를 한눈에 알아보기 쉽게 나타낼 수 있다.

③ 그림은 사물의 모양이나 자연 현상을 이해하기 쉽게 표현할 수 있다.

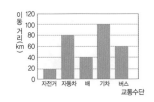

〈한 시간 동안 여러 교통수단이 이동한 거리〉

▲ 막대그래프: 막대의 길이로 자료의 값을 표현한다.

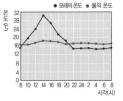

〈하루 동안 지면과 수면의 온도 변화〉

▲ 꺾은선그래프: 점 또는 선으로 자료의 값을 표현한다.

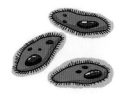

〈짚신벌레 영구 표본을 현미경으로 본 모습〉

▲ 그림: 사물의 모양이나 자연 현상을 이해하기 쉽게 표현한다.

막대그래프로 자료 변환할 때 주의할 점
• 막대그래프의 막대는 자료를 표현하기 때문에 막대가 그래프의 전체적인 공간에서 중심에 위치해야 한다.
• 막대가 나타내는 항목 간에 비교가 가능하도록 분명하게 나타내야 한다.

(2) **자료 해석** 실험 결과를 보고 알 수 있는 점을 생각하고, 자료 사이의 관계나 규칙을 찾아내는 과정이다.

① 실험에서 다르게 한 조건과 실험 결과와의 관계에서 규칙을 발견한다. 규칙에서 벗어나는 경우가 있다면 그 까닭이 무엇인지 분석한다.

② 실험 조건을 통제했는지, 실험 과정과 측정 방법에는 이상이 없는지 확인한다.

6. 결론 내리기

(1) **결론 도출** 실험 결과를 보고 나의 가설이 맞는지 판단하고, 탐구 문제의 해답을 찾아 정리한다. 결론 도출은 탐구 활동 전체에 대한 정리 단계이다.

(2) **탐구를 마친 후** 결론 도출로 탐구를 마치면 결론을 뒷받침하는 추가 실험을 하거나, 새로운 가설을 세우고 실험을 하기도 한다.

① 실험 결과가 나의 가설과 같다면, 이를 토대로 탐구 문제의 답을 정리해 결론을 내린다.

② 실험 결과가 나의 가설과 다르다면, 가설을 수정하여 탐구를 다시 시작해야 한다.

교과서 속 탐구

🔖 효모의 발효 조건 알아보기 🔖

과정

1. 비커(50 mL)에 물 20 mL, 설탕 두 숟가락, 효모 두 숟가락을 넣고 유리 막대로 저어 효모액을 만든다.
2. 스포이트를 이용해 눈금이 있는 시험관 두 개에 효모액을 각각 5 mL씩 넣는다.
3. 비커(500 mL) 두 개에 차가운 물과 따뜻한 물을 각각 400 mL씩 넣고, 가열용 시험관대를 걸친다.
4. 가열용 시험관대에 2의 시험관을 각각 담그고, 시험관에서 일어나는 변화를 관찰한다.
5. 15분 뒤에 시험관을 꺼내 효모액의 부피를 측정한다.

결과

▶ **실험을 하면서 관찰한 내용을 글과 그림으로 나타내기**

글	그림
• 차가운 물에 담근 시험관: 거품이 생기지 않는다. 아랫부분에 가라앉은 것이 있다. • 따뜻한 물에 담근 시험관: 기포가 올라온다. 거품이 생긴다. 구수한 냄새가 난다.	▲ 차가운 물에 담근 시험관　　▲ 따뜻한 물에 담근 시험관

반복하여 실험하면 더 정확한 실험 결과를 얻을 수 있어.

▶ **효모액의 부피 측정하기**

효모액의 부피(mL)	차가운 물	따뜻한 물
처음	5	5
15분 뒤	5	9

알 수 있는 사실 ▶ 효모액은 차가운 물보다 따뜻한 물에서 더 잘 발효된다.

탐구 문제

 ⟳정답과 해설 2쪽

1 다음은 '효모는 차가운 곳보다 따뜻한 곳에서 더 잘 발효할 것이다.'라는 가설에 따라 실험을 한 결과입니다. 표에 알맞게 정리하여 쓰시오.

> • 차가운 물에 담근 시험관의 처음 효모액의 부피는 5 mL였고, 15분 뒤에도 역시 5 mL였다.
> • 따뜻한 물에 담근 시험관의 처음 효모액의 부피는 5 mL였는데, 15분 뒤에는 9 mL로 높아졌다.

효모액의 부피(mL)	차가운 물	따뜻한 물
처음	㉠	㉡
15분 뒤	㉢	㉣

2 앞 **1**번의 실험 결과를 보고, 그래프로 나타내려고 합니다. 그래프의 가로축과 세로축에 무엇을 나타내면 좋을지 각각 **보기**에서 골라 기호를 쓰시오.

> **보기**
> ㉠ 시험관의 크기
> ㉡ 설탕과 효모의 무게
> ㉢ 효모액의 부피 변화
> ㉣ 비커에 담은 물의 부피
> ㉤ 시험관을 담근 물의 온도

(1) 그래프의 가로축: (　　　　　　)
(2) 그래프의 세로축: (　　　　　　)

1 다음은 재아가 아빠와 빵 반죽을 만드는 모습입니다. 궁금한 점이 생긴 재아에게 가장 과학적인 방법을 제시한 사람의 이름을 쓰시오.

아빠의 빵 반죽은 발효되어 부풀었는데, 제 빵 반죽은 왜 발효가 되지 않은 걸까요?

빵 반죽이 발효될 때까지 기다려 보자.

저는 빵 반죽을 냉장고에 넣을래요.

- 윤미: 아빠의 빵 반죽으로만 빵을 만들면 돼.
- 정아: 반죽을 보고 탐구 결과를 정리할 수 있어.
- 현준: 궁금한 점에 대해 탐구 문제를 정하고 가설을 세워 봐.

( )

2 가설 설정에 대한 설명으로 옳은 것은 어느 것입니까? ( )

① 탐구를 직접 설계하는 것이다.
② 탐구 과정을 결정하는 것이다.
③ 탐구 문제를 명확하게 나타내는 것이다.
④ 탐구 문제에 대한 답을 예상하는 것이다.
⑤ 문제 현상에 대한 결론을 도출하는 것이다.

3 실험 결과를 기록하는 방법에 대한 설명으로 옳지 않은 것을 보기에서 골라 기호를 쓰시오.

보기

㉠ 결과를 고치지 않는다.
㉡ 측정한 내용을 바로 기록한다.
㉢ 결과가 예상과 같을 때에만 기록한다.

( )

4 실험을 통해 얻은 결과를 자료 변환하면 좋은 점에 대한 설명으로 옳은 것을 보기에서 골라 기호를 쓰시오.

보기

㉠ 실험 결과를 한눈에 비교하기 쉽다.
㉡ 실험 결과를 다른 사람들이 알아보지 못한다.
㉢ 실험 결과를 내가 원하는 값으로 변경할 수 있다.

( )

5 자료를 해석할 때 실험 과정을 되짚어 보려고 합니다. 확인할 내용을 잘못 말한 사람의 이름을 쓰시오.

- 준호: 관찰 횟수는 되도록 적은 게 좋아.
- 아영: 측정 방법이 올바른지 확인해야 해.
- 보라: 실험 조건을 통제하여 실험했는지 확인해.

( )

6 다음은 실험을 하여 결과를 얻은 후에 할 일에 대한 설명입니다. ( ) 안에 들어갈 알맞은 말을 쓰시오.

결과를 보고 (㉠)이/가 맞는지 판단한 뒤 (㉡)을/를 도출한다.

㉠ ( ), ㉡ ( )

정답과 해설 2쪽

1 탐구 문제를 정하고 가설을 세울 때 생각할 점에 대해 옳게 말한 사람의 이름을 쓰시오.

> • 석호: 어려운 과학 용어를 많이 넣어서 표현해.
> • 아영: 탐구를 하여 알아보려는 내용이 복잡하게 드러나야 해.
> • 지원: 탐구를 하여 내가 세운 가설이 맞는지 확인할 수 있어야 해.

(   )

2 다음은 선준이네 모둠에서 세운 실험 계획입니다. (가)와 (나)에 들어갈 내용을 분류하여 기호를 쓰시오.

가설	효모는 차가운 곳보다 따뜻한 곳에서 더 잘 발효할 것이다.	
실험 방법	효모와 설탕을 물에 녹여 효모액을 만들어 시험관에 넣은 뒤, 차가운 물과 따뜻한 물을 넣은 비커에 시험관을 각각 담그고 발효한 정도를 알아본다.	
실험 조건	다르게 해야 할 조건	같게 해야 할 조건
	(가)	(나)

> ㉠ 비커에 넣을 물의 양
> ㉡ 물에 녹일 설탕의 양
> ㉢ 실험 시간과 실험 장소
> ㉣ 시험관을 담글 물의 온도
> ㉤ 시험관에 넣을 효모액의 양

(가) (   ), (나) (   )

3 위 **2**번과 같은 실험 계획에 따라 실험을 하면서 관찰하거나 측정해야 할 것에 모두 ○표 하시오.

(1) 효모의 부피 변화를 측정한다. (   )

(2) 시험관에서 일어나는 변화를 관찰한다. (   )

(3) 비커 안 물의 온도 변화를 온도계로 측정한다.

(   )

4 다음은 시험관을 담근 물의 온도에 따른 효모액의 부피 변화를 측정한 결과표입니다. 표를 막대그래프로 변환하여 나타내고, 그래프의 제목을 쓰시오.

효모액의 부피(mL)	차가운 물	따뜻한 물
처음	5	5
15분 뒤	5	7

(1) 그래프로 나타내기

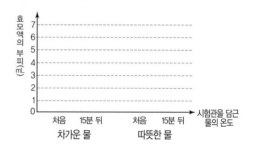

(2) 그래프의 제목: _____

_____

5 위 **4**번 그래프를 보고 알 수 있는 사실을 한 가지 쓰시오.

_____

_____

6 탐구를 한 뒤 더 알고 싶은 내용이 생긴 주연이가 할 행동으로 가장 과학적인 방법을 보기 에서 골라 기호를 쓰시오.

> **보기**
> ㉠ 탐구 결론을 내린다.
> ㉡ 탐구 문제를 정하고 가설을 설정한다.
> ㉢ 직접 탐구는 하지 않고 머릿속으로 과정만 생각해 본다.

(   )

1 궁금한 점이 생겼을 때에는 탐구 문제를 정한 후 가설 설정을 해야 합니다. 가설 설정이란 무엇인지 쓰고, 가설은 어떻게 세울 수 있는지 함께 쓰시오.

_____

_____

2 효모의 발효 조건을 확인하기 위해 '효모는 차가운 곳보다 따뜻한 곳에서 더 잘 발효할 것이다.'라는 가설을 세웠습니다. 가설이 맞는지 확인하기 위해 그림으로 나타낸 것을 보고, 잘못된 부분은 무엇인지 쓰시오.

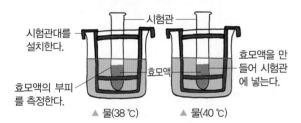

_____

_____

3 위 **2**번의 실험 계획을 알맞게 수정하여 주성이와 희영이가 실험을 하고 있습니다. 희영이가 다음과 같이 말한 까닭을 실험과 관련지어 쓰시오.

_____

_____

4 자료를 변환하여 표로 나타낼 때와 그래프로 나타낼 때의 장점을 한 가지씩 쓰시오.

_____

_____

5 다음은 한 시간 동안 여러 교통수단이 이동한 거리를 조사하여 작성한 막대그래프입니다. 그래프를 보고, 알 수 있는 점을 한 가지 쓰시오.

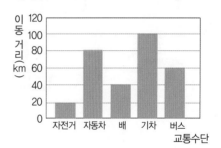

_____

_____

6 탐구 문제를 정한 후 실험을 통해 얻은 결과를 보고 결론을 내리려고 합니다. 실험 결과가 나의 가설과 같을 때와 다를 때 어떻게 해야 하는지 쓰시오.

_____

_____

2

지구와 달의 운동

지구와 달은
어떤 운동을
하고 있을까?

**선수
학습**

• 3～4학년군 지구의 모습
• 5～6학년군 태양계와 별

**이 단원의
학습**

• 5～6학년군 지구와 달의 운동

**후속
학습**

• 5～6학년군 계절의 변화
• 중학교 1～3학년군 태양계

지구의 자전

개념 강의

만화로 보는 '지구의 자전'

밤이 쫓아 온다!

내가 돌고 있는 것뿐.

시계 반대 방향

▲ 옆에서 볼 때   ▲ 위에서 볼 때

지구가 서쪽에서 동쪽으로 회전하는 것을 북극 위에서 보면, 지구는 시계 반대 방향으로 회전하는 것처럼 보인다.

1. 하루 동안 지구의 움직임

지구의 북극과 남극을 이은 가상의 직선을 지구의 자전축이라고 한다. 지구가 이 자전축을 중심으로 하루에 한 바퀴씩 서쪽에서 동쪽(시계 반대 방향)으로 회전하는 것을 지구의 자전이라고 한다.

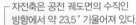
자전축은 공전 궤도면의 수직인 방향에서 약 23.5° 기울어져 있다.

▲ 지구의 자전

Mini 탐구 하루 동안 지구의 움직임

과정

1. 지구의에서 우리나라의 동쪽, 서쪽, 남쪽, 북쪽에 붙임딱지를 붙인다.
2. 우리나라 위치에 관측자 모형이 남쪽을 향하도록 붙인다.
3. 전등을 관측자 모형의 앞쪽에 위치하도록 지구의로부터 30 cm 떨어진 곳에 놓는다.
4. 지구의가 서쪽에서 동쪽으로 회전할 때 지구의 위에 있는 관측자 모형에게 전등이 어떻게 움직이는 것처럼 보이는지 관찰한다.

결과

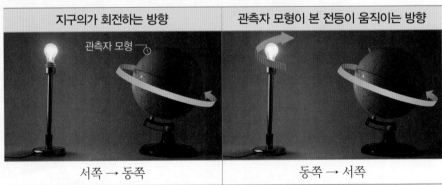

지구의가 회전하는 방향	관측자 모형이 본 전등이 움직이는 방향
서쪽 → 동쪽	동쪽 → 서쪽

• 지구의가 서쪽에서 동쪽으로 회전할 때 지구의 위에 있는 관측자 모형에게 전등이 동쪽에서 서쪽으로 움직이는 것처럼 보인다.

• 지구가 서쪽에서 동쪽(시계 반대 방향)으로 자전하기 때문에 지구에 있는 우리에게는 태양이 하루 동안 지구 자전의 반대 방향인 동쪽에서 서쪽으로 움직이는 것처럼 보인다.

2. 하루 동안 태양과 달의 위치 변화

(1) 하루 동안 태양의 움직임   태양은 동쪽 하늘에서 보이기 시작하여 남쪽 하늘을 지나 서쪽 하늘로 움직인다. 실제로 태양이 움직이는 것이 아니라 지구가 서쪽에서 동쪽으로 자전하기 때문에 지구에 있는 우리가 볼 때에는 태양이 동쪽에서 서쪽으로 움직이는 것처럼 보이는 것이다.

태양의 움직임
지구는 하루에 한 바퀴씩 서쪽에서 동쪽으로 자전하므로 태양은 한 시간에 약 15°씩 동쪽에서 서쪽으로 움직이는 것처럼 보인다.
$(360° \div 24 = 15°)$

▲ 하루 동안 일어나는 태양의 위치 변화

(2) 하루 동안 달의 움직임   달과 별도 태양과 마찬가지로 하루 동안 동쪽 하늘에서 남쪽 하늘을 지나 서쪽 하늘로 움직인다. 하루 동안 달과 별의 위치가 달라지는 까닭도 지구가 서쪽에서 동쪽으로 자전하기 때문이다.

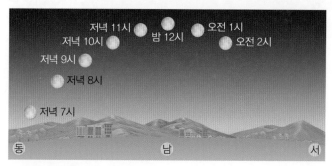

▲ 하루 동안 일어나는 달의 위치 변화

3. 하루 동안 생기는 낮과 밤

지구는 하루에 한 바퀴씩 자전하면서 태양 빛을 받는 쪽은 낮이 되고, 태양 빛을 받지 못하는 쪽은 밤이 된다. 이 때문에 낮과 밤이 하루에 한 번씩 번갈아 나타난다. 교과서속 **탐구** 20쪽

낮과 밤의 구분
• 낮은 태양이 동쪽에서 떠오를 때부터 서쪽으로 완전히 질 때까지의 시간이다.
• 밤은 태양이 서쪽으로 진 때부터 다시 동쪽에서 떠오르기 전까지의 시간이다.

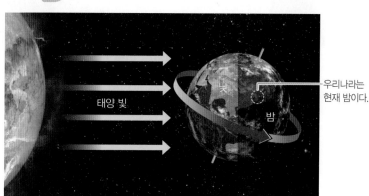

▲ 지구의 낮과 밤

교과서 속 탐구

" 낮과 밤이 생기는 까닭 알아보기 "

과정

1. 전등으로부터 30 cm 떨어진 곳에 지구의를 놓는다.
2. 지구의의 우리나라 위치에 관측자 모형을 붙인다.
3. 전등을 켜고 지구의를 서쪽에서 동쪽(시계 반대 방향)으로 천천히 돌린다.
4. 우리나라가 낮일 때와 밤일 때 관측자 모형은 어디에 있는지 관찰한다.

결과 ▶ **우리나라가 낮일 때와 밤일 때 관측자 모형의 위치**

우리나라가 낮일 때	우리나라가 밤일 때
관측자 모형이 전등 빛을 받는 쪽에 있어 낮이 된다.	관측자 모형이 전등 빛을 받지 못하는 쪽에 있어 밤이 된다.

지구의를 돌리는 것은 지구의 자전을 나타내.

알 수 있는 사실 ▶ 지구의가 돌면서 우리나라가 전등 빛을 받으면 낮이 되고, 우리나라가 전등 빛을 받지 못하면 밤이 된다.

 탐구 문제

↻정답과 해설 4쪽

1 지구의의 우리나라 위치에 관측자 모형을 붙인 후 지구의를 돌리면서 우리나라가 낮일 때와 밤일 때 관측자 모형의 위치를 확

인하려고 합니다. 이 탐구에 대한 설명으로 옳은 것에 ○표, 옳지 <u>않은</u> 것에 ×표 하시오.

(1) 지구의를 서쪽에서 동쪽으로 돌린다. (   )

(2) 우리나라가 밤일 때 관측자 모형이 전등을 향한다. (   )

(3) 우리나라가 낮일 때 관측자 모형이 전등 빛을 받고, 밤일 때 전등 빛을 받지 못한다. (   )

2 지구의의 우리나라 위치에 관측자 모형을 붙인 후 오른쪽과 같이 지구의를 반바퀴 돌렸을 때 관측자 모형의 위치를 그리고, 관

측자 모형이 있는 쪽이 현재 낮인지 밤인지 쓰시오.

(1) 관측자 모형의 위치

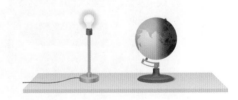

(2) 관측자 모형이 있는 쪽: (   )

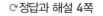

1 다음 지구 그림에 지구의 자전 방향을 화살표로 나타내고, ( ) 안에 들어갈 알맞은 말을 쓰시오.

서

동

> 지구는 하루에 (㉠) 바퀴씩 (㉡)
> 쪽에서 (㉢)쪽으로 자전한다.

㉠ ( ), ㉡ ( )
㉢ ( )

2 지구의의 우리나라 위치에 관측자 모형이 남쪽을 향하도록 붙인 후, 관측자 모형의 앞쪽에 놓은 전등을 켜고 지구의를 서쪽에서 동쪽으로 회전하였습니다. 관측자 모형이 본 전등이 움직이는 것처럼 보이는 방향을 쓰시오.

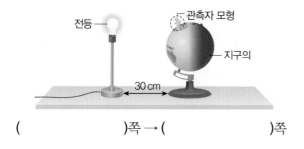

전등

관측자 모형

지구의

30 cm

( )쪽 → ( )쪽

3 위 **2**번 탐구 결과를 보고 알 수 있는 사실로 옳은 것을 보기 에서 두 가지 골라 기호를 쓰시오.

> 보기
> ㉠ 우리나라가 전등 빛을 받으면 밤이 된다.
> ㉡ 관측자 모형이 전등 빛을 받는 쪽에 있을 때 우리나라가 낮이 된다.
> ㉢ 지구의가 돌면서 전등 빛을 받는 부분과 받지 못하는 부분이 생긴다.

( )

4 다음은 선주가 하루 동안 태양의 위치 변화를 관찰하여 기록한 관찰 기록장입니다. 태양의 위치가 변하는 까닭으로 알맞은 말을 ( ) 안에 써넣으시오.

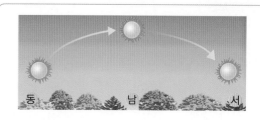

동 남 서

> • 태양의 위치 변화: 동쪽 → 남쪽 → 서쪽
> • 위치가 변하는 까닭: ( )

5 저녁 7시 무렵에 동쪽 하늘에서 달을 관측한 후 같은 장소에서 일정한 시간 간격으로 달을 관측한 내용을 옳게 말한 사람의 이름을 쓰시오.

동 남 서

> • 연화: 시간이 지나도 달의 위치는 변하지 않아.
> • 준민: 동쪽 하늘에서 서쪽 하늘을 지나 남쪽 하늘로 움직이는 것처럼 보여.
> • 보희: 실제로 달이 움직이는 것은 아니고, 지구가 움직이는 거야.

( )

6 지구의 자전으로 낮과 밤이 어떻게 나타나는지 쓰시오.

지구의 공전

만화로 보는
'지구의 공전'

아무리 돌아도
태양을 벗어날
수 없어.

돌아!
돌아!

용어

• 주기 회전하는 물체가 한 번 돌아
서 본래의 위치로 오기까지의 시간.

1. 지구의 공전

(1) **일 년 동안 지구의 움직임** 지구는 자전하면서 동시에 태양을 중심으로 일
정한 길을 따라 회전한다. 이처럼 지구가 태양을 중심으로 일 년에 한 바퀴
씩 서쪽에서 동쪽(시계 반대 방향)으로 회전하는 것을 지구의 공전이라고
한다.

(2) **지구의 운동 주기** 지구의 공전 주기는 일 년, 자전 주기는 하루이므로, 한
번 공전하는 동안 약 365번 자전하게 된다.

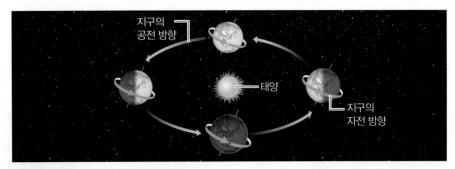

지구의
공전 방향

태양

지구의
자전 방향

▲ 지구의 자전과 공전

Mini 탐구 일 년 동안의 지구의 움직임 알아보기

과정

1. 전등으로부터 30 cm 정도 떨어진 곳에 지구의를 놓은
후 우리나라 위치에 관측자 모형을 붙이고 전등을 켠다.

2. 전등을 중심으로 지구의를 (가) → (나) → (다) → (라) 위치에
순서대로 옮기면서 우리나라가 한밤이 되도록 지구의를
자전시켰을 때 관측자 모형에게 보이는 교실의 모습을
관찰한다.

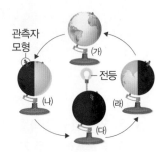

관측자
모형

(가)

전등

(나)

(다)

(라)

결과 각각의 위치에서 보이는 교실의 모습 예

(가)	(나)	(다)	(라)
게시판, 거울	복도, 앞문과 뒷문	칠판, 텔레비전	창문, 운동장, 사물함

• 지구의가 놓인 위치에 따라 우리나라가 한밤일 때 향하는 곳이 달라지기 때문에 각 위치
에서 관측자 모형에게 보이는 교실의 모습이 다르다.

2. 계절에 따른 별자리의 변화 24쪽

(1) **계절별 별자리** 지구가 태양 주위를 공전하기 때문에 계절에 따라 지구의 위치가 달라지고, 달라진 지구의 위치에 따라 밤에 보이는 별자리가 다르다. 계절에 따라 잘 보이는 별자리를 그 계절의 대표적인 별자리라고 한다.

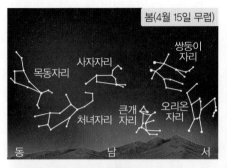

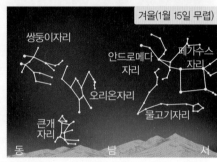

▲ 계절에 따라 저녁 9시 무렵에 하늘에서 볼 수 있는 별자리

(2) **계절에 따른 별자리의 변화** 별자리들은 한 계절에만 보이는 것이 아니라 두 계절이나 세 계절에 걸쳐 보인다. 봄철의 대표적인 별자리인 사자자리는 겨울철 저녁 9시 무렵에는 동쪽 하늘에 보이지만, 여름철에는 서쪽 하늘에 보인다. 사자자리는 겨울, 봄, 여름의 세 계절에 걸쳐 모두 보인다.

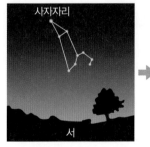 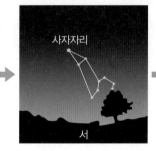 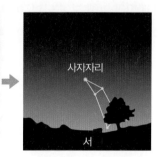

▲ 보름 간격으로 같은 시각에 관측한 사자자리의 위치 변화: 여러 날 동안 같은 시각에 관측한 별자리의 위치는 하루에 약 1°씩 서쪽으로 이동한다.

3. 지구의 공전과 계절의 변화

지구는 자전축이 지구 공전 궤도의 수직인 면에 대해 약 23.5° 기울어진 채로 자전과 공전을 한다. 지구가 태양 주위를 회전할 때 달라진 지구의 위치에 따라 태양 빛을 받는 양이 달라져 계절의 변화가 생긴다.

" 계절에 따라 보이는 별자리가 달라지는 까닭 "

과정

1. 전등을 가운데에 두고, 네 사람이 원을 그리며 전등 주위에 선 후 계절 순서에 맞게 각 계절의 대표적인 별자리 그림을 전등 쪽으로 든다.

2. 전등으로부터 30 cm 떨어진 곳에 놓은 지구의의 우리나라 위치에 관측자 모형을 붙이고 전등을 켠 후, 자전축이 같은 방향을 향하도록 하면서 지구의를 서쪽에서 동쪽(시계 반대 방향)으로 공전시킨다.

3. 각각의 위치에서 우리나라가 한밤일 때 관측자 모형에게 가장 잘 보이는 별자리를 찾는다.

결과

▶ 우리나라가 한밤일 때 관측자 모형에게 가장 잘 보이는 별자리

지구의의 위치	(가)	(나)	(다)	(라)
관측자 모형에게 가장 잘 보이는 별자리	사자자리	거문고자리	페가수스자리	오리온자리

알 수 있는 사실

▶ 지구의의 위치에 따라 밤에 보이는 별자리가 다르다.

▶ 지구의 공전으로 위치가 달라지면 계절에 따라 보이는 별자리가 달라진다.

↪정답과 해설 5쪽

1 위 (가), (나), (다), (라) 각각의 위치에서 우리나라가 한밤일 때 관측자 모형에게 가장 잘 보이는 별자리가 달라지는 까닭으로 가장 알맞은 것에 ○표 하시오.

(1) 지구의에 전등 빛이 비춰지지 않기 때문이다.

( )

(2) 지구의에 붙인 관측자 모형이 항상 전등을 향하기 때문이다. ( )

(3) 지구의의 위치에 따라 밤에 향하는 방향이 달라지기 때문이다. ( )

2 위 탐구 중 우리나라 위치에 붙인 관측자 모형이 사자자리를 잘 볼 수 있는 위치에 있을 때 페가수스자리는 볼 수 없습니다. 그 까닭을 쓰시오.

_____

_____

_____

확인 문제

정답과 해설 5쪽

1 다음은 지구의 공전에 대한 설명입니다. ( ) 안에 들어갈 알맞은 말을 쓰시오.

> 지구는 (㉠)을/를 중심으로 (㉡)에 한 바퀴씩 회전한다.

㉠ (   ), ㉡ (   )

2 지구의 공전 방향을 옳게 나타낸 것의 기호를 쓰시오.

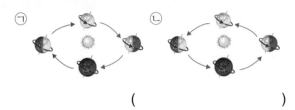

(   )

3 다음은 지구의의 우리나라 위치에 관측자 모형을 붙이고 전등을 켠 모습입니다. 전등을 중심으로 지구의를 (가), (나), (다), (라) 위치로 순서대로 옮기면서 우리나라가 한밤이 되도록 지구의를 자전시켰을 때 관측자 모형에게 보이는 모습에 대한 설명으로 옳은 것에 ○표 하시오.

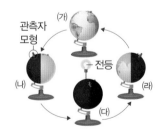

(1) (가)에서 보이는 모습만 다르다. (   )

(2) (다)와 (라)에서 보이는 모습이 같다. (   )

(3) (가), (나), (다), (라)에서 보이는 모습이 모두 다르다.
(   )

(4) (가)와 (다)에서 보이는 모습이 같고, (나)와 (라)에서 보이는 모습이 같다. (   )

4 계절에 따라 보이는 별자리가 달라지는 까닭을 옳게 말한 사람의 이름을 쓰시오.

> • 수진: 지구가 자전하기 때문이야.
> • 호정: 지구가 공전하면서 달라진 위치에 따라 밤에 보이는 별자리가 달라지기 때문이야.
> • 지나: 태양과 같은 방향에 있는 별자리만 밝게 보이기 때문이야.

(   )

5 다음은 전등을 가운데에 두고, 네 사람이 원을 그리며 전등 주위에 선 후 계절 순서에 맞게 각 계절의 대표적인 별자리 그림을 전등 쪽으로 든 것입니다. 지구의의 각각의 위치에서 우리나라가 한밤일 때 우리나라 위치에 붙인 관측자 모형에게 가장 잘 보이는 별자리를 쓰시오.

㉠ (   ), ㉡ (   )

㉢ (   ), ㉣ (   )

6 오른쪽과 같은 봄철 대표적인 별자리인 사자자리를 저녁 9시 무렵에 남쪽 하늘에서 보았습니다. 겨울철 같은 시각에는 어느 쪽 하늘에서 볼 수 있는지 쓰시오.

(   )

3

개념 강의

달의 모양과 위치 변화

만화로 보는
'달'

만화로 보는
'달'

다시 다이어트다! 15일 뒤에 보자.

약 13일 전

1. 여러 날 동안 달의 모양 변화

① 여러 날 동안 달의 모양은 약 30일을 주기로 오른쪽 부분이 보이기 시작하면서 15일 동안 점점 왼쪽으로 커져 보름달이 된다. 이후 15일 동안 오른쪽 부분이 점점 보이지 않게 되면서 작아진다.

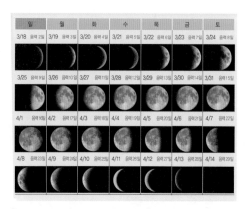

② 달은 모양에 따라 눈썹 모양의 달 ▲ 30일 동안 관측한 달의 모양 변화 ⑩
은 초승달, 오른쪽이 불룩한 모양의 달은 상현달, 공처럼 달의 모습이 모두 보이는 달은 보름달, 왼쪽이 불룩한 모양의 달은 하현달, 초승달의 반대 모양의 달은 그믐달이라고 한다.

③ 달은 음력 2~3일 무렵에는 초승달, 음력 7~8일 무렵에는 상현달, 음력 15일 무렵에는 보름달, 음력 22~23일 무렵에는 하현달, 음력 27~28일 무렵에는 그믐달을 순서대로 볼 수 있다. 오늘 밤에 보름달을 보았다면 약 30일 후에 다시 보름달을 볼 수 있다.

초승달 → 상현달 → 보름달 → 하현달 → 그믐달

▲ 여러 날 동안 관찰한 달의 모양 변화

지구와 달의 크기 비교

▲ 지구   ▲ 달

달의 반지름은 약 1738 km이고, 지구의 반지름은 약 6400 km이므로 달의 반지름은 지구 반지름의 약 $\frac{1}{4}$이다.

용어
• **본그림자** 광원으로부터 빛을 전혀 받지 못하여 아주 깜깜하게 나타나는 그림자.

용어
• **반그림자** 광원에서 나오는 빛이 물체를 비추었을 때 생기는 그림자 중에서 빛이 부분적으로 도달하는 침침한 부분.

심화 **일식과 월식**

일식은 달이 태양 앞으로 지나면서 태양의 일부 또는 전체를 가리는 현상이다. 일식은 태양, 달, 지구 순으로 일직선상에 놓일 때 일어난다.

월식은 달이 지구의 그림자 속으로 들어가 달의 일부가 보이지 않거나 전체가 가려지는 현상이다.

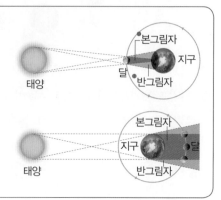

2. 여러 날 동안 달의 위치 변화

① 여러 날 동안 같은 시각, 같은 장소에서 관측한 달은 모양뿐 아니라 위치도 달라진다. 달은 서쪽에서 동쪽으로 날마다 조금씩 위치를 옮겨 간다.

② 태양이 진 직후(저녁 7시 무렵)에 초승달은 서쪽 하늘에서 보이고, 상현달은 남쪽 하늘, 보름달은 동쪽 하늘에서 보인다. _{교과서속} **탐구 28쪽**

└ 달은 하루에 약 13°씩 서쪽에서 동쪽으로 이동한다.

초승달의 위치(음력 2~3일 무렵)

상현달의 위치(음력 7~8일 무렵)

보름달의 위치(음력 15일 무렵)

▲ 태양이 진 직후(저녁 7시 무렵) 달의 위치와 모양 변화

보충 플러스 **달을 볼 수 있는 시간의 차이**

달은 낮에도 떠 있지만 태양 빛이 밝아 보이지 않기 때문에 달은 해가 진 후부터 해 뜨기 전까지 관측할 수 있다. 태양에서 동쪽으로 45° 떨어진 곳에 있는 초승달은 태양보다 3시간 늦게 뜨고 3시간 늦게 지기 때문에 태양이 진 직후 서쪽 하늘에서 잠깐 보인다. 태양에서 동쪽으로 90° 떨어진 곳에 있는 상현달은 태양이 남쪽에 있는 낮 12시에 뜨고 밤 12시에 진다. 태양에서 동쪽으로 180° 떨어져 있는 보름달은 태양이 질 때 뜨고 태양이 뜰 때 지기 때문에 밤하늘에서 오랜 시간 볼 수 있다.

③ 달은 한 달에 한 바퀴씩 지구 주위를 공전하기 때문에 여러 날 동안 같은 시각, 같은 장소에서 달을 관측하면 달의 모양과 위치가 변한다.

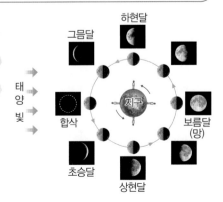

교과서 속 탐구

"여러 날 동안 달의 위치 관측하기"

과정

1. 달을 관측하려는 장소에서 나침반을 이용하여 동쪽, 남쪽, 서쪽을 확인한다.
2. 남쪽을 중심으로 주변 건물이나 나무 등의 위치를 표시한다.
3. 저녁에 시간을 정해 놓고 남쪽 하늘을 보면서 달의 위치와 모양을 관측하여 기록한다.
4. 같은 방법으로 여러 날 동안 같은 시각에 달의 위치와 모양을 관측하여 기록한다.

결과

▶ **여러 날 동안 같은 시각, 같은 장소에서 관측한 달의 위치와 모양** 예

| 관측한 날짜 | ○월 17 ~ 29일 | 관측한 장소 | 호수 공원 | 관측한 시각 | 저녁 7시 |

주의!

여러 날 동안 달의 위치 변화를 관측할 때에는 초승달, 상현달, 보름달이 뜨는 기간인 약 15일 동안 2~3일에 한 번씩 관측한다.

알 수 있는 사실

▶ 달이 서쪽에서 동쪽으로 날마다 조금씩 위치를 옮겨 갔다.
▶ 달이 초승달에서 상현달, 보름달로 모양이 변했다.

탐구 문제

정답과 해설 5쪽

1 위 탐구와 같이 여러 날 동안 달의 위치와 모양 변화를 관측하는 방법으로 옳은 것에 ○표, 옳지 <u>않은</u> 것에 ×표 하시오.

(1) 북쪽 하늘을 보면서 관측한다. ( )

(2) 매일 같은 장소에서 다른 시각에 관측한다.

( )

(3) 달을 관측하기 전에 나침반을 이용하여 동쪽, 남쪽, 서쪽을 확인한다. ( )

(4) 남쪽을 중심으로 주변 건물이나 나무 등의 위치를 표시해 두면 달의 위치를 파악하기 쉽다.

( )

2 다음은 음력 2일부터 약 15일 동안 2~3일에 한 번씩 같은 시각, 같은 장소에서 관측한 달의 위치와 모양입니다. 달을 관측한 순서대로 기호를 쓰시오.

( ) → ( ) → ( ) → ( )

1 다음 달의 이름에 해당하는 달의 모양을 알맞게 그리시오.

(1) 초승달	(2) 상현달	(3) 보름달

2 여러 날 동안 달의 모양 변화에 대한 설명으로 옳은 것을 보기 에서 골라 기호를 쓰시오.

보기
> ㉠ 초승달에서 7~8일이 지나면 점점 커져 하현달이 된다.
> ㉡ 보름달이 지나면서 왼쪽이 점점 보이지 않게 된다.
> ㉢ 오른쪽 부분이 보이기 시작하면서 15일 동안 점점 커지다가 이후 15일 동안 점점 작아진다.

(   )

3 다음과 같이 초승달의 반대 모양의 달은 음력 며칠 무렵 볼 수 있는지 쓰시오.

음력 (   )일 무렵

4 오늘밤에 다음과 같은 달을 보았습니다. 약 12일 후에 볼 수 있는 달의 이름을 쓰시오.

(   )

5 여러 날 동안 같은 시각, 같은 장소에서 관측한 달의 위치 변화에 대해 다음 (   ) 안에 들어갈 알맞은 말을 쓰시오.

> 달은 (㉠   )쪽에서 (㉡   )쪽으로 날마다 조금씩 위치가 달라진다.

㉠ (   ), ㉡ (   )

6 음력 2일부터 음력 15일까지 태양이 진 직후에 같은 장소에서 달을 관측한 순서에 알맞게 (   ) 안에 번호를 쓰시오.

(1)

(   )

(2)

(   )

(3)

(   )

1 지구의 자전에 의해 나타나는 현상에 대한 설명으로 옳은 것을 **보기** 에서 두 가지 골라 기호를 쓰시오.

보기

㉠ 달의 크기가 다르게 보인다.

㉡ 계절에 따라 보이는 별자리가 달라진다.

㉢ 하루에 한 번씩 낮과 밤이 번갈아 나타난다.

㉣ 실제로 별이 동쪽에서 서쪽으로 움직이게 된다.

㉤ 하루 동안 태양이 동쪽에서 남쪽을 지나 서쪽으로 움직이는 것처럼 보인다.

(   )

2 지구의의 우리나라 위치에 관측자 모형이 남쪽을 향하도록 붙인 후, 지구의로부터 30 cm 떨어진 곳에 놓은 전등을 켰습니다. 지구의를 서쪽에서 동쪽으로 돌릴 때 전등을 본 관측자 모형의 생각으로 옳은 것에 ○표 하시오.

(1) '전등이 가만히 있는 것처럼 보여.' (   )

(2) '전등이 동쪽에서 서쪽으로 움직이는 것 같아.'

(   )

(3) '전등이 서쪽에서 동쪽으로 움직이는 것 같아.'

(   )

3 다음은 하루 동안 일어나는 태양의 위치 변화를 나타낸 것입니다. 이에 대한 설명으로 옳은 것을 **보기** 에서 골라 기호를 쓰시오.

보기

㉠ 실제로 태양이 움직이는 것이다.

㉡ 관측하는 위치에 따라 태양의 위치가 변하는 방향이 달라진다.

㉢ 하루 동안 태양은 동쪽에서 보이기 시작하여 남쪽을 지나 서쪽으로 이동한다.

(   )

4 다음과 같이 태양이 진 뒤에 같은 장소에서 일정한 시간 간격으로 관측한 달의 위치가 변하는 까닭을 달이 이동하는 방향과 관련지어 쓰시오.

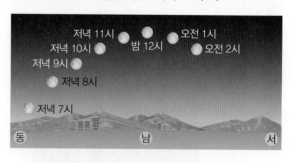

_____

_____

5 우리나라에 낮과 밤이 하루에 한 번씩 나타나는 까닭을 옳게 말한 사람의 이름을 쓰시오.

> • 형준: 지구가 하루에 두 바퀴 자전하기 때문이야.
> • 승재: 지구가 하루에 한 바퀴 자전하면서 태양 빛을 받는 쪽이 달라지기 때문이야.
> • 바율: 지구가 하루에 한 바퀴 공전하면서 태양 빛을 받는 쪽이 달라지기 때문이야.

(   )

6 다음은 자전하고 있는 지구의 모습입니다. 현재 우리나라는 태양이 서쪽으로 진 시간일 때 우리나라는 낮인지 밤인지 쓰고, ㉠과 ㉡ 중 태양이 있는 방향의 기호를 함께 순서대로 쓰시오.

(   )

7 지구의 공전에 대한 설명으로 옳지 <u>않은</u> 것을 보기 에서 골라 기호를 쓰시오.

> **보기**
> ㉠ 지구는 서쪽에서 동쪽으로 공전한다.
> ㉡ 지구가 공전하기 때문에 계절에 따라 잘 보이는 별자리가 달라진다.
> ㉢ 태양을 중심으로 하루에 한 바퀴씩 도는 것을 지구의 공전이라고 한다.

(   )

8 다음을 지구의 자전과 공전에 대한 설명으로 분류하여 기호를 쓰시오.

> ㉠ 낮과 밤이 나타난다.
> ㉡ 태양을 중심으로 회전한다.
> ㉢ 한 바퀴 회전하는 데 하루가 걸린다.
> ㉣ 한 바퀴 회전하는 데 일 년이 걸린다.
> ㉤ 약 23.5° 기울어진 자전축을 중심으로 회전한다.

(1) 지구의 자전: (   )
(2) 지구의 공전: (   )

[9~10] 다음과 같이 우리나라 위치에 관측자 모형을 붙인 지구의를 전등을 중심으로 시계 반대 방향으로 위치를 옮기려고 합니다. 물음에 답하시오.

9 지구의를 (가)→(나)→(다)→(라) 위치로 옮기는 것은 실제 지구의 어떤 운동을 나타내는지 쓰시오.

(   )

10 위 지구의를 (가), (나), (다), (라) 위치에 순서대로 옮기면서 우리나라가 한밤이 되도록 지구의를 자전시켰을 때 관측자 모형에게 보이는 교실의 모습이 다음과 같이 서로 다른 까닭을 쓰시오.

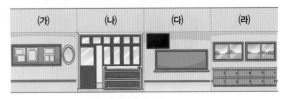

[11~13] 다음은 계절에 따라 저녁 9시 무렵에 하늘에서 볼 수 있는 별자리입니다. 물음에 답하시오.

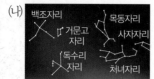

11 위 (가), (나), (다), (라)에 해당하는 계절을 각각 쓰시오.

(가) (　　　　　　　), (나) (　　　　　　　)

(다) (　　　　　　　), (라) (　　　　　　　)

12 위 (가)~(라) 계절 중 봄철 대표적인 별자리인 사자자리를 볼 수 있는 계절의 기호를 모두 쓰시오.

(　　　　　　　)

13 다음은 전등을 가운데에 두고, 각 계절의 대표적인 별자리 그림을 전등 쪽으로 들고 선 모습입니다. 우리나라 위치에 관측자 모형을 붙인 지구의를 자전축이 같은 방향을 향하도록 하면서 서쪽에서 동쪽으로 공전시킬 때 페가수스자리가 남쪽 하늘에서 가장 잘 보였습니다. 위 (가)~(라) 중 어느 때에 해당하는지 기호를 쓰시오.

(　　　　　　　)

14 다음은 지구가 태양을 중심으로 공전하는 모습을 나타낸 것입니다. ㉠ 위치에서 거문고자리가 보이지 않는 까닭을 쓰시오.

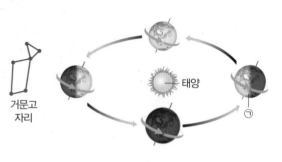

_____

_____

15 다음은 여러 날 동안 같은 시각에 페가수스자리를 관측한 결과입니다. 관측 결과로 옳은 것을 보기에서 골라 기호를 쓰시오.

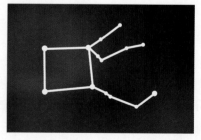

▲ 페가수스자리

보기

㉠ 가을에만 볼 수 있는 별자리이다.

㉡ 겨울철에 서쪽 하늘에서 볼 수 있다.

㉢ 봄과 여름에만 볼 수 있는 별자리이다.

㉣ 사계절 내내 북쪽 하늘에서 볼 수 있다.

(　　　　　　　)

정답과 해설 6쪽

16 다음은 4월 달력의 일부입니다. 4월 중에 보름달을 볼 수 있는 양력 날짜는 언제입니까? (   )

4월						
일	월	화	수	목	금	토
						1 음 3. 5.
2 음 3. 6.	3 음 3. 7.	4 음 3. 8.	5 음 3. 9.	6 음 3. 10.	7 음 3. 11.	8 음 3. 12.
9 음 3. 13.	10 음 3. 14.	11 음 3. 15.	12 음 3. 16.	13 음 3. 17.	14 음 3. 18.	15 음 3. 19.
16 음 3. 20.	17 음 3. 21.	18 음 3. 22.	19 음 3. 23.	20 음 3. 24.	21 음 3. 25.	22 음 3. 26.

① 4월 1일   ② 4월 6일
③ 4월 11일   ④ 4월 16일
⑤ 4월 22일

17 서진이가 달을 관측하면서 찍은 사진이 다음과 같이 잘 나오지 않았습니다. 서진이가 쓴 관측 기록장을 보고 서진이가 관측한 달에 대한 설명으로 옳은 것을 보기 에서 골라 기호와 달의 이름을 함께 쓰시오.

관측 기록장

내가 관측한 달

- 날짜: 5월 14일
- 관측 시각: 오전 6시
- 달의 모양
  눈썹 모양인 초승달의 반대 모양이다.

보기
㉠ 상현달에서 점점 작아진 것이다.
㉡ 달의 오른쪽 부분이 점점 커진다.
㉢ 달의 왼쪽 부분이 점점 더 보인다.
㉣ 음력 27 ~ 28일 무렵에 볼 수 있다.

(   )

18 낮에는 햇빛 때문에 잘 보이지 않지만 달은 계속 움직이고 있습니다. 낮 12시부터 저녁 7시 무렵까지 상현달의 움직임에 대해 쓰시오.

_____

_____

19 여러 날 동안 저녁 7시 무렵에 같은 장소에서 관측한 달에 대해 옳게 말한 사람의 이름을 쓰시오.

- 선우: 달의 모양이 항상 같아.
- 자경: 달의 모양이 달라지지만 뜨는 위치는 같아.
- 혁준: 달의 모양이 달라지고, 달이 뜨는 위치가 서쪽에서 동쪽으로 조금씩 옮겨 가.

(   )

20 다음 각각의 날짜에 저녁 7시 무렵 관측한 달의 모양과 위치에 맞게 달을 그리고 기호를 쓰시오.

㉠ 5월 6일(음력 4월 2일)
㉡ 5월 12일(음력 4월 8일)
㉢ 5월 19일(음력 4월 15일)

서술형 문제

1 다음은 하루 동안 지구의 움직임을 알아보기 위해 지구의의 우리나라 위치에 관측자 모형을 붙인 모습입니다.

전등
지구의
30 cm
관측자 모형
북
서 동
남

(1) 위 전등을 켠 후 지구의를 한 바퀴 돌리면서 관측자 모형에게 보이는 전등의 모습을 관찰하려고 할 때 지구의를 어느 방향으로 돌려야 하는지 쓰시오.

(   )

(2) 위 탐구 결과 태양이 하루 동안 움직이는 것처럼 보이는 까닭을 쓰시오.

_____

_____

2 다음은 태양 빛을 받는 지구의 모습입니다. 우리나라는 현재 낮인지, 밤인지 쓰고, 우리나라에 낮과 밤이 하루에 한 번씩 나타나는 까닭을 함께 쓰시오.

태양 빛
우리나라

_____

_____

_____

3 지구에서 보았을 때 실제로는 움직이지 않는 태양이 움직이는 것처럼 보이는 현상을 우리 생활에서도 느낄 수 있는 경우가 있습니다. 어떠한 경우에 그러한 현상을 느낄 수 있는지 한 가지 쓰시오.

_____

_____

4 다음은 현재 지구의 위치입니다. 지구가 다시 현재의 위치에 오기까지 걸리는 기간을 지구가 움직이는 방향과 자전, 공전 주기와 관련지어 쓰시오.

지구   태양

_____

_____

_____

5 다음은 겨울철, 봄철, 여름철 저녁 9시 무렵에 보이는 사자자리를 나타낸 것입니다. 사자자리가 보이는 위치가 계절에 따라 어떻게 달라지는지 쓰고, 위치가 달라지는 까닭을 쓰시오.

(1) 사자자리의 위치 변화: _____

_____

(2) 사자자리의 위치가 변하는 까닭: _____

_____

6 다음은 전등을 중심으로 지구의 자전축이 같은 방향을 향하도록 하여 지구의를 서쪽에서 동쪽으로 공전시키는 모습입니다. 지구의에 있는 관측자 모형이 민지가 들고 있는 별자리를 가장 잘 볼 수 있을 때 밤하늘에서 볼 수 없는 별자리를 그 까닭과 함께 쓰시오.

_____

_____

7 음력 2일 무렵부터 약 30일 동안의 달의 모양 변화를 음력 날짜와 달의 이름을 관련지어 쓰시오.

_____

_____

_____

_____

8 다음은 여러 날 동안 같은 시각에 남쪽 하늘을 보면서 달의 위치와 모양 변화를 관측하여 기록한 것입니다. 달의 위치와 모양이 어떻게 변했는지 쓰고, 달의 위치와 모양이 변하는 까닭을 쓰시오.

(1) 달의 위치와 모양 변화: _____

_____

_____

(2) 달의 위치와 모양이 변하는 까닭: _____

_____

핵심 정리

- **지구의 자전**

지구의 자전축	지구의 북극과 남극을 이은 가상의 직선이다.
지구의 자전	지구가 자전축을 중심으로 하루에 한 바퀴씩 서쪽에서 동쪽(시계 반대 방향)으로 회전하는 것이다.
지구의 자전으로 나타나는 현상	지구가 서쪽에서 동쪽으로 자전하기 때문에 지구에 있는 우리에게는 태양이 동쪽에서 서쪽으로 움직이는 것처럼 보인다.

- **하루 동안 태양과 달의 위치 변화**

하루 동안 태양의 위치 변화	동쪽 하늘에서 남쪽 하늘을 지나 서쪽 하늘로 움직이는 것처럼 보인다.
하루 동안 달의 위치 변화	동쪽 하늘에서 남쪽 하늘을 지나 서쪽 하늘로 움직이는 것처럼 보인다.
태양, 달의 위치가 달라지는 까닭	지구가 서쪽에서 동쪽으로 자전하기 때문이다.

▶ 하루 동안 태양과 달, 별들의 위치가 동쪽에서 서쪽으로 움직이는 것처럼 보이는 까닭은 지구가 서쪽에서 동쪽(시계 반대 방향)으로 자전하기 때문이다.

- **낮과 밤의 변화**

낮과 밤	태양 빛을 받는 쪽은 낮이 되고, 태양 빛을 받지 못하는 쪽은 밤이 된다.
지구에 낮과 밤이 생기는 까닭	지구가 자전하면서 태양 빛을 받는 쪽과 받지 못하는 쪽이 생기기 때문이다.

▶ 지구가 계속 자전하면서 낮과 밤이 하루에 한 번씩 번갈아 나타난다.

- **지구의 공전**

지구의 공전	지구가 하루에 한 바퀴씩 자전하면서 동시에 태양을 중심으로 일정한 길을 따라 일 년에 한 바퀴씩 서쪽에서 동쪽(시계 반대 방향)으로 회전하는 것이다.
지구의 공전으로 나타나는 현상	지구의 달라진 위치에 따라 우리나라가 한밤일 때 향하는 방향이 달라져 보이는 천체의 모습이 달라진다.

▶ 지구의 위치에 따라 계절별 밤에 보이는 별자리가 달라진다.

- **여러 날 동안 달의 모양과 위치 변화**

달의 모양 변화	달이 15일 동안 오른쪽 부분이 보이기 시작하면서 점점 왼쪽으로 커지다가 보름달이 되면 이후 15일 동안 오른쪽이 점점 보이지 않게 되고 작아진다.
달의 위치 변화	여러 날 동안 같은 시각, 같은 장소에서 관측한 달의 위치가 서쪽에서 동쪽으로 옮겨 가면서 그 모양도 달라진다.

지구의 자전과 공전으로 나타나는 현상

1 천구와 천체의 일주 운동

지구에서 하늘을 보면 별들이 무한히 넓은 구의 안쪽에 붙어 있는 것처럼 보이는데, 이러한 가상의 구를 천구라고 한다. 지구의 북극과 남극을 연장하여 천구와 만나는 지점을 각각 천구의 북극과 천구의 남극이라고 한다. 지구의 적도를 연장하여 천구와 만나는 선은 천구의 적도라고 한다. 관측자의 머리 위와 아래가 천구와 만나는 점을 각각 천정과 천저라고 하

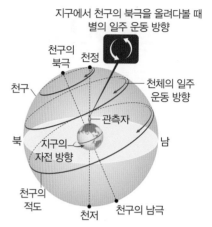

 천구와 별의 일주 운동

며, 천정과 천저는 관측자의 위치에 따라 달라진다. **지구의 자전**으로 천체가 천구의 북극을 중심으로 시계 반대 방향으로 도는 것처럼 보이는 것이 천체의 일주 운동이다.

---

2 태양의 연주 운동

지구의 공전으로 매일 같은 시각에 관측한 별자리의 위치가 하루에 약 1°씩 동쪽에서 서쪽으로 이동하고, 계절에 따른 별자리의 변화 등이 나타난다. 별자리의 위치가 하루에 약 1°씩 이동하는 까닭은 태양이 별자리를 배경으로 서쪽에서 동쪽으로 하루에 약 1°씩 이동하기 때문이다. 이처럼 지구가 공전함에 따라 태양이 하루에 약 1°씩 서쪽에서 동쪽으로 이동하여 일 년 후에는 처음의 위치로 돌아오는 현상을 태양의 연주 운동이라고 한다. 태양의 연주 운동은 태양이 실제로 이동하는 것이 아니라 지구가 태양을 중심으로 공전하기 때문에 태양이 별자리 사이를 이동하는 것처럼 보이는 겉보기 운동이다.

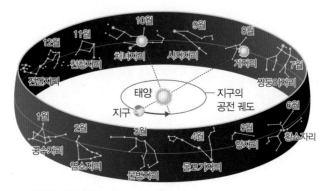

▲ 태양의 연주 운동

비주얼 **사이언스**

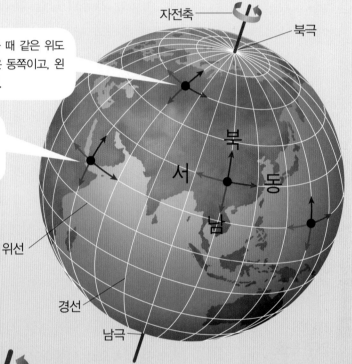

북극을 바라볼 때 같은 위도 상의 오른쪽은 동쪽이고, 왼쪽은 서쪽이다.

방위는 동서남북을 나타내며, 북쪽과 남쪽을 기준으로 이에 수직인 방향을 동쪽과 서쪽으로 나눈다.

자전축

북극

북

서

동

남

위선

경선

남극

지구상의 위치

18쪽 참고

지구상에서 한 지점의 위치는 위도와 경도를 이용하여 나타낼 수 있다.

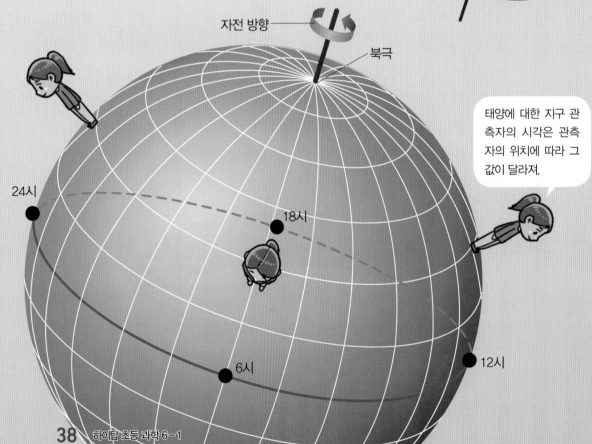

자전 방향

북극

태양에 대한 지구 관측자의 시각은 관측자의 위치에 따라 그 값이 달라져.

24시

18시

6시

12시

태양 빛

일식과 월식

북반구에서 본 일식은 태양 방향을 기준으로 할 때 달이 태양의 오른쪽에서 왼쪽으로 가리는 것으로 진행된다.

월식은 달이 지구의 본그림자 속의 오른쪽(서)에서 왼쪽(동) 방향으로 들어가면서 일어나므로 달의 왼쪽부터 가려진다.

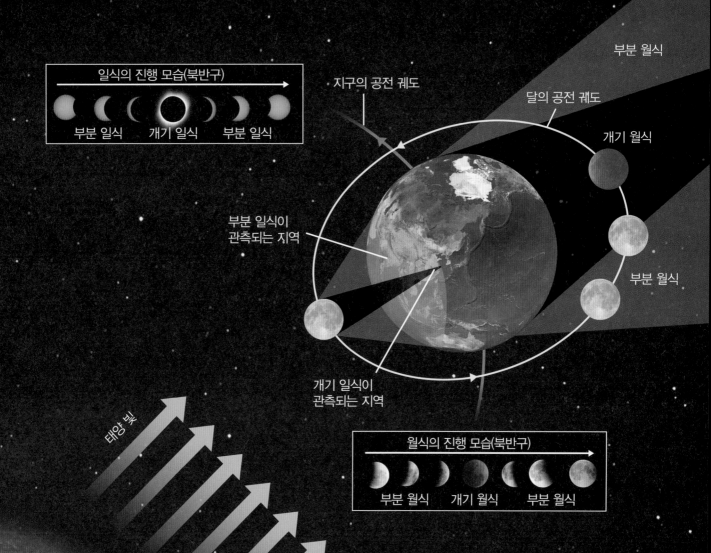

일식의 진행 모습(북반구)

부분 일식 　개기 일식 　부분 일식

지구의 공전 궤도

달의 공전 궤도

부분 월식

개기 월식

부분 월식

부분 일식이 관측되는 지역

개기 일식이 관측되는 지역

태양 빛

월식의 진행 모습(북반구)

부분 월식 　개기 월식 　부분 월식

3

여러 가지 기체

압력과 온도에
따라 기체의
부피가 달라져.

선수
학습

• 3~4학년군
물질의 상태

이 단원의
학습

• 5~6학년군 여러 가지 기체

후속
학습

• 5~6학년군 연소와 소화
• 중학교 1~3학년군 기체의 성질
화학 반응의 규칙과 에너지 변화

1

개념 강의

산소와 이산화 탄소

만화로 보는
'산소와 이산화 탄소'

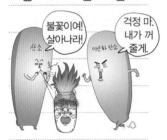

호흡 장치에 이용하는 산소

압축 공기통

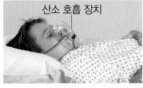

산소 호흡 장치

 용어

• **수상 치환** 물에 녹지 않는 산소, 수소, 질소 따위의 기체를 모으는 방법.

1. 산소 교과서 속 탐구 44쪽

(1) 산소의 성질

① 우리가 숨 쉴 때 필요한 기체인 산소에는 색깔과 냄새가 없다. 산소의 색깔은 산소가 든 집기병 뒤에 흰 종이를 대고 관찰하고, 냄새는 산소가 든 집기병의 유리판을 열고 손으로 바람을 일으켜 맡아 본다.

흰 종이

▲ 산소의 색깔과 냄새 관찰

② 산소는 스스로 타지 않지만 다른 물질이 타는 것을 돕는다. 그리고 철이나 구리와 같은 금속을 녹슬게 한다. 산소가 다른 물질과 반응하는 것을 산화라고 한다.

└ 금속과 산소가 만나 산화되어 녹이 스는 것을 부식이라고 한다.

(2) 산소의 이용
산소는 숨을 쉬기 어려운 환경의 잠수부나 소방관의 압축 공기통, 응급 환자의 산소 호흡 장치, 산소 캔 등에 산소를 압축해서 넣어 이용한다. 금속을 자르거나 붙일 때 이용하기도 한다.

Mini 탐구 기체 발생 장치 꾸미기

과정

1. 짧은 고무관을 끼운 깔때기를 스탠드의 링에 설치하고, 고무관에 핀치 집게를 끼운다.
2. 유리관을 끼운 고무마개로 가지 달린 삼각 플라스크의 입구를 막는다.
3. 깔때기에 연결한 고무관을 고무마개에 끼운 유리관과 연결한다.
4. 가지 달린 삼각 플라스크의 가지 부분에 긴 고무관을 끼우고, 고무관 끝에 ㄱ자 유리관을 연결한다.
5. 물을 담은 수조에 물을 가득 채운 집기병을 거꾸로 세우고, ㄱ자 유리관을 집기병 입구에 둔다.

└ ㄱ자 유리관을 집기병 깊숙히 넣으면 기체가 물을 통과하지 않아 순수한 기체만을 모을 수 없다.

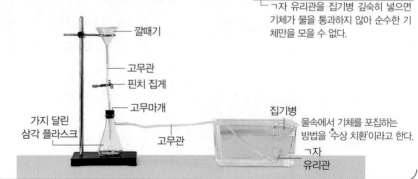

깔때기

고무관
핀치 집게
고무마개

가지 달린 삼각 플라스크

고무관

집기병

물속에서 기체를 포집하는 방법을 '수상 치환'이라고 한다.

ㄱ자 유리관

2. 이산화 탄소 _{교과서 속} 탐구 45쪽 —— 이산화 탄소는 공기의 약 0.3 %로, 차지하는 비율은 매우 낮지만 생활 속에서 중요한 역할을 한다.

(1) 이산화 탄소의 성질   산소와 마찬가지로 이산화 탄소는 색깔과 냄새가 없다.

① 이산화 탄소는 물질이 타는 것을 막는 성질이 있다.

② 이산화 탄소는 석회수를 뿌옇게 만드는 성질이 있다.

> **보충 플러스** **이산화 탄소를 확인해 주는 석회수**
>
> 염기성인 석회수는 이산화 탄소를 흡수하면 흰색 앙금인 탄산칼슘을 만들기 때문에 이산화 탄소가 있는지 확인할 수 있는 물질이다. 이산화 탄소를 만나기 전에는 투명한 석회수가 이산화 탄소를 만나면 뿌옇게 된다.
>
>
> —석회수
> ▲ 이산화 탄소를 만나기 전과 만난 후 석회수

용어
•**앙금** 아주 작고 부드러운 가루가 물에 가라앉아 생긴 층.

(2) 이산화 탄소의 이용

① 이산화 탄소 소화기는 타는 것을 막는 이산화 탄소의 성질을 이용해 이산화 탄소 기체를 압축 및 액화하여 소화 약재로 사용한다. 소화 약재가 나올 때 하얗게 보이는 것은 이산화 탄소가 기화하면서 주변 수증기가 응결하기 때문이다.

② 탄산음료가 든 용기의 마개를 따서 탄산음료를 컵에 따르면 생기는 거품은 탄산음료에 녹아 있던 이산화 탄소가 나온 것이다.

③ 이산화 탄소 기체를 고체 결정으로 만든 후 압력을 가해 덩어리로 만든 드라이아이스는 음식물을 차갑게 보관하는 데 이용한다.

④ 위급할 때 물에 닿으면 자동으로 이산화 탄소가 분사되어 순식간에 부풀어 오르는 자동 팽창식 구명조끼에도 이산화 탄소가 이용된다.

용어
•**액화** 기체의 온도를 내려서 얼리거나 기체를 압축하여 액체로 만드는 것.
•**기화** 고체나 액체가 증발하여 기체가 되는 것.

▲ 소화기에 이용하는 이산화 탄소

—이산화 탄소
▲ 탄산음료에 이용하는 이산화 탄소

▲ 음식물을 차갑게 보관하는 데 필요한 드라이아이스로 이용하는 이산화 탄소

—이산화 탄소 기체통
▲ 자동 팽창식 구명조끼에 이용하는 이산화 탄소

생활 속에서 이산화 탄소 기체를 모을 수 있는 방법
• 탄산음료를 흔들어 이산화 탄소를 모은다.
• 드라이아이스로 이산화 탄소를 모은다.

교과서 속 탐구 "산소 발생시키기"

과정

1. 기체 발생 장치의 가지 달린 삼각 플라스크에 물을 조금 넣은 뒤 <u>이산화 망가니즈</u>를 한 숟가락 넣고 묽은 과산화 수소수를 깔때기에 $\frac{1}{2}$ 정도 붓는다.
   └─ 이산화 망가니즈는 직접 반응하지 않고 반응을 도와주는 역할을 한다. 이러한 것을 '촉매'라고 한다.

2. 핀치 집게를 조절하여 묽은 과산화 수소수를 조금씩 흘려 보내면서 가지 달린 삼각 플라스크 내부와 수조의 ㄱ자 유리관 끝부분을 관찰한다. ─ 핀치 집게를 짧은 순간 열었다가 놓아 묽은 과산화 수소수를 조금 흘려 보낸다.

3. 묽은 과산화 수소수를 더 넣어 집기병에 산소를 모으고, 산소가 집기병에 가득 차면 물속에서 유리판으로 집기병 입구를 막고 집기병을 꺼낸다. ─ 같은 방법으로 남은 집기병에도 산소를 모은다.

4. 산소의 색깔과 냄새를 관찰하고, 산소가 든 집기병에 향불을 넣어 불꽃이 변화하는 모습을 관찰한다.

결과

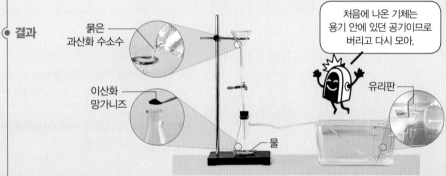

> 처음에 나온 기체는 용기 안에 있던 공기이므로 버리고 다시 모아.

- 가지 달린 삼각 플라스크 내부에서 거품이 발생하고, 수조의 ㄱ자 유리관 끝에서 거품이 나온다.
- 집기병 속에 있던 물이 내려가고, 그 공간에 기체가 채워진다.
- 가지 달린 삼각 플라스크가 따뜻해진다. ─ 발열 반응으로, 삼각 플라스크를 만지면 따뜻해진다.

알 수 있는 사실 ▶ 산소의 성질

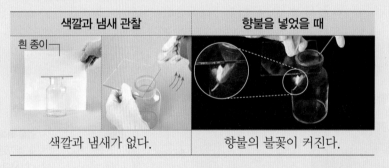

색깔과 냄새 관찰	향불을 넣었을 때
흰 종이	
색깔과 냄새가 없다.	향불의 불꽃이 커진다.

1 위 기체 발생 장치로 산소를 발생시킬 때 ㄱ자 유리관의 끝부분을 어디까지 넣어야 하는지 다음의 집기병 안에 그리시오.

2 기체 발생 장치로 모은 산소가 든 집기병에 오른쪽과 같이 향불을 넣었을 때 향불의 변화를 쓰시오.

_____

_____

교과서 속 탐구

"이산화 탄소 발생시키기"

과정

1. 기체 발생 장치의 가지 달린 삼각 플라스크에 물을 조금 넣은 뒤 탄산수소 나트륨을 네다섯 숟가락 정도 넣고 진한 식초를 깔때기에 $\frac{1}{2}$ 정도 붓는다.

2. 핀치 집게를 조절하여 진한 식초를 조금씩 흘려 보내면서 ㄱ자 유리관을 집기병 입구 가까이에 두고 이산화 탄소를 모은다.

3. 진한 식초를 더 넣어 집기병에 이산화 탄소를 모으고, 이산화 탄소가 집기병에 가득 차면 물속에서 유리판으로 집기병 입구를 막고 집기병을 꺼낸다. ── 같은 방법으로 집기병 두 개에도 이산화 탄소를 모은다.

4. 이산화 탄소의 색깔과 냄새를 관찰하고, 이산화 탄소가 든 집기병에 석회수를 $\frac{1}{4}$ 정도 넣고 흔들어 석회수의 변화를 관찰한다.

결과

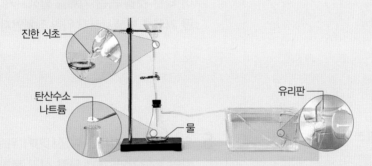

진한 식초 / 탄산수소 나트륨 / 물 / 유리판

• 가지 달린 삼각 플라스크 내부에서 거품이 발생하고, 수조의 ㄱ자 유리관 끝에서 거품이 나온다.
• 집기병 속에 있던 물이 내려가고, 그 공간에 기체가 채워진다.

알 수 있는 사실 ▶ 이산화 탄소의 성질

색깔과 냄새 관찰	향불을 넣었을 때	석회수를 넣고 흔들었을 때
흰 종이		
색깔과 냄새가 없다.	향불이 꺼진다.	투명하던 석회수가 뿌옇게 된다.

 탐구 문제

↪정답과 해설 10쪽

1 위 기체 발생 장치로 이산화 탄소를 발생시킬 때 ㄱ자 유리관의 끝에서 볼 수 있는 모습으로 옳은 것에 ○표 하시오.

(1) ㄱ자 유리관 속으로 물이 들어간다. (　　)

(2) ㄱ자 유리관 끝부분의 색깔이 변한다. (　　)

(3) ㄱ자 유리관 끝부분에서 거품이 나온다.
(　　)

2 이산화 탄소가 든 집기병에 오른쪽과 같이 향불을 넣었을 때 향불의 변화를 쓰시오.

향불 / 이산화 탄소

_____

_____

1 산소의 성질로 옳은 것을 [보기]에서 두 가지 골라 기호를 쓰시오.

> **보기**
> ㉠ 색깔이 없다.
> ㉡ 냄새가 있다.
> ㉢ 스스로 잘 탄다.
> ㉣ 물질이 타지 않게 한다.
> ㉤ 다른 물질이 타는 것을 돕는다.

( )

2 우리가 생활에서 산소를 이용하는 경우를 두 가지 고르시오. ( )

① 금속을 자르거나 붙일 때
② 물질이 타는 것을 막을 때
③ 음식물을 시원하게 보관할 때
④ 탄산음료의 톡 쏘는 맛을 낼 때
⑤ 응급 환자가 호흡할 수 있게 할 때

3 오른쪽과 같이 철로 만들어진 자물쇠가 공기 중에 오래 있으면 어떤 변화가 나타날지 산소와 관련지어 쓰시오.

_____

_____

[4~6] 다음은 기체 발생 장치입니다. 물음에 답하시오.

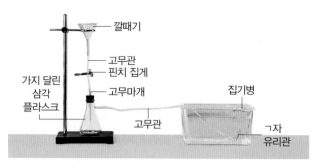

4 위 기체 발생 장치로 스스로 타지 않지만 다른 물질이 타는 것을 돕는 기체를 발생시키려고 합니다. 어떤 기체를 발생시키기 위한 장치인지 쓰시오.

( )

5 위 4번 답의 기체를 발생시키기 위해 기체 발생 장치의 깔때기와 가지 달린 삼각 플라스크에 넣어야 할 물질을 [보기]에서 각각 골라 기호를 쓰시오.

> **보기**
> ㉠ 식초   ㉡ 이산화 망가니즈
> ㉢ 탄산수소 나트륨   ㉣ 묽은 과산화 수소수

(1) 깔때기: ( )
(2) 가지 달린 삼각 플라스크: ( )

6 위 기체 발생 장치에서 집기병을 뒤집어 물속에 넣고 기체를 모으는 까닭을 옳게 말한 사람의 이름을 쓰시오.

> • 민영: 발생한 기체가 물에 잘 녹기 때문이야.
> • 희우: 발생한 기체에서 냄새가 나기 때문이야.
> • 재성: 기체가 얼마나 모였는지 쉽게 확인할 수 있기 때문이야.

( )

7 탄산음료를 컵에 따르면 오른쪽과 같이 거품을 볼 수 있습니다. 이 거품과 같은 기체의 성질에 맞게 (　　) 안에 들어갈 알맞은 말을 쓰시오.

색깔과 냄새가 (㉠)고, 불을 (㉡) 는 성질이 있다.

㉠ (　　　　　　　), ㉡ (　　　　　　　)

8 생활에서 이산화 탄소를 이용하는 경우를 잘못 말한 사람의 이름을 쓰고, 그 사람이 말한 기체는 무엇인지 쓰시오.

• 혜진: 불을 끄는 소화기에 이용해.
• 용진: 소방관의 압축 공기통에 이용해.
• 주성: 물에 닿으면 자동으로 팽창하는 구명조끼에 이용해.
• 보라: 음식물을 차갑게 보관하는 데 필요한 드라이아이스로 이용해.

(1) 잘못 말한 사람: (　　　　　　　)
(2) 그 사람이 말한 기체: (　　　　　　　)

9 다음은 이산화 탄소의 냄새를 관찰하는 모습입니다. 어떤 방법으로 냄새를 관찰한 것인지 쓰시오.

_____

[10~12] 다음 기체 발생 장치로 이산화 탄소를 발생시키려고 합니다. 물음에 답하시오.

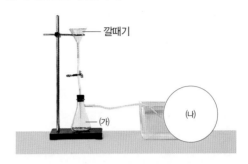

깔때기

(가)

(나)

10 위 장치로 이산화 탄소를 발생시킬 때 물과 함께 (가)에 넣어야 할 물질을 쓰시오.

(　　　　　　　)

11 위 (나)에서 ㄱ자 유리관을 집기병 속에 넣은 모습으로 알맞은 것의 기호를 쓰시오.

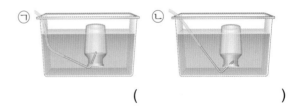

㉠　　　　　　㉡

(　　　　　　　)

12 위 기체 발생 장치로 이산화 탄소를 모은 집기병 안에 향불을 넣었을 때의 결과로 알맞은 것의 기호를 쓰시오.

㉠　　　　　　㉡

▲ 향불이 꺼진다.　　　▲ 향불의 불꽃이 커진다.

(　　　　　　　)

2 압력 변화에 따른 기체의 부피

개념 강의

나도 아래에서는 날씬했는데…

|내 풍선~/

둥실

둥실

압력이 낮아도 좋아.

용어

• 감압 압력이 줄거나 압력을 줄임.

비행기가 이륙할 때 귀가 먹먹해지는 까닭
비행기가 하늘로 올라가면서 고도가 높아지면 귓속의 고막 압력은 일정한데 대기압이 작아지므로, 귓속 고막 안쪽의 공기의 부피가 늘어나면서 고막이 밖으로 밀려나기 때문이다.

용어

• 착지 공중에서 바닥에 내려서는 것.

1. 압력 변화에 따른 기체의 부피

(1) **기체의 부피 변화** 액체는 압력을 가해도 부피가 거의 변하지 않지만, 기체는 압력을 가한 정도에 따라 부피가 달라진다. 일정한 온도에서 기체에 가하는 압력이 커지면 기체의 부피가 줄어들고, 기체에 가하는 압력이 작아지면 기체의 부피가 늘어난다.

공기를 빼낸다.

공기를 다시 넣는다.

감압 용기

고무 풍선

▲ 감압 용기에 고무풍선을 넣고 용기 안의 공기를 빼내면 용기 안의 압력이 작아져 고무풍선이 커지고, 용기 안에 공기를 다시 넣으면 용기 안의 압력이 커져 고무풍선이 작아진다.

(2) **생활 속에서 압력 변화에 따라 기체의 부피가 달라지는 경우**

① **페트병의 부피 변화:** 높은 산 위에서 빈 페트병을 마개로 닫은 뒤 산 아래로 내려오면 페트병이 찌그러진다. 높은 산 위보다 산 아래로 내려오면 압력이 더 높기 때문이다. 마개를 닫은 빈 페트병을 가지고 바닷속 깊이 들어갈수록 빈 페트병이 점점 더 많이 찌그러지는 것도 압력 변화에 따른 기체의 부피 변화이다.── 바닷속 깊이 들어갈수록 주위의 압력이 세지기 때문이다.

② **과자 봉지의 부피 변화:** 비행기 안에 있는 과자 봉지는 땅에서보다 하늘을 나는 동안 더 많이 부풀어 오른다. 비행기 안의 압력은 땅보다 하늘에서 더 낮기 때문이다.

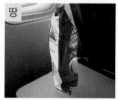 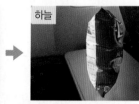

땅

하늘

▲ 비행기가 높은 고도로 올라가면 비행기 안 공기의 압력이 낮아져 과자 봉지 속 공기의 부피는 늘어난다.

③ **에어 농구화의 공기 주머니:** 뛰어올랐다가 착지할 때 공기 주머니 속 공기의 부피가 작아지면서 발에 가해지는 충격을 줄여 준다.

▲ 운동화 밑창의 공기 주머니

④ 공기 방울의 부피 변화: 깊은 바닷속에서 잠수부가 숨을 내쉴 때 생긴 공기 방울은 물 표면으로 올라갈수록 주위의 압력이 낮아지기 때문에 더 크게 부풀어 오른다.

▲ 잠수부가 내뿜는 공기 방울은 위로 올라갈수록 커진다.

Mini 탐구 압력 변화에 따른 기체의 부피 교과서속 탐구 50쪽

과정

1. 플라스틱 스포이트에 공간을 약간 남기고 물을 채운 뒤에 입구를 손가락으로 막는다.
2. 플라스틱 스포이트의 머리 부분을 손가락으로 누르면서 공기의 부피가 어떻게 달라지는지 관찰한다.

결과 플라스틱 스포이트에 든 공기의 부피 변화

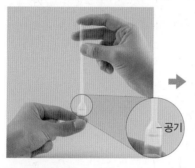 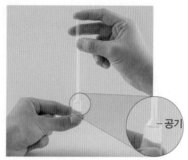

• 스포이트의 머리 부분을 손가락으로 누르면 공기의 부피가 작아진다.

심화 기체의 압력

기체는 매우 작은 입자로 이루어져 있다. 공기가 들어 있는 고무풍선을 손으로 누르면 고무풍선의 크기가 작아지는 것은 기체가 매우 작은 입자로 이루어져 입자들 사이에 빈 공간이 있기 때문이다. 고무풍선 속 기체 입자는 모든 방향으로 끊임없이 운동하면서 고무풍선 안쪽 벽에 충돌하며 힘을 가해 고무풍선의 모양을 유지한다. 기체의 압력은 기체 입자들이 용기의 벽면에 충돌하여 생긴다. 따라서 같은 공간 안에 기체 입자가 많을수록, 기체 입자의 충돌 횟수가 많을수록 기체의 압력이 커진다.

고무풍선 안쪽

고무풍선 안쪽의 기체 입자

▲ 고무풍선 안쪽 기체 입자의 운동

샴푸 통의 꼭지를 누르면 속의 내용물이 나오는 까닭

샴푸 통의 꼭지를 누르면 통 안의 압력이 커지면서 기체의 부피가 작아지고 압력의 차이 때문에 통 속의 내용물이 밖으로 나온다.

용어

• **입자** 물질을 구성하는 미세한 크기의 물체. ≒ 알갱이

교과서 속 탐구 " 압력 변화에 따른 기체의 부피 변화 "

● **과정**

1. 주사기 한 개에는 공기 40 mL, 다른 주사기 한 개에는 물 40 mL를 넣는다.
2. 주사기 입구를 손가락으로 막고 피스톤을 약하게 누를 때와 세게 누를 때 공기와 물의 부피 변화를 각각 관찰한다.
3. 압력을 가한 정도에 따라 기체와 액체의 부피는 어떻게 달라지는지 확인한다.

● **결과**

▶ 공기 40 mL를 넣은 주사기		▶ 물 40 mL를 넣은 주사기	
주사기의 피스톤을 약하게 누를 때	주사기의 피스톤을 세게 누를 때	주사기의 피스톤을 약하게 누를 때	주사기의 피스톤을 세게 누를 때
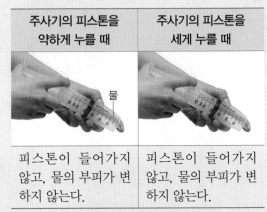 공기		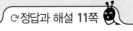 물	
피스톤이 조금 들어가고, 공기의 부피가 약간 작아진다.	피스톤이 많이 들어가고, 공기의 부피가 많이 작아진다.	피스톤이 들어가지 않고, 물의 부피가 변하지 않는다.	피스톤이 들어가지 않고, 물의 부피가 변하지 않는다.

 피스톤에 가한 힘을 없애면 부피가 원래대로 되돌아가.

● **알 수 있는 사실**

▶ 압력을 약하게 가할 때 기체의 부피는 조금 작아지고, 액체의 부피는 변하지 않는다.

▶ 압력을 세게 가할 때 기체의 부피는 많이 작아지고, 액체의 부피는 변하지 않는다.

탐구 문제

정답과 해설 11쪽

1 오른쪽과 같이 공기 40 mL가 든 주사기의 입구를 손가락으로 막고 피스톤을 누를 때 공기의 부피 변화에 대한 설명으로 옳은 것에 모두 ○표 하시오.

 공기

(1) 피스톤을 눌러도 공기의 부피는 변하지 않는다. ( )

(2) 피스톤을 약하게 누르면 공기의 부피는 약간 작아진다. ( )

(3) 피스톤을 세게 누를수록 공기의 부피가 많이 작아진다. ( )

2 다음과 같이 물 40 mL가 든 주사기의 입구를 손가락으로 막고 피스톤을 약하게 누를 때와 세게 누를 때의 결과를 비교하여 쓰시오.

 물
▲ 피스톤을 약하게 누를 때

 물
▲ 피스톤을 세게 누를 때

정답과 해설 **11쪽**

1 액체와 기체에 압력을 가할 때의 부피 변화에 대한 설명으로 알맞은 것을 보기 에서 각각 골라 기호를 쓰시오.

보기
⊙ 부피가 커진다.
ⓒ 부피가 변하지 않는다.
ⓒ 압력을 가한 정도에 따라 부피가 변한다.

(1) 액체에 압력을 가하면 ( )

(2) 기체에 압력을 가하면 ( )

2 깊은 바닷속에서 잠수부가 숨을 내쉴 때 생긴 공기 방울에 대한 설명으로 ( ) 안의 알맞은 말에 ○표 하시오.

물속에서 잠수부가 숨을 내쉴 때 생긴 공기 방울은 물 표면으로 올라갈수록 주위의 압력이 ⊙ (낮아, 높아)지기 때문에 공기 방울이 더 ⓒ (작아, 커)진다.

3 오른쪽과 같이 플라스틱 스포이트에 공간을 약간 남기고 물을 채운 뒤 입구를 손가락으로 막았습니다. 플라스틱 스포이트의 머리 부분을 손가락으로 누를 때 공기의 부피에 대해 옳게 말한 사람의 이름을 쓰시오.

• 석준: 공기의 부피가 커져.
• 지민: 공기의 부피가 작아져.
• 보영: 공기의 부피에 변화가 없어.

( )

[4~5] 다음은 주사기 한 개에는 공기 40 mL, 다른 주사기 한 개에는 물 40 mL를 넣은 후 주사기 입구를 손가락으로 막고 피스톤을 누르는 모습입니다. 물음에 답하시오.

4 위 두 주사기의 피스톤을 같은 힘으로 누를 때 ㈎와 ㈏ 중 피스톤이 들어가는 것의 기호를 쓰시오.

( )

5 위 4번 답 주사기의 피스톤에 가한 힘을 없앴을 때 주사기 안 부피의 변화로 옳은 것을 보기 에서 골라 기호를 쓰시오.

보기
⊙ 주사기 안의 부피가 더 작아진다.
ⓒ 주사기 안의 부피가 처음보다 커진다.
ⓒ 주사기 안의 부피가 원래대로 되돌아간다.

( )

6 같은 과자 봉지가 높은 산 위에 있을 때와 산 아래에 있을 때 과자 봉지의 부피가 더 큰 경우를 쓰시오.

( )

3

개념 강의

온도 변화에 따른 기체의 부피

만화로 보는
'온도와 기체의 부피'

더우니까
붙지 마!

누가 할
소리!

나가고
싶어!

여름철과 겨울철에 자동차 바퀴에 넣는 공기 양의 차이

여름철에는 기온이 높아 자동차 바퀴 속 공기의 부피가 늘어나기 때문에 겨울철에 비해 바퀴 속에 공기를 적게 넣는다.

식탁 위에서 저절로 움직이는 그릇
뜨거운 국이나 밥을 담은 그릇을 식탁 위에 올렸을 때 그릇이 저절로 움직이는 경우가 있다. 그릇 밑의 움푹 파인 부분의 공기가 열 때문에 팽창하여 그릇을 살짝 들어 올릴 때 식탁의 표면에 물이 있으면 그릇이 미끄러진다.

1. 온도 변화에 따른 기체의 부피 변화 기체는 온도에 따라 부피가 달라진다. 온도가 높아지면 기체의 부피는 커지고, 온도가 낮아지면 기체의 부피는 작아진다. 교과서속 **탐구** 54쪽

① 뜨거운 음식을 비닐 랩으로 씌우면 처음에는 그릇 안 기체 온도가 높아지면서 그릇 윗부분의 비닐 랩이 부풀어 오르지만, 음식이 식으면 기체의 온도가 낮아지면서 부피가 작아져 윗부분의 비닐 랩이 오목하게 들어간다.

▲ 음식이 뜨거울 때 비닐 랩이 부풀어 올랐다가 음식이 식으면 비닐 랩이 오목하게 들어간다.

② 물이 조금 담긴 페트병을 마개로 막아 냉장고에 넣고 시간이 지나면 찌그러진다. 냉장고 속에 있는 찌그러진 페트병을 다시 냉장고 밖에 꺼내 놓으면 페트병 속 기체의 온도가 높아져서 찌그러진 페트병이 펴진다.

Mini 탐구 온도 변화에 따른 고무풍선의 부피 변화

과정

1. 삼각 플라스크 입구에 고무풍선을 씌운 뒤 삼각 플라스크를 뜨거운 물이 든 비커에 넣고, 고무풍선의 변화를 관찰한다.

2. 삼각 플라스크를 얼음물이 든 비커에 넣고, 고무풍선의 변화를 관찰한다.

결과 고무풍선의 부피 변화

뜨거운 물이 든 비커에 넣었을 때	얼음물이 든 비커에 넣었을 때
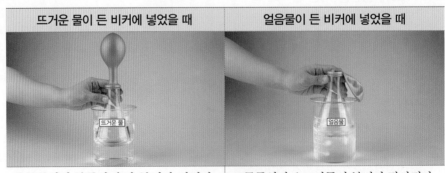	
고무풍선이 부풀어 올라 부피가 커진다.	고무풍선이 오그라들어 부피가 작아진다.

• 온도가 높아지면 기체의 부피는 커지고, 온도가 낮아지면 기체의 부피는 작아진다.

2. 공기를 이루는 여러 가지 기체

공기는 대부분 질소와 산소로 이루어져 있으며, 이 밖에도 아르곤, 수소, 네온, 헬륨, 이산화 탄소 등의 기체가 섞여 있는 *혼합물이다.

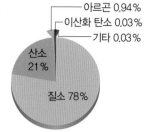

아르곤 0.94 %
이산화 탄소 0.03 %
기타 0.03 %
산소 21 %
질소 78 %

▲ 공기를 구성하는 여러 가지 기체

① 질소: 다른 물질과 잘 반응하지 않기 때문에 과일을 신선하게 유지하거나 과자, 차, 분유, 견과류 등을 포장할 때 이용된다. 혈액, *세포 등을 보존할 때, 비행기 타이어나 자동차 에어백을 채우는 데에도 이용된다. ── 질소는 몸에 해롭지 않다.

② 산소: 응급 환자의 호흡 장치, 잠수부의 압축 공기통, 우주 비행사의 호흡 장치, 물질의 *연소 등에 이용된다.

③ 수소: 가장 가벼운 기체인 수소는 탈 때 물이 생성되고 오염 물질이 나오지 ┌ 불에 잘 타는 성질이 있다. 않는 청정 연료로 전기를 만드는 데 이용된다. 수소 발전소에서는 수소 기체를 이용해 전기를 만든다. 수소 자동차, 수소 자전거에도 이용된다.

④ 이산화 탄소: 소화기, 드라이아이스, 탄산음료의 재료 등으로 이용된다.

⑤ 네온: 일정한 *전압에서 특유의 빛을 내므로 조명 기구나 네온 광고에 이용된다.

⑥ 헬륨: 불에 타지 않아 폭발의 위험이 적기 때문에 비행선이나 풍선을 공중에 띄우는 용도로 이용된다. 목소리를 변조하거나 *냉각제로 이용하기도 한다.

▲ 질소 충전 포장　　▲ 수소 자동차　　▲ 네온 광고　　▲ 헬륨 풍선

보충 플러스⁺ 거품이 오래가는 목욕제 만들기

탄산수소 나트륨과 시트르산이 들어 있는 목욕제를 물에 넣으면 이산화 탄소가 만들어져 거품이 생긴다. 탄산수소 나트륨, 시트르산, 녹말을 골고루 섞은 후 물을 조금 넣고 섞은 뒤 작은 종이컵에 눌러 담아 목욕제를 만든다. 일정한 양의 물이 든 그릇에 목욕제를 넣으면 이산화 탄소가 만들어져 나오면서 거품이 생긴다.

 →

▲ 탄산수소 나트륨과 시트르산이 섞이면 물과 이산화 탄소가 만들어진다.

용어
• 혼합물 여러 가지가 뒤섞여 있는 물질.
• 세포 생물체를 이루는 기본 단위.
• 연소 불이 붙어 타는 것.

수소 발전
수소 발전은 수소 연료 전지에 수소 기체를 이용하여 전기를 생산한다. 전기를 발생시킬 때 생산 과정에서 물이 나오지만, 이산화 탄소와 같은 오염 물질이 전혀 나오지 않는다.

용어
• 전압 전기가 흐르는 힘의 세기.
• 냉각제 식혀서 차게하는 데 사용하는 물질.

"온도 변화에 따른 기체의 부피 변화"

● 과정

1. 플라스틱 스포이트를 식용 색소를 탄 물에서 살짝 눌렀다가 놓아 스포이트 관 가운데에 물방울이 오도록 한다.

2. 물방울이 든 플라스틱 스포이트를 뒤집어서 뜨거운 물이 든 비커와 얼음물이 든 비커에 각각 넣고 그 변화를 관찰한다.

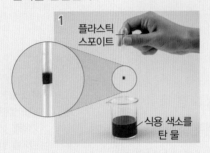

플라스틱 스포이트

식용 색소를 탄 물

뜨거운 물   얼음물

● 결과   ▶ **플라스틱 스포이트 속 물방울의 움직임**

물방울의 처음 위치	뜨거운 물에 넣었을 때	얼음물에 넣었을 때
	처음 높이	처음 높이
물방울이 스포이트 관 가운데에 있다.	물방울이 처음보다 위로 올라간다.	물방울이 처음보다 아래로 내려간다.

물의 온도가 높으면 물방울이 위로 올라가서 스포이트 관을 빠져나가기도 해.

• 뜨거운 물에서는 물방울이 올라가고, 얼음물에서는 물방울이 내려간다.

● 알 수 있는 사실   ▶ 온도가 높아지면 기체의 부피는 커지고, 온도가 낮아지면 기체의 부피는 작아진다.

탐구 문제

↪정답과 해설 12쪽

1 플라스틱 스포이트 속 물방울의 처음 위치를 보고, 플라스틱 스포이트를 뜨거운 물에 넣었을 때 플라스틱 스포이트 속 공기의 부피가 처음보다 커진 것의 기호를 쓰시오.

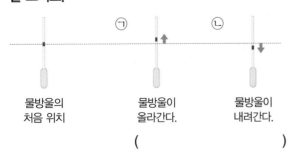

물방울의 처음 위치   물방울이 올라간다.   물방울이 내려간다.

(   )

2 앞의 1번 답을 통해 알 수 있는 온도 변화에 따른 기체의 부피 변화에 대해 옳게 말한 사람을 모두 골라 이름을 쓰시오.

• 준환: 기체의 온도가 높아지면 부피가 커져.
• 노영: 기체의 부피는 온도와는 관계가 없어.
• 정선: 기체의 온도가 낮아지면 부피가 작아져.
• 희라: 기체는 주위 압력이 작고 온도가 낮을수록 부피가 커져.

(   )

확인 문제

↪정답과 해설 12쪽

1 물이 조금 담긴 페트병을 마개로 막아 냉장고에 넣고 시간이 지난 뒤 관찰하였더니 페트병이 찌그러졌습니다. 이를 통해 알 수 있는 사실은 무엇인지 ( ) 안에 들어갈 알맞은 말을 쓰시오.

> 기체는 ( )에 따라 부피가 변한다.

( )

2 추운 겨울철에 축구공에 공기를 팽팽하게 넣어 두어도 다음날 축구공에 공기가 빠진 것처럼 보이는 경우가 있습니다. 이러한 현상이 나타나는 까닭으로 옳은 것을 보기에서 두 가지 골라 기호를 쓰시오.

> 보기
>
> ㉠ 다음날 기온이 더 낮아졌기 때문이다.
> ㉡ 축구공 속 기체의 부피가 작아졌기 때문이다.
> ㉢ 겨울철에는 밖에서 누르는 압력이 크기 때문이다.

( )

3 오른쪽과 같이 삼각 플라스크 입구에 고무풍선을 씌웠습니다. 고무풍선이 부풀어 오르게 하려면 어느 비커에 삼각 플라스크를 넣어야 하는지 기호를 쓰시오.

고무풍선

삼각 플라스크

㉠

▲ 뜨거운 물이 든 비커

㉡

▲ 얼음물이 든 비커

( )

4 다음은 공기의 성분을 나타낸 것입니다. ㉠과 ㉡에 해당하는 기체는 각각 무엇인지 쓰시오.

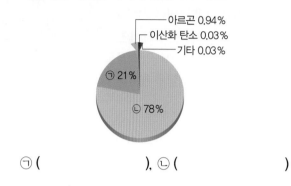

아르곤 0.94%
이산화 탄소 0.03%
기타 0.03%

㉠ 21%

㉡ 78%

㉠ ( ), ㉡ ( )

5 질소를 이용하는 경우의 기호를 쓰시오.

㉠ ▲ 소화기 ㉡ ▲ 탄산음료 ㉢ ▲ 과자 봉지

( )

6 오른쪽과 같은 비행선을 띄우기 위해 이용하는 기체의 이름을 쓰고, 그 기체를 이용하는 까닭으로 알맞은 것을 보기에서 골라 기호를 쓰시오.

> 보기
>
> ㉠ 특유의 빛을 낸다.
> ㉡ 탈 때 물이 생성된다.
> ㉢ 다른 물질과 잘 반응하지 않는다.
> ㉣ 불에 타지 않아 폭발의 위험이 적다.

( )

단원 평가

1 오른쪽과 같이 금속을 자르거나 붙일 때에는 높은 온도가 필요합니다. 어떤 기체를 이용하면 높은 온도의 불을 만들 수 있을지 기체의 이름을 쓰고, 그 기체가 불을 만들 수 있는 까닭을 한 가지 쓰시오.

(1) 기체의 이름: (   )

(2) 불을 만들 수 있는 까닭: _____

_____

2 생활 속에서 이산화 탄소 기체를 모을 수 있는 방법을 <u>잘못</u> 말한 사람의 이름을 쓰시오.

> • 준민: 드라이아이스에서 이산화 탄소를 모아.
> • 소영: 탄산음료를 흔들어 이산화 탄소를 모아.
> • 예주: 환자의 호흡 장치에서 이산화 탄소를 모아.

(   )

3 산소와 이산화 탄소의 공통점은 어느 것입니까?

(   )

① 불에 잘 탄다.
② 물보다 무겁다.
③ 색깔과 냄새가 없다.
④ 불을 끄는 성질이 있다.
⑤ 공기를 구성하는 헬륨 기체보다 가볍다.

[4~6] 다음과 같이 기체 발생 장치를 꾸미고, ㉠과 ㉡에 넣는 물질을 다르게 하여 실험을 하려고 합니다. 물음에 답하시오.

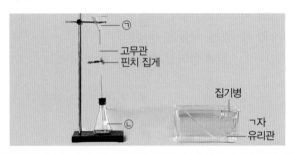

고무관
핀치 집게
집기병
ㄱ자 유리관

> 실험 ❶ ㉠에 묽은 과산화 수소수, ㉡에 이산화 망가니즈를 넣는다.
> 실험 ❷ ㉠에 진한 식초, ㉡에 탄산수소 나트륨을 넣는다.

4 위 실험 ❶과 실험 ❷의 집기병에서 각각 모을 수 있는 기체를 쓰시오.

(1) 실험 ❶: (   )
(2) 실험 ❷: (   )

5 위 실험 ❶과 실험 ❷에서 모은 기체가 든 집기병에 각각 향불을 넣었을 때 다음과 같이 결과가 달랐습니다. (개)와 (내)의 집기병 안에 들어 있는 기체를 각각 쓰시오.

▲ 향불이 꺼진다.   ▲ 향불의 불꽃이 커진다.

(개) (   ), (내) (   )

6 위 각각의 기체가 든 집기병에 석회수를 넣었을 때 투명하던 석회수가 뿌옇게 흐려지는 것은 실험 ❶과 실험 ❷ 중 어느 것인지 쓰시오.

(   )

↱정답과 해설 **13**쪽

7 다음 실험들을 통해 알 수 있는 사실은 어느 것입니까? (   )

▲ 공기가 든 비치볼 누르기   ▲ 페트병 안의 공기 방울 누르기

① 고체는 부피가 변하지 않는다.

② 액체에 힘을 가하면 부피가 변한다.

③ 기체에 힘을 가하면 부피가 작아진다.

④ 기체의 온도가 올라가면 부피가 작아진다.

⑤ 기체에 힘을 가하면 부피가 변하지 않는다.

9 다음과 같이 플라스틱 스포이트에 공간을 약간 남기고 물을 채운 뒤에 입구를 손가락으로 막았습니다. 플라스틱 스포이트의 머리 부분을 손가락으로 누를 때와 누르지 않을 때 공기의 부피에 대한 설명으로 옳은 것을 보기 에서 골라 기호를 쓰시오.

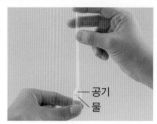

─ 공기
─ 물

보기

㉠ 손가락으로 누를 때와 누르지 않을 때 공기의 부피는 변하지 않는다.

㉡ 손가락으로 누르지 않을 때보다 손가락으로 누를 때 공기의 부피가 더 크다.

㉢ 손가락으로 누르지 않을 때보다 손가락으로 누를 때 공기의 부피가 작아진다.

(   )

8 다음과 같이 농구 선수가 신는 에어 농구화에는 공기 주머니가 있습니다. 농구화의 공기 주머니는 어떤 역할을 하는지 쓰시오.

공기 주머니

10 다음과 같이 찌그러진 탁구공이 ⑦ 과정을 거친 후 원래대로 펴졌습니다. ⑦ 과정으로 가장 알맞은 것은 어느 것입니까? (   )

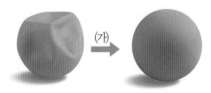

⑦

① 탁구공을 손으로 누른다.

② 탁구공을 바닥에 튕긴다.

③ 탁구공 속의 공기를 빼낸다.

④ 탁구공을 얼음물 속에 넣는다.

⑤ 탁구공을 뜨거운 물 속에 넣는다.

11 다음은 주사기 안에 구성이 다른 물질을 40 mL씩 넣은 후 주사기의 입구를 손가락으로 막고 주사기의 피스톤을 같은 힘으로 각각 누르는 모습입니다. 주사기의 피스톤이 가장 많이 들어가는 것의 기호를 쓰시오.

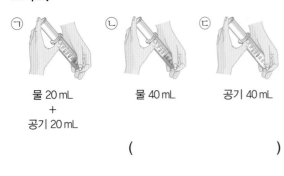

물 20 mL
+
공기 20 mL
　　　　　물 40 mL　　　　　공기 40 mL

(　　　　　　　　　)

12 뜨거운 음식을 비닐 랩으로 포장하면 비닐 랩이 볼록하게 부풀어 올랐다가 시간이 지나면 안쪽으로 오목하게 들어가는 것을 볼 수 있습니다. 이러한 현상이 나타나는 까닭을 쓰시오.

▲ 볼록하게 부풀어 오른 비닐 랩　　▲ 오목하게 들어간 비닐 랩

_____

_____

[13~15] 다음은 입구에 고무풍선을 씌운 삼각 플라스크를 뜨거운 물이 든 비커와 얼음물이 든 비커에 각각 넣은 모습입니다. 물음에 답하시오.

(가) 　　　　(나)

▲ 고무풍선이 오그라든다.　　▲ 고무풍선이 부풀어 오른다.

13 위 (가)와 (나) 중 삼각 플라스크를 얼음물에 넣은 것의 기호를 쓰시오.

(　　　　　　　　　)

14 위 (가), (나)와 같이 삼각 플라스크를 넣은 비커에 담긴 물의 온도에 따라 풍선의 부피가 달라지는 까닭을 쓰시오.

_____

_____

15 위 고무풍선과 같은 이유로 기체의 부피가 변해서 나타나는 경우가 아닌 것은 어느 것입니까? (　　　)

① 열기구 속 기체를 가열하면 열기구가 떠오른다.
② 햇빛이 비치는 창가에 둔 과자 봉지가 부풀어 오른다.
③ 여름철에 도로를 달린 자동차의 타이어가 팽팽해진다.
④ 뜨거운 국이 담긴 그릇을 식탁 위에 올리면 그릇이 스스로 살짝 움직인다.
⑤ 바닷속에서 잠수부가 내뿜는 공기 방울이 물 표면으로 올라가면서 커진다.

[16~17] 다음은 플라스틱 스포이트를 식용 색소를 탄 물에서 살짝 눌렀다가 놓아 스포이트 관 가운데에 물방울이 오도록 한 후, 물방울이 든 스포이트를 뒤집어서 뜨거운 물이 든 비커와 얼음물이 든 비커에 각각 넣으려는 모습입니다. 물음에 답하시오.

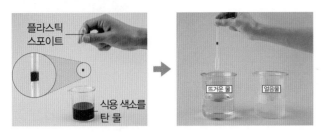

16 위 플라스틱 스포이트를 뜨거운 물과 얼음물에 각각 넣으면 관 가운데에 있는 물방울이 어떻게 움직이는지 쓰시오.

_____

_____

17 위 **16**번 답과 같이 생각한 까닭으로 ( ) 안에 들어갈 알맞은 말을 쓰시오.

> 기체의 온도가 높아지면 부피가 (㉠)지고, 온도가 낮아지면 부피가 (㉡)지기 때문이다.

㉠ ( ), ㉡ ( )

[18~20] 다음은 생활 속에서 여러 가지 기체를 이용하는 모습입니다. 물음에 답하시오.

(가) ▲ 광고

(나) ▲ 풍선

(다) ▲ 소화기

(라) ▲ 자동차 에어백

18 위 (가)에 이용된 기체의 이름을 쓰시오.

( )

19 위 (가)~(라) 중 다음과 같은 특징이 있는 기체를 이용한 것의 기호와 그 기체의 이름을 순서대로 쓰시오.

> • 다른 물질과 잘 반응하지 않는다.
> • 과자, 견과류 등을 포장할 때 이용한다.
> • 사과와 같은 과일을 신선하게 유지한다.

( )

20 위 (다)에 이용된 기체를 풍선에 넣었더니 위 (나)의 풍선과 같이 하늘을 날지 못하고 바닥으로 떨어졌습니다. (나)와 (다)에 이용된 기체를 각각 쓰시오.

(1) (나)에 이용된 기체: ( )

(2) (다)에 이용된 기체: ( )

서술형 문제

1 다음과 같은 기구에 공통으로 이용되는 기체는 무엇 인지 쓰고, 이 기체를 모은 집기병에 향불을 넣으면 어떤 변화가 나타나는지 그 기체의 특징과 관련지어 쓰시오.

▲ 잠수부의 압축 공기통

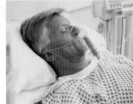

▲ 환자의 호흡 장치

_____

_____

2 다음의 기체 발생 장치를 이용하여 집기병에 기체를 모았습니다. 이 기체가 이산화 탄소인지 확인할 수 있 는 방법을 두 가지 쓰시오.

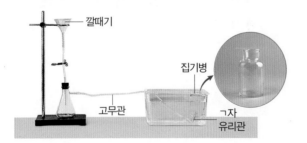

깔때기

집기병

고무관

ㄱ자
유리관

(1) 방법1: _____

_____

(2) 방법2: _____

_____

3 공기를 넣은 주사기의 입구를 손가락으로 막고 피스 톤을 누를 때 압력을 가한 정도에 따라 기체의 부피 는 어떻게 달라지는지 쓰시오.

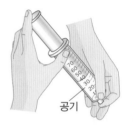

공기

▲ 공기를 넣은 주사기의 피스톤 누르기

_____

_____

4 다음과 같이 샴푸 통의 꼭지를 누르면 샴푸가 나오는 원리를 압력에 따른 기체의 부피와 관련지어 쓰시오.

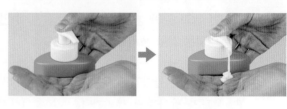

_____

_____

5 오른쪽과 같이 플라스틱 스포이트에 식용 색소를 탄 물방울이 들어 있습니다. 스포이트에 힘을 가해 누르거나 흔들지 않고 물방울을 위로 옮길 수 있는 방법과 그 까닭을 쓰시오.

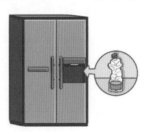

└ 식용 색소를 탄 물방울

└ 플라스틱 스포이트

_____

_____

_____

6 어느 여름날 정오에 햇볕이 강하게 내리쬐는 차에 과자 봉지를 두고 내렸습니다. 몇 시간 뒤 돌아왔을 때 과자 봉지의 상태와 그 까닭을 쓰시오.

_____

_____

7 냉장고 속에 있는 찌그러진 페트병을 냉장고 밖에 꺼내 놓으면 어떻게 되는지 그 까닭과 함께 쓰시오.

_____

_____

8 다음 과정을 보고, 과자는 어떻게 될지 쓰시오.

> ❶ 질소가 들어 있는 과자 봉지에 작은 구멍을 뚫고, 질소를 빼낸다.
> ❷ 과자 봉지에 산소 주입기 등으로 산소를 넣고 며칠 후에 과자를 관찰한다.
>
> ▲ 질소 빼내기   ▲ 산소 주입하기

_____

_____

● **산소와 이산화 탄소**

산소	• 색깔과 냄새가 없다. • 다른 물질이 타는 것을 돕는 성질이 있다. • 금속을 녹슬게 하는 성질이 있다. • 잠수부나 소방관이 사용하는 압축 공기통, 응급 환자의 산소 호흡 장치, 산소 캔 등에 이용된다. • 금속을 자르거나 붙일 때 이용하기도 한다.
이산화 탄소	• 색깔과 냄새가 없다. • 물질이 타는 것을 막는 성질이 있다. • 석회수를 뿌옇게 만든다. • 소화기, 드라이아이스, 탄산음료의 톡 쏘는 맛, 위급할 때 순식간에 부풀어 오르는 자동 팽창식 구명조끼 등에 이용된다.

● **압력에 따른 기체의 부피**

기체에 가한 압력이 클 때	일정한 온도에서 기체에 가하는 압력이 커지면 기체의 부피가 줄어든다.
기체에 가한 압력이 작을 때	일정한 온도에서 기체에 가하는 압력이 작아지면 기체의 부피가 늘어난다.

▶ 기체는 압력을 가한 정도에 따라 부피가 달라진다.

● **온도에 따른 기체의 부피**

온도가 높아질 때	기체의 부피가 커진다.
온도가 낮아질 때	기체의 부피가 작아진다.

▶ 기체는 온도에 따라 부피가 달라진다.

● **공기를 이루는 여러 가지 기체**

질소	• 다른 물질과 잘 반응하지 않는다. • 과일을 신선하게 유지하거나 과자, 견과류 등을 포장할 때 이용된다. • 비행기 타이어, 자동차 에어백을 채우는 데 이용된다.
수소	• 가장 가벼운 기체이다. • 탈 때 물이 생성되고, 오염 물질이 나오지 않는 청정 연료이다. • 전기를 만드는 데 이용되고, 수소 자동차에도 이용된다.
네온	• 일정한 전압에서 특유의 빛을 낸다. • 조명 기구, 네온 광고에 이용된다.
헬륨	• 불에 타지 않아 폭발의 위험이 적다. • 비행선이나 풍선을 공중에 띄우는 용도로 이용된다. • 냉각제로 이용하기도 한다.

▶ 공기는 대부분 질소와 산소로 이루어져 있으며, 그 외에도 여러 가지 기체가 섞여 있는 혼합물이다.

보일 법칙과 샤를 법칙

① 보일 법칙

개념 48쪽

보일은 실험을 통해 일정한 온도에서 기체에 가하는 압력이 2배, 3배, 4배로 커지면 **기체의 부피**는 각각 $\frac{1}{2}$, $\frac{1}{3}$, $\frac{1}{4}$로 줄어든다는 것을 알아냈다. '온도가 일정할 때 일정량의 기체의 부피는 압력에 반비례한다.'는 것이다. 이를 보일 법칙이라고 한다. 일정한 온도에서 외부 압력이 커질 때 기체 입자 사이의 거리가 가까워져서 기체의 부피가 줄어든다. 이때 온도는 일정하므로 기체 입자가 운동하는 빠르기는 변하지 않지만, 입자가 움직일 수 있는 공간이 좁아지므로 기체 입자가 용기의 벽면에 충돌하는 횟수가 많아져 기체의 압력이 커진다.

▲ 입자 모형으로 나타낸 기체의 압력과 부피의 관계   ▲ 압력에 따른 기체의 부피 변화

② 샤를 법칙

개념 52쪽

샤를은 실험을 통해 '압력이 일정할 때 일정량의 기체는 그 종류에 관계없이 온도가 높아지면 부피가 일정한 비율로 늘어난다.'는 것을 알아냈다. 이를 샤를 법칙이라고 한다. 일정한 압력에서 **기체의 온도**를 높이면 기체 입자의 운동이 활발해져서 기체 입자의 충돌 횟수와 세기가 증가하므로 용기 내부의 압력이 커진다. 따라서 용기 내부의 압력이 외부 압력과 같아질 때까지 부피가 늘어난다. 일정한 압력에서 기체의 온도를 낮추면 기체 입자의 운동이 느려지면서 기체 입자의 충돌 횟수와 세기가 감소하므로 용기 내부의 압력이 작아진다. 따라서 용기 내부의 압력이 외부 압력과 같아질 때까지 부피가 줄어든다.

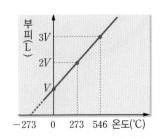

▲ 입자 모형으로 나타낸 기체의 온도와 부피의 관계   ▲ 온도에 따른 기체의 부피 변화

비주얼 **사이언스**

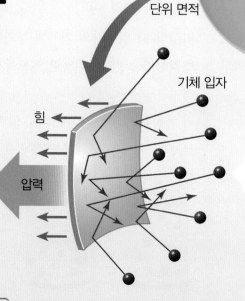

단위 면적

기체 입자

힘

압력

고무풍선 내의
기체 입자 운동

기체의 압력

기체는 작은 입자로 이루어져 있다. 기체의 압력은 용기의 모든 방향에 같은 크기로 작용한다. 단위 시간 동안 용기 벽면에 충돌하는 횟수가 많을수록, 강하게 충돌할수록 압력이 커진다.

기체 입자는 일정한 온도에서 일정량의 기체의 부피가 반으로 줄어들면 용기의 벽면에 충돌하는 기체 입자의 수가 2배가 되어 벽면에 미치는 힘의 크기도 2배가 된다. 이것은 기체의 압력이 2배가 되는 것이다. 온도가 일정할 때 기체의 부피는 압력에 반비례한다.

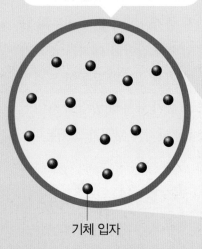

기체 입자

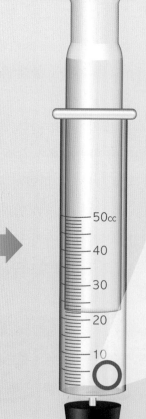

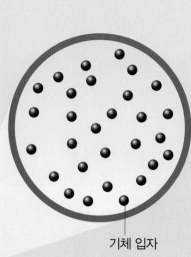

기체 입자

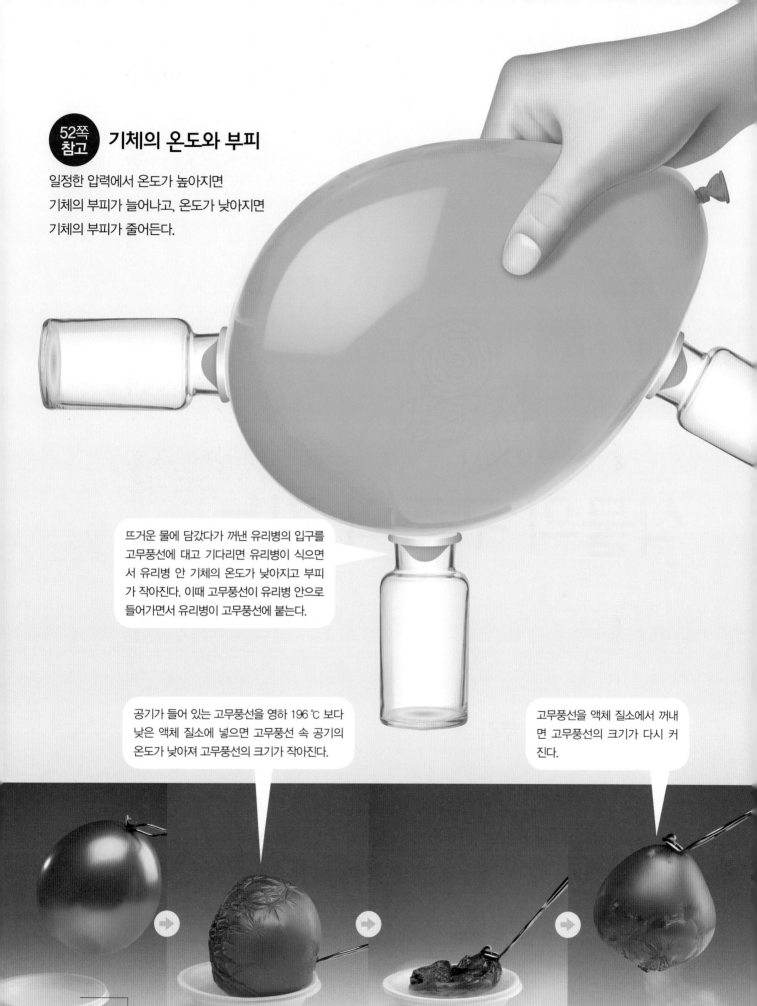

52쪽 참고

기체의 온도와 부피

일정한 압력에서 온도가 높아지면 기체의 부피가 늘어나고, 온도가 낮아지면 기체의 부피가 줄어든다.

뜨거운 물에 담갔다가 꺼낸 유리병의 입구를 고무풍선에 대고 기다리면 유리병이 식으면서 유리병 안 기체의 온도가 낮아지고 부피가 작아진다. 이때 고무풍선이 유리병 안으로 들어가면서 유리병이 고무풍선에 붙는다.

공기가 들어 있는 고무풍선을 영하 196 ℃ 보다 낮은 액체 질소에 넣으면 고무풍선 속 공기의 온도가 낮아져 고무풍선의 크기가 작아진다.

고무풍선을 액체 질소에서 꺼내면 고무풍선의 크기가 다시 커진다.

액체 질소

4

식물의 구조와 기능

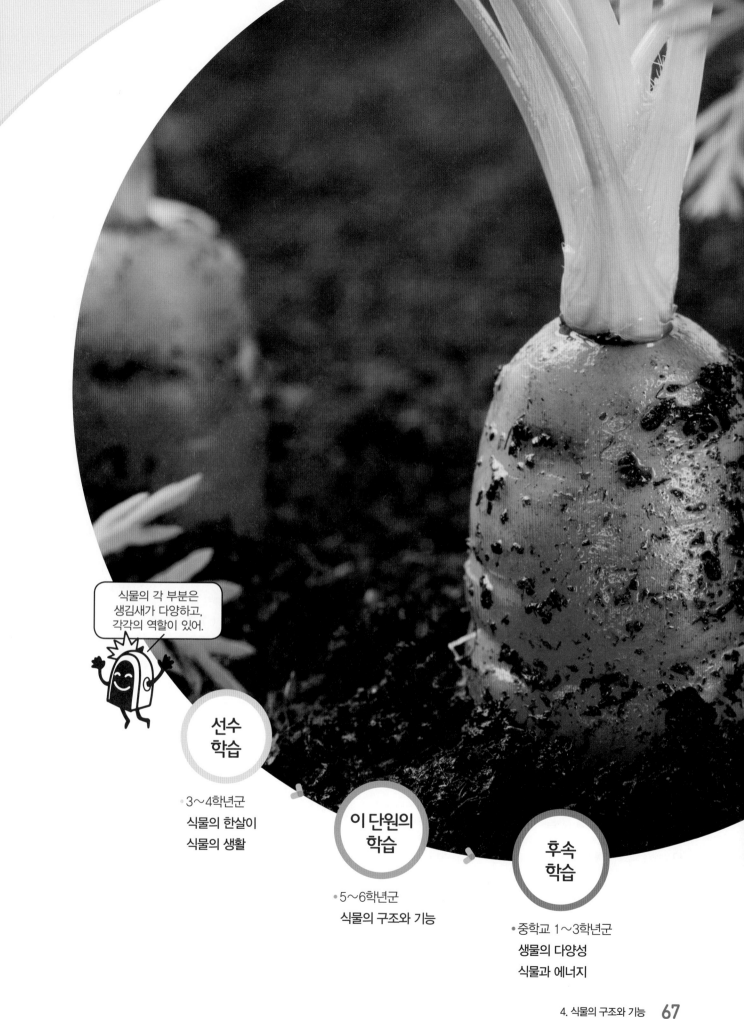

식물의 각 부분은 생김새가 다양하고, 각각의 역할이 있어.

선수
학습

• 3~4학년군
식물의 한살이
식물의 생활

이 단원의
학습

• 5~6학년군
식물의 구조와 기능

후속
학습

• 중학교 1~3학년군
생물의 다양성
식물과 에너지

4 식물의 구조와 기능

1

식물의 세포와 뿌리

QR 개념 강의

만화로 보는
'식물 세포'

난 핵이야!
유전 정보가 있어.
생명 활동을 조절하는
중요한 역할을 해.

핵!
노잼~

용어

• 표피 『동물』 동물체의 표면을 덮고 있는 피부의 상피 조직.
『식물』 식물체의 표면을 덮고 있는 조직으로 한 층에서 몇 층의 세포가 빽빽하게 늘어선 평면적인 구조. 식물체 내부를 보호하며 수분의 증발을 방지함.

광학 현미경 사용 방법

접안렌즈
회전판
대물렌즈
재물대
조리개
조동 나사
미동 나사

1 회전판을 돌려 배율이 가장 낮은 렌즈가 가운데에 오도록 한다.
2 전원을 켜 조리개로 빛의 양을 조절한 후 영구 표본을 재물대의 가운데에 고정한다.
3 옆에서 보면서 조동 나사로 재물대를 올려 영구 표본과 대물렌즈의 거리를 가장 가깝게 한다.
4 조동 나사로 재물대를 천천히 내리면서 접안렌즈로 상을 찾는다.
5 미동 나사로 상이 뚜렷하게 보이도록 조절하고, 저배율에서 고배율로 바꾸어 가며 관찰한다.

---

1. 식물을 이루는 세포

(1) **세포** 우리 주변의 여러 가지 생물은 모두 세포로 이루어져 있다. 세포는 크기와 모양이 다양하고 그에 따라 하는 일도 다르다. 세포는 대부분 크기가 작아 맨눈으로는 볼 수 없어서 광학 현미경을 사용하여 세포를 확대하여 관찰한다.

Mini 탐구 식물 세포 관찰하기

과정
광학 현미경으로 양파*표피 세포를 관찰하고, 관찰 결과를 그림과 글로 나타낸다.

결과 양파 표피 세포 관찰

모든 세포가 비슷한 모양이나, 똑같이 생긴 것은 아니다.

• 핵은 둥근 모양이며 염색되어 붉게 보인다.
• 식물 세포는 벽돌이 쌓여 있는 것처럼 보인다.

핵

▲ 양파 표피 세포(200배)

양파 표피 세포 영구 표본을 놓은 뒤 배율이 가장 낮은 대물렌즈로 상을 찾고, 저배율에서 고배율로 바꾸어 가며 관찰한다.

보충 플러스+ 양파 표본 직접 만들기

양파의 표피 세포

❶ 양파 비늘잎 안쪽에 면도칼로 칼금을 긋고 핀셋으로 표피를 벗겨 낸다.

물

❷ 받침 유리 위에 표피를 올리고 물을 한 방울 떨어뜨린다.

덮개 유리

❸ 덮개 유리를 비스듬하게 덮는다.

염색액

❹ 덮개 유리 속으로 염색액을 흘려 보낸다.

거름종이

❺ 반대쪽에서 거름종이로 염색액을 흡수한다.

핵을 뚜렷하게 보려면 염색액으로 염색을 해야 해.

(2) **식물 세포와 동물 세포**   식물 세포는 세포벽과 세포막으로 둘러싸여 있고, 그 안에 핵이 있다. 동물도 세포로 이루어져 있으며, 동물 세포에는 세포막과 핵은 있지만, 식물 세포와 다르게 세포벽이 없다.

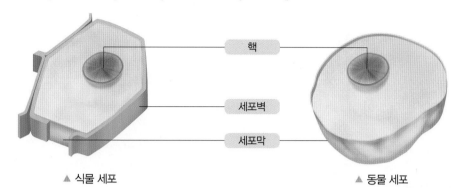

▲ 식물 세포   ▲ 동물 세포

① 핵은 대부분 둥근 모양으로, 각종 유전 정보를 포함하고 있으며 세포의 생명 활동을 조절해 준다.

② 모든 세포들은 세포막으로 둘러싸여 있다. 세포막은 한 층의 얇은 막으로 세포 내부와 외부를 드나드는 물질의 출입을 조절해 준다.

③ 세포벽은 세포의 모양을 일정하게 유지하고 세포를 보호한다.

2. 뿌리의 생김새와 하는 일

(1) **뿌리의 생김새**   식물의 뿌리는 주로 땅
속으로 자라기 때문에 눈으로 쉽게 관
찰할 수 없다. 뿌리는 고추나 민들레처
럼 굵고 곧은 뿌리에 가는 뿌리들이 난
것도 있고, 파나 강아지풀처럼 굵기가
비슷한 뿌리가 여러 가닥으로 수염처럼 난 것도 있다. 뿌리에는 솜털처럼
가는 뿌리털이 나 있다.

▲ 민들레의 뿌리   ▲ 파의 뿌리

(2) **뿌리가 하는 일**

① **뿌리의 흡수 기능**: 뿌리는 땅속으로 뻗
어 물을 흡수하는데, 뿌리털은 물을 더
잘 흡수하도록 해 준다.

교과서 속
탐구 **70쪽**

② **뿌리의 저장 기능**: 고구마나 당근의 뿌
리가 굵고 단맛이 나는 것은 단맛이 나
는 양분이 저장되어 있기 때문이다.

▲ 고구마와 당근의 굵은 뿌리: 잎에서 만든
양분을 저장하여 뿌리가 굵어졌다.

③ **뿌리의 지지 기능**: 뿌리가 땅속으로 뻗어 흙을 감싸고 있어 식물을 지지하기 때문에 강한 바람에도 식물이 잘 쓰러지지 않는다.

크기가 큰 코끼리와 작은 생쥐의 세포 크기

생물의 크기는 세포의 크기가 아닌 세포의 수와 관련이 있다. 생물의 크기가 크다는 것은 세포 수가 많은 것이다. 즉, 코끼리는 생쥐보다 세포의 크기가 큰 것이 아니라 세포의 수가 많은 것이다.

뿌리의 구조

▲ 세로 단면   ▲ 가로 단면

• 물관: 뿌리에서 흡수한 물과 무기 양분이 이동하는 통로이다.
• 체관: 잎에서 만든 유기 양분이 이동하는 통로이다.
• 표피: 뿌리 가장 바깥쪽에 있는 한 겹의 세포층으로, 뿌리 내부를 보호한다.
• 뿌리털: 표피 세포의 일부가 가늘고 길게 변형된 것으로, 흙에 닿는 표면적을 넓혀 흙 속의 물과 무기 양분을 효율적으로 흡수한다.
• 생장점: 세포 분열이 활발하게 일어나는 부분으로, 뿌리를 길게 자라게 한다.
• 뿌리골무: 죽은 세포로 이루어진 단단한 부분으로, 생장점을 감싸서 보호한다.

용어
• **분열** 하나의 세포 또는 개체가 여럿으로 갈라지는 것.

"뿌리의 흡수 기능 알아보기"

과정

1. 새 뿌리가 자란 양파 한 개는 뿌리를 모두 자르고 다른 한 개는 그대로 둔다.
2. 크기가 같은 비커 두 개에 같은 양의 물을 담아 양파의 밑부분이 물에 닿도록 각각 올려놓은 뒤 빛이 잘 드는 곳에 2~3일 동안 놓아둔다.
3. 두 비커에 든 물의 양의 변화를 관찰한다.

뿌리가 있는 것과 없는 것의 차이로 양파를 넣었을 때 물 높이가 다르게 되므로 물의 양을 조금씩 조절하여 물 높이를 맞춘다.

결과

▶ **2~3일 후 물의 양 비교하기**

▲ 뿌리를 자른 양파   ▲ 뿌리를 자르지 않은 양파

뿌리가 물을 흡수해서 비커 속 물의 양이 줄어들었어.

• 뿌리를 자르지 않은 양파 쪽 비커의 물이 더 많이 줄어들었다.
• 뿌리를 자르지 않은 양파는 물을 흡수했지만, 뿌리를 자른 양파는 물을 거의 흡수하지 못했다.

알 수 있는 사실 ▶ 뿌리는 물을 흡수하는 역할을 한다.

 탐구 문제

↪정답과 해설 16쪽

1 다음과 같이 새 뿌리가 자란 양파 중 한 개는 뿌리를 자르고, 다른 한 개는 뿌리를 그대로 두어 같은 양의 물을 담은 같은 크기의 비커에 각각 올려놓았습니다. 뿌리의 어떤 기능에 대해 비교하기 위한 것인지 쓰시오.

▲ 뿌리를 자른   ▲ 뿌리를 자르지
  양파   않은 양파

뿌리의 (   )

2 처음에 두 비커의 물의 양이 같았는데 3일 후 뿌리를 자른 양파와 뿌리를 자르지 않은 양파를 올린 비커 속 물의 양이 다음과 같이 달라졌습니다. 두 비커에서 줄어든 물의 양이 다른 까닭을 쓰시오.

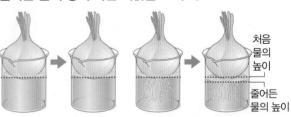

처음 물의 높이

줄어든 물의 높이

▲ 뿌리를 자른 양파를 올린 비커의 물의 양 변화

▲ 뿌리를 자르지 않은 양파를 올린 비커의 물의 양 변화

_____

_____

정답과 해설 16쪽

1 다음에서 설명하는 이것은 무엇인지 쓰시오.

> 모든 생물은 이것으로 이루어져 있으며 크기와 모양이 생물의 종류에 따라 다양하다. 이것은 대부분 크기가 매우 작아 맨눈으로 볼 수 없다.

(   )

2 오른쪽은 광학 현미경으로 관찰한 양파 표피 세포의 모습입니다. ㉠의 이름을 쓰고, ㉠의 역할을 옳게 말한 사람의 이름을 쓰시오.

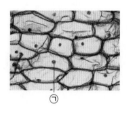
㉠

> • 윤호: 생명 활동을 조절해 줘.
> • 미영: 세포의 모양을 일정하게 유지해 줘.
> • 지선: 세포 내부와 외부를 드나드는 물질의 출입을 막아 줘.

(1) ㉠의 이름: (   )

(2) 역할을 옳게 말한 사람: (   )

3 다음은 식물 세포와 동물 세포의 모습입니다. 동물 세포는 무엇인지 기호를 쓰고, 식물 세포에 비해 무엇이 없는지 쓰시오.

㉠

㉡

(1) 동물 세포: (   )

(2) 동물 세포에 없는 것: (   )

4 다음 (   ) 안에 들어갈 알맞은 말을 쓰시오.

> 식물의 뿌리는 주로 땅속에서 물과 무기 양분을 흡수하는 기능이 있다. 흙 속에서 물과 무기 양분을 효율적으로 흡수하기 위하여 흙에 닿는 표면적을 넓힐 수 있도록 솜털처럼 가늘고 긴 (   )을/를 많이 만든다.

(   )

5 식물의 뿌리에 대한 설명으로 옳은 것을 보기에서 두 가지 골라 기호를 쓰시오.

> 보기
> ㉠ 물을 만든다.
> ㉡ 양분을 만든다.
> ㉢ 양분을 저장한다.
> ㉣ 식물을 지지한다.

(   )

6 다음과 같이 바람이 세게 불어도 나무가 쓰러지지 않는 까닭은 뿌리의 어떤 기능과 관련이 깊은지 쓰시오.

뿌리의 (   )

2 식물의 줄기와 잎

만화로 보는
'식물의 광합성'

마지막
잎새야~

줄기야!
넌 우리의
기둥이야.

줄기의 구조

▲ 쌍떡잎식물　▲ 외떡잎식물

• **물관**: 뿌리에서 흡수한 물과 무기
양분이 이동하는 통로이다.
• **체관**: 잎에서 만든 유기 양분이 이
동하는 통로이다.
• **형성층**: 식물이 자라면서 줄기를
굵어지게 하는 곳으로, 쌍떡잎식
물에만 있다.
• **관다발**: 가는 관(물관, 체관)들이
여러 개 모여 다발을 이루고 있는
것으로, 쌍떡잎식물과 외떡잎식
물은 관다발의 배열이 다르다.

 용어

• **무기 양분** 식물체의 성장에 있어
양분으로 사용될 수 있는 물질 중
에 탄소를 포함하지 않은 성분.
• **유기 양분** 탄수화물, 지방, 단백
질의 3대 영양분과 비타민을 포
함한 영양분.

---

1. 줄기의 생김새와 하는 일

(1) 줄기의 생김새　식물의 줄기에는 땅속으로 뻗은 뿌리가 이어져 있고 햇빛
을 향해 펼쳐진 잎도 나 있다. 줄기는 식물의 종류에 따라 생김새가 다양하
다. 느티나무처럼 줄기가 굵고 곧은 곧은줄기가 있고, 나팔꽃처럼 가늘고
길어 다른 물체를 감으면서 올라가는 감는줄기가 있다. 또한 고구마처럼
가늘고 긴 줄기가 땅 위를 기는 듯이 뻗는 기는줄기도 있다.

(2) 줄기가 하는 일

① 줄기의 겉은 꺼칠꺼칠하거나 매끈한 껍질로 싸여 있다. 이 껍질은 해충이나
세균 등의 침입을 막고, 추위와 더위로부터 식물을 보호한다.

② 줄기는 식물을 지지한다.

③ 감자, 토란, 연꽃, 마늘 등은 땅속으로 이어진 줄기 부분에 양분을 저장하
기도 한다.

④ 줄기는 뿌리에서 흡수한 물이 이동하는 통로 역할을 한다.

Mini 탐구　줄기에서 물의 이동 알아보기

과정

1. 붉은 색소 물에 넣어 둔 백합 줄기를 가로와 세로로 잘라 단면을 관찰한다.

2. 백합 줄기의 단면에서 색소 물이 든 부분을 관찰하고, 물의 이동 과정을 생각해 본다.

결과

가로로 자른 단면	세로로 자른 단면
붉은 점들이 줄기에 퍼져 있다.	여러 개의 붉은 선이 줄기를 따라 이어져 있다.

백합

붉은
색소 물

• 줄기 단면에서 붉게 물이 든 부분이 물이 이동하는 통로(줄기의 물관)이다.
• 뿌리에서 흡수한 물은 줄기에 있는 통로를 통해 위로 올라간다.

2. 잎이 하는 일

① 광합성은 식물이 빛과 이산화 탄소, 뿌리에 서 흡수한 물을 이용하여 살아가는 데 필요 한 양분을 스스로 만드는 것이다. 광합성은 주로 잎에서 일어난다. — 잎 속의 엽록체(초록색 알갱이) 에서 광합성이 이루어진다.

② 잎에서 만든 양분은 줄기를 거쳐 뿌리, 줄 기, 열매 등 필요한 부분으로 운반되어 사 용되거나 저장된다. 교과서속 탐구 74쪽

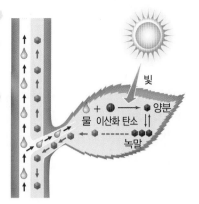

③ 잎의 모양이 대부분 납작한 까닭은 잎이 양 분을 만들 때 필요한 햇빛을 더 많이 받을 수 있기 때문이다.

▲ 광합성과 양분의 이동

3. 잎에 도달한 물의 이동

① 뿌리에서 흡수한 물은 줄기에 있는 물관을 통해 잎에 도달하여 일부는 양분을 만드는 광합성 과정에 이용되고, 남은 물은 잎을 통해 다시 밖으로 빠져 나간다.

② 증산 작용: 잎에 도달한 물이 잎의 표면에 있는 작은 구멍인 기공을 통해 식물 밖으로 └ 주로 잎의 뒷면에 있다. 빠져나가는 것이다. 증산 작용은 뿌리에서 흡수한 물을 식물의 꼭대기까지 끌어 올릴 수 있도록 돕고 식물의 온도를 조절하는 역할을 한다.

물이 이동하는 통로는 줄기뿐 만 아니라 뿌리와 잎 등 식물 전체에 퍼져 있다.

▲ 식물에서 물의 이동

증산 작용

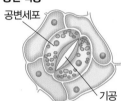

공변세포

기공

• 증산 작용은 잎의 표피 세포 일부 가 변형된 두 개의 공변세포에 의 해 기공이 열리거나 닫히면서 조 절된다.

• 증산 작용은 햇빛이 강할 때, 온도 가 높을 때, 습도가 낮을 때, 바람 이 잘 불 때, 식물 안에 수분량이 많을 때 잘 일어난다.

Mini 탐구 잎에 도달한 물의 이동 알아보기

과정

1. 모종 한 개는 잎을 남겨 두고, 다른 한 개는 잎을 모두 없앤다.

2. 두 모종을 각각 물이 담긴 삼각 플라스크에 넣고 삼각 플라스크 입구와 줄기 사이에 탈 지면을 넣어 물이 증발하지 않도록 한다.

3. 각 모종에 비닐봉지를 씌운 다음 공기가 통하지 않도록 묶고 햇빛이 잘 드는 곳에 1~2일 동안 놓아둔다.

결과

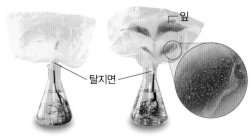

탈지면

잎

비닐봉지 안의 물방울이 잎을 통해 └ 밖으로 나왔다는 것을 알 수 있다.

• 잎이 있는 모종에 씌운 비닐봉지 안 에는 물방울이 생겼고, 잎이 없는 모 종에 씌운 비닐봉지 안에는 물방울 이 생기지 않았다.

• 잎이 있는 모종을 넣은 삼각 플라스 크 속 물의 양이 더 많이 줄어들었다.

잎에 도달한 물이 식물 밖으로 나가 지 못할 때 생길 수 있는 일

잎에 도달한 물이 식물 안에 계속 머무르면 뿌리는 더 이상 물을 흡수 할 수 없고 물과 함께 양분도 얻지 못하게 된다.

교과서 속 탐구

" 잎에서 만든 양분 확인하기 "

과정

1. 크기가 비슷한 고추 모종 두 개를 빛이 잘 드는 곳에 두고 고추 모종 한 개에는 어둠상자를 씌우고, 다른 한 개에는 씌우지 않는다.

2. 다음 날 오후에 각 고추 모종에서 잎을 딴 후, 큰 비커에 뜨거운 물을 담고 알코올이 든 작은 비커에는 각 고추 모종에서 딴 잎을 넣는다.

3. 작은 비커를 뜨거운 물이 들어 있는 큰 비커에 넣은 뒤 유리판으로 덮는다.

4. 3의 작은 비커에서 꺼낸 잎을 따뜻한 물로 헹군 뒤 페트리 접시에 놓고 아이오딘−아이오딘화 칼륨 용액을 떨어뜨려 색깔 변화를 관찰한다.

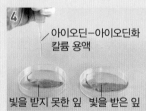

아이오딘−아이오딘화 칼륨 용액

빛을 받지 못한 잎   빛을 받은 잎

결과 ▶ **빛을 받지 못한 잎과 빛을 받은 잎의 색깔 변화 비교하기**

빛을 받지 못한 잎	빛을 받은 잎
색깔 변화가 없다.	청람색으로 변했다.

▲ 아이오딘−아이오딘화 칼륨 용액을 떨어뜨린 감자

아이오딘−아이오딘화 칼륨 용액이 녹말과 반응하면 청람색으로 변해.

알 수 있는 사실 ▶ 빛을 받은 잎에서만 녹말이 만들어진다.

탐구 문제

정답과 해설 **16쪽**

1 다음과 같이 크기가 비슷한 모종 두 개를 빛이 잘 드는 곳에 두고 모종 한 개에는 어둠상자를 씌우고, 다른 한 개에는 씌우지 않았습니다. 실험 조건에 대한 설명으로 옳은 것에 ○표, 옳지 <u>않은</u> 것에 ×표 하시오.

어둠상자

(1) 다르게 한 조건은 빛의 종류이다. ( )
(2) 물을 주는 양을 같게 해야 한다. ( )

2 초록색 물이 빠진 빛을 받지 못한 잎과 빛을 받은 잎에 아이오딘−아이오딘화 칼륨 용액을 떨어뜨렸을 때 색깔 변화를 보고 녹말이 만들어진 잎의 기호를 쓰시오.

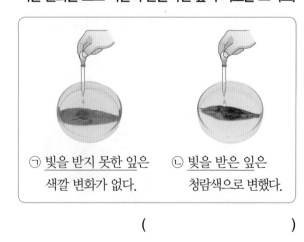

㉠ 빛을 받지 못한 잎은 색깔 변화가 없다.   ㉡ 빛을 받은 잎은 청람색으로 변했다.

( )

1 다음 식물의 구조를 보고, 줄기에 해당하는 곳의 기호를 쓰시오.

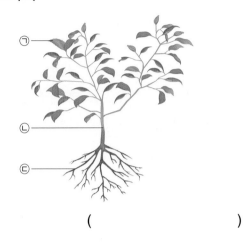

㉠
㉡
㉢

(   )

2 줄기가 하는 일에 대해 잘못 말한 사람의 이름을 쓰시오.

- 혜정: 해충이나 세균 등의 침입을 막아.
- 주안: 추위와 더위로부터 식물을 보호해.
- 연석: 식물이 자라는 데 필요한 양분을 만들어.

(   )

3 오른쪽은 붉은 색소 물에 넣어 두었던 셀러리 줄기를 가로로 자른 모습입니다. 붉게 물든 부분이 의미하는 것은 무엇인지 쓰시오.

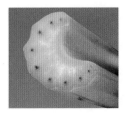

(   )

4 다음은 수아가 식물의 잎에 대해 찾아본 과학 용어 사전입니다. 수아는 무엇에 대해 사전을 찾은 것인지 ☐ 안에 공통으로 들어갈 알맞은 단어를 쓰시오.

☐

「명사」
「1」『화학』 광화학 반응에 의하여 유기물이 합성하는 작용.
「2」『식물』 녹색식물이 빛에너지를 이용하여 이산화 탄소와 수분으로 유기물을 합성하는 과정으로, 명반응과 암반응으로 구분된다. 식물의 잎은 ☐ 작용으로 녹말을 만든다.

(   )

5 다음 ( ) 안에 들어갈 알맞은 말을 쓰시오.

(㉠)은/는 잎에 도달한 물이 잎의 표면에 있는 작은 구멍인 (㉡)을/를 통해 식물 밖으로 빠져나가는 것이다.

㉠ (   ), ㉡ (   )

6 오른쪽과 같이 잎이 있는 모종을 물이 담긴 삼각 플라스크에 넣고 물이 증발하지 않도록 삼각 플라스크 입구와 줄기 사이에 탈지면을 넣은 후 공기가 통하지 않도록 비닐봉지를 씌워 햇빛이 잘 드는 곳에 놓아두었습니다. 1~2일 후에 볼 수 있는 모습으로 옳은 것을 보기 에서 골라 기호를 쓰시오.

비닐봉지
물

보기

㉠ 비닐봉지 안에 물방울이 생긴다.
㉡ 비닐봉지 바깥에 물방울이 생긴다.
㉢ 삼각 플라스크 안 물의 양이 늘어난다.

(   )

3 식물의 꽃과 열매

개념 강의

만화로 보는
'꽃'

꽃가루야!
지금이야.
붙어!

꿀 맛있다.

1. 꽃의 생김새와 하는 일

(1) **꽃의 생김새** 꽃은 식물의 종류에 따라 크기, 모양, 색깔 등이 서로 다르지만 사과꽃처럼 대부분 암술, 수술, 꽃잎, 꽃받침으로 이루어져 있다. 그러나 수세미오이꽃처럼 암술, 수술, 꽃잎, 꽃받침 중 일부가 없는 것도 있다.

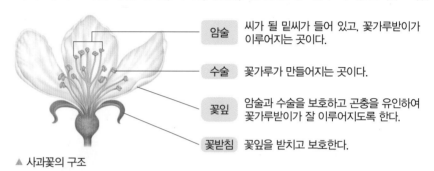

암술	씨가 될 밑씨가 들어 있고, 꽃가루받이가 이루어지는 곳이다.
수술	꽃가루가 만들어지는 곳이다.
꽃잎	암술과 수술을 보호하고 곤충을 유인하여 꽃가루받이가 잘 이루어지도록 한다.
꽃받침	꽃잎을 받치고 보호한다.

▲ 사과꽃의 구조

암술

수술

암꽃	1개의 암술이 있고, 수술이 없다.
수꽃	5개의 수술이 있고, 암술이 없다.

암꽃   수꽃

▲ 수세미오이꽃의 구조

꽃에 있는 꿀이 하는 일
곤충이나 새 등 꽃가루받이를 돕는 동물을 불러들인다.

(2) **꽃이 하는 일** 꽃은 씨를 만드는 일을 한다. 씨를 만들기 위해 수술에서 만든 꽃가루를 암술로 옮기는 것을 꽃가루받이 또는 수분이라고 한다. 꽃가루받이는 곤충, 새, 바람, 물 등의 도움으로 이루어진다.
└ '가루를 받는다.'는 뜻이다.

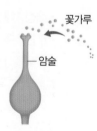

꽃가루

암술

▲ 꽃가루받이

(3) **다양한 꽃가루받이 방법**

① 풍매화: 소나무, 옥수수, 부들, 벼 등은 꽃가루가 바람에 날려 암술로 이동한다.

② 수매화: 검정말, 물수세미, 나사말 등은 꽃가루가 물에 의해 암술로 이동한다.

③ 충매화: 코스모스, 매실나무, 사과나무, 연꽃 등은 꽃가루가 벌, 나비, 파리 등 곤충에 의해 암술로 옮겨진다. ─ 곤충을 유인하기 위해 꽃이 화려하고 향기가 있으며, 꿀샘이 발달해 있다.

④ 조매화: 동백나무, 바나나 등은 꽃가루가 새에 의해 옮겨진다.

⑤ 온실에서 작물을 재배하거나 품종 개량이 필요할 때 등의 경우에는 사람이 직접 꽃가루받이를 하기도 한다.

꽃가루가 바람에 날아가는 소나무

2. 열매가 자라는 과정과 하는 일

(1) 열매가 자라는 과정 꽃가루받이가 된 암술 속에서 씨가 생겨 자란다. 씨가 자라는 동안 씨를 싸고 있는 암술이나 꽃받침 등이 함께 자라서 열매가 된다. 사과는 씨와 껍질 사이에 양분이 저장되어 있는 열매로 크고 둥근 모양이고, 단풍나무의 열매에는 날개가 달려 있다.

꽃받침
꽃받기 밑씨
씨방

씨
꽃받기
껍질
└ 열매는 씨와 씨를 둘러싼 껍질 부분으로 되어 있다.

▲ 사과 열매가 자라는 과정

(2) 열매가 하는 일 열매는 어린 씨를 보호하고, 씨가 익으면 멀리 퍼뜨리는 일을 한다. 씨를 퍼뜨리는 방법은 열매의 종류에 따라 다양하다. 교과서속 **탐구** 78쪽

(3) 식물이 씨를 퍼뜨리는 다양한 방법

① 민들레, 버드나무 등은 가벼운 솜털이 있어 바람에 날려서 퍼진다.

② 단풍나무, 가죽나무 등은 날개가 있어 빙글빙글 돌며 멀리 날아간다.

③ 봉숭아, 제비꽃, 괭이밥, 콩 등은 열매껍질이 터지며 씨가 튀어 나간다.

④ 도깨비바늘, 가막사리, 도꼬마리, 우엉 등은 갈고리가 있어 동물의 털이나 사람의 옷에 붙어서 퍼진다.

⑤ 벚나무, 겨우살이, 참외 등은 동물에게 먹힌 뒤에 씨가 똥과 함께 나와 퍼진다.

⑥ 연꽃, 수련, 코코야자 등은 물에 떠서 이동한다.

⑦ 잣나무, 상수리나무 등은 동물이 땅에 저장한 뒤 찾지 못한 것이 싹이 튼다.

▲ 바람에 날리는 민들레 씨

▲ 날개가 있는 단풍나무 씨

▲ 열매껍질이 터지며 씨가 튀어 나가는 봉숭아

▲ 갈고리가 있는 도깨비바늘 씨

▲ 맛이 좋아 동물에게 먹힌 뒤에 씨가 똥과 함께 나오는 참외

▲ 물에 떠서 이동하는 코코야자

익으면 색깔이 변하고 맛과 향이 좋아지는 열매

▲ 감이 익기 전 ▲ 감이 익은 후

씨가 자라기 전에는 동물이 열매를 먹지 못하도록 잎과 비슷한 색깔을 띠다가 씨가 자라면 열매의 색깔이 변해 동물이 잘 볼 수 있도록 하고, 맛과 향이 좋아져 동물이 열매를 먹고 이동하여 똥을 눌 때 씨가 함께 나와 퍼진다.

식물이 씨를 퍼뜨리는 까닭

원래의 식물 아래에 떨어지면 햇빛을 받기도 어렵고, 식물의 뿌리가 새로운 씨가 뿌리내리는 것을 방해할 수 있기 때문에 씨를 멀리 퍼뜨리면 경쟁을 피해 잘 자랄 수 있다.

교과서 속 탐구

" 식물의 각 부분이 하는 일 "

● 정리

• 식물의 각 부분이 하는 일을 정리한다.

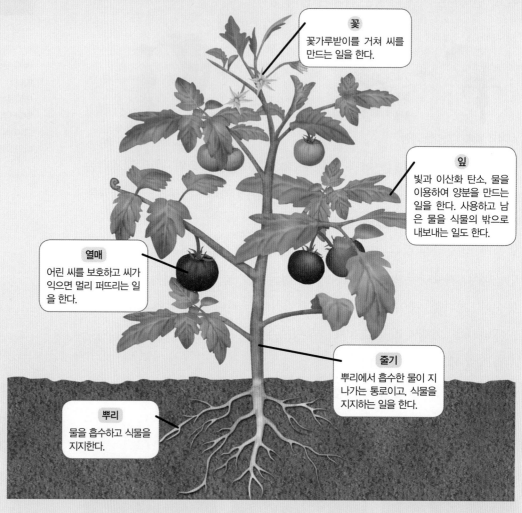

꽃
꽃가루받이를 거쳐 씨를 만드는 일을 한다.

잎
빛과 이산화 탄소, 물을 이용하여 양분을 만드는 일을 한다. 사용하고 남은 물을 식물의 밖으로 내보내는 일도 한다.

열매
어린 씨를 보호하고 씨가 익으면 멀리 퍼뜨리는 일을 한다.

줄기
뿌리에서 흡수한 물이 지나가는 통로이고, 식물을 지지하는 일을 한다.

뿌리
물을 흡수하고 식물을 지지한다.

● 알 수 있는 사실 ▶ 식물을 이루는 뿌리, 줄기, 잎, 꽃과 열매는 각각의 역할이 있으며, 그 역할은 서로 밀접하게 연관되어 있다.

↪정답과 해설 17쪽

1 다음과 같은 역할을 하는 식물의 기관을 쓰시오.

• 물을 흡수한다.
• 식물을 지지한다.
• 잎에서 만든 양분을 저장하기도 한다.

(   )

2 다음은 식물 연극 공연을 위한 대사입니다. 이 대사를 하는 사람이 맡은 역할은 식물의 어느 부분인지 쓰시오.

"햇빛이 좋아서 광합성량을 늘리려고 하는데 물이 부족해. 줄기야, 물을 더 보내줄 수 있어?"

(   )

1 다음은 꽃의 생김새를 나타낸 것입니다. 꽃을 이루는 각 부분의 이름을 쓰시오.

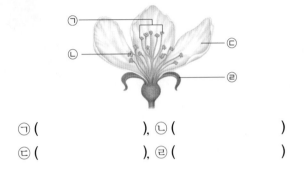

㉠ (   ), ㉡ (   )
㉢ (   ), ㉣ (   )

2 꽃의 구조에 대해 옳게 말한 사람의 이름을 쓰시오.

> • 준민: 모든 꽃에는 암술과 수술이 함께 있어.
> • 태정: 암술, 수술, 꽃잎, 꽃받침 중 일부가 없는 꽃도 있어.
> • 아라: 꽃은 종류에 따라 꽃잎의 색깔이 다르지만 모양은 같아.

(   )

3 다음은 꽃가루가 날려 암술머리에 붙는 모습을 나타낸 것입니다.

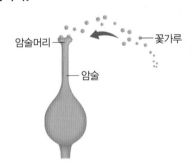

(1) 위와 같이 꽃가루를 암술로 옮기는 것을 무엇이라고 하는지 쓰시오.
(   )

(2) 이후에 암술에서는 어떤 일이 일어나는지 쓰시오.

4 다음을 사과 열매가 자라는 과정에 알맞게 순서대로 기호를 쓰시오.

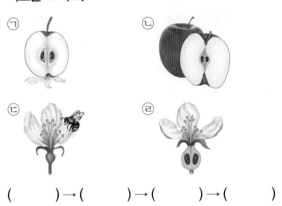

(   ) → (   ) → (   ) → (   )

5 다음 (   ) 안에 공통으로 들어갈 알맞은 말을 쓰시오.

> 열매는 어린 (   )을/를 보호하고, 익은 (   )을/를 멀리 퍼뜨린다.

(   )

6 오른쪽은 도꼬마리 열매입니다. 이 열매가 씨를 멀리 퍼뜨리는 방법으로 가장 알맞은 것을 보기 에서 골라 기호를 쓰시오.

> **보기**
> ㉠ 물에 떠서 이동한다.
> ㉡ 동물의 털이나 사람의 옷에 붙어서 퍼진다.
> ㉢ 동물에게 먹힌 뒤에 씨가 똥과 함께 나와 퍼진다.

(   )

단원 평가

1 식물 세포와 동물 세포의 공통점을 보기 에서 두 가지 골라 기호를 쓰시오.

> 보기
> ㉠ 핵이 있다.　　　　㉡ 세포벽이 있다.
> ㉢ 세포막이 있다.　　㉣ 크기와 모양이 같다.

(　　　　　　　　)

2 다음은 민들레의 뿌리와 파의 뿌리 모습입니다. 각 뿌리 모양의 공통점과 차이점을 한 가지씩 쓰시오.

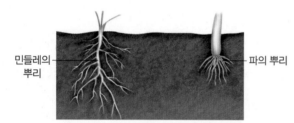

민들레의 뿌리　　　　　　　　파의 뿌리

(1) 공통점: _____

_____

(2) 차이점: _____

_____

3 오른쪽과 같이 당근의 뿌리가 다른 식물의 뿌리와 다르게 크고 굵으며, 단맛이 나는 까닭을 옳게 말한 사람의 이름을 쓰시오.

> • 희영: 양분을 저장하기 때문이야.
> • 진욱: 물을 많이 흡수하기 때문이야.
> • 승원: 뿌리털이 발달하였기 때문이야.

(　　　　　　　　)

4 오른쪽과 같이 땅속에서 뿌리가 흡수한 물은 어디로 이동하는지 쓰시오.

_____

_____

5 다음 탐구 결과에 대한 설명으로 옳은 것을 두 가지 고르시오. (　　　　)

> ❶ 새 뿌리가 자란 양파 두 개 중 한 개는 뿌리를 자르고 다른 한 개는 그대로 둔다.
> ❷ 같은 양의 물을 담은 비커 두 개에 각각의 양파를 밑부분이 물에 닿도록 하여 올린다.
> ❸ 빛이 잘 드는 곳에 2 ~ 3일 동안 놓아둔다.

▲ 뿌리를 자른 양파　　　▲ 뿌리를 자르지 않은 양파

① 두 비커의 줄어든 물의 양이 비슷하다.
② 뿌리를 자른 양파 쪽 비커의 물이 늘어난다.
③ 뿌리를 자른 양파는 물을 거의 흡수하지 못한다.
④ 뿌리를 자르지 않은 양파는 물을 거의 흡수하지 못한다.
⑤ 뿌리를 자르지 않은 양파 쪽 비커의 물이 더 많이 줄어든다.

6 다음은 줄기의 형태가 다른 식물입니다. 각각의 줄기를 무엇이라고 하는지 줄기 이름을 쓰시오.

(1)

나팔꽃 (　　　　　　)

(2)

고구마 (　　　　　　)

(3)

느티나무 (　　　　　　)

7 줄기가 하는 일로 옳은 것을 보기 에서 모두 옳게 고른 것은 어느 것입니까? (　　)

보기
ㄱ 빛을 흡수한다.
ㄴ 물을 흡수한다.
ㄷ 산소를 만든다.
ㄹ 식물을 지지한다.
ㅁ 양분을 저장한다.
ㅂ 추위와 더위로부터 식물을 보호한다.

① ㄱ, ㄴ　　　　　② ㄴ, ㄷ
③ ㄹ, ㅁ, ㅂ　　　④ ㄷ, ㄹ, ㅁ, ㅂ
⑤ ㄱ, ㄴ, ㄷ, ㅁ, ㅂ

[8~10] 오른쪽과 같이 붉은 색소 물에 백합을 넣어 두었습니다. 물음에 답하시오.

(가)　　　　　　붉은 색소 물

8 위 백합을 붉은 색소 물에 4시간 동안 넣어 두었을 때의 꽃의 모습을 골라 기호를 쓰고, 그렇게 생각한 까닭을 함께 쓰시오.

ㄱ

▲ 변화가 없다.

ㄴ

▲ 붉은색으로 물들었다.

_____

_____

9 다음은 위 백합 줄기를 가로로 자른 단면 (가)에서 붉게 물이 든 부분으로 알 수 있는 것입니다. (　) 안에 공통으로 들어갈 알맞은 말을 쓰시오.

붉게 물이 든 부분은 (　　　)이/가 이동한 통로로, 줄기는 (　　　)이/가 이동하는 통로 역할을 한다.

(　　　　　　)

10 위 백합 대신에 셀러리를 붉은 색소 물에 4시간 동안 담가 놓았다가 줄기를 세로로 잘랐습니다. 줄기 관찰 결과를 옳게 말한 사람의 이름을 쓰시오.

• 우민: 붉은 점들이 줄기에 퍼져 있어.
• 종원: 붉게 물든 부분이 나타나지 않아.
• 훈석: 붉은 선이 줄기를 따라 이어져 있어.

(　　　　　　)

11 식물의 광합성에 대한 설명으로 <u>잘못된</u> 것을 골라 기호를 쓰고, 옳게 고쳐서 쓰시오.

> ㉠ 주로 잎에서 일어난다.
> ㉡ 스스로 양분을 만드는 것이다.
> ㉢ 식물은 빛만 있으면 광합성을 할 수 있다.

(1) 잘못된 것: (   )

(2) 고쳐 쓰기: _____

_____

12 다음과 같이 크기가 비슷한 모종 두 개를 빛이 잘 드는 곳에 두고 그 중 하나만 어둠상자를 씌웠습니다. ㉠과 ㉡은 어떤 조건을 다르게 한 것인지 쓰시오.

▲ 어둠상자로 씌운 모종   ▲ 어둠상자로 씌우지 않은 모종

(   )

13 다음 날 오후에 위 **12**번의 ㉠과 ㉡의 모종에서 잎을 하나씩 따서 다음과 같은 과정을 거쳤습니다. 잎의 색깔이 청람색으로 변한 것의 기호를 쓰고, 색깔이 변한 까닭으로 (   ) 안에 들어갈 알맞은 물질을 써넣으시오.

(1) 청람색으로 변한 것: (   )

(2) 색깔이 변한 까닭은 잎에서 (   ) 이/가 만들어졌기 때문이다.

14 증산 작용에 대한 설명으로 옳은 것을 보기 에서 두 가지 골라 기호를 쓰시오.

> **보기**
> ㉠ 기공을 통해 물이 흡수되는 것이다.
> ㉡ 식물의 온도를 조절하는 역할을 한다.
> ㉢ 뿌리에서 흡수한 물을 식물 꼭대기까지 끌어 올릴 수 있도록 돕는다.

(   )

[15~16] 비슷한 크기의 모종 세 개 중 ㈎는 잎을 남겨 두고, ㈏는 잎을 반 정도만 남겨 두며, ㈐는 잎을 모두 없앴습니다. 각각 물이 담긴 삼각 플라스크에 넣고 탈지면으로 입구를 막은 뒤 비닐봉지를 씌워 공기가 통하지 않도록 묶고 햇빛이 잘 드는 곳에 놓아두었습니다. 물음에 답하시오.

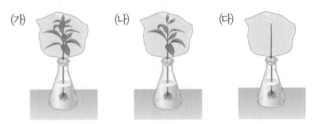

15 위 ㈎~㈐ 중 1~2일 후 비닐봉지 안에 물방울이 가장 많이 생긴 것과 물방울이 생기지 않은 것을 순서대로 기호를 쓰시오.

(   )

16 위 **15**번 답과 같은 결과가 나온 까닭을 오른쪽 사진과 관련지어 쓰시오.

_____

_____

정답과 해설 18쪽

17 꽃을 이루는 부분 중 다음과 같은 역할을 하는 부분을 각각 쓰시오.

(1) 암술과 수술을 보호한다.

( )

(2) 꽃잎을 받치고 보호한다.

( )

(3) 꽃가루가 만들어지는 곳이다.

( )

(4) 꽃가루받이가 이루어지는 곳이다.

( )

18 다음은 사과꽃과 수세미오이꽃의 모습입니다. 두 꽃의 차이점을 꽃의 구조와 관련지어 쓰시오.

▲ 사과꽃   ▲ 수세미오이꽃

_____

_____

19 다음과 같이 꿀을 먹기 위해 벌이 날아와 꽃의 꿀을 먹는 동안 꽃가루받이가 이루어졌습니다. 이후에 일어날 수 있는 일에 대해 옳게 말한 사람의 이름을 쓰시오.

- 호재: 수술에서 꽃가루를 더 많이 만들어.
- 시율: 씨를 싸고 있는 암술의 개수가 많아져.
- 리수: 꽃가루받이가 된 암술 속에서 씨가 생겨 자라.

( )

20 다음 식물이 씨를 퍼뜨리는 공통적인 방법은 어느 것입니까? ( )

▲ 제비꽃   ▲ 봉숭아

① 가벼워서 물에 떠서 이동한다.

② 열매껍질이 터지며 씨가 튀어 나간다.

③ 날개가 있어 빙글빙글 돌며 날아간다.

④ 갈고리가 있어 동물의 털에 붙어서 퍼진다.

⑤ 동물에게 먹힌 뒤에 씨가 똥과 함께 나와 퍼진다.

서술형 문제

1 오른쪽의 광학 현미경으로 양파 표피 세포를 관찰하려고 합니다.

(1) 양파 표피 세포를 관찰할 때 가장 먼저 사용할 대물렌즈의 기호를 쓰시오.(단, 접안렌즈는 동일합니다.)

▲ 40배   ▲ 20배   ▲ 4배

(   )

(2) 광학 현미경으로 관찰한 양파 표피 세포의 특징을 한 가지 쓰시오.

_____

_____

2 다음은 감자와 고구마의 모습입니다. 두 식물의 차이점을 양분을 저장하는 곳과 관련지어 쓰시오.

▲ 감자   ▲ 고구마

_____

_____

3 다음과 같이 새 뿌리가 자란 양파 중 뿌리를 자른 양파와 뿌리를 자르지 않은 양파를 같은 양의 물이 담긴 비커 위에 양파의 밑부분이 물에 닿도록 각각 올려놓았습니다. 약 2 ~ 3일 동안 빛이 잘 드는 곳에 놓아두었을 때 두 비커에 든 물의 양을 비교하고 차이가 나타나는 까닭을 쓰시오.

─ 뿌리

_____

_____

4 다음과 같이 나무의 줄기가 껍질로 싸여 있어서 식물에게 좋은 점을 두 가지 쓰시오.

_____

_____

5 다음은 식물에 대한 신문 기사의 일부입니다. 식물에서 일어나는 작용과 관련지어 식물을 가습기 대신 사용할 수 있는 까닭을 써 기사를 완성하시오.

> **가습기 없이 집 안을 촉촉하게, 자연 가습기**
>
>  겨울철에는 건조하여 감기와 같은 호흡기 질환에 걸리기 쉽다. 이러한 질환을 예방하고 습기를 조절하기 위해 가습기를 많이 사용하지만, 집 안에 식물을 키우는 것만으로도 습도를 높일 수 있다. 자연 가습기라 할 수 있는 이 원리는 식물의 잎에서 일어나는 작용 때문이다. 이 작용은 _____
>
> _____

_____

_____

6 하루 동안 햇빛을 받은 잎과 어둠상자로 가린 잎을 각각 따서 알코올이 든 비커에 넣어 초록색 물을 뺐습니다. 각각의 잎에 아이오딘-아이오딘화 칼륨 용액을 떨어뜨렸을 때의 색깔 변화를 보고, 감자와 밥에 아이오딘-아이오딘화 칼륨 용액을 떨어뜨린 결과와 관련지어 알 수 있는 사실을 한 가지 쓰시오.

▲ 빛을 받은 잎 　▲ 빛을 받지 못한 잎 　▲ 아이오딘-아이오딘화 칼륨 용액을 떨어뜨린 감자와 밥

_____

_____

_____

7 오른쪽은 과수원에서 배가 잘 열리도록 하기 위해 꽃가루가 묻은 큰 솔로 배나무의 배꽃을 문지르는 모습입니다.

(1) 위와 같이 큰 솔로 꽃을 문지르는 것은 이것을 대신 해 주는 것이라고 합니다. 이것은 무엇을 의미하는지 쓰시오.

(　　　　　　　　　)

(2) 자연에서 배나무는 어떤 방법으로 이것이 이루어지는지 쓰시오.

_____

_____

8 다음은 민들레꽃이 피고 진 뒤에 생긴 씨의 모습입니다. 민들레 씨가 퍼지는 방법과 관련지어 씨의 생김새의 특징을 쓰시오.

_____

_____

● 세포

식물 세포	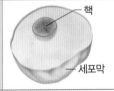 핵 / 세포벽 / 세포막	• 핵: 각종 유전 정보를 포함하고 있으며, 세포의 생명 활동을 조절한다. • 세포막: 세포 내부와 외부를 드나드는 물질의 출입을 조절한다. • 세포벽: 세포의 모양을 일정하게 유지하고, 세포를 보호한다.
동물 세포	핵 / 세포막	동물 세포에는 세포막과 핵은 있지만, 식물 세포와 다르게 세포벽이 없다.

▶ 다양한 생물은 모두 세포로 이루어져 있고, 세포는 크기와 모양이 다양하다.

● 뿌리와 줄기

뿌리	• 흡수 기능: 뿌리털은 물을 더 잘 흡수하도록 해 준다. • 저장 기능: 잎에서 만든 양분을 저장하기도 한다. ⓔ 고구마, 당근 • 지지 기능: 땅속으로 뻗어 식물체를 지지한다.
줄기	• 줄기의 껍질은 해충이나 세균 등의 침입을 막고, 추위와 더위로부터 식물을 보호한다. • 식물을 지지한다. • 줄기에 양분을 저장하기도 한다. ⓔ 감자, 토란 • 뿌리에서 흡수한 물과 잎에서 만든 양분이 이동하는 통로이다.

● 잎, 꽃, 열매

잎	• 빛과 이산화 탄소, 물을 이용하여 양분을 만든다. ➡ 광합성 • 기공으로 물을 내보내는 증산 작용이 이루어진다.
꽃	• 대부분 암술, 수술, 꽃잎, 꽃받침으로 이루어져 있다. • 암술에서는 꽃가루받이를 거쳐 씨를 만들고, 수술은 꽃가루를 만든다. • 꽃잎은 암술과 수술을 보호하고, 꽃받침은 꽃잎을 보호한다. • 꽃가루받이(수분)를 거쳐 씨를 만든다.
열매	• 씨와 씨를 둘러싼 껍질 부분으로 되어 있다. • 어린 씨를 보호하고, 익은 씨를 멀리 퍼뜨리는 일을 한다.

● 씨를 퍼뜨리는 방법

민들레, 버드나무	가벼운 솜털이 있어 바람에 날려서 퍼진다.
단풍나무, 가죽나무	날개가 있어 빙글빙글 돌며 날아간다.
봉숭아, 제비꽃, 괭이밥, 콩	열매껍질이 터지며 씨가 튀어 나간다.
도깨비바늘, 도꼬마리	갈고리가 있어 동물의 털이나 사람의 옷에 붙어서 퍼진다.
벚나무, 겨우살이, 참외	동물에게 먹힌 뒤에 씨가 똥과 함께 나와 퍼진다.
연꽃, 수련, 코코야자	물에 떠서 이동한다.
잣나무, 상수리나무	동물이 땅에 저장한 뒤 찾지 못한 것이 싹이 튼다.

식물의 광합성과 증산 작용

① 식물의 광합성

식물의 광합성은 식물이 빛에너지를 이용하여 이산화 탄소와 물로부터 포도당과 산소를 만드는 과정으로, 잎에 있는 엽록체에서 일어난다. 초록색 알갱이인 엽록체는 식물의 잎을 구성하는 울타리 조직과 해면 조직의 세포에 많이 들어 있다. 식물의 잎이 초록색으로 보이는 것은 엽록체 속에 엽록소라는 초록색 색소가 들어 있기 때문이다. 공기 중 이산화 탄소는 잎의 기공을 통해 흡수되고, 뿌리에서 흡수된 물은 줄기의 물관을 통해 잎까지 운반되어 광합성에 쓰인다. 이러한 광합성으로 만들어지는 물질은 포도당이다. 대부분의 식물은 물에 잘 녹는 포도당을 곧 녹말로 전환하여 낮 동안 엽록체에 저장하고, 엽록체에 저장되었던 녹말은 설탕으로 전환되어 식물의 다른 부분으로 이동하여 생명 활동에 필요한 에너지원으로 사용되거나 저장된다.

▲ 식물 잎의 속 구조

② 증산 작용과 공변세포

증산 작용은 잎의 표피 세포 일부가 변형된 한 쌍의 공변세포에 둘러싸여 있는 기공에서 일어난다. 두 개의 공변세포가 기공을 형성하여 열리고 닫히며 기공을 통해

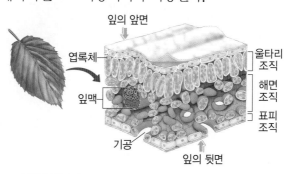

▲ 기공이 열릴 때 　　▲ 기공이 닫힐 때

산소와 이산화 탄소가 드나들고 수증기가 배출된다. 공변세포에는 엽록체가 있어서 빛이 있으면 광합성이 일어나고 이때 주변 세포에서 물이 들어와 공변세포가 팽창한다. 공변세포는 기공 쪽 세포벽이 그 반대쪽 세포벽보다 두꺼우므로, 세포벽이 얇은 바깥쪽이 더 많이 늘어나면 공변세포가 바깥쪽으로 휘어지면서 기공이 열린다. 이러한 증산 작용은 광합성이 활발한 낮에 주로 일어난다. 어두운 밤에는 기공이 대부분 닫혀 있다.

비주얼 사이언스

 69쪽 참고 **식물 세포와 동물 세포의 구조**

식물 세포와 동물 세포는 공통적으로 핵,
미토콘드리아, 리보솜, 소포체, 골지체, 세
포 골격이 존재한다. 엽록체와 세포벽은
식물 세포에만 존재한다.

액포는 주로 식물에만 있는 구조로 물, 영
양소, 노폐물, 색소 등을 저장한다. 성숙한
식물 세포에서 크게 발달한다.

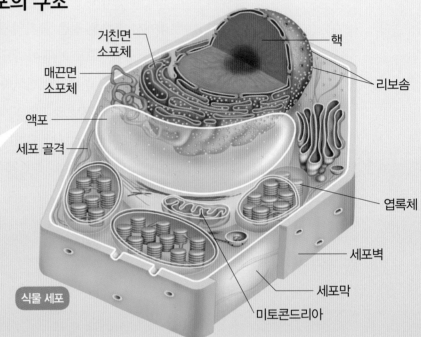

거친면
소포체 ─ 핵
매끈면 ─ 리보솜
소포체
액포 ─
세포 골격 ─
─ 엽록체
─ 세포벽
─ 세포막
미토콘드리아

식물 세포

리소좀은 주로 동물 세
포에 존재하며, 세포 내
소화를 담당한다.

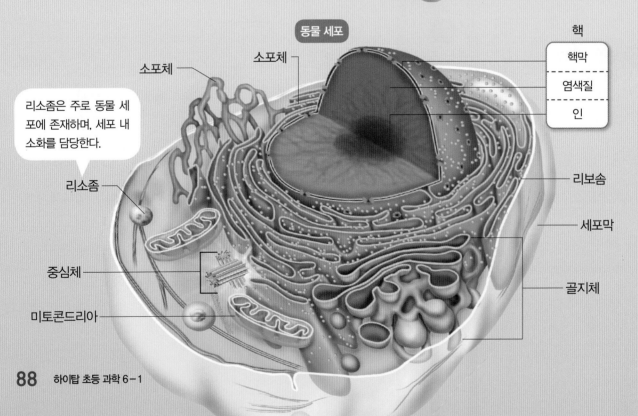

동물 세포

소포체 ─ 소포체 ─ 핵
핵막
염색질
인
리소좀 ─ 리보솜
─ 세포막
중심체 ─
미토콘드리아 ─ 골지체

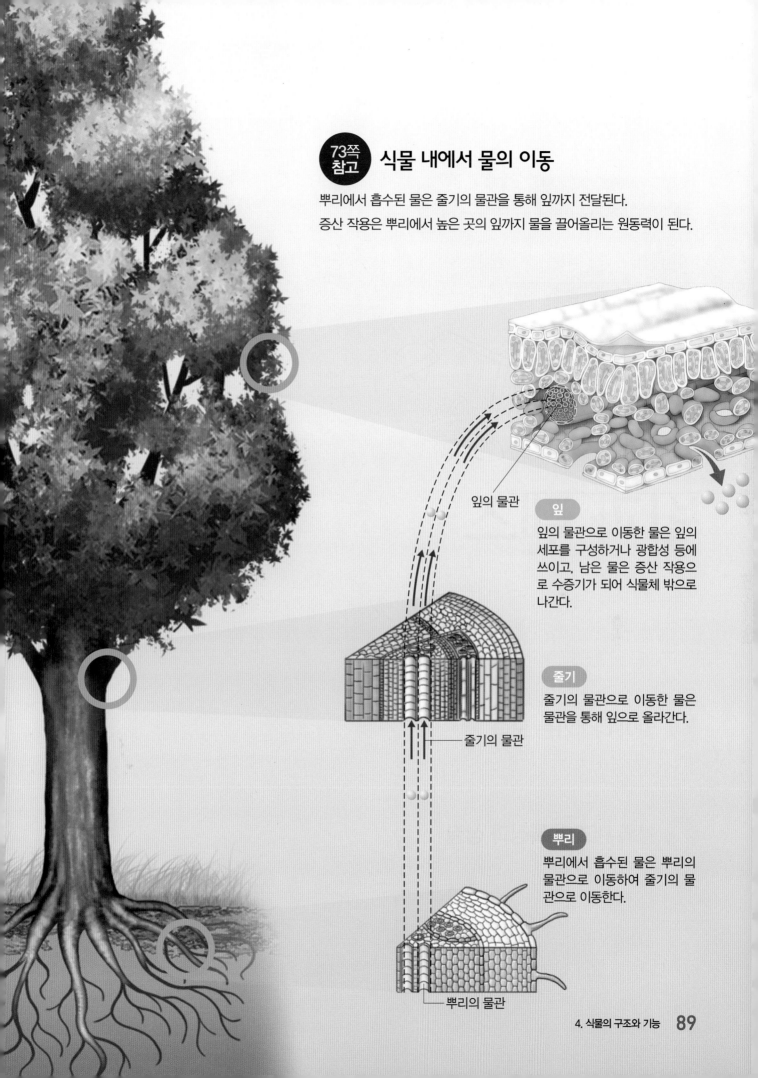

73쪽 참고 식물 내에서 물의 이동

뿌리에서 흡수된 물은 줄기의 물관을 통해 잎까지 전달된다.
증산 작용은 뿌리에서 높은 곳의 잎까지 물을 끌어올리는 원동력이 된다.

잎의 물관

잎

잎의 물관으로 이동한 물은 잎의 세포를 구성하거나 광합성 등에 쓰이고, 남은 물은 증산 작용으로 수증기가 되어 식물체 밖으로 나간다.

줄기

줄기의 물관으로 이동한 물은 물관을 통해 잎으로 올라간다.

— 줄기의 물관

뿌리

뿌리에서 흡수된 물은 뿌리의 물관으로 이동하여 줄기의 물관으로 이동한다.

— 뿌리의 물관

4. 식물의 구조와 기능 **89**

5

빛과 렌즈

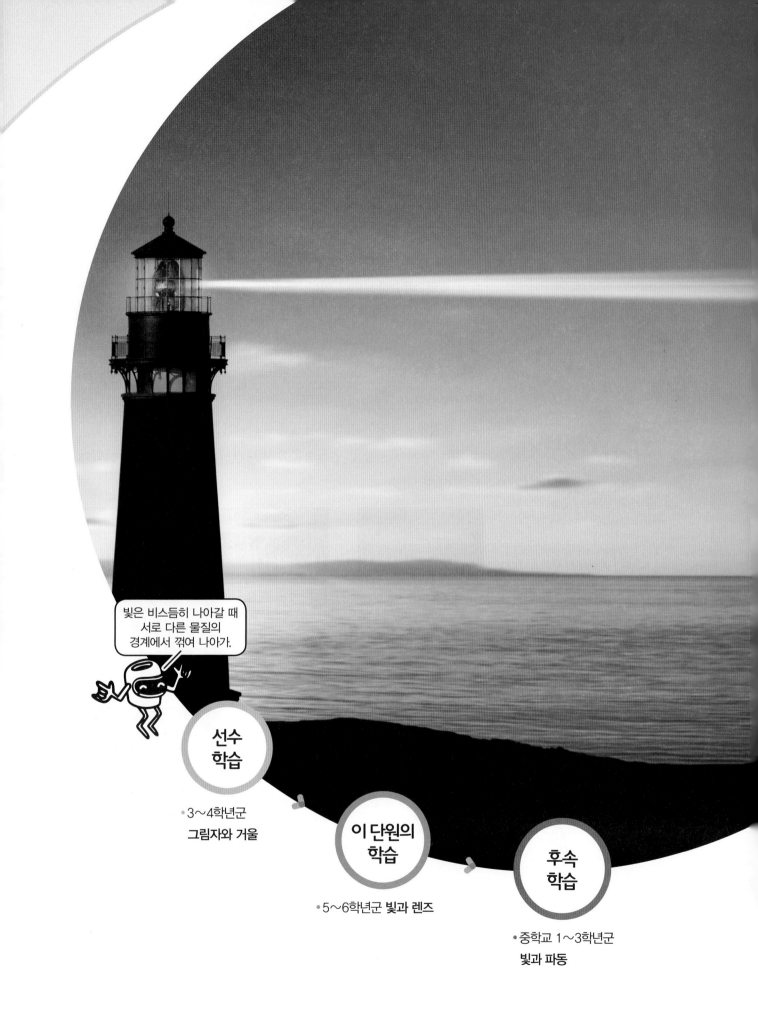

빛은 비스듬히 나아갈 때 서로 다른 물질의 경계에서 꺾여 나아가.

선수 학습

• 3~4학년군
  그림자와 거울

이 단원의 학습

• 5~6학년군 빛과 렌즈

후속 학습

• 중학교 1~3학년군
  빛과 파동

1 빛이 나아가는 모습

개념 강의

만화로 보는
'빛'

태양!
난 너의 정체를
알고 있다!

내 본모습을
들켰네.

용어

•**분산** 여러 개의 빛이 프리즘을 통과할 때에 각각의 색의 띠로 갈라지는 현상.

1. 프리즘을 통과한 햇빛의 특징

(1) **프리즘을 통과한 햇빛의 분산** 햇빛은 여러 가지 색의 빛이 합성되어 있다. 햇빛이 공기 중에서 프리즘을 통과하면 하얀색 도화지에 여러 가지 빛깔로 나타난다. 각각의 색의 빛마다 경계면에서 꺾이는 정도가 달라 여러 가지 색의 빛으로 나누어져 보이는 것이다. 이러한 것을 빛의 *분산이라고 한다.

▲ 프리즘을 통과한 빛의 분산
└ 여러 가지 색의 띠를 스펙트럼이라고 한다.

(2) **우리 생활에서 햇빛이 여러 가지 빛깔로 나뉘어 보이는 경우** 비가 내린 뒤 볼 수 있는 무지개는 햇빛이 물방울을 지나면서 꺾일 때 색이 분산되어 보이는 것이다.

▲ 비가 내린 뒤 볼 수 있는 무지개

▲ 유리의 비스듬하게 잘린 부분을 통과한 햇빛이 만든 무지개

▲ 건물 천장의 프리즘을 통과한 햇빛이 벽면에 나타낸 무지개

Mini 탐구 프리즘을 통과한 햇빛 관찰하기

과정

1. 운동장에서 햇빛의 방향을 생각하며 프리즘을 스탠드에 고정한다.
2. 검은색 도화지의 긴 구멍을 통과한 햇빛이 프리즘을 통과할 수 있도록 프리즘의 위치를 조절한다.
3. 프리즘을 통과한 햇빛이 닿는 곳에 하얀색 도화지를 놓는다.
4. 햇빛을 프리즘에 통과시켰을 때 하얀색 도화지에 나타나는 모습을 관찰한다.

손잡이가 있는 프리즘
하얀색 도화지
긴 구멍
검은색 도화지

프리즘

유리나 플라스틱으로 만든 투명한 삼각기둥 모양의 기구이다.

결과

• 하얀색 도화지에 여러 가지 빛깔이 연속해서 나타난다.
• 햇빛은 여러 가지 빛깔로 이루어져 있다.

2. 빛이 나아가는 모습 94쪽

(1) **공기와 물의 경계에서 빛이 나아가는 모습**　빛은 공기 중에서 물로 비스듬히 나아갈 때 공기와 물의 경계에서 꺾이고, 물에서 공기 중으로 비스듬히 나아갈 때에도 물과 공기의 경계에서 꺾인다. 또한 공기와 유리가 만나는 경계에서도 빛은 꺾인다. 서로 다른 물질의 경계에서 빛이 꺾여 나아가는 현상을 빛의 굴절이라고 한다.

Mini 탐구　공기와 물의 경계에서 빛이 나아가는 모습 관찰하기

과정

1. 투명한 사각 수조에 물을 $\frac{1}{2}$ 정도 높이까지 채우고, 우유를 네다섯 방울 떨어뜨린 다음 유리 막대로 젓는다.
　└ 빛이 나아가는 모습을 보기 위해 우유를 넣는다.

2. 향을 피워 수면 근처에 가져간 뒤, 투명한 아크릴판으로 덮어 수조에 향 연기를 채운다.

3. 레이저 지시기의 빛을 수조 위쪽에서 아래쪽으로 여러 각도에서 비추고, 빛이 나아가는 모습을 관찰하여 화살표로 나타낸다.

4. 수조를 책상 바깥쪽으로 2~3 cm 뺀 다음 레이저 지시기의 빛을 수조 아래쪽에서 위쪽으로 여러 각도에서 비추고, 빛이 나아가는 모습을 관찰하여 화살표로 나타낸다.

결과

▶ 레이저 지시기의 빛을 수조 위쪽에서 아래쪽으로 비출 때

▶레이저 지시기의 빛을 수조 아래쪽에서 위쪽으로 비출 때

• 빛을 수면에 비스듬하게 비추면 빛이 공기와 물의 경계에서 꺾여 나아간다.
• 빛을 수면에 수직으로 비추면 빛이 공기와 물의 경계에서 꺾이지 않고 그대로 나아간다.

(2) **물속에 있는 물체의 모습**　물고기에 닿아 반사된 빛은 물속에서 공기 중으로 나올 때 물과 공기의 경계에서 굴절해 사람의 눈으로 들어온다. 사

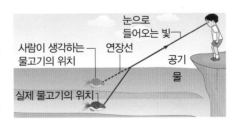

람은 눈으로 들어온 빛의 연장선에 물고기가 있다고 생각하지만, 실제 물고기의 위치는 사람이 생각하는 물고기의 위치보다 더 아래쪽에 있다.

빛이 굴절하는 까닭
각 물질에서 빛이 진행하는 속력이 다르기 때문에 두 물질의 경계면에서 빛의 진행 방향이 꺾인다.

서로 다른 물질의 경계에서 빛의 굴절

• 공기와 반투명한 유리판의 경계에서 빛이 꺾인다.

• 물과 식용유는 서로 섞이지 않기 때문에 식용유가 물보다 위쪽에 있다. 빛은 공기 중에서 식용유로 들어갈 때 그 경계에서 꺾이고, 식용유 속에서 물속으로 진행할 때 그 경계에서 또 한 번 꺾인다.

물속에 있는 물체의 모습 관찰하기

과정

[탐구 1] 물을 부은 컵 속의 동전 관찰하기

1. 높이가 낮고 불투명한 컵의 바닥에 동전을 넣는다.
2. 컵 속의 동전을 관찰하는 사람은 몸을 앞뒤나 위아래로 천천히 움직이면서 동전이 보이다가 보이지 않는 위치에서 멈추고 컵 속을 바라본다.
3. 한 사람이 천천히 컵에 물을 부으면 관찰하는 사람은 컵 속의 동전 모습을 관찰한다.

[탐구 2] 물을 부은 컵 속의 젓가락 관찰하기

1. 높이가 높고 불투명한 컵에 젓가락을 넣는다.
2. 컵에 물을 붓지 않았을 때와 물을 부었을 때 컵 속의 젓가락 모습을 관찰한다.

결과

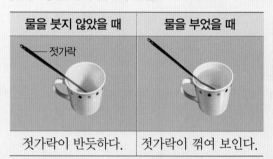

[탐구 1] 컵 속의 동전 모습		**[탐구 2] 컵 속의 젓가락 모습**	
물을 붓지 않았을 때	물을 부었을 때	물을 붓지 않았을 때	물을 부었을 때
동전이 보이지 않는다.	동전이 보인다.	젓가락이 반듯하다.	젓가락이 꺾여 보인다.

알 수 있는 사실 ▶ 빛이 공기와 물의 경계에서 굴절하기 때문에 물속에 있는 물체의 모습은 실제와 다른 위치에 있는 것처럼 보인다.

탐구 문제

↪정답과 해설 21쪽

1 오른쪽과 같이 높이가 낮고 불투명한 컵의 바닥에 동전 한 개를 넣고 동전이 보이지 않는 위치에서 멈추고 컵 속을 바라보면서 컵에 물을 부었습니다. 같은 위치에서 물을 부은 후에 볼 수 있는 모습으로 알맞은 것의 기호를 쓰시오.

동전

▲ 동전이 세 개로 보인다.

▲ 동전이 보인다.

( )

2 높이가 높고 불투명한 컵에 젓가락을 넣었습니다. 컵에 물을 붓지 않았을 때와 물을 부었을 때 볼 수 있는 컵 속의 모습으로 알맞은 것을 보기 에서 골라 기호를 쓰시오.

보기

㉠ 젓가락이 꺾여 보인다.

㉡ 젓가락이 반듯하게 보인다.

㉢ 젓가락이 원래보다 더 길게 보인다.

(1) 물을 붓지 않았을 때: ( )

(2) 물을 부었을 때: ( )

1 햇빛이 공기 중에서 나아가다가 프리즘을 지날 때 오른쪽과 같이 여러 가지 색의 빛으로 나누어져 보이는 까닭을 옳게 말한 사람의 이름을 쓰시오.

- 선우: 경계면에서 빛이 반사되기 때문이야.
- 하준: 햇빛은 한 가지 빛깔로 이루어져 있기 때문이야.
- 희선: 각각의 색의 빛마다 경계면에서 꺾이는 정도가 다르기 때문이야.

(   )

2 비가 내린 뒤 볼 수 있는 무지개는 공기 중의 무엇이 프리즘 역할을 하여 햇빛이 여러 가지 색으로 보이는 것인지 쓰시오.

(   )

3 다음과 같이 검은색 도화지의 긴 구멍을 통과한 햇빛을 프리즘에 통과시키면 햇빛이 하얀색 도화지에 어떤 모습으로 나타나는지 그림과 글로 나타내시오.

(1) 그림으로 나타내기

```


```

(2) 글로 나타내기: _____

_____

4 다음과 같이 빛이 공기 중에서 물로 비스듬히 나아갈 때, 빛의 방향으로 옳은 것은 어느 것입니까?

(   )

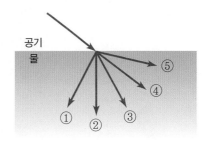

5 레이저 지시기의 빛을 수조 위쪽에서 아래쪽으로 각도를 다르게 비출 때 빛이 나아가는 모습을 각각 화살표로 나타내시오.

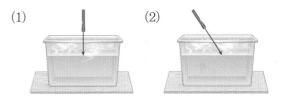

(1)   (2)

6 다음은 물 밖에서 물고기를 보는 모습입니다. 실제 물고기의 위치와 사람이 생각하는 물고기의 위치가 다른 것은 빛의 어떤 현상 때문인지 쓰시오.

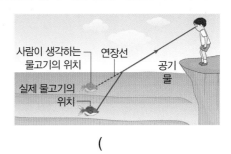

(   )

2 볼록 렌즈의 특징과 성질

개념 강의

만화로 보는
'볼록 렌즈'

볼록 렌즈의 여러 가지 모양

평면   양면   오목
볼록 렌즈   볼록 렌즈   볼록 렌즈

볼록 렌즈의 구실을 하는 물체

▲ 물방울   ▲ 유리 막대

▲ 물이 담긴 둥근 어항

1. 볼록 렌즈의 특징

(1) **볼록 렌즈의 모양** 볼록 렌즈는 가운데 부분이 가장자리보다 두꺼운 렌즈이다.

(2) **볼록 렌즈로 본 물체의 모습** 볼록 렌즈는 빛을 굴절시키기 때문에 볼록 렌즈로 물체를 보면 실제 물체보다 크게 보일 때도 있고, 실제 물체와 달리 상하좌우가 바뀌어 보일 때도 있다.

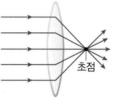
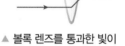

초점

▲ 볼록 렌즈를 통과한 빛이 꺾이는 모습

▲ 볼록 렌즈로 가까이 있는 물체를 볼 때: 물체가 실제보다 크게 보인다.

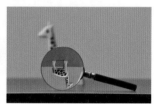

▲ 볼록 렌즈로 멀리 있는 물체를 볼 때: 물체의 상하좌우가 바뀌어 보인다.

(3) **볼록 렌즈의 구실을 하는 물체** 가운데 부분이 가장자리보다 두껍고 빛을 통과시킬 수 있는 물방울, 유리 막대, 물이 담긴 둥근 어항, 물이 담긴 둥근 유리잔, 물이 담긴 투명 지퍼 백 등은 볼록 렌즈의 구실을 할 수 있다.

Mini 탐구 볼록 렌즈를 통과하여 빛이 나아가는 모습 관찰하기

과정

볼록 렌즈에 레이저 지시기의 빛을 비추고, 볼록 렌즈의 양쪽 빈 공간에 분무기로 물을 뿌려 빛이 나아가는 모습을 관찰한다.

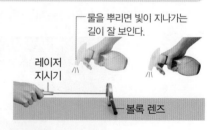

물을 뿌리면 빛이 지나가는 길이 잘 보인다.

레이저 지시기

볼록 렌즈

결과

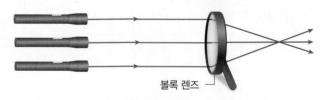

볼록 렌즈

• 곧게 나아가던 레이저 지시기의 빛이 볼록 렌즈의 가장자리를 통과하면 빛은 두꺼운 가운데 부분으로 꺾여 나아간다.

• 곧게 나아가던 레이저 지시기의 빛이 볼록 렌즈의 가운데 부분을 통과하면 빛은 꺾이지 않고 그대로 나아간다.

2. 볼록 렌즈의 성질

(1) 볼록 렌즈를 통과한 햇빛 햇빛을 볼록 렌즈에 통과시키면 볼록 렌즈는 햇빛을 굴절시켜 한곳으로 모을 수 있다. 볼록 렌즈로 햇빛을 모은 곳은 밝기가 밝고 온도가 높다. 하지만 평면 유리는 빛을 모을 수 없기 때문에 볼록 렌즈와 같은 결과를 얻을 수 없다. 교과서속 탐구 **98쪽**

▲ 볼록 렌즈를 통과하는 햇빛

▲ 평면 유리를 통과하는 햇빛

(2) 볼록 렌즈의 빛을 모으는 성질을 이용하여 만든 기구

① 현미경은 작은 물체를, 망원경은 멀리 있는 물체를 확대할 때 쓰인다.

② 사진기나 휴대 전화는 물체에서 반사된 빛을 모아 사진이나 영상을 촬영할 때 쓰인다.

③ 의료용 장비는 물체를 확대할 때 쓰인다.

3. 간이 사진기로 본 물체의 모습

(1) 간이 사진기 물체에서 반사된 빛을 겉 상자에 있는 볼록 렌즈로 모아 물체의 모습이 속 상자의 기름종이에 나타나게 하는 간단한 사진기이다. ─ 스크린의 역할을 하는 기름종이에서 물체의 모습을 볼 수 있다.

속 상자
기름종이
눈을 대고 보는 곳
겉 상자
볼록 렌즈

▲ 간이 사진기는 겉 상자에 볼록 렌즈, 속 상자에 기름종이를 붙여 만든다.

(2) 간이 사진기로 본 물체 간이 사진기로 물체를 보면 볼록 렌즈가 빛을 굴절시켜 기름종이에 상하좌우가 바뀐 물체의 모습을 만들기 때문에 간이 사진기로 본 물체의 모습은 실제 모습과 다르다.

볼록 렌즈와 기름종이 사이의 거리를 조절하여 기름종이에 물체의 모습이 선명하게 나타나도록 한다.

물체가 가까이 있을 때는 볼록 렌즈와 기름종이 사이의 거리를 멀리 해야 한다.

가까이 있는 물체
멀리 한다.

물체가 멀리 있을 때는 볼록 렌즈와 기름종이 사이의 거리를 가깝게 해야 한다.

멀리 있는 물체
가깝게 한다.

▲ 물체가 가까이 있을 때와 멀리 있을 때의 상의 모양과 위치

현미경

접안렌즈
대물렌즈

• 현미경은 볼록 렌즈인 대물렌즈와 접안렌즈를 이용하여 작은 물체의 모습을 확대해서 볼 수 있다.

• 대물렌즈는 작은 물체에서 온 빛을 모이게 하여 물체의 모습을 거꾸로 크게 맺히게 하고, 접안렌즈는 맺힌 물체의 모습을 더 크게 보이게 한다.

망원경의 종류

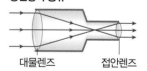
대물렌즈   접안렌즈

• 굴절 망원경 중 케플러식 망원경은 대물렌즈와 접안렌즈에 볼록 렌즈를 이용해서 매우 멀리 있는 행성이나 별을 관찰한다.

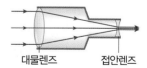
대물렌즈   접안렌즈

• 굴절 망원경 중 갈릴레이식 망원경은 대물렌즈로 볼록 렌즈를, 접안렌즈로 오목 렌즈를 이용해서 바로 선 물체의 모습이 보이도록 한다.

탐구

" 볼록 렌즈를 통과한 햇빛 관찰하기 "

● 과정

1. 운동장에서 태양, 볼록 렌즈, 하얀색 도화지가 일직선이 되게 한다.
2. 볼록 렌즈에서 하얀색 도화지를 점점 멀리 할 때, 하얀색 도화지에 햇빛이 만든 원의 크기가 어떻게 달라지는지 관찰한다.
3. 볼록 렌즈와 하얀색 도화지 사이의 거리를 약 25 cm로 했을 때, 하얀색 도화지에 햇빛이 만든 원의 밝기를 관찰하고 주변과 비교한다.
4. 볼록 렌즈와 하얀색 도화지 사이의 거리를 약 25 cm로 했을 때, 10초 뒤에 하얀색 도화지에 햇빛이 만든 원 안의 온도와 원 밖의 온도를 측정하고 비교한다.
5. 볼록 렌즈 대신 평면 유리를 사용하여 과정 1~4의 활동을 한다.

● 결과

▶ **하얀색 도화지에 햇빛이 만든 원의 크기**

구분	가까울 때(5 cm)	중간일 때(25 cm)	멀 때(45 cm)
볼록 렌즈로 만든 원의 크기			
평면 유리로 만든 원의 크기			

▶ **햇빛이 하얀색 도화지에 만든 원 안의 밝기와 원 안과 밖의 온도**

구분	볼록 렌즈를 통과한 햇빛이 만든 원 안		평면 유리를 통과한 햇빛이 만든 원 안	
밝기	주변보다 밝다.		주변보다 어둡다.	
온도 (℃)	원 안	원 밖	원 안	원 밖
	50.0	25.0	24.5	25.0

● 알 수 있는 사실 ▶ 볼록 렌즈는 햇빛을 모을 수 있으며, 볼록 렌즈로 햇빛을 모은 곳은 밝기가 밝고, 온도가 높다.

1 다음은 볼록 렌즈와 하얀색 도화지 사이의 거리가 가까운 약 5 cm일 때 하얀색 도화지에 햇빛이 만든 원의 크기입니다. 볼록 렌즈와 하얀색 도화지 사이의 거리를 약 25 cm와 약 45 cm로 했을 때 햇빛이 만든 원의 크기를 ☐ 안에 각각 그리시오.

⬭ 5 cm일 때

(1) ☐ 25 cm일 때

(2) ☐ 45 cm일 때

2 탐구 결과로 알 수 있는 볼록 렌즈와 평면 유리의 차이점으로 ( ) 안에 들어갈 알맞은 말을 쓰시오.

> 평면 유리는 햇빛을 모을 수 없다. 볼록 렌즈로 햇빛을 모은 곳은 밝기가 (㉠)고, 온도가 (㉡)아 볼록 렌즈로 종이를 태울 수 있다.

㉠ ( ), ㉡ ( )

98 하이탑 초등 과학 6-1

확인 문제

정답과 해설 22쪽

1 볼록 렌즈의 구실을 할 수 있는 물체에 대한 설명으로 옳지 <u>않은</u> 것을 보기 에서 골라 기호를 쓰시오.

> 보기
>
> ㉠ 물체가 빛을 통과시킬 수 있어야 한다.
> ㉡ 불투명한 물체인 경우 물을 담을 수 있어야 한다.
> ㉢ 물체의 가운데 부분이 가장자리보다 두꺼워야 한다.

(   )

2 책에 물방울을 떨어뜨렸을 때 ㉠과 ㉡ 중 글자가 보이는 모습으로 알맞은 것의 기호를 쓰시오.

㉠	㉡
볼록 렌즈는렌즈입니다. 볼록 렌즈는 거리에 따라 물체의	볼록 렌즈는렌즈입니다. 볼록 렌즈는 거리에 따라 물체의

(   )

3 다음과 같이 볼록 렌즈에 ㉠, ㉡, ㉢ 레이저 지시기의 빛을 비추었습니다. 각각의 레이저 지시기의 빛이 볼록 렌즈를 통과하여 어떻게 나아가는지 화살표로 나타내고, 각 빛이 어느 레이저 지시기에서 나온 빛인지 ▢ 안에 기호를 쓰시오.

㉠ ▭━━━
㉡ ▭━━━ 볼록 렌즈
㉢ ▭━━━

□
□
□

4 다음은 햇빛이 볼록 렌즈와 평면 유리를 통과하는 것을 나타낸 것입니다. 볼록 렌즈는 어느 것인지 기호를 쓰고, 볼록 렌즈와 평면 유리의 차이점에 대해 옳게 말한 사람의 이름을 쓰시오.

㉠ 햇빛 ——   ㉡ 햇빛 ——

> • 민재: 볼록 렌즈는 햇빛을 퍼지게 하고, 평면 유리는 햇빛을 모아 줘.
> • 연희: 볼록 렌즈는 햇빛을 모아 주고, 평면 유리는 햇빛을 모으지 못해.
> • 주아: 볼록 렌즈는 햇빛을 모두 반사하고, 평면 유리는 햇빛을 모두 흡수해.

(1) 볼록 렌즈: (   )
(2) 옳게 말한 사람: (   )

5 오른쪽과 같이 병원에서 사용하는 의료용 장비는 물체를 확대하여 자세히 보기 위해 무엇을 사용했는지 쓰시오.

(   )

6 볼록 렌즈를 붙여 만든 간이 사진기로 다음 글자를 관찰할 때 보이는 모습을 ▢ 안에 그리시오.

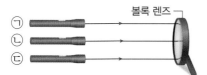 →

단원 평가

[1~2] 다음은 운동장에서 프리즘을 통과한 햇빛을 관찰하는 과정입니다. 물음에 답하시오.

> ❶ 햇빛의 방향을 생각하며 프리즘을 스탠드에 고정한다.
> ❷ 검은색 도화지의 긴 구멍을 통과한 햇빛이 프리즘을 통과할 수 있도록 프리즘의 위치를 조절한다.
> ❸ 프리즘을 통과한 햇빛이 닿는 곳에 하얀색 도화지를 놓은 다음, 햇빛을 프리즘에 통과시킨다.
>
>
> 손잡이가 있는 프리즘
> 하얀색 도화지
> 긴 구멍
> 검은색 도화지

1 위 프리즘을 통과한 햇빛의 모습을 옳게 나타낸 것의 기호를 쓰시오.

㉠ 햇빛   ㉡ 햇빛

(   )

2 위 **1**번 답의 햇빛의 모습을 보고 알 수 있는 햇빛의 특징을 한 가지 쓰시오.

_____

_____

3 다음 (   ) 안에 들어갈 알맞은 말을 쓰시오.

> 비가 내린 뒤 볼 수 있는 무지개는 (㉠   )이/가 물방울을 지나면서 꺾일 때 여러 가지 색의 빛이 (㉡   )되어 보이는 것이다.

㉠ (   ), ㉡ (   )

4 다음과 같이 나아가던 빛이 밑줄 친 각각의 물체를 만났을 때 어떻게 되는지 보기 에서 알맞은 말을 골라 기호를 쓰시오.

> 보기
> ㉠ 반사된다.   ㉡ 직진한다.
> ㉢ 모두 흡수된다.   ㉣ 꺾여 나아간다.

(1) 공기 중에서 곧게 나아가던 빛이 거울을 만났을 때: (   )

(2) 공기 중에서 비스듬히 나아가던 빛이 물을 만났을 때: (   )

(3) 물에서 비스듬히 나아가던 빛이 공기를 만났을 때: (   )

5 다음과 같이 레이저 지시기의 빛을 수조 아래쪽에서 위쪽으로 비출 때 빛이 나아가는 모습을 각각 화살표로 나타내시오.

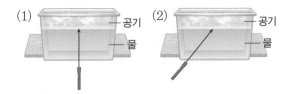
(1) 공기 / 물   (2) 공기 / 물

6 다음은 수조에 반투명한 유리판을 넣고 향을 피운 다음, 레이저 지시기의 빛을 비춘 모습입니다. ㉠과 ㉡ 중 반투명한 유리판을 만난 레이저 지시기의 빛이 나아가는 모습을 옳게 나타낸 것의 기호를 쓰시오.

㉠ 레이저 지시기   ㉡
반투명한 유리판

(   )

7 다음에서 굴절된 빛을 보는 사람이 생각하는 물고기의 위치를 골라 기호를 쓰고, 그렇게 보이는 까닭을 쓰시오.

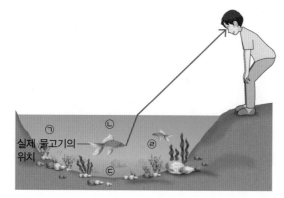

(1) 사람이 생각하는 물고기의 위치

(   )

(2) 까닭: _____

_____

_____

8 오른쪽과 같이 컵 속에 동전을 넣고 물을 붓지 않았을 때는 컵 속의 동전이 보이지 않다가, 컵에 물을 부었더니 컵 속의 동전이 보였습니다. 동전이 보이는 모습에 대해 옳게 말한 사람의 이름을 쓰시오.

▲ 물을 붓지 않았을 때

- 지혜: 실제보다 동전이 떠 보여.
- 영준: 실제와 다르게 동전이 뒤집혀 보여.
- 보람: 실제보다 동전이 더 깊은 곳에 있는 것 처럼 보여.

(   )

9 컵 속에 빨대를 넣고 물을 부었을 때, 빨대 위쪽의 위치에서 보이는 빨대의 모양을 옳게 나타낸 것은 어느 것입니까? (   )

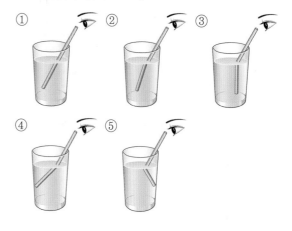

10 빛의 굴절에 의한 현상으로 옳지 <u>않은</u> 것은 어느 것입니까? (   )

① 실제보다 물이 얕아 보인다.

② 실제보다 물속의 다리가 짧아 보인다.

③ 햇빛이 강한 날 아지랑이가 피어오른다.

④ 물이 들어 있는 둥근 어항 뒤의 물체가 확대되어 보인다.

⑤ 물속의 물고기가 실제보다 깊은 곳에 있는 것으로 보인다.

11 볼록 렌즈를 통과한 빛이 나아가는 모습을 옳게 나타낸 것은 어느 것입니까? (   )

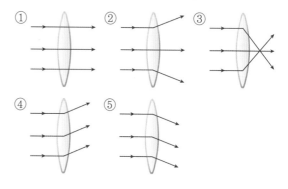

12 눈이 나빠져 다음과 같이 볼록 렌즈로 만든 안경을 쓰던 준민이가 안경을 잃어버렸습니다. 안경 없이 주변의 물체를 사용하여 책의 작은 글씨를 읽을 수 있는 방법을 한 가지 쓰시오.

_____

_____

13 다음과 같이 볼록 렌즈에 레이저 지시기의 빛을 비추고 볼록 렌즈의 양쪽 빈 공간에 분무기로 물을 뿌려 빛이 나아가는 모습을 관찰한 결과로 옳은 것을 보기에서 각각 골라 기호를 쓰시오.

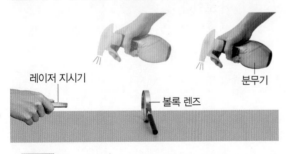

보기
⊙ 렌즈에 흡수되어 사라진다.
ⓒ 꺾이지 않고 그대로 나아간다.
ⓒ 렌즈의 두꺼운 가운데 부분으로 꺾여 나아간다.

(1) 볼록 렌즈의 가장자리를 통과한 빛
(   )

(2) 볼록 렌즈의 가운데 부분을 통과한 빛
(   )

[14~16] 다음은 운동장에서 태양, 볼록 렌즈, 하얀색 도화지가 일직선이 되게 하고, 볼록 렌즈와 도화지 사이의 거리를 약 25 cm로 한 것입니다. 물음에 답하시오.

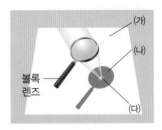

14 위 (가)~(다) 중 빛의 밝기가 가장 밝고 온도가 가장 높은 곳의 기호를 쓰시오.

(   )

15 위 볼록 렌즈와 하얀색 도화지 사이의 거리를 점점 멀리 하여 약 45 cm가 될 때 하얀색 도화지에 햇빛이 만든 원의 크기를 옳게 나타낸 것의 기호를 쓰시오.

(   )

16 위 볼록 렌즈 대신에 햇빛을 평면 유리에 통과시킬 때 햇빛이 하얀색 도화지에 만든 원 안의 밝기를 볼록 렌즈가 만든 원 안의 밝기와 비교하여 쓰시오.

_____

_____

17 오른쪽과 같은 휴대 전화에는 볼록 렌즈를 이용합니다. 휴대 전화의 볼록 렌즈의 쓰임새에 대해 옳게 말한 사람의 이름을 쓰시오.

볼록 렌즈

- 라희: 물체를 축소할 때 쓰여.
- 태민: 빛을 반사시켜 밝게 볼 때 쓰여.
- 지선: 빛을 모아 사진이나 영상을 촬영할 때 쓰여.

( )

18 현미경의 접안렌즈와 대물렌즈, 망원경의 대물렌즈에는 볼록 렌즈를 이용합니다. 현미경과 망원경에 볼록 렌즈를 사용하면 좋은 점을 한 가지 쓰시오.

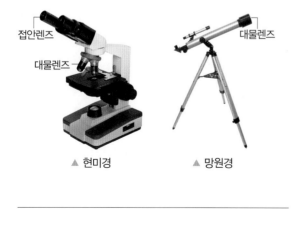
접안렌즈
대물렌즈
대물렌즈
▲ 현미경   ▲ 망원경

_____

_____

_____

19 다음은 간이 사진기를 만드는 과정의 일부입니다. 겉 상자에 붙이는 ㈎ 렌즈에 대한 설명으로 옳은 것을 보기 에서 골라 기호를 쓰시오.

겉 상자   ㈎

보기

㉠ 빛을 반사한다.
㉡ 물체의 상이 맺히지 않게 한다.
㉢ 가까운 물체를 크게 보이게 한다.
㉣ 통과한 빛이 퍼져서 나아가게 한다.
㉤ 가운데 부분이 얇고 가장자리 부분이 두껍다.

( )

20 오른쪽과 같은 집 모양을 간이 사진기를 통해 볼 때, 보이는 모습으로 옳은 것은 어느 것입니까? ( )

①  ② ③

④ ⑤

서술형 문제

1 다음과 같은 모습을 보고 알 수 있는 빛의 성질을 한 가지 쓰시오.

▲ 무대 조명

▲ 등대 조명

_____

_____

2 다음은 생활 속에서 나타나는 현상입니다. 빛의 어떤 성질과 관련이 있는지 그 성질에 대한 설명과 함께 쓰시오.

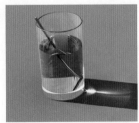

▲ 물이 들어 있는 컵 속에 넣은 젓가락이 꺾여 보인다.

▲ 물이 들어 있는 둥근 어항 뒤의 고양이가 실제보다 크게 보인다.

_____

_____

3 다음과 같이 물의 높이가 서로 다른 두 개의 수조 위쪽에서 아래쪽으로 같은 각도로 레이저 지시기의 빛을 비추었을 때 빛이 나아가는 모습을 화살표로 각각 그리고, 빛이 꺾이는 정도를 서로 비교하여 쓰시오.

(1) 빛이 나아가는 모습

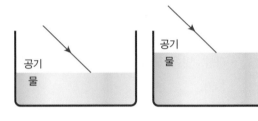

공기

물

공기

물

(2) 빛이 꺾이는 정도: _____

_____

4 동전이 들어 있는 불투명한 컵에 물을 붓지 않았을 때 보이지 않던 동전이 컵에 물을 부은 후 보이는 까닭을 빛과 관련지어 쓰시오.

동전

▲ 컵에 물을 붓지 않았을 때

▲ 컵에 물을 부었을 때

_____

_____

_____

↱정답과 해설 24쪽

5 볼록 렌즈로 물체를 보면 실제와 어떻게 다르게 보이는지 쓰시오.

_____

_____

_____

6 다음과 같이 볼록 렌즈에 레이저 지시기의 빛을 비추려고 합니다. 볼록 렌즈의 가장자리에 비추는 빛 ㉠과 가운데에 비추는 빛 ㉡이 볼록 렌즈를 통과한 후에 나아가는 모습을 비교하여 쓰시오.

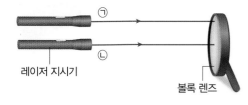

_____

_____

7 다음은 운동장에서 볼록 렌즈와 평면 유리를 통과한 햇빛이 하얀색 도화지에 만든 원 안과 원 밖의 온도를 측정한 결과입니다. 실험 결과를 보고, 볼록 렌즈와 평면 유리의 차이점을 온도와 관련지어 쓰시오.

구분	볼록 렌즈		평면 유리	
원의 모습				
온도 (℃)	원 안	원 밖	원 안	원 밖
	50.0	25.0	24.5	25.0

_____

_____

8 간이 사진기로 오른쪽과 같은 글자를 보았습니다.

(1) 위 글자를 간이 사진기로 볼 때, 보이는 모습을 ☐ 안에 그리시오.

☐

(2) 위와 같이 간이 사진기로 본 글자의 모습이 실제 글자의 모습과 다른 까닭을 쓰시오.

_____

_____

핵심 정리

● 빛의 특징

프리즘을 통과한 햇빛	프리즘을 통과한 햇빛은 각각의 색의 빛마다 경계면에서 꺾이는 정도가 달라 여러 가지 빛깔로 나누어져 보인다.	빛 프리즘
공기와 물의 경계에서 빛이 나아가는 모습	• 빛은 공기 중에서 물로 비스듬히 나아갈 때 공기와 물의 경계에서 꺾인다.	
	• 빛은 물속에서 공기 중으로 비스듬히 나아갈 때 물과 공기의 경계에서 꺾인다.	
빛의 굴절	서로 다른 물질의 경계에서 빛이 꺾여 나아가는 현상이다.	

● 볼록 렌즈

볼록 렌즈의 특징	• 볼록 렌즈는 가운데 부분이 가장자리보다 두껍다. • 볼록 렌즈로 물체를 보면 실제보다 크게 보일 때도 있고, 실제 물체와 달리 상하좌우가 바뀌어 보일 때도 있다.
볼록 렌즈의 성질	• 볼록 렌즈를 통과한 햇빛은 굴절되어 한곳으로 모인다. • 볼록 렌즈로 햇빛을 모은 곳은 밝기가 밝고 온도가 높다.
볼록 렌즈의 구실을 하는 물체	물방울, 유리 막대, 물이 담긴 둥근 어항 등과 같이 가운데 부분이 가장자리보다 두껍고 빛을 통과시킬 수 있는 물체는 볼록 렌즈의 구실을 한다.

● 간이 사진기로 본 물체

간이 사진기로 물체를 보는 방법	• 물체가 가까이 있을 때: 볼록 렌즈와 기름종이 사이의 거리를 멀리 한다. • 물체가 멀리 있을 때: 볼록 렌즈와 기름종이 사이의 거리를 가깝게 한다. 속 상자 / 기름종이 / 겉 상자 / 볼록 렌즈
간이 사진기로 본 물체	볼록 렌즈가 빛을 굴절시켜 기름종이에 상하좌우가 바뀐 물체의 모습을 만든다. 글 ➡ 른 ▲ 실제 모습　　　　▲ 간이 사진기로 본 모습

빛의 성질과 오목 렌즈

① 빛의 직진, 굴절, 반사

빛의 직진은 빛이 곧게 나아가는 현상이고, **빛의 굴절**은 빛이 어느 한 물질에서 다른 물질로 진행할 때 두 물질의 경계면에서 진행 방향이 꺾이는 현상이다. 두 물질의 경계면에 수직인 가상의 선인 법선과 이루는 각을 입사각이라고 하고, 법선과 굴절 광선이 이루는 각을 굴절각

▲ 빛의 굴절

이라고 한다. 빛이 굴절하는 까닭은 각 물질에서 빛이 진행하는 속력이 달라 두 물질의 경계면에서 빛의 진행 방향이 꺾이기 때문이다. **빛의 반사**는 손전등 빛을 거울 면에 비추면 빛이 되돌아 나오는 것처럼, 직진하던 빛이 성질이 다른 물질의 경계면에서 되돌아 나오는 현상이다. 빛이 반사할 때 입사각과 반사각의 크기가 항상 같은 것을 반사 법칙이라고 한다. 거울과 같은 매끈한 면에서 일정한 방향으로 반사하는 현상을 정반사라고 하고, 나란하게 입사한 빛이 흰 종이와 같은 거친 면에서 여러 방향으로 흩어져 반사하는 현상을 난반사라고 한다.

▲ 빛의 반사

▲ 빛의 정반사

▲ 빛의 난반사

② 오목 렌즈

볼록 렌즈는 통과하는 빛을 가운데 부분으로 모으는 성질이 있지만, 렌즈의 가운데 부분이 가장자리 부분보다 얇은 오목 렌즈는 빛을 퍼지게 하는 성질이 있다. 오목 렌즈로 물체를 보면 항상 물체보다 작고 바로 선 모습의 상이 생기며, 오목 렌즈와 물체 사이의 거리가 멀어질수록 상의 크기는 더 작아진다.

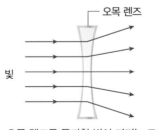

▲ 오목 렌즈를 통과한 빛이 퍼지는 모습

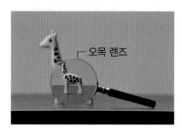

▲ 오목 렌즈로 본 물체의 모습

VISUAL SCIENCE

비주얼 **사이언스**

92쪽 참고 **빛의 분산**

여러 가지 색의 빛이 고르게 합성되어 흰색으로 보이는 빛을
백색광이라고 한다. 햇빛, 백열등, 형광등과 같은 백색광이
프리즘을 통과하면 여러 가지 색의 빛으로 나누어진다.

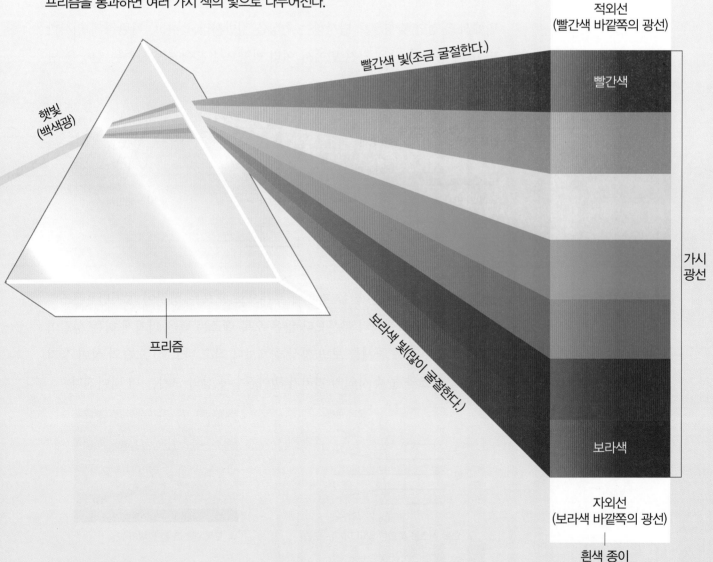

빨간색 빛(조금 굴절한다.)

적외선
(빨간색 바깥쪽의 광선)

빨간색

햇빛
(백색광)

가시
광선

프리즘

보라색 빛(많이 굴절한다.)

보라색

자외선
(보라색 바깥쪽의 광선)

흰색 종이

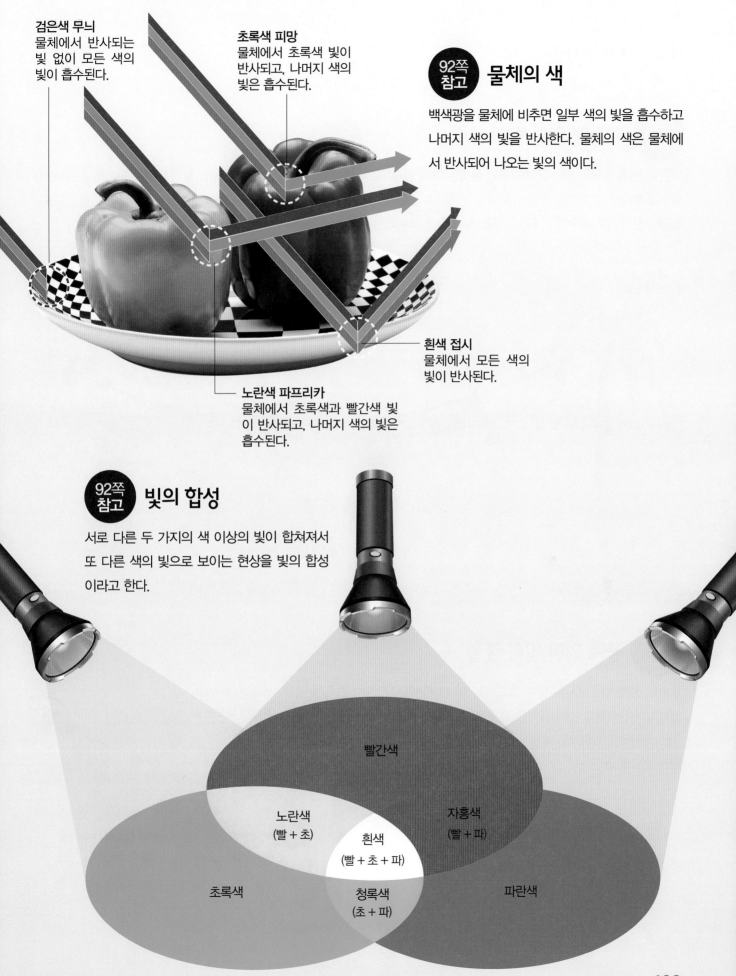

검은색 무늬
물체에서 반사되는 빛 없이 모든 색의 빛이 흡수된다.

초록색 피망
물체에서 초록색 빛이 반사되고, 나머지 색의 빛은 흡수된다.

92쪽 참고 물체의 색

백색광을 물체에 비추면 일부 색의 빛을 흡수하고 나머지 색의 빛을 반사한다. 물체의 색은 물체에서 반사되어 나오는 빛의 색이다.

흰색 접시
물체에서 모든 색의 빛이 반사된다.

노란색 파프리카
물체에서 초록색과 빨간색 빛이 반사되고, 나머지 색의 빛은 흡수된다.

92쪽 참고 빛의 합성

서로 다른 두 가지의 색 이상의 빛이 합쳐져서 또 다른 색의 빛으로 보이는 현상을 빛의 합성이라고 한다.

빨간색

노란색
(빨 + 초)

자홍색
(빨 + 파)

흰색
(빨 + 초 + 파)

초록색

청록색
(초 + 파)

파란색

비주얼 **사이언스**

 대기에 의한 빛의 굴절

더운 여름날, 뜨거운 지면 근처의 공기 온도는 위쪽의 공기보다 높아 상대적으로 밀도가 작다. 빛의 속력은 공기의 밀도가 작을수록 빠르므로, 지면을 향하는 빛이 연속적으로 굴절하여 위쪽으로 휘어져 진행할 때 관측자는 바닥에 물이 고인 것처럼 보이는 신기루를 보게 된다. 이것은 하늘에서 온 빛이 뜨거운 공기층을 통과하면서 굴절되어 보이는 것이다.

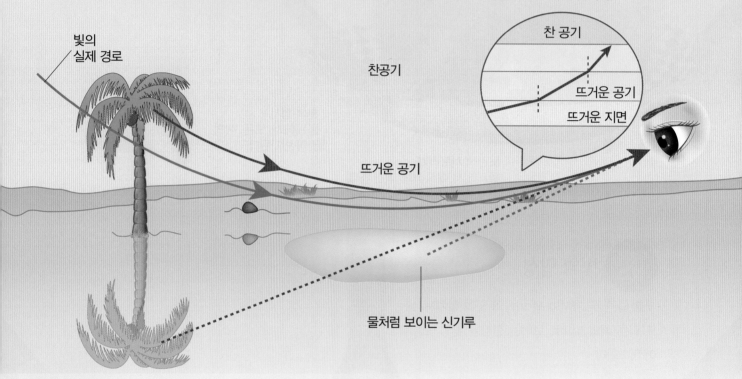

물처럼 보이는 신기루

 물에 의한 빛의 굴절

물속의 물체에서 반사된 빛이 물과 공기의 경계면에서 굴절하여 관측자의 눈에 들어올 때 관측자는 빛이 직진하는 것으로 인식하므로 굴절 광선의 연장선상에 물체가 있는 것으로 보인다.

우리 눈에는 빛이 이렇게 나오는 것처럼 보인다.

공기
물

빛이 물속에서 공기로 나올 때 굴절한다.

눈에 보이는 발의 위치

실제 발의 위치

96쪽 참고 **물체를 보는 과정**

광원에서 나온 빛이나 물체에서 반사된 빛이 우리 눈에 들어와 수정체에서 굴절되어 뇌가 그 신호를 인식하는 과정으로 우리는 물체를 볼 수 있다.

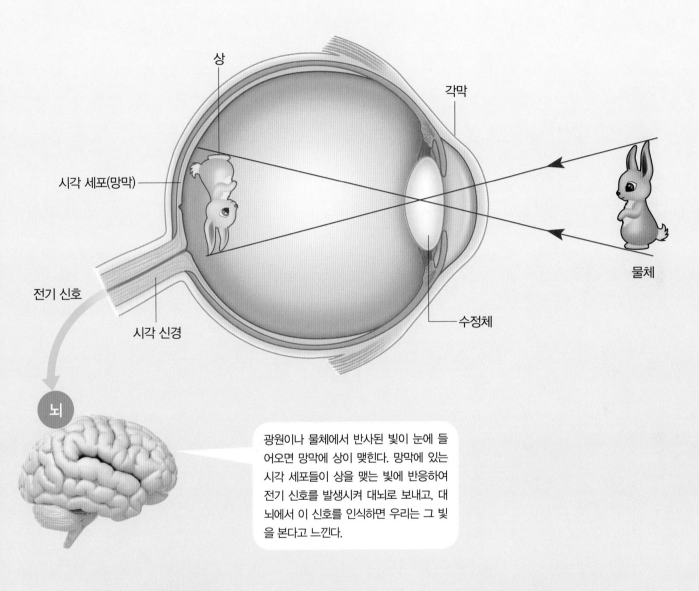

상
각막
시각 세포(망막)
물체
전기 신호
시각 신경
수정체
뇌

광원이나 물체에서 반사된 빛이 눈에 들어오면 망막에 상이 맺힌다. 망막에 있는 시각 세포들이 상을 맺는 빛에 반응하여 전기 신호를 발생시켜 대뇌로 보내고, 대뇌에서 이 신호를 인식하면 우리는 그 빛을 본다고 느낀다.

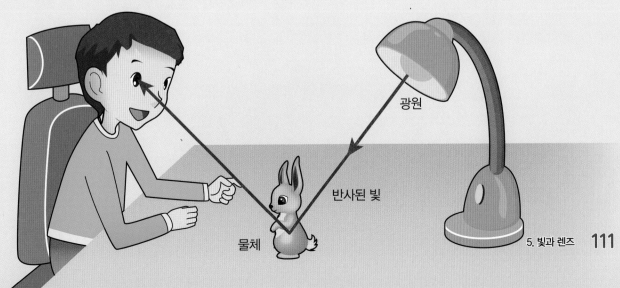

광원
반사된 빛
물체

Where there is a will,
there is a way.

개념

HIGHTOP

>>> 하이탑 초등 과학

6학년

2학기

초등 과학의 **구성과 특징**

Start

1 단계

1 만화로 보는 주제

단원 시작 전에 한 컷 만화로 핵심 주제에 대해 알고 하이탑 시작!

2 개념 학습

과학 이야기를 읽듯이 차근차근 읽다 보면 과학 개념을 체계적으로 이해할 수 있습니다.

3 Mini 탐구

과학 교과서의 기본 탐구를 개념 학습과 함께 익힐 수 있습니다.

---

2 계절의 변화

2 계절의 변화

① 만화로 보는 '계절의 변화'

태양의 남중 고도가 높으니 좋으네.
너도 익어 간다.

지표면에 도달하는 태양 에너지양

▲ 태양 고도가 낮을 때

▲ 태양 고도가 높을 때

태양 고도가 낮아지면 태양 광선은 넓게 퍼지게 되고 일정한 면적의 지표면에 도달하는 태양 에너지양이 적어진다.

2

1. 계절에 따른 기온 변화

① 태양의 남중 고도가 높아지면 일정한 면적의 지표면에 도달하는 태양 에너지양이 많아지고, 지표면에 도달하는 태양 에너지양이 많아지면 지표면이 더 많이 데워져 기온이 높아진다.

② 여름에는 기온이 높아 덥고, 겨울에는 기온이 낮아 춥다. 계절에 따라 태양의 남중 고도가 달라지기 때문에 계절에 따라 기온이 달라진다.

태양의 남중 고도가 높다.
태양의 남중 고도가 낮다.

▲ 여름: 태양의 남중 고도가 높아 일정한 면적에 도달하는 태양 에너지양이 많다.
▲ 겨울: 태양의 남중 고도가 낮아 일정한 면적에 도달하는 태양 에너지양이 적다.

3 탐구 태양의 남중 고도에 따른 기온 변화 비교하기

과정

1. 페트리 접시 두 개에 모래를 각각 채운다.
2. 전등과 모래가 이루는 각을 하나는 크게, 다른 하나는 작게 하여 전등과 모래 사이의 거리가 20 cm가 되도록 설치한다.
3. 적외선 온도계로 두 페트리 접시에 담긴 모래의 온도를 각각 측정한다.
4. 전등을 동시에 켜고 3~5분이 지난 뒤 두 페트리 접시에 담긴 모래의 온도를 각각 측정한다.

결과 두 페트리 접시에 담긴 모래의 온도 변화 예

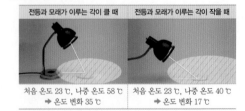

전등과 모래가 이루는 각이 클 때	전등과 모래가 이루는 각이 작을 때
처음 온도 23 ℃, 나중 온도 58 ℃ ➡ 온도 변화 35 ℃	처음 온도 23 ℃, 나중 온도 40 ℃ ➡ 온도 변화 17 ℃

• 전등과 모래가 이루는 각이 클 때 모래의 온도가 더 많이 올라갔다.

34 하이탑 초등 과학 6-2

2. 계절의 변화 [탐구 36쪽]

(1) 계절이 변하는 까닭

① 지구의 자전축은 공전 *궤도면에 대해 약 23.5° 기울어진 채 태양 주위를 공전한다. 지구의 자전축이 기울어진 채 태양 주위를 공전하기 때문에 지구의 위치에 따라 태양의 남중 고도가 달라지고, 계절이 달라진다.
└ 계절이 달라지면서 태양의 남중 고도, 낮의 길이, 기온이 달라진다.

② 지구의 자전축이 공전 궤도면에 수직이거나 지구가 태양 주위를 공전하지 않는다면 태양의 남중 고도는 변하지 않고, 계절이 달라지지 않는다.

(2) 지구의 위치에 따른 우리나라의 계절 변화 지구의 위치에 따라 태양의 남중 고도가 달라진다.

여름에 북반구에서는 태양의 남중 고도가 높다. [여름]

겨울에 북반구에서는 태양의 남중 고도가 낮다. [겨울]

[보충 플러스] 북반구와 남반구의 계절

6월 21일 무렵에 태양은 북위 23.5°를 수직으로 비추어 북반구가 남반구에 비해 더 많은 태양 에너지를 받게 된다. 이 날은 북반구의 여름이 시작되는 날로, '하지'라고 한다. 9월 23일 무렵에 태양은 적도 바로 위에 위치한다. 이때는 낮과 밤의 길이가 거의 비슷하며, 북반구의 가을이 시작되는 날로, '추분'이라고 한다. 12월 22일 무렵은 1년 중 낮이 가장 짧은 '동지'이며 북반구의 겨울이 시작되는 날이다. 동지가 지나면 태양의 남중 고도가 높아지고 낮의 길이는 길어지기 시작한다. 3개월 뒤인 3월 21일 무렵에는 낮과 밤의 길이가 거의 비슷해지며 봄이 시작되는 '춘분'이다. 남반구의 계절은 북반구와 반대이다. 남반구에서는 태양이 북쪽 하늘을 지나고 6월 21일 무렵에 태양의 북중 고도가 가장 낮다. 북반구가 여름일 때 남반구에서는 겨울이 되고, 북반구가 겨울일 때 남반구에서는 여름이 된다.

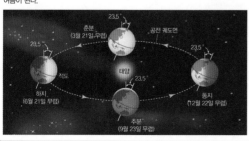

춘분(3월 21일 무렵), 공전 궤도면, 23.5°, 하지(6월 21일 무렵), 적도, 태양, 23.5°, 동지(12월 22일 무렵), 추분(9월 23일 무렵)

●*궤도 사물이 따라서 움직이도록 정해진 길.

북반구의 대한민국과 남반구의 뉴질랜드의 계절 모습

• 6월의 모습

▲ 대한민국 ▲ 뉴질랜드

• 12월의 모습

▲ 대한민국 ▲ 뉴질랜드

2. 계절의 변화 **35**

---

❹ 보충 플러스

과학 원리에 대한 보충 설명으로 개념을 더 쉽게 이해할 수 있습니다.

❺ 심화

초등 과학 개념보다 확장된 내용으로 이해의 폭을 넓힐 수 있습니다.

[심화] 혈액의 구성 성분

• 혈액의 45 %는 적혈구, 백혈구, 혈소판으로 구성되어 있고, 혈장(물)이 55 %로 이루어져 있다.

적혈구	백혈구	혈소판
가운데가 오목한 원반 모양으로 붉은색을 띠며, 산소를 운반한다.	모양이 일정하지 않고, 외부에서 침입한 세균을 잡아먹는다.	모양이 일정하지 않고, 상처가 나서 피가 날 때 혈액을 응고시킨다.

무료 스마트러닝

• 1권 초등 과학 개념 강의

개념 동영상 강의를 보고 들으면서 좀 더 쉽게 학습할 수 있습니다.

2 단계

❶ 교과서 속 탐구

과학 교과서의 핵심 탐구를 과정, 결과, 알 수 있는 사실까지 꼼꼼하게 정리할 수 있습니다.

❷ 탐구문제

탐구 관련 문제를 풀면서 탐구로 알 수 있는 사실을 다시 한 번 정리할 수 있습니다.

❸ 확인 문제

문제를 풀면서 오늘 공부한 개념을 정리하고 다질 수 있습니다.

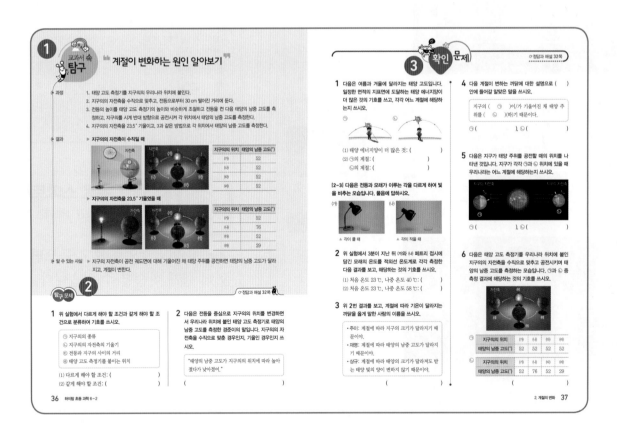

3단계

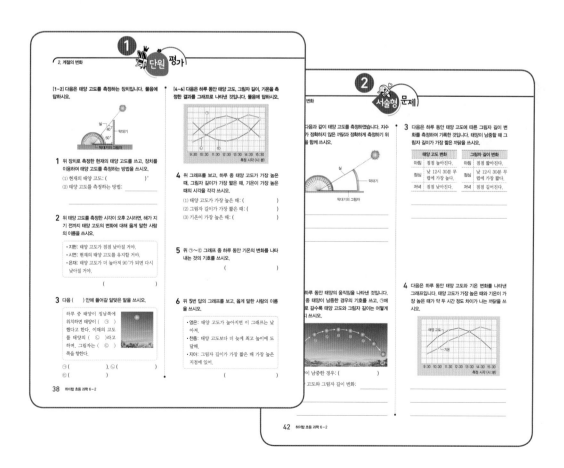

① 단원평가

학교에서 실시하는 단원평가에 자주 출제되는 문제 유형으로 구성하였습니다. 문제를 푼 후 틀린 문제는 자세한 풀이를 보면서 확실하게 이해할 수 있습니다.

② 서술형 문제

서술형 문제를 풀면서 답을 쓸 때 꼭 들어가야 하는 핵심 내용을 정리하는 습관을 들일 수 있습니다.

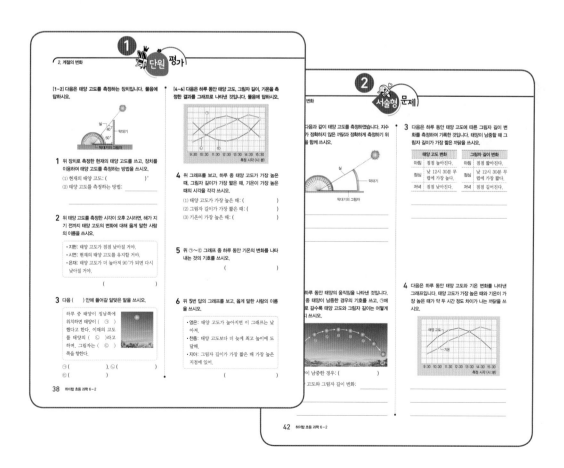

전기의 이용

계절의 변화

1

전기의 이용

전지나 전구의
연결 방법에 따라
전구의 밝기가 달라져.

**선수
학습**

• 3~4학년군 자석의 이용

**이 단원의
학습**

• 5~6학년군 전기의 이용

**후속
학습**

• 중학교 1~3학년군
전기와 자기

전기 회로

개념 강의

만화로 보는
'**전기 회로**'

전류가
흐르지 않아.

그래서 항상
어두웠어?

전류의 흐름 방향

전구의 구조

- 유리구
- 필라멘트
- 지지대
- 꼭지쇠
- 꼭지

전구는 유리구, 필라멘트, 지지대, 꼭지쇠, 꼭지 등의 구조로 되어 있다. 필라멘트는 전류가 흐르면 빛을 내는 부분이다. 필라멘트의 양 끝은 각각 꼭지와 꼭지쇠에 연결되어 있다.

1. 전구에 불 켜기

(1) **전기 회로** 전지, 전선, 전구 등 전기 부품을 서로 연결해 전기가 흐르도록 한 것이다. 전기 회로에 흐르는 전기를 전류라고 하며, 전류는 전지의 (+)극에서 (−)극으로 흐른다.

① 철, 구리, 알루미늄, 흑연 등과 같이 전류가 잘 흐르는 물질을 도체라고 한다. 종이, 유리, 비닐, 나무 등과 같이 전류가 잘 흐르지 않는 물질을 부도체라고 한다.

② 여러 가지 전기 부품은 도체 부분과 부도체 부분으로 이루어져 있다.

스위치	집게 달린 전선	전지 끼우개
전기 회로에 전류를 흐르게 하거나, 흐르지 않게 할 수 있다.	전류가 흐르는 통로로, 집게로 전선을 여러 전기 부품에 쉽게 연결할 수 있다.	전기 회로를 만들 때 전지를 전선에 쉽게 연결할 수 있다.

전지	전구	전구 끼우개
(+)극과 (−)극을 연결하면 전기 회로에 전류를 흐르게 한다.	빛을 내는 전기 부품으로, 전류가 흐르면 필라멘트에 빛이 난다.	전구 끼우개에 전구를 끼우면 전선을 쉽게 연결할 수 있다.

(2) **전기 회로에서 전구에 불 켜기** 전기 회로에 연결된 전기 부품의 도체 부분에 전류가 흐르면 전구에 불이 켜진다. — 전지, 전선, 전구의 도체끼리 끊어지지 않게 연결한다.

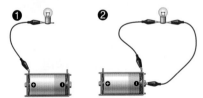

▲ 전구에 불이 켜지지 않는 전기 회로: ❶ 전구의 한쪽이 전지의 (−)극과 연결되어 있지 않고, ❷ 전구와 전지의 (+)극이 연결되어 있지 않다.

▲ 전구에 불이 켜지는 전기 회로: ❸과 ❹는 전구의 꼭지와 꼭지쇠가 각각 전지의 (+)극과 (−)극에 연결되어 있다.

2. 전지의 연결 방법 12쪽

(1) **전지의 °직렬연결**   전기 회로에서 전지 두 개 이상을 서로 다른 극끼리 연결하는 방법이다. 전지 두 개를 직렬연결하면 병렬연결할 때보다 전구가 더 밝다.

(2) **전지의 °병렬연결**   전기 회로에서 전지 두 개 이상을 서로 같은 극끼리 연결하는 방법이다. 전지 두 개를 병렬연결하면 직렬연결할 때보다 전구가 어둡다.

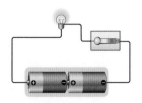

▲ 전지의 직렬연결: 전지 두 개를 서로 다른 극끼리 연결한다.

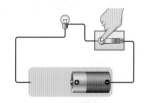

▲ 전지 한 개를 빼내고 스위치를 닫았을 때: 전구에 불이 켜지지 않는다.

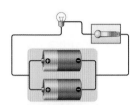

▲ 전지의 병렬연결: 전지 두 개를 서로 같은 극끼리 연결한다.

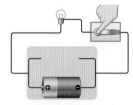

▲ 전지 한 개를 빼내고 스위치를 닫았을 때: 전구에 불이 켜진다.

3. 전구의 연결 방법

(1) **전구의 직렬연결**   전기 회로에서 전구 두 개 이상을 한 줄로 연결하는 방법이다. 한 개의 전구를 빼내면 나머지 전구 불이 꺼진다.

(2) **전구의 병렬연결**   전기 회로에서 전구 두 개 이상을 여러 개의 줄에 나누어 한 개씩 연결하는 방법이다. 한 개의 전구를 빼내도 나머지 전구 불이 꺼지지 않는다.

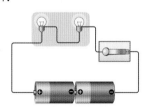

▲ 전구의 직렬연결: 전구 두 개를 한 줄로 연결한다.

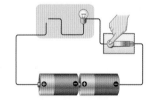

▲ 전구 한 개를 빼내고 스위치를 닫았을 때: 남은 전구에 불이 켜지지 않는다.

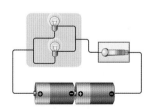

▲ 전구의 병렬연결: 전구 두 개를 두 개의 줄로 나누어 한 개씩 연결한다.

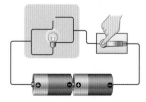

▲ 전구 한 개를 빼내고 스위치를 닫았을 때: 남은 전구에 불이 켜진다.

전지를 직렬연결할 때와 병렬연결할 때 전구의 밝기
- 전지 두 개를 직렬연결하면 전압이 두 배로 커진다. 1.5 V짜리 전지 두 개를 직렬연결하면 3 V가 되기 때문에 전지 한 개를 연결할 때보다 전구가 더 밝아진다.
- 전지 두 개를 병렬연결하면 전압에는 변화가 없기 때문에 전구의 밝기가 전지 한 개를 연결할 때와 같다.

용어
- **직렬연결** 전기 회로에서 발전기, 전지 따위를 일렬로 연결하는 일.
- **병렬연결** 전기 회로에서 발전기, 전지 따위의 극을 같은 극끼리 연결하는 일.

전구의 연결 방법에 따른 전구의 밝기
- 전구를 직렬연결하면 병렬연결할 때보다 전구가 더 어둡다.
- 전구를 병렬연결하면 직렬연결할 때보다 더 밝다.

교과서 속 탐구

"전구의 밝기 비교하기"

- 과정 **[탐구 1] 전지의 연결 방법에 따른 전구의 밝기 비교하기:** 전지 두 개를 연결 방법을 다르게 연결해 전기 회로를 만들고, 스위치를 닫았을 때 전구의 밝기가 비슷한 전기 회로끼리 분류한다.

- 결과

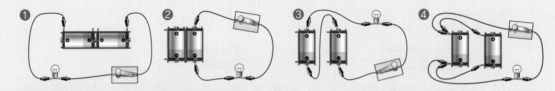

전구의 밝기가 밝은 전기 회로	①, ❸: 전지 두 개가 서로 다른 극끼리 연결되어 있다.
전구의 밝기가 어두운 전기 회로	❷, ❹: 전지 두 개가 서로 같은 극끼리 연결되어 있다.

- 과정 **[탐구 2] 전구의 연결 방법에 따른 전구의 밝기 비교하기:** 전구 두 개를 연결 방법을 다르게 연결해 전기 회로를 만들고, 스위치를 닫았을 때 전구의 밝기가 비슷한 전기 회로끼리 분류한다.

- 결과

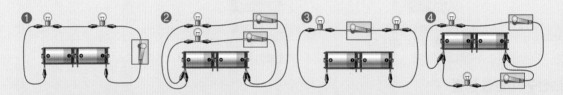

전구의 밝기가 밝은 전기 회로	❷, ❹: 전구 두 개가 각각 다른 줄에 나누어 한 개씩 연결되어 있다.
전구의 밝기가 어두운 전기 회로	①, ❸: 전구 두 개가 한 줄로 연결되어 있다.

- 알 수 있는 사실 ▶ 전지 두 개를 직렬연결하면 병렬연결할 때보다 전구가 더 밝다.
  ▶ 전구 두 개를 병렬연결하면 직렬연결할 때보다 전구가 더 밝다.

↪정답과 해설 26쪽

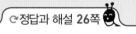

1 전지 두 개, 전구 두 개를 전선과 스위치로 연결한 후 스위치를 닫았을 때 전구의 밝기가 가장 밝은 것에 ○표 하시오.

(1) 전지 두 개를 직렬연결, 전구 두 개를 직렬연결한 전기 회로 ( )

(2) 전지 두 개를 직렬연결, 전구 두 개를 병렬연결한 전기 회로 ( )

(3) 전지 두 개를 병렬연결, 전구 두 개를 직렬연결한 전기 회로 ( )

2 앞 1번 답의 전기 회로에서 전구 한 개를 빼내고 스위치를 닫았을 때 남은 전구는 어떻게 되는지 옳게 말한 사람의 이름을 쓰시오.

- 진성: 남은 전구의 불이 희미해져.
- 원호: 남은 전구의 불이 깜빡거려.
- 다윤: 남은 전구의 불이 켜지지 않아.
- 민주: 남은 전구의 불이 밝기의 변화 없이 켜져.

( )

정답과 해설 26쪽

1 다음은 전지 끼우개의 도체 부분과 부도체 부분을 표시한 것입니다. 도체와 부도체란 무엇을 의미하는지 각각 쓰시오.

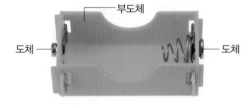

(1) 도체: (   )

(2) 부도체: (   )

[2~3] 다음은 전지, 전선, 전구를 연결한 전기 회로입니다. 물음에 답하시오.

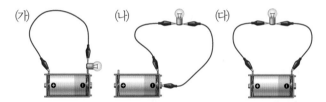

2 위 (가)~(다) 중 전구에 불이 켜지지 않는 전기 회로의 기호를 쓰시오.

(   )

3 위 **2**번 답 전기 회로의 전구에 불이 켜지게 하는 방법을 옳게 말한 사람의 이름을 쓰시오.

> • 가희: 전구에 연결된 전선을 모두 제거해.
> • 주성: 전구와 전지의 거리를 가깝게 배치해.
> • 원진: 전지의 (−)극에 연결된 전선 한 개를 전지의 (+)극에 연결해.

(   )

4 다음 전기 회로에서 스위치를 닫았을 때 전구의 밝기가 다른 하나의 기호를 쓰시오.

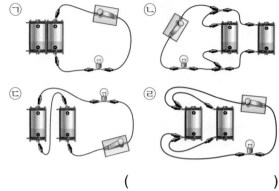

(   )

5 오른쪽 전기 회로에서 전지 한 개를 빼내고 스위치를 닫았을 때의 결과로 옳은 것을 [보기]에서 골라 기호를 쓰시오.

> **보기**
> ㉠ 전구에 불이 켜진다.
> ㉡ 전구에 불이 켜지지 않는다.
> ㉢ 전구에 불이 켜졌다 꺼졌다 한다.

(   )

6 다음 각각의 전기 회로에 전구 두 개를 연결하여 밝기가 다르게 하려고 합니다. 전구의 밝기에 알맞게 ▨ 안에 전구를 두 개씩 그리시오.

(1) 전구의 밝기가 밝은 전기 회로

(2) 전구의 밝기가 어두운 전기 회로

개념 강의

자석의 성질, 전자석

왜 나만 보면 찰싹 달라붙어?

이젠 아냐. 나도 이제 자석이라고!!

1. 전류가 흐르는 전선 주위에서 나침반 바늘의 움직임

① 막대자석을 나침반에 가까이 가져가면 나침반 바늘이 움직이는 것처럼 전류가 흐르는 전선을 나침반 주위에 놓으면 나침반 바늘이 움직인다. 전류가 흐르는 전선 주위에 자석의 성질이 나타나기 때문이다. — 전선 주위에 자기장이 생긴다.

▲ 막대자석을 나침반에 가까이 가져가면 막대자석의 N극에 나침반 바늘의 S극이 끌려온다.

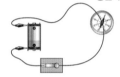

▲ 전류가 흐르는 전선 주위의 나침반 바늘이 움직인다.

② 전기 회로에서 전지의 극을 반대로 하여 전류가 흐르는 방향을 바꾸어 주면 나침반 바늘이 움직이는 방향도 바뀐다.

Mini 탐구 전선 주위에서 나침반 바늘의 움직임 관찰하기

과정

1. 전지, 전선, 스위치를 연결해 만든 전기 회로의 전선을 나침반 위에 놓고, 전선과 나침반 바늘이 나란히 되도록 전선의 위치를 조정한다.
2. 전기 회로의 스위치를 닫았을 때 나침반 바늘의 움직임을 관찰한다.
3. 전지의 극을 반대로 연결하고 나침반 바늘의 움직임을 관찰한다.

전선 / 나침반 / 스위치

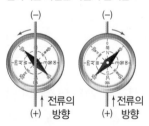

(−) (−)

↑전류의 방향 (+) / ↑전류의 방향 (+)

▲ 전선을 나침반 위에 놓았을 때 / ▲ 전선을 나침반 아래에 놓았을 때

전류가 흐르는 전선을 나침반 위에 놓았을 때와 아래에 놓았을 때 나침반 바늘의 움직임은 반대로 나타난다. 전선의 위치에 따라 자기장의 방향이 달라지기 때문이다.

결과

전선을 나침반 위에 놓았을 때	전지의 극을 반대로 연결했을 때
(−) 스위치를 닫는다. (−) 전류의 방향 ↑(+) / (+)	(+) 스위치를 닫는다. 전류의 (+) 방향 ↓ / (−) (−)
전류가 흐르면 나침반 바늘이 움직인다.	전류의 방향이 바뀌어 흐르면 나침반 바늘이 움직이는 방향이 바뀐다.

• 전류가 흐르는 전선이 나침반 바늘에 영향을 주어 나침반 바늘이 움직인다.
• 전류의 방향이 바뀌면 나침반 바늘이 움직이는 방향도 바뀐다.

2. 전자석

(1) 전자석   전류가 흐르는 전선 주위에 자석의 성질이 나타나는 것을 이용해 만든 자석이다. 막대자석과 같은 영구 자석은 전류가 흐르지 않아도 자석의 성질이 나타나지만 전자석은 전류가 흐를 때에만 자석의 성질이 나타난다.

Mini 탐구   전자석 만들기

과정

1. 둥근머리 볼트에 종이테이프를 감는다.
2. 에나멜선을 120번 정도 한쪽 방향으로 **촘촘하게** 감는다.─ 에나멜선 양쪽 끝부분을 5 cm 정도 남겨 둔다.
3. 에나멜선 양쪽 끝부분을 사포로 문질러 겉면을 벗겨 낸다.
4. 에나멜선 양쪽 끝부분을 전기 회로에 연결해 전자석을 완성한다. 교과서속 탐구 16쪽

① **전자석의 세기**: 직렬로 연결된 전지의 개수를 다르게 해 전자석의 세기를 조절할 수 있다. 직렬로 연결된 전지가 많을수록 전자석의 세기가 세진다.

② **전자석의 극**: 전류의 방향이 바뀌면 전자석의 극도 바뀐다.─ 영구 자석은 자석의 극이 일정하다.

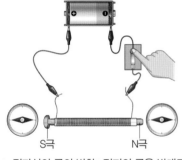
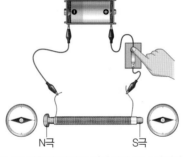

S극   N극   N극   S극

▲ 전자석의 극의 변화: 전지의 극을 반대로 연결하여 전류의 방향이 바뀌면 전자석의 극도 바뀐다.

(2) 우리 생활에서 이용하는 전자석 예

① 전자석 기중기는 무거운 철제품을 전자석에 붙여 다른 장소로 옮긴다.

② 자기 부상 열차는 전류가 흐를 때 자기 부상 열차와 철로가 서로 밀어 내어 열차가 철로 위에 떠서 이동한다.─ 열차와 철로 사이의 마찰이 없어 빠르게 달릴 수 있다.

← 나아가는 방향   모터
열차
선로
▲ 자기 부상 열차
└ 자석 사이에 놓인 코일에 전류가 흐를 때 코일이 회전하는 장치이다.

③ 선풍기는 전자석의 성질을 이용한 <u>전동기</u>에 날개를 부착해 전동기를 회전시켜 바람을 일으킨다.

④ 스피커는 전자석과 영구 자석이 밀고 당기면서 얇은 판을 떨리게 해 소리를 발생시킨다.

전자석의 세기

막대에 감는 에나멜선의 굵기가 굵을수록, 에나멜선을 감은 수가 많을수록 전자석의 세기가 세진다.

전기를 안전하게 사용하는 방법
- 전선을 잡아당겨 플러그를 뽑지 말고, 플러그의 머리 부분을 잡고 플러그를 뽑는다.
- 물 묻은 손으로 전기 제품을 만지지 않는다.
- 콘센트 한 개에 플러그 여러 개를 한꺼번에 꽂아 놓지 않는다.

용어
● **마찰** 두 물체가 서로 닿아 문질러지거나 비벼지는 것.

전기를 절약하는 방법
- 문을 열어 놓고 냉방 기구를 틀지 않는다.
- 컴퓨터나 텔레비전의 사용 시간을 줄인다.
- 사용하지 않는 전기 제품은 끄거나 플러그를 뽑아 놓는다.

교과서 속 탐구
"전자석의 성질 알아보기"

과정

[탐구 1]
1. 스위치를 닫지 않았을 때와 닫았을 때 전자석의 끝부분을 시침바늘에 가까이 가져가면 시침바늘이 어떻게 되는지 관찰한다.
2. 전자석에 전지 한 개를 연결하고 스위치를 닫았을 때와 전자석에 전지 두 개를 직렬로 연결하고 스위치를 닫았을 때 각각 전자석의 끝부분에 붙은 시침바늘의 개수를 세어 본다.

[탐구 2] 전자석의 양 끝에 나침반을 놓고 스위치를 닫았을 때와 전지의 극을 반대로 하고 스위치를 닫았을 때 나침반 바늘이 가리키는 방향을 각각 관찰해 보고, 전자석의 양 끝이 어떤 극인지 추리해 본다.

결과

[탐구 1]
▶ 스위치를 닫지 않았을 때는 시침바늘이 전자석에 붙지 않고, 스위치를 닫았을 때 시침바늘이 전자석에 붙는다.
▶ 전지 한 개를 연결했을 때 시침바늘 3~4개가 전자석에 붙고, 전지 두 개를 직렬연결했을 때 시침바늘 6~8개가 전자석에 붙는다.

전지 한 개를 연결했을 때   전지 두 개를 직렬연결했을 때

[탐구 2]

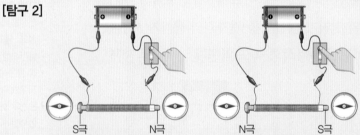

▲ 전류가 흐를 때   ▲ 전류가 반대로 흐를 때

알 수 있는 사실
▶ 직렬연결된 전지의 개수가 많을수록 전자석의 세기가 세진다.
▶ 전기 회로에서 전류의 방향이 바뀌면 전자석의 극도 바뀐다.

정답과 해설 27쪽

1 다음은 같은 전자석에 직렬연결한 전지의 개수만 다르게 하여 스위치를 닫았을 때 전자석에 붙은 시침바늘의 모습입니다. ㉠~㉢ 중 직렬연결한 전지의 개수가 많은 것부터 차례대로 기호를 쓰시오.

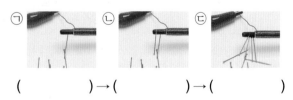

( ) → ( ) → ( )

2 다음은 전자석을 연결한 전기 회로의 스위치를 닫았을 때 나침반 바늘의 모습을 나타낸 것입니다. 전지의 극을 반대로 하고 스위치를 닫았을 때 나침반 바늘이 어떻게 움직일지 그리시오.

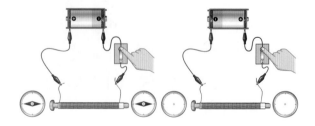

[1~2] 다음은 전기 회로의 전선을 나침반 위에 나침반 바늘과 나란히 되도록 놓은 모습입니다. 물음에 답하시오.

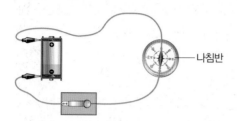

1 위 전기 회로의 스위치를 닫았을 때 나침반 바늘의 모습으로 옳은 것의 기호를 쓰시오.

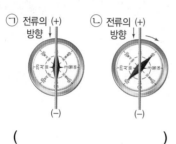

(   )

2 위 전기 회로에서 전지의 극을 반대로 연결하고 전기 회로의 스위치를 닫았을 때 나침반 바늘의 모습으로 옳은 것의 기호를 쓰시오.

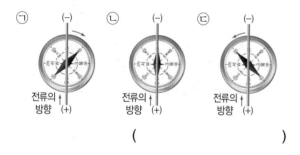

(   )

3 다음을 막대자석의 특징과 전자석의 특징으로 분류하여 기호를 쓰시오.

> ㉠ 자석의 극을 바꿀 수 없다.
> ㉡ 자석의 세기를 조절할 수 있다.
> ㉢ 전류가 흐를 때에만 자석의 성질이 나타난다.
> ㉣ 전류가 흐르지 않아도 자석의 성질이 나타난다.

(1) 막대자석의 특징: (   )
(2) 전자석의 특징: (   )

[4~6] 다음은 둥근머리 볼트에 에나멜선을 120번 정도 한쪽 방향으로 촘촘하게 감은 후 에나멜선 양쪽 끝부분을 전기 회로에 연결해 만든 전자석입니다. 물음에 답하시오.

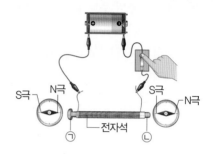

4 위 전자석의 세기를 더 세게 할 수 있는 방법을 옳게 말한 사람의 이름을 쓰시오.

> • 주선: 전기 회로에서 전지를 빼내.
> • 하윤: 전지 한 개를 더 직렬로 연결해.
> • 가혜: 에나멜선의 감은 수를 줄여 느슨하게 해.

(   )

5 위 전자석의 양 끝에 놓은 나침반 바늘이 가리키는 방향을 보고, 전자석의 ㉠과 ㉡ 부분의 극을 각각 쓰시오.

㉠ (   ), ㉡ (   )

6 위 전기 회로에서 전지의 극을 반대로 연결하고 스위치를 닫으면 나침반 바늘의 방향이 어떻게 되는지 보기 에서 골라 기호를 쓰시오.

> 보기
> ㉠ 나침반 바늘이 움직이지 않는다.
> ㉡ 나침반 바늘이 북쪽과 남쪽을 가리킨다.
> ㉢ 나침반 바늘이 가리키는 방향이 전지의 극을 반대로 연결하기 전과 반대로 바뀐다.

(   )

1 전지, 전선, 전구를 가지고 전구에 불이 켜지게 하는 방법을 옳게 말한 사람의 이름을 쓰시오.

> • 나윤: 전기 부품의 부도체끼리 연결해.
> • 주은: 전지, 전선, 전구를 연결하지 않아.
> • 도영: 전선으로 전구를 전지의 (+)극과 전지의 (−)극에 각각 연결해.

(   )

2 다음 전기 회로의 전구는 불이 켜지지 않습니다. 이 전기 회로에 전기 부품 한 개를 추가하여 전구에 불이 켜지게 할 수 있는 방법을 한 가지 쓰시오.

_____

_____

3 다음 전기 회로의 스위치를 닫았을 때 전류의 흐름을 화살표로 각각 표시하시오.

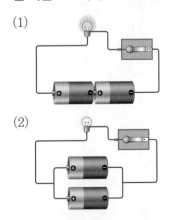

(1)

(2)

[4~6] 다음 전기 회로를 보고, 물음에 답하시오.

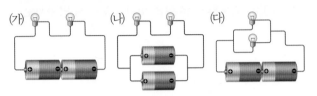

(가)   (나)   (다)

4 다음은 손전등의 구조입니다. 위 (가)~(다) 전기 회로 중 손전등 속 전지의 연결 방법과 같은 것을 두 가지 골라 기호를 쓰시오.

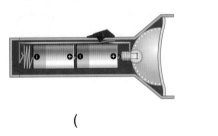

(   )

5 위 (가)~(다) 전기 회로 중 다음에서 설명하는 것의 기호를 쓰시오.

> • 전구 두 개가 한 줄로 연결되어 있다.
> • 전지 두 개가 서로 같은 극끼리 연결되어 있다.

(   )

6 위 (가)~(다) 전기 회로의 전구 한 개의 밝기가 밝은 것부터 순서대로 기호를 쓰시오.

(   )

[7~8] 다음 전기 회로를 보고, 물음에 답하시오.

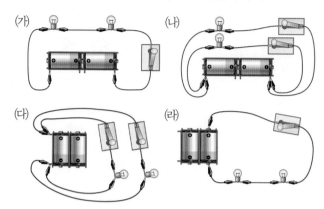

7 위 (가)~(라) 전기 회로 중 전지 한 개를 빼내고 스위치를 닫았을 때 전구에 불이 켜지는 것을 두 가지 골라 기호를 쓰고, 그 전기 회로에서 전지의 연결 방법을 쓰시오.

(1) 전구에 불이 켜지는 것: (   )

(2) 전지의 연결 방법: (   )

8 위 (가)~(라) 전기 회로 중 전구 한 개를 빼내고 스위치를 모두 닫았을 때 남은 전구에 불이 켜지지 않는 것을 두 가지 골라 기호를 쓰시오.

(   )

9 다음과 같이 나무에 설치된 장식용 전구 중 일부만 불이 켜져 있습니다. 불이 켜진 전구와 불이 꺼진 전구는 어떤 방법으로 연결되어 있는지 쓰시오.

불이 켜진 전구

불이 꺼진 전구

_____

_____

_____

10 다음 전기 회로에서 스위치를 닫았을 때 전선 주위에 자석의 성질이 나타나는지 확인하려고 합니다. 이때 사용할 수 있는 것을 전기 회로 주변 물체에서 한 가지 골라 쓰고, 물체를 사용하는 구체적인 방법을 쓰시오.

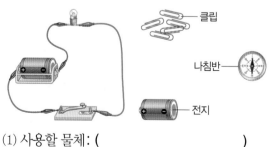

클립

나침반

전지

(1) 사용할 물체: (   )

(2) 사용하는 방법: _____

_____

_____

11 전류가 흐르는 전선 주위에 자석의 성질이 나타난다는 것을 알 수 있는 근거로 옳은 것을 보기 에서 골라 기호를 쓰시오.

> 보기
> ㉠ 전류가 흐르는 전선 주위의 나침반 바늘의 방향이 바뀐다.
> ㉡ 전류가 흐르는 전선 주위의 나침반 바늘이 움직이지 않는다.
> ㉢ 전류가 흐르는 전선 주위의 나침반 바늘이 항상 북쪽과 남쪽을 가리킨다.

(   )

12 전류가 흐르는 전선 주위에 놓인 나침반 바늘이 다음과 같이 움직였습니다. 나침반 바늘을 더 크게 움직이게 할 수 있는 방법을 한 가지 쓰시오.

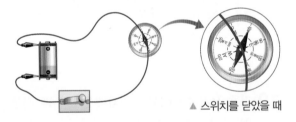

▲ 스위치를 닫았을 때

_____

_____

13 위 **12**번 전기 회로의 전지의 극을 반대로 연결했을 때 나침반 바늘의 방향에 대해 옳게 말한 사람의 이름을 쓰시오.

> • 희승: 나침반 바늘이 더 크게 움직여.
> • 예나: 나침반 바늘이 계속 빙글빙글 돌아.
> • 도영: 나침반 바늘이 가리키는 방향이 반대가 돼.
> • 수진: 나침반 바늘이 전선과 같은 방향을 유지해.

(   )

[14~16] 다음은 전지의 개수만 다르게 연결한 전자석입니다. 물음에 답하시오.

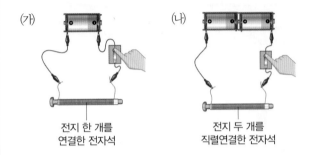

(가) 전지 한 개를 연결한 전자석   (나) 전지 두 개를 직렬연결한 전자석

14 위 (가)와 (나) 중 전자석의 끝부분을 시침바늘에 가까이 가져갔을 때 전자석의 끝부분에 시침바늘이 더 많이 달라붙는 것의 기호를 쓰시오.

(   )

15 위 **14**번 답과 같이 생각한 까닭을 전자석의 세기와 관련지어 쓰시오.

_____

_____

_____

16 다음은 위 (가) 전자석 양쪽에 나침반을 놓은 모습입니다. ㉠ 나침반 바늘을 보고, ㉡ 나침반의 바늘을 그리고, 극을 표시하시오.

17 다음 선풍기는 전자석의 성질을 이용한 것입니다. 어떤 원리로 전원을 켰을 때 선풍기의 날개를 회전시킬 수 있는지 쓰시오.

_____

_____

_____

18 전자석에 대한 설명으로 옳은 것을 두 가지 고르시오. (   )

① 항상 철로 된 물체가 붙는다.

② 전자석의 극은 항상 S극만 있다.

③ 전류의 방향이 바뀌면 전자석의 극이 바뀐다.

④ 전류가 흐르지 않을 때에만 자석의 성질이 나타난다.

⑤ 직렬로 연결된 전지의 개수를 다르게 하여 전자석의 세기를 조절할 수 있다.

19 다음에서 전기를 위험하게 사용하고 있는 모습을 두 가지 이상 찾아 ◯표 하고, 안전하게 사용하는 방법을 각각 쓰시오.

_____

_____

_____

20 다음은 전기를 안전하게 사용하거나 절약하기 위해 사용하는 제품입니다. 각각 어떤 기능이 있는지 보기 에서 골라 기호를 쓰시오.

> 보기
>
> ㉠ 사람의 움직임을 감지한다.
>
> ㉡ 일반 전구보다 전기를 절약할 수 있다.
>
> ㉢ 원하는 시간이 되면 자동으로 전원이 차단된다.
>
> ㉣ 큰 전류가 흘러 온도가 높아지면 녹아서 끊어진다.

(1)

▲ 퓨즈

(   )

(2)

▲ 감지 등

(   )

(3)

▲ 시간 조절 콘센트

(   )

(4)

▲ 발광 다이오드[LED]등

(   )

서술형 문제

1 다음과 같이 전기 회로를 만들고 ㈎ 부분에 다음 여러 가지 물체 ㉠~㉺을 연결하였습니다.

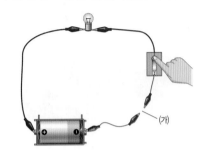

| ㉠ 동전 | ㉡ 종이 | ㉢ 클립 |
| ㉣ 빨대 | ㉤ 연필심 | ㉥ 나무젓가락 |

(1) 위 ㈎ 부분에 연결했을 때 전구에 불이 켜지는 물체의 기호를 모두 쓰시오.

(   )

(2) 위 (1)번 답의 물체를 연결했을 때 전구에 불이 켜지는 까닭을 쓰시오.

_____

_____

2 리모컨은 전지 두 개를 연결하여 사용합니다. 다음과 같이 ㉠ 전지와 ㉡ 전지가 연결된 모습을 보고, 두 전지가 어떻게 연결되어 있는지 쓰시오.

_____

_____

3 다음은 ㉠ 전구와 ㉡ 전구의 밝기를 비교한 것입니다.

[전구의 밝기 비교] ㉠ 전구가 ㉡ 전구보다 밝기가 더 밝다.

㈎ 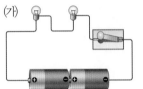   ㈏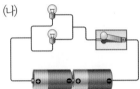

(1) 위 ㈎와 ㈏ 전기 회로의 스위치를 닫았을 때 각각의 밝기에 해당하는 전구의 기호를 쓰시오.
• ㈎ 전기 회로의 전구: (   )
• ㈏ 전기 회로의 전구: (   )

(2) 전지의 연결 방법이 같을 때 전구의 연결 방법에 따라 전구의 밝기가 어떻게 다른지 ㈎와 ㈏ 전기 회로를 비교하여 쓰시오.

_____

_____

_____

4 다음 전기 회로에서 전구와 전지를 하나씩 빼낸 후 스위치를 닫았을 때 남은 전구는 어떻게 되는지 그 까닭과 함께 쓰시오.

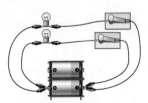

_____

_____

5 다음 ㉠은 전류가 흐르는 전선 주위의 나침반 바늘이 움직인 모습입니다. ㉡과 같이 나침반 바늘이 움직인 방향이 반대가 되는 경우를 한 가지 쓰시오.

㉠ ㉡

_____

_____

6 다음은 나무 막대와 둥근머리 볼트에 각각 종이테이프를 감은 후 에나멜선을 120번 정도 한쪽 방향으로 촘촘하게 감아 전자석을 만든 것입니다.

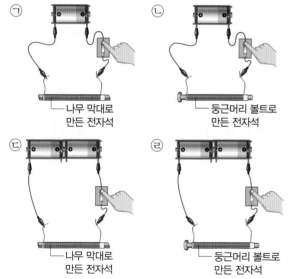

㉠ 나무 막대로 만든 전자석
㉡ 둥근머리 볼트로 만든 전자석
㉢ 나무 막대로 만든 전자석
㉣ 둥근머리 볼트로 만든 전자석

(1) 스위치를 닫고 전자석의 끝부분을 시침바늘에 가까이 가져갔을 때, ㉠~㉣ 중 시침바늘이 가장 많이 붙는 것의 기호를 쓰시오.

(   )

(2) 위 (1)번 답과 같이 생각한 까닭을 쓰시오.

_____

7 다음은 둥근머리 볼트에 종이테이프를 감은 후 에나멜선을 120번 정도 감아 만든 전자석의 모습입니다.

(1) 위 전자석의 ㉠ 부분의 극을 쓰시오.

(   )극

(2) 위 전자석의 ㉠ 부분의 극을 바꿀 수 있는 방법 한 가지를 그렇게 생각한 까닭과 함께 쓰시오.

_____

_____

8 다음은 우리 생활에서 자석을 이용하는 예를 두 가지로 분류한 것입니다. (가)와 (나)의 차이점을 자석의 성질과 관련지어 쓰시오.

(가)	▲ 나침반	▲ 메모 자석
(나)	▲ 자기 부상 열차	▲ 전자석 기중기

_____

_____

단원

핵심 정리

● **전기 회로**

전기 회로	• 전지, 전선, 전구 등 전기 부품을 서로 연결해 전기가 흐르도록 한 것이다. • 전류는 전기 회로에 흐르는 전기로, 전지의 (+)극에서 (−)극으로 흐른다. • 전기 회로에 연결된 전기 부품의 도체 부분에 전류가 흐르면 전구에 불이 켜진다.
도체와 부도체	• 도체는 전류가 잘 흐르는 물질이다. • 부도체는 전류가 잘 흐르지 않는 물질이다.

● **전지의 연결 방법**

전지의 직렬연결	• 전기 회로에서 전지 두 개 이상을 서로 다른 극끼리 연결하는 방법이다. • 전지 두 개를 직렬연결하면 전지 두 개를 병렬연결할 때보다 전구가 더 밝다.	
전지의 병렬연결	• 전기 회로에서 전지 두 개 이상을 서로 같은 극끼리 연결하는 방법이다. • 전지 두 개를 병렬연결하면 전지 두 개를 직렬연결할 때보다 전구가 어둡다.	

● **전구의 연결 방법**

전구의 직렬연결	• 전기 회로에서 전구 두 개 이상을 한 줄로 연결하는 방법이다. • 한 개의 전구를 빼내면 나머지 전구 불이 꺼진다.	
전구의 병렬연결	• 전기 회로에서 전구 두 개 이상을 여러 개의 줄에 나누어 한 개씩 연결하는 방법이다. • 한 개의 전구를 빼내도 나머지 전구 불이 꺼지지 않는다.	

● **전자석**

전자석	전류가 흐르는 전선 주위에 자석의 성질이 나타나는 것을 이용해 만든 자석이다.	
전자석의 성질	• 전류가 흐를 때에만 자석의 성질이 나타난다. • 직렬로 연결된 전지의 개수가 많을수록 전자석의 세기가 세진다. • 전류의 방향이 바뀌면 전자석의 극도 바뀐다.	

전압과 전류, 자기장

1 전압과 전류

개념
10쪽

전기 회로에 전류를 흐르게 하는 능력을 전압이라고 한다. 물이 수압에 의해 흐르는 것처럼 전류도 전압에 의해 흐른다. 물을 계속 흐르게 하기 위해 펌프와 같이 물의 높이차를 계속 유지해 주는 장치가 있다면, 전기 회로에서는 전류를 흐르게 하기 위해서 전압을 계속 유지해 주는 전지가 필요하다. 전압이 큰 전지일수록 전기 회로에서 더 많은 에너지를 낼 수 있으므로, 전압과 전류는 비례한다. 전압의 단위는 V(볼트)를 사용한다.

▲ 연속적인 물의 흐름

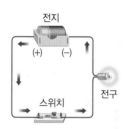

▲ 전기 회로에서 전류의 흐름

2 자기장

코일은 전선을 원형으로 여러 번 감아 만든 것으로, 코일에 전류를 흘려주면 자기장이 만들어진다. 코일 주위에는 코일 한쪽에서 나와 다른 쪽으로 들어가는 모양으로

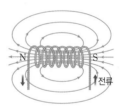

▲ 전류가 흐르는 코일 주위의 자기장

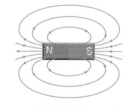

▲ 막대자석 주위의 자기장

자기장이 생기고, 코일 내부에는 축에 나란하고 균일한 자기장이 생긴다. 코일과 막대자석 주위에는 비슷한 모양의 자기장이 생긴다. 따라서 코일에 전류를 흘려주면 자석과 같은 성질을 띠는 것을 알 수 있다. 코일에 전류가 흘러 생기는 자기장은 전류의 세기와 코일을 감은 수를 조절하여 세기를 변하게 할 수 있다. 철심을 넣은 코일에 전류가 흐르면 매우 강한 자기장이 만들어지고, 이것을 **전자석**이라고 한다.

개념
15쪽

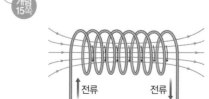

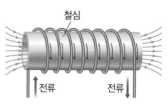

▲ 전류가 흐르는 코일 주위의 자기장: 코일 안에 철심을 넣으면 철심을 넣기 전보다 더 강한 자기장이 생긴다.

비주얼 사이언스

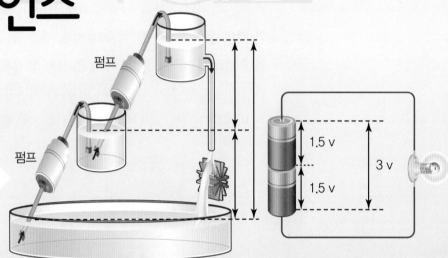

펌프를 위아래로 직렬연결하면 물의 높이가 높아져 수압이 커지므로 물레방아를 더 빠르게 돌릴 수 있는 것처럼 전지도 직렬연결하면 전압이 커진다.

1.5 v
1.5 v
3 v

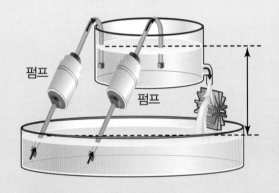

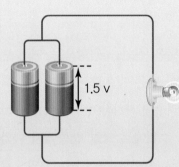

1.5 v

펌프를 가로로 병렬연결하면 물의 높이가 일정하므로 수압도 일정하다. 전지도 병렬연결하면 전지 한 개일 때와 같은 전압을 가진다.

전지의 연결

전압은 전기 회로에 전류를 흐르게 하는 능력을 뜻한다. 물이 수압에 의해 흐르는 것처럼 전류도 전압에 의해 흐른다.

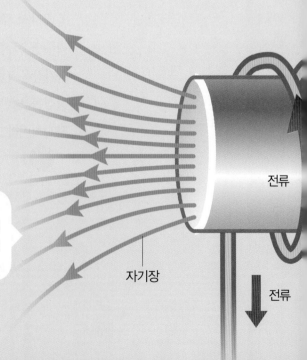

전류가 흐르는 전자석
철심을 넣은 에나멜선에 전류가 흐를 때 매우 강한 자기장이 만들어지는 데, 이것을 전자석이라고 하며, 전자석에 극이 생긴다.

전류

자기장

전류

전자석

전류의 세기를 세게 하거나 단위 길이당 코일의 감은 수를 늘리면 전자석의 세기를 세게 할 수 있다.

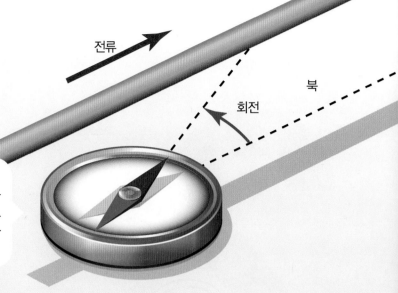

전류

회전

북

전선에 흐르는 전류와 나침반
전선 아래에 나침반을 두고, 전선에 전류가 흐르게 하면 남북을 가리키던 나침반 바늘이 회전한다. 이는 직선 전선에 흐르는 전류에 의해 자기장이 형성되고, 이 자기장의 영향으로 나침반 바늘이 자기력을 받기 때문이다.

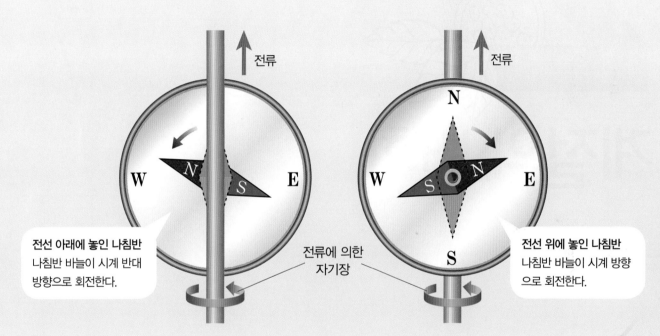

전류

전류

W N S E

N
W S O N E
S

전선 아래에 놓인 나침반
나침반 바늘이 시계 반대 방향으로 회전한다.

전류에 의한 자기장

전선 위에 놓인 나침반
나침반 바늘이 시계 방향으로 회전한다.

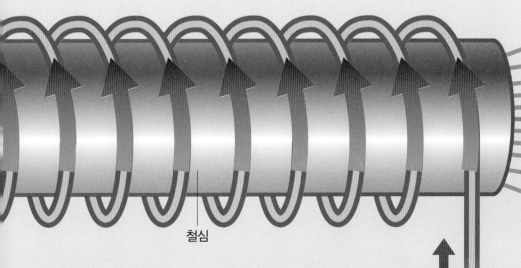

철심

전류

2

계절의 변화

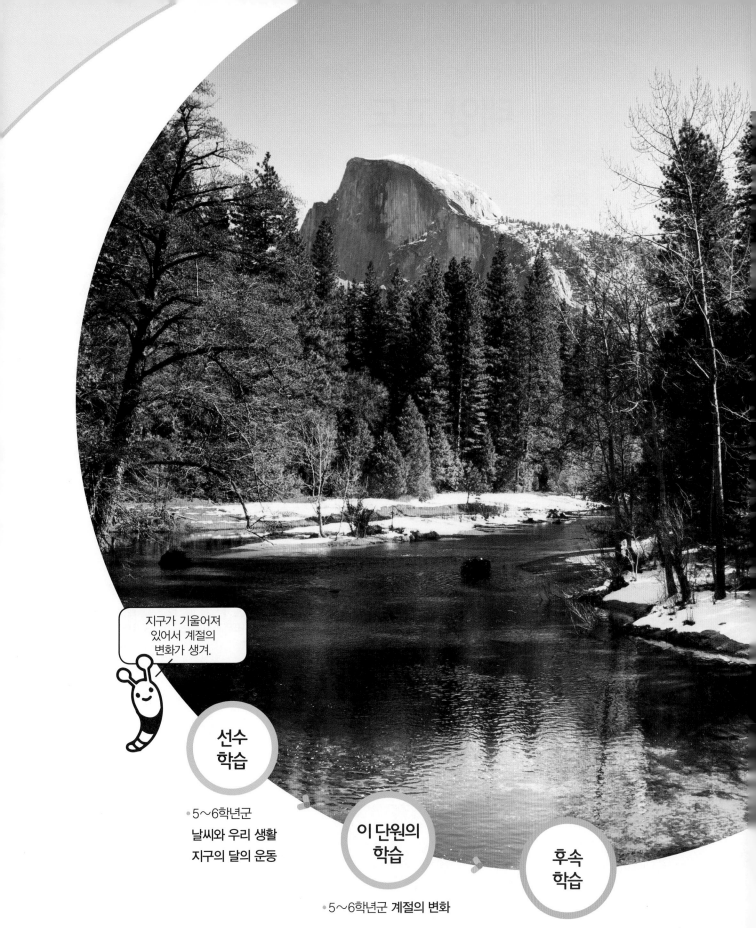

지구가 기울어져 있어서 계절의 변화가 생겨.

선수 학습

•5〜6학년군
날씨와 우리 생활
지구의 달의 운동

이 단원의 학습

•5〜6학년군 계절의 변화

후속 학습

•중학교 1〜3학년군 태양계

태양 고도

만화로 보는
'태양 고도'

그림자가 짧아졌어. 내 키가 줄었나?

태양 고도를 좀 봐봐.

1. 태양 고도

(1) **태양 고도** 아침에 지표면 가까이에 있던 태양이 점심에는 하늘 높은 곳에 있는 것처럼 하루 동안 태양의 높이는 달라진다. 태양의 높이는 태양 고도를 이용하여 정확하게 나타낼 수 있다. 태양 고도는 태양이 지표면과 이루는 각으로 나타낸다. – 태양 고도는 각도기로 측정하여 나타낼 수 있다.

(2) **태양 고도 측정** 실을 연결한 막대기를 지표면에 수직으로 세우고 그림자 끝과 막대기의 실이 이루는 각을 측정한다.

(3) **태양 고도의 변화** 하루 동안 태양 고도는 달라진다. 아침에는 태양이 지표면 근처에서 보이기 때문에 태양 고도가 낮고, 점심에는 태양이 높게 떠 있기 때문에 태양 고도가 높다.

물체의 길이에 따른 태양 고도

태양이 지구와 멀리 떨어져 있기 때문에 태양 빛은 지구에 거의 평행으로 오게 된다. 막대기의 길이가 길어지면 그림자 길이도 함께 길어지기 때문에 태양 고도는 막대기의 길이에 상관없이 일정하게 측정된다.

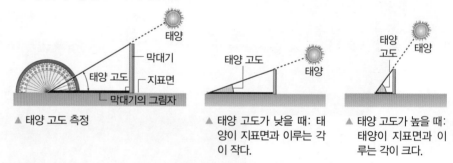

▲ 태양 고도 측정

▲ 태양 고도가 낮을 때: 태양이 지표면과 이루는 각이 작다.

▲ 태양 고도가 높을 때: 태양이 지표면과 이루는 각이 크다.

2. 하루 동안 태양 고도, 그림자 길이, 기온의 관계

(1) **태양의 남중 고도** 하루 중 태양이 정남쪽에 위치해 태양 고도가 하루 중 가장 높을 때 태양이 남중했다고 한다. 태양이 남중했을 때의 고도를 태양의 남중 고도라고 한다. 태양이 남중했을 때 그림자는 정북쪽을 향하고, 그림자 길이는 하루 중 가장 짧다.

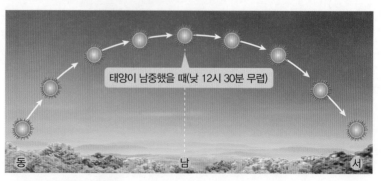

태양이 남중했을 때(낮 12시 30분 무렵)

동   남   서

▲ 하루 동안 태양의 움직임

(2) **하루 동안 태양 고도와 기온의 관계** 태양 고도가 높아질수록 지표면은 더 많이 데워진다. 지표면이 데워져 공기의 온도가 높아지는 데에는 시간이 더 걸리기 때문에 하루 동안 기온이 가장 높게 나타나는 시각은 태양이 남중한 시각보다 약 두 시간 정도 뒤로, 시간 차이가 생긴다. 교과서속 탐구 **32쪽**

(3) **하루 동안 태양 고도와 그림자 길이의 관계** 태양 고도가 높아지면 그림자 길이가 짧아진다.

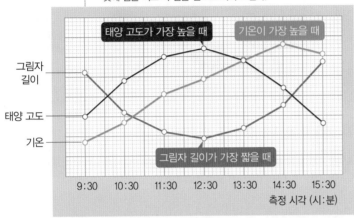

┌ 꺾은선그래프는 가로선과 세로선을 따라 두 선이 만나는 곳에 점을 찍고 각 점을 선으로 이어 그린다.

▲ 태양 고도, 그림자 길이, 기온 그래프: 태양 고도 그래프와 기온 그래프는 모양이 비슷하고, 그림자 길이 그래프는 모양이 다르다.

3. 계절별 태양의 남중 고도와 낮의 길이

① 태양의 남중 고도가 높아질수록 낮의 길이도 길어진다. 태양의 남중 고도가 높은 여름(6~7월)에 낮의 길이가 가장 길고, 태양의 남중 고도가 낮은 겨울(12~1월)에 낮의 길이가 가장 짧다.

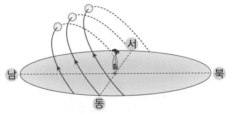

▲ 계절별 태양의 위치 변화

┌ 우리나라에서 태양이 남중하는 시각은 낮 12시 30분경이다.

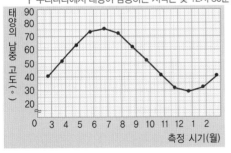

▲ 월별 태양의 남중 고도(서울특별시 기준)

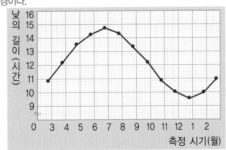

▲ 월별 낮의 길이(서울특별시 기준)

② 태양의 남중 고도와 낮의 길이는 계절별 기온에도 영향을 준다. 낮의 길이가 긴 여름에 태양 빛을 가장 많이 받아 기온이 가장 높고, 낮의 길이가 짧은 겨울에 태양 빛을 가장 적게 받아 기온이 가장 낮다.

계절에 따라 교실 창문으로 들어오는 햇빛의 차이

▲ 여름 점심

▲ 겨울 점심

여름에는 낮에 햇빛이 교실 안까지 들어오지 않지만, 겨울에는 낮에 햇빛이 교실 안까지 들어오는 까닭은 같은 시각, 여름보다 겨울에 태양 고도가 더 낮기 때문이다.

꺾은선그래프의 장점
• 시간에 따른 기온 변화와 같이 어떤 값의 시간에 따른 변화를 알아보는 데 편리하다.
• 막대그래프보다 변화의 정도를 알아보기 편리하다.
• 조사하지 않은 중간 값도 짐작할 수 있다.

교과서 속 탐구

"하루 동안 태양 고도, 그림자 길이, 기온 측정하기"

과정

1. 태양 고도 측정기를 태양 빛이 잘 드는 편평한 곳에 놓고, 막대기의 그림자 길이를 측정한다.
2. 실을 막대기의 그림자 끝에 맞춘 뒤 그림자와 실이 이루는 각을 측정하며, 같은 시각에 기온을 측정한다.
3. 일정한 시간 간격을 두고 태양 고도, 그림자 길이, 기온을 측정한다.

주의! 실을 잡아당길 때 막대기가 휘어지지 않도록 주의한다.

백엽상에 있는 온도계를 이용하거나 백엽상이 없는 경우 나무 그늘의 1.5 m 높이에 온도계를 놓고 기온을 측정해.

결과 ▶ **하루 동안 태양 고도, 그림자 길이, 기온 측정 결과 ⑩**

측정 시각(시:분)	태양 고도(°)	그림자 길이(cm)	기온(℃)
9:30	35	14.3	22.7
10:30	44	10.4	23.7
11:30	50	8.4	25.1
12:30	52	7.8	25.9
13:30	49	8.7	26.8
14:30	42	11.1	27.6
15:30	33	15.4	27.1

알 수 있는 사실 ▶ 하루 중 태양 고도가 가장 높은 때는 12:30(12시 30분)이다.
▶ 하루 중 그림자 길이가 가장 짧은 때는 12:30(12시 30분)이다.
▶ 하루 중 기온이 가장 높은 때는 14:30(오후 2시 30분)이다.

탐구 문제

↪정답과 해설 31쪽

1 하루 동안의 태양 고도를 측정하는 방법으로 (   ) 안에 들어갈 알맞은 말을 쓰시오.

> 태양 고도는 태양 고도 측정기에 있는 막대기의 그림자 끝에 실을 맞춘 뒤 그림자와 실이 이루는 (   )을/를 측정한다.

실 — 막대기

(   )

2 하루 중 낮 12시 30분에 태양 고도, 그림자 길이, 기온을 측정한 이후 오후 3시 30분까지 각각의 변화로 옳은 것에 모두 ○표 하시오.

(1) 태양 고도가 점점 더 높아진다. (   )

(2) 12시 30분 이후에 그림자 길이는 점점 길어진다. (   )

(3) 기온이 오후 2시 30분 정도까지는 점점 더 높아지다가 이후에는 점점 낮아진다. (   )

정답과 해설 31쪽

1 다음은 태양 고도를 측정하는 모습입니다. 태양 고도를 나타내는 것의 기호를 쓰시오.

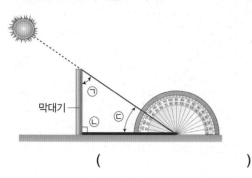

막대기

( )

2 위 **1**번 막대기의 길이를 더 길게 할 때 그림자 길이와 태양 고도의 변화에 대한 설명으로 옳은 것에 ○표 하시오.

(1) 그림자 길이와 태양 고도는 변화가 없다.
( )

(2) 그림자 길이는 더 길어지고, 태양 고도는 변화가 없다. ( )

(3) 그림자 길이는 더 길어지고, 태양 고도는 더 높아진다. ( )

(4) 그림자 길이는 더 짧아지고, 태양 고도는 더 낮아진다. ( )

3 하루 동안 태양 고도를 측정한 결과를 나타낸 그래프의 기호를 쓰시오.

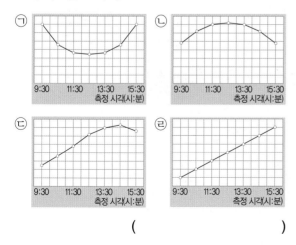

( )

4 다음은 하루 동안 태양 고도와 그림자의 길이 변화를 그래프로 나타낸 것입니다. ㉠과 ㉡에 대해 옳게 말한 사람의 이름을 쓰시오.

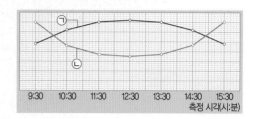

• 라윤: ㉠은 그림자 길이를 나타내.
• 초림: ㉠이 높아질수록 ㉡은 짧아져.
• 수빈: ㉡은 하루 종일 길이가 변하지 않아.

( )

5 다음은 계절에 따른 태양의 움직임을 나타낸 것입니다. ㉠, ㉡, ㉢은 각각 어느 계절에 해당하는지 쓰시오.

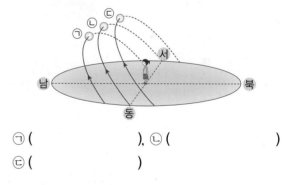

㉠ ( ), ㉡ ( )
㉢ ( )

6 다음은 월별 낮의 길이 그래프입니다. ㉠과 ㉡에 해당하는 계절을 각각 쓰시오.

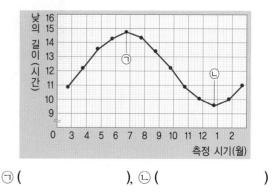

㉠ ( ), ㉡ ( )

계절의 변화

태양의 남중 고도가 높으니 좋으네.

너도 익어 간다.

1. 계절에 따른 기온 변화

① 태양의 남중 고도가 높아지면 일정한 면적의 지표면에 도달하는 태양 에너지양이 많아지고, 지표면에 도달하는 태양 에너지양이 많아지면 지표면이 더 많이 데워져 기온이 높아진다.

② 여름에는 기온이 높아 덥고, 겨울에는 기온이 낮아 춥다. 계절에 따라 태양의 남중 고도가 달라지기 때문에 계절에 따라 기온이 달라진다.

태양의 남중 고도가 높다.

▲ 여름: 태양의 남중 고도가 높아 일정한 면적에 도달하는 태양 에너지양이 많다.

태양의 남중 고도가 낮다.

▲ 겨울: 태양의 남중 고도가 낮아 일정한 면적에 도달하는 태양 에너지양이 적다.

Mini 탐구 태양의 남중 고도에 따른 기온 변화 비교하기

과정

1. 페트리 접시 두 개에 모래를 각각 채운다.
2. 전등과 모래가 이루는 각을 하나는 크게, 다른 하나는 작게 하여 전등과 모래 사이의 거리가 20 cm가 되도록 설치한다.
3. 적외선 온도계로 두 페트리 접시에 담긴 모래의 온도를 각각 측정한다.
4. 전등을 동시에 켜고 3∼5분이 지난 뒤, 두 페트리 접시에 담긴 모래의 온도를 각각 측정한다.

결과 두 페트리 접시에 담긴 모래의 온도 변화 예

전등과 모래가 이루는 각이 클 때	전등과 모래가 이루는 각이 작을 때
처음 온도 23 ℃, 나중 온도 58 ℃ ➡ 온도 변화 35 ℃	처음 온도 23 ℃, 나중 온도 40 ℃ ➡ 온도 변화 17 ℃

• 전등과 모래가 이루는 각이 클 때 모래의 온도가 더 많이 올라갔다.

지표면에 도달하는 태양 에너지양

▲ 태양 고도가 낮을 때

▲ 태양 고도가 높을 때

태양 고도가 낮아지면 태양 광선은 넓게 퍼지게 되고 일정한 면적의 지표면에 도달하는 태양 에너지양이 적어진다.

2. 계절의 변화 교과서속 탐구 36쪽

교과서속 탐구 36쪽

(1) 계절이 변하는 까닭

① 지구는 자전축이 공전 ˚궤도면의 수직선에 대해 약 23.5° 기울어진 채 태양 주위를 공전한다. 지구의 자전축이 기울어진 채 태양 주위를 공전하기 때문에 지구의 위치에 따라 태양의 남중 고도가 달라지고, 계절이 달라진다.
└ 계절이 달라지면서 태양의 남중 고도, 낮의 길이, 기온이 달라진다.

② 지구의 자전축이 공전 궤도면에 수직이거나 지구가 태양 주위를 공전하지 않는다면 태양의 남중 고도는 변하지 않고, 계절이 달라지지 않는다.

(2) 지구의 위치에 따른 우리나라의 계절 변화
지구의 위치에 따라 태양의 남중 고도가 달라진다.

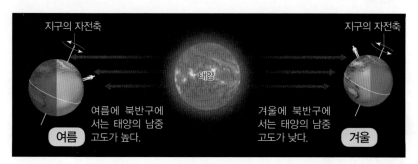

여름에 북반구에서는 태양의 남중 고도가 높다.

겨울에 북반구에서는 태양의 남중 고도가 낮다.

여름

겨울

보충 플러스⁺ 북반구와 남반구의 계절

6월 21일 무렵에 태양은 북위 23.5°를 수직으로 비추어 북반구가 남반구에 비해 더 많은 태양 에너지를 받게 된다. 이 날은 북반구의 여름이 시작되는 날로, '하지'라고 한다. 9월 23일 무렵에 태양은 적도 바로 위에 위치한다. 이때는 낮과 밤의 길이가 거의 비슷하며, 북반구의 가을이 시작되는 날로, '추분'이라고 한다. 12월 22일 무렵은 1년 중 낮이 가장 짧은 '동지'이며 북반구의 겨울이 시작되는 날이다. 동지가 지나면 태양의 남중 고도가 높아지고 낮의 길이는 길어지기 시작한다. 3개월 뒤인 3월 21일 무렵에는 낮과 밤의 길이가 거의 비슷해지며 봄이 시작되는 '춘분'이다. 남반구의 계절은 북반구와 반대이다. 남반구에서는 태양이 북쪽 하늘을 지나고 6월 21일 무렵에 태양의 북중 고도가 가장 낮다. 북반구가 여름일 때 남반구에서는 겨울이 되고, 북반구가 겨울일 때 남반구에서는 여름이 된다.

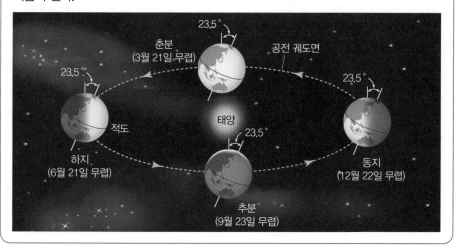

용어
•궤도 사물이 따라서 움직이도록 정해진 길.

북반구의 대한민국과 남반구의 뉴질랜드의 계절 모습

• 6월의 모습

▲ 대한민국   ▲ 뉴질랜드

• 12월의 모습

▲ 대한민국   ▲ 뉴질랜드

교과서 속 탐구

"계절이 변화하는 원인 알아보기"

과정

1. 태양 고도 측정기를 지구의의 우리나라 위치에 붙인다.
2. 지구의의 자전축을 수직으로 맞추고, 전등으로부터 30 cm 떨어진 거리에 둔다.
3. 전등의 높이를 태양 고도 측정기의 높이와 비슷하게 조절하고 전등을 켠 다음 태양의 남중 고도를 측정하고, 지구의를 시계 반대 방향으로 공전시켜 각 위치에서 태양의 남중 고도를 측정한다.
4. 지구의의 자전축을 23.5° 기울이고, 3과 같은 방법으로 각 위치에서 태양의 남중 고도를 측정한다.

결과

▶ **지구의의 자전축이 수직일 때**

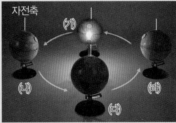

지구의의 위치	태양의 남중 고도(°)
(가)	52
(나)	52
(다)	52
(라)	52

▶ **지구의의 자전축을 23.5° 기울였을 때**

지구의의 위치	태양의 남중 고도(°)
(가)	52
(나)	76
(다)	52
(라)	29

알 수 있는 사실 ▶ 지구의 자전축이 공전 궤도면에 대해 기울어진 채 태양 주위를 공전하면 태양의 남중 고도가 달라지고, 계절이 변한다.

↰정답과 해설 **32쪽**

1 위 실험에서 다르게 해야 할 조건과 같게 해야 할 조건으로 분류하여 기호를 쓰시오.

> ㉠ 지구의의 종류
> ㉡ 지구의의 자전축의 기울기
> ㉢ 전등과 지구의 사이의 거리
> ㉣ 태양 고도 측정기를 붙이는 위치

(1) 다르게 해야 할 조건: (　　　　　　　)
(2) 같게 해야 할 조건: (　　　　　　　)

2 다음은 전등을 중심으로 지구의의 위치를 변경하면서 우리나라 위치에 붙인 태양 고도 측정기로 태양의 남중 고도를 측정한 경준이의 말입니다. 지구의의 자전축을 수직으로 맞춘 경우인지, 기울인 경우인지 쓰시오.

> "태양의 남중 고도가 지구의의 위치에 따라 높아졌다가 낮아졌어."

(　　　　　　　　　　　　　　　)

확인 문제

정답과 해설 32쪽

1 다음은 여름과 겨울에 달라지는 태양 고도입니다. 일정한 면적의 지표면에 도달하는 태양 에너지양이 더 많은 것의 기호를 쓰고, 각각 어느 계절에 해당하는지 쓰시오.

(1) 태양 에너지양이 더 많은 것: (   )

(2) ㉠의 계절: (   )

ㄴ의 계절: (   )

[2~3] 다음은 전등과 모래가 이루는 각을 다르게 하여 빛을 비추는 모습입니다. 물음에 답하시오.

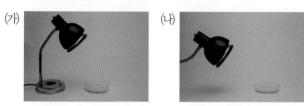

▲ 각이 클 때   ▲ 각이 작을 때

2 위 실험에서 3분이 지난 뒤 (가)와 (나) 페트리 접시에 담긴 모래의 온도를 적외선 온도계로 각각 측정한 다음 결과를 보고, 해당하는 것의 기호를 쓰시오.

(1) 처음 온도 23 ℃, 나중 온도 40 ℃: (   )

(2) 처음 온도 23 ℃, 나중 온도 58 ℃: (   )

3 위 **2**번 결과를 보고, 계절에 따라 기온이 달라지는 까닭을 옳게 말한 사람의 이름을 쓰시오.

> • 주이: 계절에 따라 지구의 크기가 달라지기 때문이야.
> • 재명: 계절에 따라 태양의 남중 고도가 달라지기 때문이야.
> • 상규: 계절에 따라 태양의 크기가 달라져도 받는 태양 빛의 양이 변하지 않기 때문이야.

(   )

4 다음 계절이 변하는 까닭에 대한 설명으로 (   ) 안에 들어갈 알맞은 말을 쓰시오.

> 지구의 (㉠   )이/가 기울어진 채 태양 주위를 (㉡   )(하)기 때문이다.

㉠ (   ), ㉡ (   )

5 다음은 지구가 태양 주위를 공전할 때의 위치를 나타낸 것입니다. 지구가 각각 ㉠과 ㉡ 위치에 있을 때 우리나라는 어느 계절에 해당하는지 쓰시오.

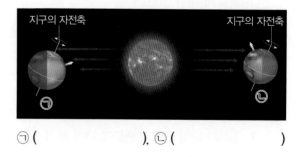

㉠ (   ), ㉡ (   )

6 다음은 태양 고도 측정기를 우리나라 위치에 붙인 지구의의 자전축을 수직으로 맞추고 공전시키며 태양의 남중 고도를 측정하는 모습입니다. ㉠과 ㉡ 중 측정 결과에 해당하는 것의 기호를 쓰시오.

㉠ 지구의의 위치	(가)	(나)	(다)	(라)
태양의 남중 고도(°)	52	52	52	52

㉡ 지구의의 위치	(가)	(나)	(다)	(라)
태양의 남중 고도(°)	52	76	52	29

(   )

단원 평가

[1~2] 다음은 태양 고도를 측정하는 장치입니다. 물음에 답하시오.

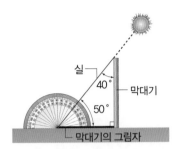

1 위 장치로 측정한 현재의 태양 고도를 쓰고, 장치를 이용하여 태양 고도를 측정하는 방법을 쓰시오.

(1) 현재의 태양 고도: (   )°

(2) 태양 고도를 측정하는 방법: _____

_____

2 위 태양 고도를 측정한 시각이 오후 2시라면, 해가 지기 전까지 태양 고도의 변화에 대해 옳게 말한 사람의 이름을 쓰시오.

> • 지헌: 태양 고도가 점점 낮아질 거야.
> • 시연: 현재의 태양 고도를 유지할 거야.
> • 은재: 태양 고도가 더 높아져 90°가 되면 다시 낮아질 거야.

(   )

3 다음 (   ) 안에 들어갈 알맞은 말을 쓰시오.

> 하루 중 태양이 정남쪽에 위치하면 태양이 (㉠) 했다고 한다. 이때의 고도를 태양의 (㉡)라고 하며, 그림자는 (㉢) 쪽을 향한다.

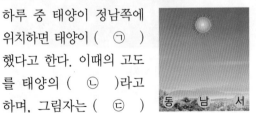

㉠ (   ), ㉡ (   )

㉢ (   )

[4~6] 다음은 하루 동안 태양 고도, 그림자 길이, 기온을 측정한 결과를 그래프로 나타낸 것입니다. 물음에 답하시오.

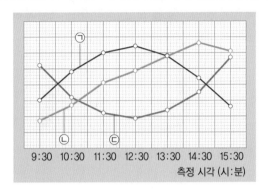

측정 시각 (시:분)

4 위 그래프를 보고, 하루 중 태양 고도가 가장 높은 때, 그림자 길이가 가장 짧은 때, 기온이 가장 높은 때의 시각을 각각 쓰시오.

(1) 태양 고도가 가장 높은 때: (   )

(2) 그림자 길이가 가장 짧은 때: (   )

(3) 기온이 가장 높은 때: (   )

5 위 ㉠~㉢ 그래프 중 하루 동안 기온의 변화를 나타내는 것의 기호를 쓰시오.

(   )

6 위 5번 답의 그래프를 보고, 옳게 말한 사람의 이름을 쓰시오.

> • 영은: 태양 고도가 높아지면 이 그래프는 낮아져.
> • 찬종: 태양 고도보다 더 늦게 최고 높이에 도달해.
> • 지아: 그림자 길이가 가장 짧을 때 가장 높은 지점에 있어.

(   )

[7~10] 다음은 계절별 태양의 남중 고도와 낮의 길이를 그래프로 나타낸 것입니다. 물음에 답하시오.

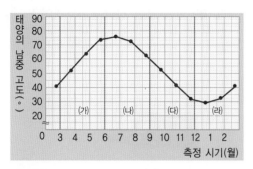

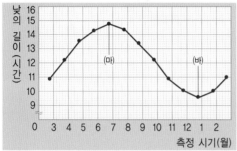

7 다음은 계절별 태양의 위치 변화를 나타낸 것입니다. ㉠~㉢ 태양의 위치는 위 태양의 남중 고도 그래프의 ⑷~⑷ 중 각각 어느 구간에 해당하는지 기호를 쓰시오.

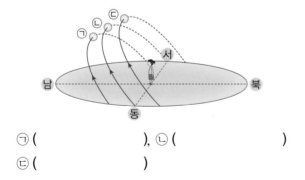

㉠ (   ), ㉡ (   )

㉢ (   )

8 오늘은 9월 10일입니다. 한 달 뒤에는 오늘과 비교하여 태양의 남중 고도와 낮의 길이가 어떻게 변할지 위 그래프를 보고, 알맞은 말을 쓰시오.

(1) 태양의 남중 고도: (   )

(2) 낮의 길이: (   )

9 앞의 두 그래프를 보고, 계절별 태양의 남중 고도와 낮의 길이는 어떤 관계가 있는지 쓰시오.

10 다음 선미의 모습을 보고, 어느 구간에 해당하는지 앞 낮의 길이 그래프의 ⑴와 ⑴ 중 골라 기호를 쓰고, 그때의 계절을 함께 쓰시오.

(   )

11 우리나라는 가을부터 날씨가 쌀쌀해지기 시작하여 겨울이 되면 매우 춥습니다. 가을부터 겨울까지 태양의 남중 고도는 어떻게 변하는지 쓰시오.

[12~13] 다음은 태양의 남중 고도에 따른 기온 변화를 알아보기 위한 탐구입니다. 물음에 답하시오.

(가)

▲ 전등과 모래가 이루는 각이 클 때

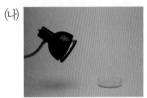

(나)

▲ 전등과 모래가 이루는 각이 작을 때

12 위 (가)와 (나)에서 다르게 한 조건은 무엇인지 쓰시오.

(   )

13 위 (가)와 (나)의 전등을 동시에 켜고 3~5분이 지난 뒤 페트리 접시에 담긴 모래의 온도를 측정했을 때 온도가 더 높은 것의 기호를 쓰고, 그 까닭을 옳게 말한 사람의 이름을 쓰시오.

> • 준표: 전등 빛이 모래에 닿지 않기 때문이야.
> • 수진: 더 넓은 면적에 많은 전등 빛이 도달하기 때문이야.
> • 지아: 일정한 면적에 도달하는 전등 빛의 양이 많기 때문이야.

(1) 온도가 더 높은 것: (   )
(2) 옳게 말한 사람: (   )

14 다음은 위 (가)와 (나) 중 각각 어느 경우에 해당하는지 기호를 쓰시오.

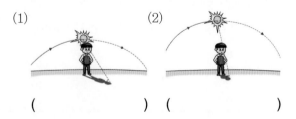

(1)   (2)

(   ) (   )

15 다음은 여름과 겨울에 한옥 안으로 햇빛이 들어오는 모습입니다. 이것을 보고, 한옥이 여름에 시원하고 겨울에 따뜻할 수 있는 까닭을 유추하여 쓰시오.

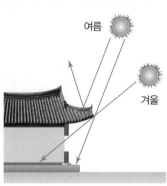

여름

겨울

_____

_____

_____

16 다음과 같이 지구의 자전축이 공전 궤도면에 대해 수직인 채로 자전하면서 태양 주위를 공전할 때 나타날 수 있는 현상에 대한 설명으로 옳은 것을 보기 에서 골라 기호를 쓰시오.

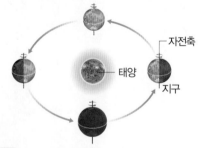

자전축

태양

지구

> 보기
> ㉠ 낮과 밤이 나타나지 않는다.
> ㉡ 계절의 온도 변화가 더 뚜렷하게 나타난다.
> ㉢ 여름에는 더 더워지고, 겨울에는 더 추워진다.
> ㉣ 태양의 남중 고도가 변하지 않아서 계절이 변하지 않는다.

(   )

17 다음과 같이 지구의의 우리나라 위치에 태양 고도 측정기를 붙인 뒤 지구의의 자전축을 공전 궤도면에 기울어지게 하여 전등을 중심으로 공전시켰습니다. ㈎~㈐ 각각의 위치에 해당하는 태양 고도 측정기의 결과를 골라 ☐ 안에 기호를 쓰시오.

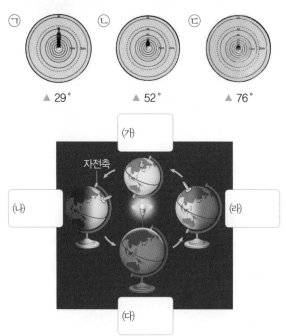

▲ 29°   ▲ 52°   ▲ 76°

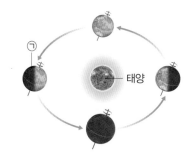

18 다음은 지구의 자전축이 23.5° 기울어진 채 태양 주위를 공전하는 모습입니다. 우리나라가 ㉠ 위치에 있을 때 우리나라 계절의 특징과 사람들의 생활 모습을 쓰시오.

19 다음은 우리나라에 있는 사람의 위치입니다. ㈎에 있을 때와 ㈏에 있을 때의 특징으로 분류하여 기호를 쓰시오.

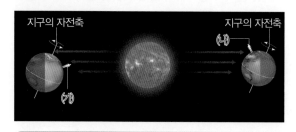

> ㉠ 일 년 중 기온이 가장 낮다.
> ㉡ 우리나라의 계절이 여름이다.
> ㉢ 일 년 중 태양의 남중 고도가 가장 높다.
> ㉣ 시간이 지나면서 태양의 남중 고도가 높아질 것이다.

㈎ (   ), ㈏ (   )

20 우리나라가 겨울일 때 뉴질랜드와 같이 남반구에 있는 나라는 어떤 계절인지 쓰고, 계절이 변하는 까닭을 함께 쓰시오.

서술형 문제

1 지수는 다음과 같이 태양 고도를 측정하였습니다. 지수의 결과가 정확하지 않은 까닭과 정확하게 측정하기 위한 방법을 함께 쓰시오.

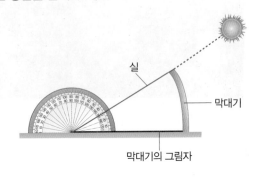

실
막대기
막대기의 그림자

_____

_____

_____

2 다음은 하루 동안 태양의 움직임을 나타낸 것입니다. ㉠~㉤ 중 태양이 남중한 경우의 기호를 쓰고, ㉠에서 ㉤으로 갈수록 태양 고도와 그림자 길이는 어떻게 변하는지 쓰시오.

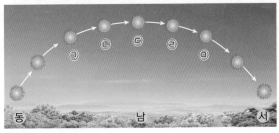

동   남   서

(1) 태양이 남중한 경우: (   )

(2) 태양 고도와 그림자 길이 변화: _____

_____

_____

3 다음은 하루 동안 태양 고도에 따른 그림자 길이 변화를 측정하여 기록한 것입니다. 태양이 남중할 때 그림자 길이가 가장 짧은 까닭을 쓰시오.

태양 고도 변화		그림자 길이 변화	
아침	점점 높아진다.	아침	점점 짧아진다.
점심	낮 12시 30분 무렵에 가장 높다.	점심	낮 12시 30분 무렵에 가장 짧다.
저녁	점점 낮아진다.	저녁	점점 길어진다.

_____

_____

4 다음은 하루 동안 태양 고도와 기온 변화를 나타낸 그래프입니다. 태양 고도가 가장 높은 때와 기온이 가장 높은 때가 약 두 시간 정도 차이가 나는 까닭을 쓰시오.

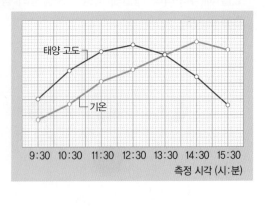

태양 고도
기온
9:30 10:30 11:30 12:30 13:30 14:30 15:30
측정 시각 (시:분)

_____

_____

5 다음은 태양의 남중 고도에 따라 일정한 면적에 도달하는 태양 에너지양을 나타낸 것입니다. ㉠보다 ㉡ 지역의 기온이 더 높은 까닭을 쓰시오.

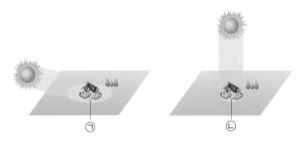

7 다음 ㉠ 위치에 지구가 있을 때가 ㉡ 위치에 있을 때보다 우리나라에 도달하는 태양 에너지양이 많습니다. 그 까닭이 무엇인지 태양의 고도와 관련지어 쓰시오.

6 다음은 태양 고도 측정기를 우리나라 위치에 붙인 지구의의 자전축을 수직으로 맞추고 전등 주위를 공전시키고, 지구의의 자전축을 23.5° 기울인 채 전등 주위를 공전시키는 모습입니다. 측정한 태양 고도가 어떻게 다른지 비교하여 쓰시오.

▲ 자전축이 수직일 때

▲ 자전축을 기울였을 때

8 지구의 자전축이 현재와 같이 기울어져 있는 상태에서 만약 지구가 자전만 하고 태양 주위를 공전하지 않는다면 계절의 변화가 생길지, 생기지 않을 지 그렇게 생각한 까닭과 함께 쓰시오.

- **태양 고도**

태양 고도	• 태양 고도는 태양이 지표면과 이루는 각이다. • 태양 고도가 낮을 때 태양이 지표면과 이루는 각이 작다. • 태양 고도가 높을 때 태양이 지표면과 이루는 각이 크다. ▲ 태양 고도가 낮을 때　　　　▲ 태양 고도가 높을 때
하루 동안 태양 고도의 변화	아침에는 태양이 지표면 근처에서 보이기 때문에 태양 고도가 낮고, 점심에는 태양이 높게 떠 있기 때문에 태양 고도가 높다.
태양의 남중 고도	하루 중 태양이 정남쪽에 위치해 태양이 남중했을 때의 고도를 태양의 남중 고도라고 한다.

- **태양 고도,
그림자 길이,
기온의 관계**

태양 고도와 그림자 길이	• 태양 고도가 높아지면 그림자 길이가 짧아진다. • 태양 고도가 낮아지면 그림자 길이가 길어진다.
태양 고도와 기온	• 태양 고도가 높아지면 기온이 높아진다. • 태양 고도가 낮아지면 기온이 낮아진다.

▶ 태양 고도가 높아질수록 기온이 높아지지만, 태양이 남중한 시각보다 약 두 시간 정도 뒤에 기온이 가장 높게 나타난다.

- **계절별
태양의 남중 고도와
낮의 길이**

월별 태양의 남중 고도	• 태양의 남중 고도는 여름(6~7월)에 가장 높다. • 태양의 남중 고도는 겨울(12~1월)에 가장 낮다.
월별 낮의 길이	• 태양의 남중 고도가 높은 여름에 낮의 길이가 가장 길다. • 태양의 남중 고도가 낮은 겨울에 낮의 길이가 가장 짧다.

- **계절의 변화**

계절에 따른 기온 변화	• 태양의 남중 고도가 높은 여름에 기온이 가장 높다. • 태양의 남중 고도가 낮은 겨울에 기온이 가장 낮다.
계절이 변하는 까닭	지구의 자전축이 기울어진 채 태양 주위를 공전하기 때문에 태양의 남중 고도가 달라지고, 계절이 달라진다.

지구의 크기와 태양의 운동

1 지구의 크기

그리스의 수학자 및 천문학자인 에라토스테네스는 지구는 완전한 구형이고, 지표면에 들어오는 햇빛이 평행하다는 가정을 한 후 하짓날 정오에 **태양 고도**를 측정하는 방법으로 알렉산드리아에 세운 막대와 그 그림자 끝이 이루는 각인 7.2°를 측정하였다. 그것으로 알렉산드리아와 시에네 사이의 중심각이 7.2°라는 것을 알아냈다. 에라토스테네스는 알렉산드리아와 시에네 사이의 거리가 약 925 km인 것을 사람의 발걸음으로 걸어서 측정했다. 이렇게 측정한 값으로 '지구의 둘레 : 360° = 925 km : 7.2°'라는 비례식으로 지구의 둘레는 약 46250 km라는 결과를 얻었고, 이로부터 구한 지구의 반지름은 약 7365 km였다. 이 값은 인공위성으로 오늘날 측정한 지구의 반지름인 약 6378 km와 비교했을 때 크긴 하지만, 기원 전인 당시로서는 비교적 정확한 값으로 볼 수 있다.

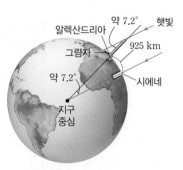

▲ 에라토스테네스의 지구 크기 측정 방법

2 태양의 운동

지구의 적도를 연장하여 천구와 만나는 선인 천구의 적도와 태양이 연주 운동하면서 천구상에서 별자리 사이를 이동해 가는 길인 황도는 약 23.5°의 각을 이루며 춘분점과 추분점에서 만난다. 태양은 황도를 따라 남쪽에서 북쪽으로 천구의 적도를 지날 때 만나는 점인 춘분점을 지나 태양이 황도상에서 가장 북쪽에 위치한 하지점으로 이동한다. 태양이 황도를 따라 하지점을 지나면 북쪽에서 남쪽으로 천구의 적도를 지나는 데 이때 만나는 점이 추분점이다. 추분점을 지난 태양은 황도상에서 가장 남쪽에 위치한 점인 동지점으로 이동한다. 이러한 태양의 연주 운동으로 **태양의 남중 고도가 달라져** 지구에 도달하는 태양 에너지양이 달라지므로 계절이 변한다.

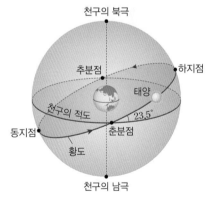

▲ 천구의 적도와 황도

비주얼 **사이언스**

30쪽 참고 **지구 자전축의 기울기 변화**

지구 공전 궤도면의 수직선에 대해 지구 자전축의 기울기는 약 41000년을 주기로 21.5˚~24.5˚ 사이에서 변한다. 지구 자전축의 기울기가 변하면 위도에 따른 태양의 남중 고도가 달라지기 때문에 지표면에 도달하는 태양 에너지양이 달라져 기후가 변한다.

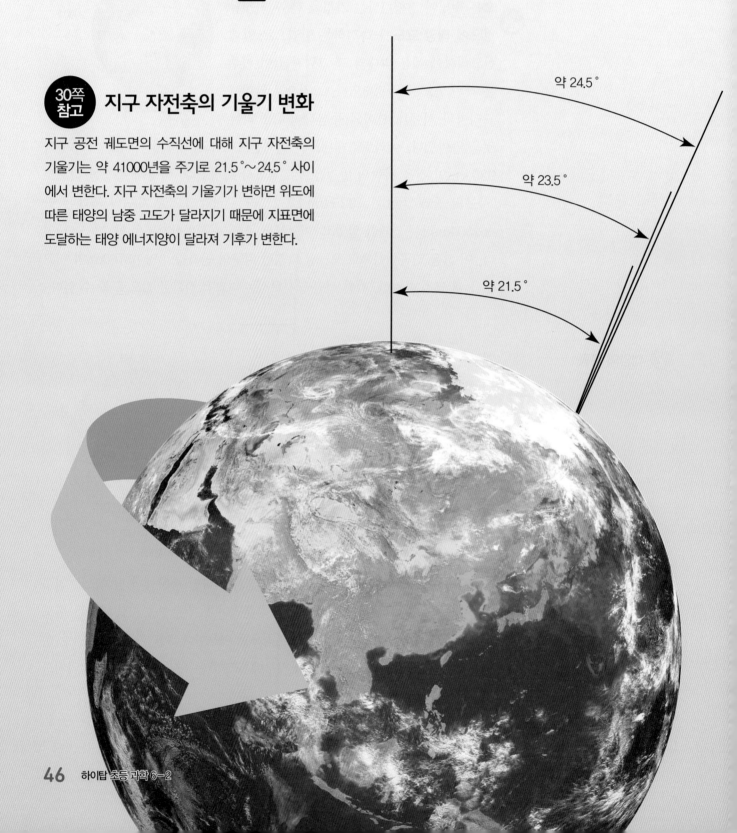

약 24.5˚

약 23.5˚

약 21.5˚

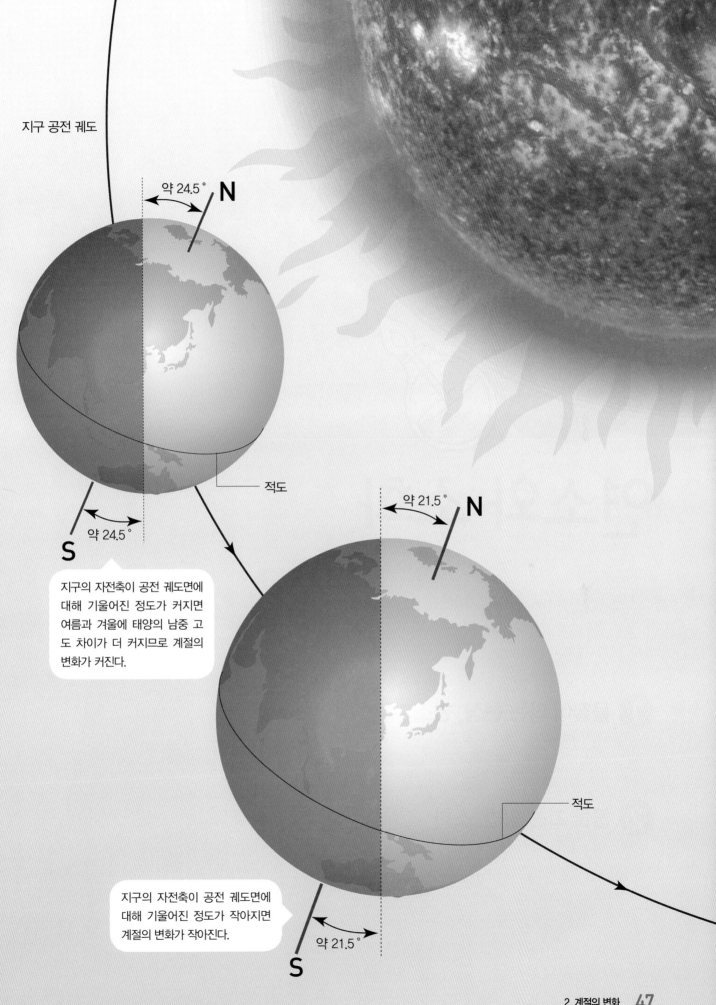

지구 공전 궤도

약 24.5° N

적도

S 약 24.5°

지구의 자전축이 공전 궤도면에 대해 기울어진 정도가 커지면 여름과 겨울에 태양의 남중 고도 차이가 더 커지므로 계절의 변화가 커진다.

약 21.5° N

적도

지구의 자전축이 공전 궤도면에 대해 기울어진 정도가 작아지면 계절의 변화가 작아진다.

약 21.5° S

3

연소와 소화

1 물질이 타는 현상, 연소

2 불을 끄는 방법, 소화

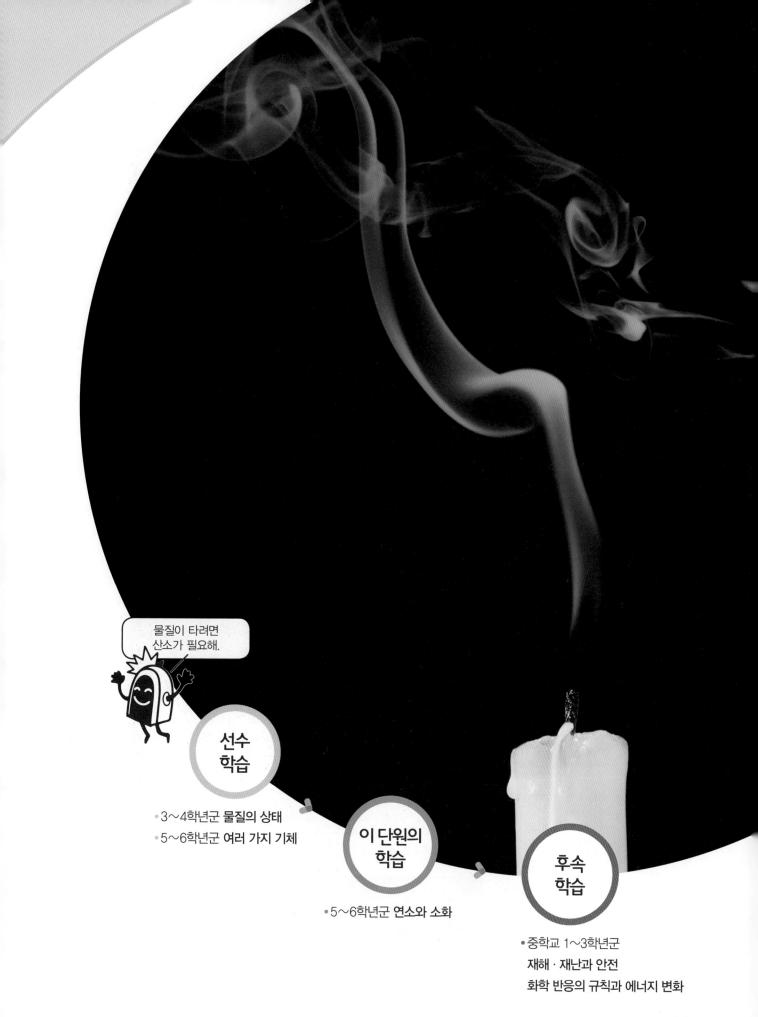

물질이 타려면 산소가 필요해.

선수 학습

• 3～4학년군 물질의 상태
• 5～6학년군 여러 가지 기체

이 단원의 학습

• 5～6학년군 연소와 소화

후속 학습

• 중학교 1～3학년군
  재해 · 재난과 안전
  화학 반응의 규칙과 에너지 변화

1

개념 강의

QR

물질이 타는 현상, 연소

만화로 보는 '연소'

성냥아! 너의 연소 덕분에 따뜻해졌어.

하얗게 불태웠어.

불꽃의 밝기

겉불꽃
속불꽃
불꽃심

• 불꽃의 위치에 따라 밝기가 다르다.
• 겉불꽃이 가장 밝고, 불꽃심이 가장 어둡다.

1. 물질이 탈 때 나타나는 현상

(1) 물질이 탈 때 나타나는 현상 물질이 탈 때에는 빛과 열이 발생하므로 물질을 태워 어두운 곳을 밝히거나 주변을 따뜻하게 할 수 있다. 물질이 타면 물질의 양이 변하기도 한다.

(2) 초에 불을 붙였을 때 초가 타는 현상

① 불꽃 모양이 위아래로 길쭉하고, 불꽃 색깔이 노란색, 붉은색이다.

② 불꽃의 윗부분이 밝고, 아랫부분은 윗부분보다 어둡다.

③ 시간이 지날수록 초가 녹아 촛농이 흘러내리고, 흘러내린 촛농이 굳어 다시 고체가 된다. └ 촛농은 액체이다.

④ 불꽃의 아랫부분이나 옆 부분보다 윗부분이 더 뜨겁다. ┌ 뜨거운 공기가 위로 이동하기 때문이다.

⑤ 심지 윗부분은 검은색이고 아랫부분은 하얀색이며, 불꽃 끝부분에서 흰 연기가 난다. ─ 심지 주변이 움푹 팬다.

⑥ 시간이 지날수록 초의 길이가 짧아지며, 초의 무게는 초에 불을 붙이기 전보다 초에 불을 붙인 후에 점점 줄어든다.

(3) 알코올램프에 불을 붙였을 때 알코올이 타는 현상

① 불꽃 모양이 위아래로 길쭉하고, 불꽃 색깔이 푸른색, 붉은색이다.

② 시간이 지날수록 알코올의 양이 줄어든다. 손을 가까이 하면 손이 점점 따뜻해진다.

③ 불꽃의 아랫부분이나 옆 부분보다 윗부분이 더 뜨겁다.

④ 심지 윗부분은 검은색이고 아랫부분은 하얀색이다.

(4) 초와 알코올이 탈 때 나타나는 공통적인 현상 불꽃 주변이 밝고 따뜻해지며, 물질이 빛과 열을 내면서 탄다. 또한, 물질의 양이 변하기 때문에 물질의 무게가 줄어든다.

▲ 나무가 타는 모습

▲ 성냥이 타는 모습

▲ 가스가 타는 모습

2. 물질이 탈 때 필요한 것

① 물질이 타려면 산소가 필요하다. 산소를 모은 집기병에 향불을 넣으면 불꽃이 커지고 잘 타지만, 산소가 부족하면 탈 물질이 남아 있더라도 더 이상 타지 않는다.

Mini 탐구 초가 탈 때 필요한 기체 알아보기

과정

1. 작은 양초 두 개에 불을 붙인 뒤 촛불의 크기가 비슷해질 때까지 기다린다.
2. 크기가 다른 투명한 아크릴 통으로 촛불을 동시에 덮은 뒤 초가 타는 시간을 비교한다.
3. 기체 검지관으로 초가 타기 전과 타고 난 후의 산소 비율을 측정한다.

결과

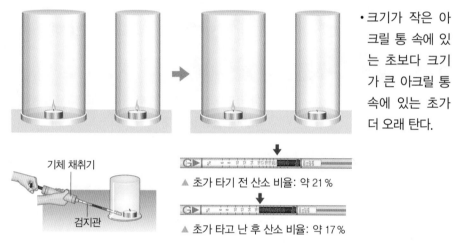

• 크기가 작은 아크릴 통 속에 있는 초보다 크기가 큰 아크릴 통 속에 있는 초가 더 오래 탄다.

▲ 초가 타기 전 산소 비율: 약 21 %

▲ 초가 타고 난 후 산소 비율: 약 17 %

• 초가 타기 전보다 초가 타고 난 후의 산소 비율이 줄었다.

② 어떤 물질이 불에 직접 닿지 않아도 타기 시작하는 온도를 그 물질의 발화점이라고 한다. 물질의 온도를 높여 발화점 이상이 되면 직접 불을 붙이지 않아도 물질이 탄다. 발화점은 물질마다 다르다. 교과서속 탐구 52쪽

③ 연소는 물질이 산소와 빠르게 반응하여 빛과 열을 내는 현상이다. 연소가 일어나려면 탈 물질과 산소가 있어야 하고, 온도가 발화점 이상이 되어야 한다. – 세 가지 조건 중 하나라도 없다면 연소가 일어나지 않는다.

④ 직접 불을 붙이지 않고 물질을 태우는 여러 가지 방법 예

▲ 부싯돌과 쇳조각 마찰하기

볼록 렌즈

▲ 볼록 렌즈로 햇빛 모으기

▲ 성냥의 머리 부분을 성냥갑에 마찰하기

기체 검지관의 사용 방법

고무 덮개
검지관
기체 채취기

기체 검지관은 복잡한 분석 기기나 고도의 기술 없이 가스의 농도를 측정하는 도구이다. 기체 검지관을 이용하여 공기 중의 산소나 이산화 탄소의 농도를 측정할 수 있다. 기체 검지관을 사용할 때 기체 채취기의 손잡이를 당기면 기체가 검지관을 통과하면서 검지관의 색깔이 변한다.

전기장판과 같은 전기 기구로 화재가 발생하는 까닭

• 전기 기구가 발화점에 도달해 화재가 발생한다.
• 전기 기구 근처에 있는 먼지 등이 발화점이 낮아, 전기 기구에서 발생하는 열로 불이 붙는다.

교과서 속 탐구

"불을 직접 붙이지 않고 물질 태워 보기"

과정

[탐구 1]
1. 철판을 삼발이에 올려놓고 성냥의 머리 부분을 잘라 철판 가운데에 놓는다.
2. 철판 가운데 부분을 알코올램프로 가열하면서 성냥 머리 부분의 변화를 관찰한다.

[탐구 2]
1. 성냥의 머리 부분과 나무 부분을 철판 가운데로부터 같은 거리에 올려놓는다.
2. 철판 가운데 부분을 알코올램프로 가열하면서 무엇에 먼저 불이 붙는지 관찰한다.

결과

[탐구 1]

• 성냥의 머리 부분에 불이 붙는다.

[탐구 2]

• 성냥의 머리 부분에 먼저 불이 붙고 나무 부분에 나중에 불이 붙는다.

알 수 있는 사실 ▶ 성냥의 머리 부분이 나무 부분보다 발화점이 낮다.

↪정답과 해설 36쪽

탐구 문제

1 철판 위에 올려놓은 성냥의 머리 부분에 직접 불을 붙이지 않고 철판 아래에서 알코올램프로 가열만 해도 성냥의 머리 부분에 불이 붙는 까닭으로 옳은 것에 모두 ○표 하시오.

(1) 성냥의 머리 부분이 뜨거워졌기 때문이다.
( )

(2) 성냥의 머리 부분이 공기보다 가볍기 때문이다.
( )

(3) 성냥 머리 부분의 온도가 낮아졌기 때문이다.
( )

(4) 성냥 머리 부분의 온도가 발화점에 도달했기 때문이다. ( )

2 철판 가운데로부터 같은 거리에 성냥의 머리 부분과 나무 부분을 올려놓고 철판의 가운데 부분을 알코올램프로 가열했을 때 두 물질에 불이 붙는 데 걸리는 시간이 달랐습니다. 두 물질의 발화점에 대한 설명으로 옳은 것을 보기 에서 골라 기호를 쓰시오.

보기

㉠ 성냥의 머리 부분과 나무 부분의 발화점이 같다.
㉡ 성냥의 머리 부분이 나무 부분보다 발화점이 낮다.
㉢ 성냥의 나무 부분이 머리 부분보다 발화점이 낮다.

( )

[1~3] 다음은 초와 알코올이 타는 모습입니다. 물음에 답하시오.

▲ 초가 타는 모습

▲ 알코올이 타는 모습

1 위 (가)와 (나) 중 다음과 같은 특징이 나타나는 것의 기호를 쓰시오.

• 불꽃 모양이 위아래로 길쭉하다.
• 불꽃 색깔이 푸른색, 붉은색이다.
• 불꽃의 아랫부분이나 옆 부분보다 윗부분이 더 뜨겁다.

(   )

2 위 (가)와 (나)에서 볼 수 있는 공통점으로 옳지 않은 것을 보기 에서 골라 기호를 쓰시오.

보기

㉠ 타는 물질의 양이 점점 늘어난다.
㉡ 손을 가까이 하면 손이 점점 따뜻해진다.
㉢ 심지 윗부분은 검은색이고 아랫부분은 하얀색이다.

(   )

3 위 (가), (나)와 같이 물질이 산소와 빠르게 반응하여 빛과 열을 내는 현상을 무엇이라고 하는지 쓰고, 그 현상이 일어나기 위한 세 가지 조건을 쓰시오.

(1) 현상: (   )

(2) 조건: _____

4 작은 양초 두 개에 불을 붙인 뒤 촛불의 크기가 비슷해질 때까지 기다린 후, 크기가 다른 투명한 아크릴 통으로 촛불을 동시에 덮었습니다. ㉠과 ㉡ 중 더 오래 타는 초의 기호를 쓰고, 초가 타는 시간에 영향을 주는 것은 무엇인지 쓰시오.

(1) 더 오래 타는 초: (   )

(2) 영향을 주는 것: (   )

5 오른쪽은 위 4번의 ㉠ 초가 타기 전과 타고 난 후의 산소 비율을 측정한 것입니다. 초가 타기 전과 타고 난 후의 산소 비율이 다른 까닭을 옳게 말한 사람의 이름을 쓰시오.

▲ 초가 타기 전 산소 비율: 약 21 %

▲ 초가 타고 난 후 산소 비율: 약 17 %

• 승민: 초가 탈 때 산소가 필요하기 때문이야.
• 주은: 초가 탈 때 산소가 만들어지기 때문이야.
• 영일: 초가 탈 때 이산화 탄소를 사용하기 때문이야.

(   )

6 철판 가운데로부터 같은 거리에 성냥의 머리 부분과 나무 부분을 올려놓고 철판의 가운데 부분을 알코올램프로 가열하였습니다. 성냥의 머리 부분과 나무 부분 중 먼저 불이 붙는 것을 쓰고, 그 까닭에 대한 설명으로 ( ) 안에 들어갈 알맞은 말을 쓰시오.

머리 부분 ←   → 나무 부분

(1) 먼저 불이 붙는 것: (   )

(2) 까닭: 성냥의 (   ) 부분이 (   ) 부분보다 (   )이 낮기 때문입니다.

2 불을 끄는 방법, 소화

개념 강의

만화로 보는 '소화'

불이야! 침착하게 '소화'하자.

저건 '연소' 시키는건데…

푸른색 염화 코발트 종이의 색깔 변화

물

푸른색 염화 코발트 종이는 염화 코발트 용액을 종이에 흡수시켜 말려 놓은 것으로, 물에 닿으면 붉게 변한다.

초의 심지를 집으면 불이 꺼지는 까닭

고체인 초에 불을 붙이면 액체로 상태가 변해 심지를 타고 올라간 뒤, 열에 의해 기체로 변하면서 연소가 일어난다. 그런데 핀셋으로 초의 심지를 집으면 액체인 초가 이동할 수 없어서 연소에 필요한 기체 물질(탈 물질)이 공급되지 못하기 때문에 촛불이 꺼진다.

1. 물질이 연소한 후에 생기는 물질

① 물질이 연소하면 연소 전의 물질과는 다른 새로운 물질이 만들어진다.

② 초가 연소한 후에 푸른색 염화 코발트 종이가 붉은색으로 변하는 것을 보고 물이 생긴 것을 알 수 있고, 석회수가 뿌옇게 흐려지는 것을 보고 이산화 탄소가 생긴 것을 알 수 있다. 교과서 속 **탐구** 56쪽

▲ 초가 연소하기 전 아크릴 통

▲ 초가 연소한 후 뿌옇게 흐려진 아크릴 통

2. 불을 끄는 방법

(1) **소화** 연소의 세 가지 조건인 탈 물질, 산소, 발화점 이상의 온도 중 한 가지 이상의 조건을 없애 불을 끄는 것이다. 소화 방법은 탈 물질에 따라 다르다.

(2) **촛불을 끄는 다양한 방법**

▲ 촛불을 입으로 불기 (탈 물질 없애기)

▲ 촛불을 집기병으로 덮기 (산소 공급 막기)

▲ 촛불에 분무기로 물 뿌리기 (발화점 미만으로 온도 낮추기)

물수건

▲ 초의 심지를 핀셋으로 집기 (탈 물질 없애기)

▲ 초의 심지 자르기 (탈 물질 없애기)

▲ 촛불을 물수건으로 덮기 (산소 공급 막기, 발화점 미만으로 온도 낮추기)

(3) **생활에서 불을 끄는 다양한 방법**

① 나무나 옷에서 화재가 발생하면 물로 불을 끌 수 있다.

② 기름이나 가스가 탈 때 물을 뿌리면 불이 더 크게 번질 수 있으므로 물을
└ 뜨거운 온도 때문에 물이 수증기로 변하면서 기름과 섞여 유증기로 변한다.
적신 이불을 덮거나 소화기를 사용한다.

③ 전기로 생긴 화재는 물을 뿌리면 감전의 위험이 있으므로 소화기를 사용하거나 모래를 덮는다.

(4) **소화기의 사용** 소화기는 화재의 초기 단계에서 불을 끌 수 있는 유용한 도구로, 종류가 다양하다. 소화 분말이 타는 물체의 표면을 감싸면서 산소의 공급을 막아 불을 끄는 분말 소화기, 간편하게 사용할 수 있는 분무 소화기, 불이 난 곳에 던져서 사용하는 투척용 소화기 등이 있다.

•**감전** 전기가 통하고 있는 도체에 신체의 일부가 닿아서 순간적으로 충격을 받는 것으로, 감전이 되면 화상을 입거나 목숨을 잃을 수도 있다.

안전핀

| ① 소화기를 불이 난 곳으로 옮긴다. | ② 소화기의 안전 핀을 뽑는다. | ③ 바람을 등지고 소화기의 고무관이 불 쪽을 향하도록 잡는다. | ④ 소화기의 손잡이를 움켜쥐고 불을 끈다. |

▲ 분말 소화기 사용 방법

투척용 소화기 사용 방법
❶ 보호용 덮개를 벗겨 낸다.
❷ 용기를 꺼낸다.
❸ 불을 향하여 던진다.

3. 화재 안전 대책

(1) 화재가 발생했을 때 대처 방법

도와주세요.

불이야!

① 비상벨을 누르고 119에 신고한다.

② 불을 발견하면 "불이야."라고 큰 소리로 외친다.

③ 나무로 된 가구 밑에 들어가지 않고, 문손잡이가 뜨거우면 문을 열지 않는다.
⌐ 문 반대편에 불이 있을 수 있기 때문이다.

④ 젖은 수건으로 코와 입을 막고 몸을 낮춰 이동하며, 승강기 대신에 계단으로 대피한다.

⑤ 아래층에서 불이 나면 옥상이나 높은 곳으로 올라가 구조를 요청한다.

(2) 화재로 발생하는 피해를 줄이기 위한 방법 미리 소방 시설과 비상구를 확인해 두고, 소화기를 준비해 둔다. 여러 사람이 이용하는 공공장소에서는 불
⌐ 소화기는 정기적으로 점검한다.
에 잘 타지 않는 시설물을 사용하려고 노력해야 한다.

초가 연소한 후에 생기는 물질 알아보기

과정

1. 투명한 아크릴 통의 안쪽 벽면에 셀로판테이프로 푸른색 염화 코발트 종이를 붙인다.
2. 초에 불을 붙이고 아크릴 통으로 촛불을 덮는다.
3. 촛불이 꺼지면 푸른색 염화 코발트 종이의 색깔 변화를 관찰한다.
4. 초에 불을 붙인 뒤 집기병으로 덮는다.
5. 촛불이 꺼지면 집기병을 조심스레 들어 올려 유리판으로 집기병의 입구를 막는다.
6. 집기병을 뒤집어서 바로 놓고 식을 때까지 기다린 후, 석회수를 집기병에 붓고 집기병을 살짝 흔들면서 변화를 관찰한다.

푸른색 염화 코발트 종이

결과

[푸른색 염화 코발트 종이의 색깔 변화]

초가 연소하기 전	초가 연소한 후

푸른색 염화 코발트 종이가 붉게 변한다.
➡ 초가 연소한 후 물이 생긴다.

[석회수의 변화]

석회수를 넣은 직후	석회수를 넣고 흔든 후

무색투명했던 석회수가 뿌옇게 흐려진다.
➡ 초가 연소한 후 이산화 탄소가 생긴다.

알 수 있는 사실 ▶ 초가 연소한 후에는 물과 이산화 탄소가 생긴다.

탐구 문제

정답과 해설 37쪽

1 오른쪽과 같이 안쪽 벽면에 푸른색 염화 코발트 종이를 붙인 아크릴 통으로 촛불을 덮었을 때 나타나는 현상으로 옳은 것에 모두 ○표 하시오.

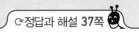

(1) 촛불이 점점 더 커지면서 탄다. ( )

(2) 푸른색 염화 코발트 종이가 붉게 변한다. ( )

(3) 아크릴 통 속에 있는 촛불이 꺼지고 연기가 난다. ( )

(4) 푸른색 염화 코발트 종이의 푸른색이 더 진해진다. ( )

2 오른쪽과 같이 불을 붙인 초를 집기병으로 덮은 후, 촛불이 꺼지면 유리판으로 집기병의 입구를 막고 석회수를 부은 후 집기병을 살짝 흔들었습니다. 이때의 변화로 알맞은 것의 기호를 쓰시오.

▲ 붉게 변한다.　▲ 푸르게 변한다.　▲ 뿌옇게 흐려진다.

( )

정답과 해설 **38**쪽

1 오른쪽과 같이 안쪽 벽면에 푸른색 염화 코발트 종이를 붙인 투명한 아크릴 통으로 불을 붙인 초를 덮었습니다. 촛불이 꺼지고 난 후 푸른색 염화 코발트 종이의 색깔 변화를 쓰시오.

┌── 푸른색 염화 코발트 종이

푸른색 → (   )

2 오른쪽과 같이 초가 연소할 때 생기는 물질 두 가지와 그 물질들을 확인하는 방법을 각각 쓰시오.

(1) 생기는 물질: (   )

(2) 물질을 확인하는 방법: ＿＿＿＿＿＿＿

＿＿＿＿＿＿＿＿＿＿＿＿＿

＿＿＿＿＿＿＿＿＿＿＿＿＿

3 다음 (   ) 안에 들어갈 알맞은 말을 쓰시오.

> 연소가 일어나려면 (⊙)과/와 산소가 필요하고, 온도가 (ⓒ) 이상이 되어야 한다. 연소의 세 가지 조건 중 한 가지 이상의 조건을 없애 불을 끄는 것을 (ⓒ)(라)고 한다.

⊙ (   ), ⓒ (   )

ⓒ (   )

4 불을 끄는 방법이 나머지와 다른 하나를 **보기**에서 골라 기호를 쓰시오.

> **보기**
>
> ⊙ 초의 심지를 핀셋으로 집는다.
> ⓒ 드라이아이스를 불에 가까이 가져간다.
> ⓒ 가스레인지의 연료 조절 밸브를 잠근다.

(   )

5 다음은 분말 소화기로 불을 끄는 방법을 한 가지씩 말한 것입니다. 분말 소화기의 사용 방법에 알맞게 순서대로 친구들의 이름을 쓰시오.

> • 아영: 소화기의 안전핀을 뽑아.
> • 민수: 소화기를 불이 난 곳으로 옮겨.
> • 주은: 소화기의 손잡이를 움켜쥐고 불을 꺼.
> • 태민: 소화기의 고무관이 불 쪽을 향하도록 잡아.

(   ) → (   ) → (   ) → (   )

6 우리 주변에서 화재 피해를 줄이기 위한 노력으로 알맞은 방법을 **보기**에서 두 가지 골라 기호를 쓰시오.

> **보기**
>
> ⊙ 소화기를 준비해 둔다.
> ⓒ 불에 잘 타는 커튼을 사용한다.
> ⓒ 불에 잘 타지 않는 소재를 사용한다.
> ⓒ 평소에 잘 사용하지 않는 비상구 공간에 물건을 보관해 둔다.

(   )

단원 평가

1 우리 주변에서 물질이 타면서 발생하는 빛과 열을 이용하는 경우를 두 가지 골라 기호를 쓰시오.

ㄱ
▲ 타고 있는 숯

ㄴ
▲ 불을 켠 전기 스탠드

ㄷ
▲ 케이크 초에 켠 불

ㄹ
▲ 물을 끓이는 전기 주전자

( )

2 오른쪽과 같은 ㉠~㉢ 위치에 손을 가까이 했을 때 가장 뜨겁게 느껴지는 곳의 기호를 쓰고, 그 까닭을 함께 쓰시오.

ㄱ
ㄴ
ㄷ

_____

_____

3 알코올램프에 불을 붙이고 3분 이상 지난 뒤 불을 껐습니다. 관찰 결과로 옳은 것을 보기에서 모두 고른 것은 어느 것입니까? ( )

보기
㉠ 알코올의 양이 처음보다 줄어들었다.
㉡ 알코올의 불꽃 색깔이 노란색, 붉은색이다.
㉢ 알코올램프의 무게가 불을 붙이기 전보다 가벼워졌다.
㉣ 알코올램프에 불을 붙였을 때 심지 윗부분이 하얀색이고, 아랫부분은 검은색이다.

① ㉠, ㉡
② ㉠, ㉢
③ ㉡, ㉣
④ ㉡, ㉢, ㉣
⑤ ㉠, ㉡, ㉢, ㉣

4 초에 불을 붙이고 다음과 같이 각각 집기병으로 덮었습니다. 촛불의 변화에 대해 옳게 말한 사람의 이름을 쓰시오.

▲ 집기병을 위로 들기
▲ 집기병으로 반쯤 덮기
▲ 집기병으로 완전히 덮기

• 승희: 세 경우 모두 불꽃의 크기가 같아.
• 주현: 집기병으로 완전히 덮으면 불꽃이 더 커져.
• 민정: 집기병으로 반쯤 덮으면 위로 들었을 때보다 불꽃이 작아지고, 집기병으로 완전히 덮으면 불꽃이 꺼져.

( )

5 다음과 같이 비커 속에 초를 넣고 초가 타기 전과 타고 난 후의 산소 비율을 측정하였습니다. 산소 비율에 대한 설명으로 옳은 것을 보기에서 골라 기호를 쓰시오.

기체 검지관

▲ 초가 타기 전
▲ 초가 타고 난 후

보기
㉠ 초가 타기 전보다 초가 타고 난 후의 산소 비율이 늘었다.
㉡ 초가 타기 전보다 초가 타고 난 후의 산소 비율이 줄었다.
㉢ 초가 타기 전보다 초가 타고 난 후 공기의 양은 줄었지만, 산소의 비율은 늘었다.

( )

6 다음 (   ) 안에 들어갈 알맞은 말을 쓰시오.

▲ 볼록 렌즈로 햇빛 모으기   ▲ 부싯돌과 쇳조각 마찰하기

볼록 렌즈로 햇빛을 모으거나 부싯돌과 쇳조각을 마찰하는 것처럼 물질의 온도를 높이면 직접 불을 붙이지 않아도 물질이 타는 것은 물질의 온도가 (㉠   ) 이상이 되고, 그 물질이 산소와 반응하여 (㉡   )이/가 일어났기 때문이다.

㉠ (   ), ㉡ (   )

7 다음과 같이 희진이가 나무 장작에 불씨를 붙인 종이를 놓고 부채질을 했더니 장작에 불이 붙으며 장작이 잘 탔습니다. 희진이가 만든 연소의 조건 세 가지는 각각 무엇인지 쓰시오.

불씨를 붙인 종이
나무 장작

_____

_____

8 발화점에 대한 설명으로 옳은 것을 보기 에서 두 가지 골라 기호를 쓰시오.

보기

㉠ 물질마다 발화점이 다르다.
㉡ 물질의 온도를 낮춰 발화점보다 낮아지면 물질이 탄다.
㉢ 어떤 물질이 불에 직접 닿지 않아도 타기 시작하는 온도이다.

(   )

9 다음과 같이 성냥의 머리 부분과 나무 부분을 철판의 가운데로부터 같은 거리에 놓고 철판의 가운데 부분을 알코올램프로 가열하였습니다. 성냥의 나무 부분이 머리 부분보다 발화점이 높을 때 나타날 결과로 옳은 것을 보기 에서 골라 기호를 쓰시오.

성냥의 머리 부분   성냥의 나무 부분

보기

㉠ 성냥의 머리 부분보다 나무 부분에 먼저 불이 붙는다.
㉡ 성냥의 나무 부분보다 머리 부분에 낮은 온도에서 불이 붙는다.
㉢ 성냥의 나무 부분보다 머리 부분에 불이 붙기까지 시간이 오래 걸린다.

(   )

10 위 **9**번 결과와 같이 성냥의 머리 부분과 나무 부분에 직접 불을 붙이지 않고 태우기 위해 필요한 조건을 모두 고르시오. (   )

① 물   ② 산소
③ 탈 물질   ④ 알코올램프
⑤ 발화점 이상의 온도

[11~12] 다음과 같이 투명한 아크릴 통의 안쪽 벽면에 셀로판테이프로 푸른색 염화 코발트 종이를 붙인 뒤 촛불을 아크릴 통으로 덮었습니다. 물음에 답하시오.

푸른색
염화 코발트
종이

11 위 촛불이 꺼진 뒤 아크릴 통 속 푸른색 염화 코발트 종이가 붉게 변한 까닭에 대해 옳게 말한 사람의 이름을 쓰시오.

> • 연수: 아크릴 통 속에 물이 생겼기 때문이야.
> • 지훈: 아크릴 통 속 온도가 낮아졌기 때문이야.
> • 채아: 아크릴 통 속에 산소가 생겼기 때문이야.

(   )

12 위 초가 연소하기 전보다 연소한 후에 크기가 줄어든 까닭으로 ( ) 안에 들어갈 알맞은 물질을 쓰시오.

> 초가 (㉠)과/와 (㉡)(으)로 변했기 때문이다.

㉠ (   ), ㉡ (   )

13 다음과 같이 촛불에 분무기로 물을 뿌렸을 때 촛불이 꺼지는 까닭을 연소의 조건 중 한 가지와 관련지어 쓰시오.

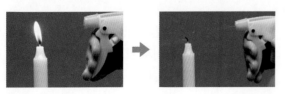

_____

_____

[14~15] 다음은 여러 가지 방법으로 촛불을 끄는 모습입니다. 물음에 답하시오.

(가)
▲ 촛불을 물수건으로 덮기

(나)
▲ 초의 심지를 핀셋으로 집기

(다)
▲ 촛불을 입으로 불기

(라)
▲ 촛불을 집기병으로 덮기

14 위 (가)~(라) 중 탈 물질을 없애 촛불을 끄는 경우를 두 가지 골라 기호를 쓰시오.

(   )

15 위 (가)~(라) 중 다음과 같이 불을 끄는 것과 원리가 같은 것을 두 가지 골라 기호를 쓰고, 연소의 조건 중 어떤 조건을 없애 준 것인지 쓰시오.

> 타고 있는 알코올램프의 뚜껑을 닫는다.

(1) 불을 끄는 원리가 같은 것: (   )

(2) 연소의 조건 중 없애 준 조건: _____

_____

16 오른쪽과 같이 전기로 생긴 화재의 불을 끄는 방법을 옳게 말한 사람의 이름을 쓰시오.

- 효성: 불이 난 곳을 모래로 덮어.
- 영건: 불이 난 곳을 종이로 덮어.
- 재준: 불이 난 곳에 차가운 물을 뿌려.

( )

17 불을 끄는 다양한 방법을 각각의 상황에 해당하는 것으로 분류하여 모두 기호를 쓰시오.

- ㉠ 물을 뿌린다.
- ㉡ 물수건으로 덮는다.
- ㉢ 초의 심지를 자른다.
- ㉣ 흙이나 모래를 뿌린다.
- ㉤ 두꺼운 담요나 뚜껑으로 덮는다.
- ㉥ 낙엽 등 타기 쉬운 물질을 치운다.
- ㉦ 가스레인지의 연료 조절 밸브를 잠근다.

(1) 탈 물질 없애기: ( )

(2) 산소 공급 막기: ( )

(3) 발화점 미만으로 온도 낮추기: ( )

18 다음과 같은 분말 소화기 사용 방법을 보고, 분말 소화기로 불을 끌 때 소화의 조건이 무엇인지 쓰시오.

소화기의 안전핀 뽑기 → 소화기의 고무관이 불쪽을 향하도록 잡기 → 소화기의 손잡이를 움켜쥐고 불 끄기

( )

19 화재가 발생했을 때 대처하는 방법을 잘못 말한 사람의 이름을 쓰고, 알맞은 방법으로 고쳐 쓰시오.

- 윤진: 조용히 방 안에서 기다려.
- 재우: 승강기 대신 계단을 이용해서 대피해.
- 현성: 코와 입을 막고 몸을 낮춰 안전한 곳으로 이동해.

(1) 잘못 말한 사람: ( )

(2) 옳게 고친 행동: _____

20 화재가 발생했을 때 다음과 같이 나무로 된 가구 밑에 들어가면 안 되는 까닭을 한 가지 쓰시오.

1 다음은 작은 양초 두 개에 불을 붙인 뒤 촛불의 크기가 비슷해지면 크기가 다른 투명한 아크릴 통으로 촛불을 동시에 덮은 모습입니다. ㉠과 ㉡ 초가 타는 시간을 비교하여 쓰시오.

_____

_____

_____

2 다음은 초가 타기 전과 타고 난 후의 비커 속 산소 비율을 측정한 결과입니다. 이 결과를 보고 알 수 있는 공기의 양에 따라 초가 타는 시간이 다른 까닭을 쓰시오.

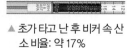

▲ 초가 타기 전 비커 속 산소 비율: 약 21%   ▲ 초가 타고 난 후 비커 속 산소 비율: 약 17%

_____

_____

_____

3 다음과 같이 철판을 삼발이에 올려놓고 성냥의 머리 부분과 나무 부분, 종이를 잘라 철판 가운데로부터 같은 거리에 놓고 철판 가운데 부분을 알코올램프로 가열하였습니다. 세 가지 물질 중 가장 먼저 불이 붙는 것과 그 까닭을 발화점과 관련지어 쓰시오.

물질	성냥의 머리 부분	성냥의 나무 부분	종이
발화점(℃)	260	470	400

_____

_____

_____

4 문이 닫혀 있는 실내에서 난불을 끄기 위해 소방관들이 창문을 깨거나 문을 열면서 몸을 웅크려 숨는 까닭은 창문이 깨지는 순간 불꽃이 커지거나 폭발할 위험이 있기 때문입니다. 문을 열면 불꽃이 왜 순간적으로 커지는지 연소의 조건과 관련지어 그 까닭을 쓰시오.

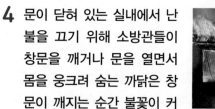

_____

_____

_____

5 다음과 같이 석회수가 들어 있는 비커에 초를 세운 다음, 초에 불을 붙이고 비커의 윗부분을 유리판으로 덮었습니다. 시간이 지나면 촛불과 석회수가 어떻게 변하는지 그 까닭과 함께 쓰시오.

— 유리판

— 촛불

— 석회수

_____

_____

_____

6 다음은 우리 생활에서 불을 끄는 방법입니다. 연소의 세 가지 조건 중 어떤 조건을 없애 불을 끄는 것인지 쓰시오.

> • 초의 심지를 자른다.
> • 가스레인지의 연료 조절 밸브를 잠근다.
> • 불이 붙은 난방 기기 주변에 있던 이불을 치운다.

_____

_____

7 다음과 같이 과학실에서 실험 도중 알코올램프가 넘어져 주변에 불이 붙었습니다.

모래함

(1) 주변에 있는 물체를 이용하여 불을 끄는 방법을 한 가지 쓰시오.

_____

_____

(2) 위 (1)번 답과 같은 방법으로 불을 끌 수 있는 까닭을 쓰시오.

_____

_____

8 화재가 발생하여 연기가 많이 날 때 유독 가스를 마시는 것을 피하기 위한 알맞은 대처 방법을 한 가지 쓰시오.

_____

_____

핵심 정리

물질이 탈 때 나타나는 현상	초가 탈 때	• 불꽃 모양이 위아래로 길쭉하다. • 불꽃 색깔이 노란색, 붉은색이다. • 불꽃의 윗부분이 밝고, 아랫부분은 윗부분보다 어둡다. • 불꽃의 아랫부분이나 옆 부분보다 윗부분이 더 뜨겁다. • 시간이 지날수록 초의 길이가 짧아진다.
	알코올이 탈 때	• 불꽃 모양이 위아래로 길쭉하다. • 불꽃 색깔이 푸른색, 붉은색이다. • 불꽃의 아랫부분이나 옆 부분보다 윗부분이 더 뜨겁다. • 시간이 지날수록 알코올의 양이 줄어든다.

▶ 물질이 탈 때에는 불꽃 주변이 밝고 따뜻해지며, 물질이 빛과 열을 내면서 탄다. 또한, 물질의 양이 변하기도 한다.

연소	발화점	어떤 물질이 불에 직접 닿지 않아도 타기 시작하는 온도로, 물질마다 발화점이 다르다.
	연소	물질이 산소와 빠르게 반응하여 빛과 열을 내는 현상이다.
	연소의 조건	탈 물질과 산소가 있어야 하고, 온도가 발화점 이상이 되어야 한다.

물질이 연소한 후에 생기는 물질	물	푸른색 염화 코발트 종이가 붉은색으로 변한다.
		▓▓▓▓▓▓▓ ➡ ▓▓▓▓▓▓▓
	이산화 탄소	석회수가 뿌옇게 흐려진다.

소화	소화	연소의 세 가지 조건인 탈 물질, 산소, 발화점 이상의 온도 중 한 가지 이상의 조건을 없애 불을 끄는 것이다.
	촛불을 끄는 다양한 방법	• 탈 물질 없애기: 촛불을 입으로 불기, 초의 심지를 핀셋으로 집기 등 • 산소 공급 막기: 촛불을 집기병으로 덮기, 촛불을 물수건으로 덮기 등 • 발화점 미만으로 온도 낮추기: 촛불에 분무기로 물 뿌리기, 촛불을 물수건으로 덮기 등
	생활에서 불을 끄는 방법	• 기름이나 가스가 탈 때: 물을 적신 이불을 덮거나 소화기를 사용한다. • 전기로 생긴 화재: 소화기를 사용하거나 모래를 덮는다. • 화재의 초기 단계: 소화기를 사용한다.

화재 안전 대책	대처 방법	• 비상벨을 누르고 119에 신고한다. • 불을 발견하면 "불이야."라고 큰 소리로 외친다. • 젖은 수건으로 코와 입을 막고 몸을 낮춰 계단으로 대피한다.
	피해를 줄이는 방법	• 미리 소방 시설과 비상구를 확인한다. • 소화기를 준비해 두고, 정기적으로 점검한다.

화학 반응의 규칙과 에너지

① 질량 보존 법칙

물질이 **연소**하면 연소 전의 물질과는 다른 새로운 물질이 생성된다. 이처럼 물질의 변화가 일어날 때 어떤 물질이 성질이 전혀 다른 새로운 물질로 변하는 현상을 화학 변화라고 한다. 화학 변화가 일어나 새로운 물질이 생성되는 반응에서 화학 반응에 참여한 물질을 반응물, 반응 결과 생성된 물질을 생성물이라고 한다. 이러한 화학 변화가 일어나면 물질의 성질은 변하지만 반응물의 총질량과 생성물의 총질량은 변하지 않는다. 이것을 '질량 보존 법칙'이라고 한다. 예를 들어 공기 중에서 나무를 연소시키면 수증기와 이산화 탄소가 발생하여 날아가기 때문에 질량이 감소하는 것처럼 보인다. 하지만 밀폐 용기에서 나무를 연소시키면 발생한 수증기와 이산화 탄소가 빠져나가지 못하기 때문에 반응 전후에 물질의 총질량이 같다.

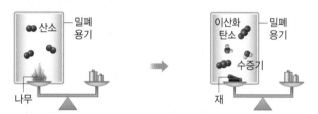

▲ 밀폐 용기에서 나무를 연소시키면 반응 전후에 물질의 총질량이 같다.

② 발열 반응과 흡열 반응

화학 반응이 일어날 때 에너지를 방출하는 반응을 발열 반응이라고 한다. 발열 반응이 일어나면 주위로 열에너지를 방출하기 때문에 주위의 온도가 높아진다. 물질의 연소는 발열 반응으로, **연료가 연소**할 때 방출하는 열에너지를 이용하여 음식을 조리하거나 난방을 하는 것을 예로 들 수 있다. 반대로, 화학 반응이 일어날 때 에너지를 흡수하는 반응은 흡열 반응이라고 한다. 흡열 반응이 일어나면 주위의 열에너지를 흡수하기 때문에 주위의 온도는 낮아진다.

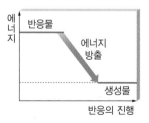

▲ 발열 반응에서의 에너지 방출

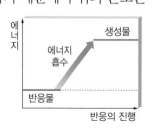

▲ 흡열 반응에서의 에너지 흡수

비주얼 **사이언스**

50쪽 참고 **불꽃의 온도**

양초에 불을 붙이면 양초가 녹아 액체 양초로
변하지만, 불꽃은 부분마다 온도가 다르다.

겉불꽃
산소 공급이 잘 되므로 거의 완전한 연소가 일어나는
불꽃의 가장자리 부분이다. 온도가 1400 ℃ 정도이고,
무색이라 거의 구별이 어렵다. 온도가 가장 높다.

속불꽃
산소 공급이 충분하지 못해 완전히 타지 못한
탄소 알갱이(그을음)가 열을 받아 주황색으로
빛난다. 온도는 600 ℃ 정도이다

불꽃심
가장 안쪽으로, 빛의 밝기가 약하고 온도가 비교적
낮은 부분이다. 온도는 300~400 ℃ 정도이다.

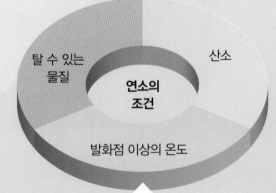

탈 수 있는
물질

산소

**연소의
조건**

발화점 이상의 온도

화합물이 산소와 반응하여 빛과 높은 열을 발산하면서
이산화 탄소, 물 등의 산화 생성물을 만들어 내는 현상
인 연소는, 탈 물질, 산소, 발화점 이상의 온도 세 가지
조건이 모두 갖추어져야 한다.

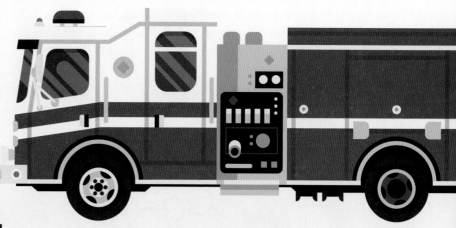

54쪽 참고 **소화의 조건**

연소의 세 가지 조건 중 한 가지 이상의 조건을 없애 불을 끄는 것이다.
탈 물질 없애기, 산소 공급 막기, 발화점 미만으로 온도 낮추기 중 한
가지 조건만 만족하면 불을 끌 수 있다.

바람을 등지고 소화기의 고무관이
불 쪽을 향하도록 잡는다.

119에 신고한 뒤 소방차가 도착하기 전까지는 약간의
시간이 걸리기 때문에 초기 화재 단계에서 작은 불씨가
큰 불로 변하기 전에 소화기로 불을 끌 수 있다. 소화기
는 화재를 예방하는 데 반드시 필요하다.

4

우리 몸의 구조와 기능

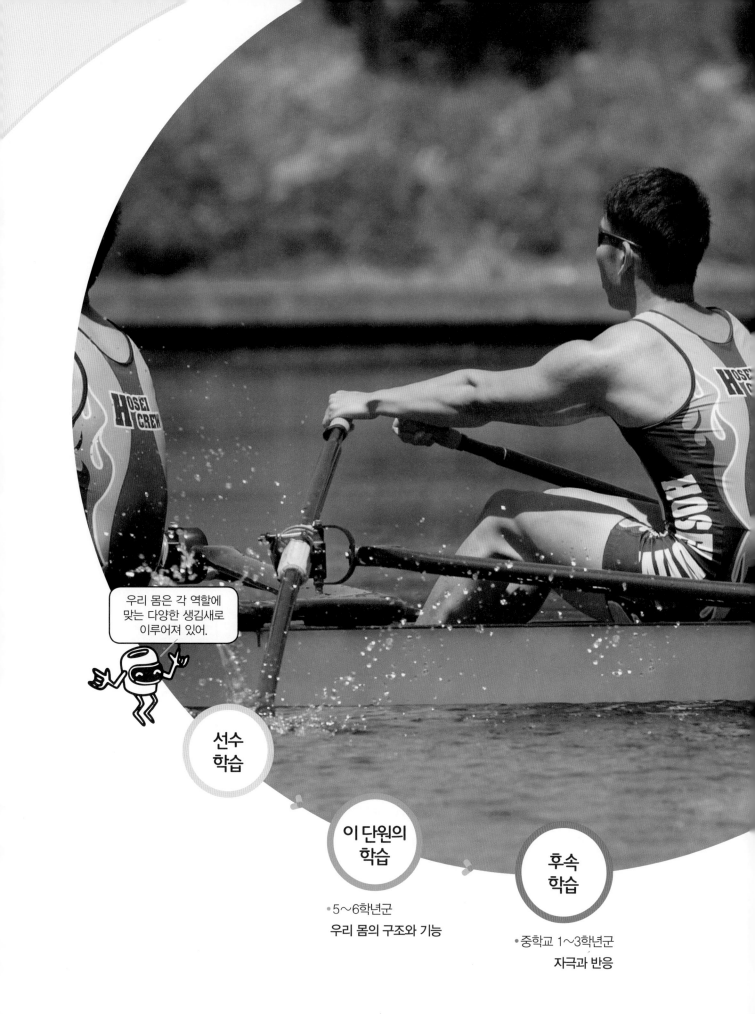

우리 몸은 각 역할에
맞는 다양한 생김새로
이루어져 있어.

선수
학습

이 단원의
학습

후속
학습

•5〜6학년군
우리 몸의 구조와 기능

•중학교 1〜3학년군
자극과 반응

1

운동 기관, 소화 기관

개념 강의

만화로 보는
'뼈와 근육'

까악~
해골이다!

난 근육이
없어서 못
움직여.

우리 몸의 다양한 뼈

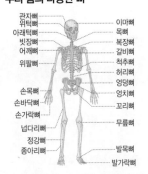

관자뼈
위턱뼈
아래턱뼈
빗장뼈
어깨뼈
위팔뼈

이마뼈
목뼈
복장뼈
갈비뼈
척추뼈
허리뼈
엉덩뼈
엉치뼈
꼬리뼈

손목뼈
손바닥뼈
손가락뼈
넙다리뼈
정강뼈
종아리뼈

무릎뼈
발목뼈
발가락뼈

• 우리 몸은 크고 작은 뼈 200여 개가 근육과 힘줄로 단단하게 연결되어 있다.
• 팔과 손의 뼈에는 관절이 많아 구부리거나 펴는 활동을 자유롭게 할 수 있다.

1. 운동 기관

(1) 운동 기관 우리가 살아가는 데 필요한 일을 하는 몸속 부분을 기관이라고 하며, 몸속 기관 중에서 움직임에 관여하는 뼈와 근육을 운동 기관이라고 한다.

① 뼈는 우리 몸의 형태를 만들어 주고, 몸을 지지하는 역할을 한다. 또한 심장이나 폐, 뇌 등을 보호한다.

② 뼈에 연결되어 있는 근육은 길이가 줄어들거나 늘어나면서 뼈를 움직이게 한다. 우리 몸에 뼈와 근육이 있어서 다양한 자세로 움직이거나 물건을 들어올리는 등의 활동을 할 수 있다. — 우리 몸을 구성하는 뼈는 종류와 생김새가 다양하며 움직임도 서로 다르다.

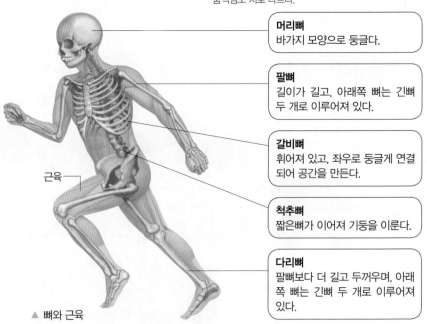

머리뼈
바가지 모양으로 둥글다.

팔뼈
길이가 길고, 아래쪽 뼈는 긴뼈 두 개로 이루어져 있다.

갈비뼈
휘어져 있고, 좌우로 둥글게 연결되어 공간을 만든다.

근육

척추뼈
짧은뼈가 이어져 기둥을 이룬다.

다리뼈
팔뼈보다 더 길고 두꺼우며, 아래쪽 뼈는 긴뼈 두 개로 이루어져 있다.

▲ 뼈와 근육

(2) 팔이 구부러지고 펴지는 방법 팔 안쪽 근육이 줄어들면 뼈가 따라 올라와 팔이 구부러진다. 팔 안쪽 근육이 늘어나면 뼈가 따라 내려가 팔이 펴진다.

교과서속 탐구 72쪽

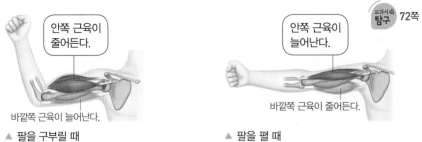

안쪽 근육이
줄어든다.

안쪽 근육이
늘어난다.

바깥쪽 근육이 늘어난다.

바깥쪽 근육이 줄어든다.

▲ 팔을 구부릴 때

▲ 팔을 펼 때

2. 소화 기관

(1) **소화 기관** 소화는 우리가 먹은 음식물을 몸에서 흡수될 수 있도록 잘게 쪼개는 과정이다. 이러한 소화에 직접 관여하는 입, 식도, 위, 작은창자, 큰창자, 항문을 소화 기관이라고 한다.

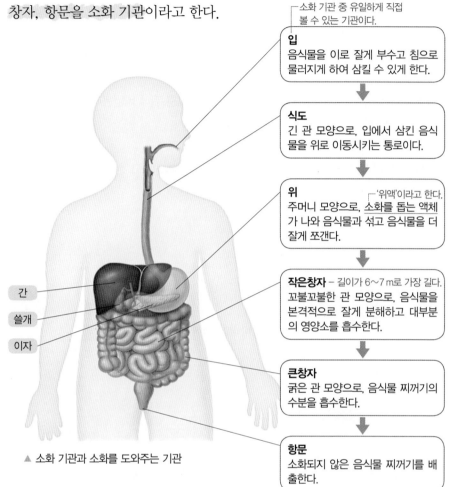

─ 소화 기관 중 유일하게 직접 볼 수 있는 기관이다.

입
음식물을 이로 잘게 부수고 침으로 물러지게 하여 삼킬 수 있게 한다.

식도
긴 관 모양으로, 입에서 삼킨 음식물을 위로 이동시키는 통로이다.

위 ─ '위액'이라고 한다.
주머니 모양으로, 소화를 돕는 액체가 나와 음식물과 섞고 음식물을 더 잘게 쪼갠다.

작은창자 – 길이가 6~7 m로 가장 길다.
꼬불꼬불한 관 모양으로, 음식물을 본격적으로 잘게 분해하고 대부분의 영양소를 흡수한다.

큰창자
굵은 관 모양으로, 음식물 찌꺼기의 수분을 흡수한다.

항문
소화되지 않은 음식물 찌꺼기를 배출한다.

간
쓸개
이자

▲ 소화 기관과 소화를 도와주는 기관

(2) **소화를 도와주는 기관** 간, 쓸개, 이자는 음식물이 지나가지는 않지만 음식물을 소화시키는 데 필요한 소화액을 만들어 분비하는 기관이다.

보충 플러스⁺ **소화를 도와주는 기관**

- 간: 소화를 도와주는 액체인 쓸개즙을 분비한다. 이 쓸개즙은 소화 효소는 없지만 창자의 운동을 활발하게 만들어 주며, 지방이 쉽게 소화·흡수되도록 해 준다.
- 쓸개: 간 아래쪽에 붙어 있는 작은 주머니로, 간에서 만든 쓸개즙을 저장하는 장소이다. 저장된 쓸개즙은 작은창자의 앞부분인 십이지장으로 분비되어 음식물과 섞여 소화를 도와준다.
- 이자: 위의 뒤쪽에 위치한 기관으로, 작은창자의 십이지장에 연결되어 있으며 여러 가지 소화 효소와 호르몬을 분비한다.

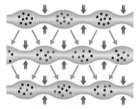

간
쓸개
이자
십이지장
작은창자

교과서 속 탐구

" 근육이 뼈에 어떻게 작용하는지 알아보기 "

과정

1. 납작한 빨대의 구멍 뚫린 부분을 할핀으로 연결한다.
2. 비닐봉지를 25 cm 길이로 자른 뒤에 막힌 쪽을 셀로판테이프로 감고, 벌어진 쪽은 주름 빨대를 넣어 셀로판테이프로 감는다.
3. 납작한 빨대 ㉯의 끝부분과 주름 빨대를 감은 비닐봉지의 끝부분을 맞춘 뒤에 비닐봉지의 양쪽 끝을 셀로판테이프로 감아 납작한 빨대에 고정한다.
4. 주름 빨대를 짧게 자르고 손 그림을 납작한 빨대 ㉮에 붙인다.
5. 뼈와 근육 모형에 바람을 불어 넣기 전과 넣은 후의 비닐봉지 길이를 측정하고 손 그림의 움직임을 살펴본다.

결과

▶ **바람을 불어 넣기 전**

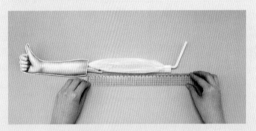

비닐봉지의 길이: 20 cm

▶ **바람을 불어 넣은 후**

비닐봉지의 길이: 17 cm

알 수 있는 사실 ▶ 뼈와 근육 모형에 바람을 불어 넣으면 비닐봉지가 부풀어 오르면서 비닐봉지의 길이가 줄어들어 납작한 빨대가 구부러져 올라가고, 손 그림도 같이 올라간다.

탐구 문제

↪정답과 해설 42쪽

1 뼈와 근육 모형에서 납작한 빨대와 비닐봉지가 하는 역할이 실제 각각 무엇에 해당하는지 쓰시오.

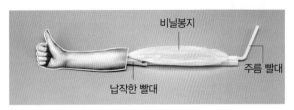

(1) 납작한 빨대의 역할: (   )

(2) 비닐봉지의 역할: (   )

2 앞 1번과 같은 뼈와 근육 모형에 바람을 불어 넣으면 비닐봉지가 부풀어 오르면서 나타나는 결과로 옳은 것을 보기 에서 골라 기호를 쓰시오.

> **보기**
>
> ㉠ 납작한 빨대가 올라간다.
> ㉡ 비닐봉지의 길이가 길어진다.
> ㉢ 실제 팔이 펴지는 모습이 된다.

(   )

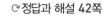
1 다음은 우리가 몸을 움직일 수 있는 까닭을 설명한 것입니다. ( ) 안에 들어갈 알맞은 말을 쓰시오.

> 뼈에 연결된 단단하거나 부드러운 ( )의 길이가 줄어들거나 늘어나면서 뼈가 움직이기 때문에 우리가 몸을 움직일 수 있다.

( )

2 다음 우리 몸속 ㉠~㉣ 뼈 중 짧은뼈가 이어져 기둥을 이룬 것의 기호와 뼈의 이름을 함께 쓰시오.

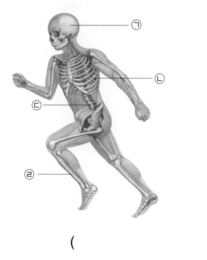

( )

3 다음과 같이 구부린 팔을 펼 때 안쪽 근육과 바깥쪽 근육이 어떻게 움직이는지 각각 쓰시오.

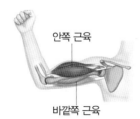

안쪽 근육

바깥쪽 근육

(1) 안쪽 근육: ( )

(2) 바깥쪽 근육: ( )

[4~6] 다음은 우리 몸속의 소화 기관입니다. 물음에 답하시오.

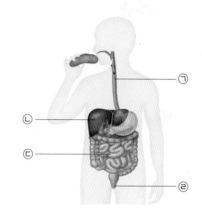

4 위와 같이 우리 몸속에 들어간 음식물이 소화되어 배출되기까지 관여하는 소화 기관의 이름을 순서대로 쓰시오.

( ) → ( ) → ( ) →
( ) → ( ) → ( )

5 위 우리 몸속 소화 기관 중 다음과 같은 특징과 역할을 하는 기관의 기호를 쓰시오.

> • 꼬불꼬불한 관 모양이다.
> • 음식물을 잘게 분해하고 영양소를 흡수한다.

( )

6 위 ㉠~㉣ 기관 중 음식물이 직접 지나가는 소화 기관이 아닌 것의 기호와 이름을 함께 쓰시오.

( )

2

개념 강의

호흡 기관, 순환 기관

호흡은
어떻게 해?

코가 막히면
입으로 해.

호흡할 때 우리 몸의 변화

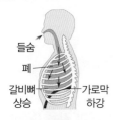

들숨
폐
갈비뼈
상승
가로막
하강

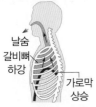

날숨
갈비뼈
하강
가로막
상승

• 폐는 근육이 없어 스스로 움직일
수 없고, 폐를 둘러싼 가로막과 갈
비뼈가 올라가거나 내려감으로써
폐의 압력이 변해 들숨과 날숨이 일
어난다. 폐의 압력이 변하면 폐로
공기가 이동하여 숨을 쉬게 된다.
• 숨을 들이마시면 가슴둘레가 커지
고 숨을 내쉬면 가슴둘레가 작아
진다.

1. 호흡 기관

(1) **호흡 기관**   우리가 끊임없이 숨을 들이마시고 내쉬는 활동을 호흡이라고
하고, 호흡에 관여하는 코, 기관, 기관지, 폐 등을 호흡 기관이라고 한다.

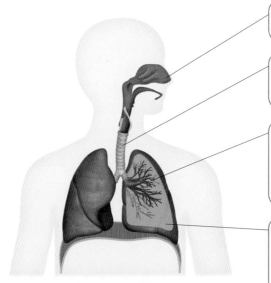

코 – 몸 밖에 위치한다.
공기가 드나드는 곳이다.

기관
굵은 관 모양으로, 공기가 이동하
는 통로이다.

기관지
나뭇가지처럼 여러 갈래로 갈라
져 있다. 기관과 폐 사이를 이어
주는 관으로, 공기가 이동하는 통
로이다.

폐 – 갈비뼈로 둘러싸여 있다.
좌우 한 쌍으로 부풀어 있는 모
양이고, 몸 밖에서 들어온 산소를
받아들이고, 몸 안에서 생긴 이산
화 탄소를 몸 밖으로 내보낸다.

▲ 호흡 기관

(2) **호흡할 때 공기가 이동하는 경로**   숨을 들이마실 때 코로 들어온 공기는 기
관, 기관지, 폐를 거쳐 우리 몸에 필요한 산소를 제공한다. 몸속으로 들어
온 산소는 몸을 움직이거나 몸속 기관이 일을 하는 데 사용된다. 몸 안에서
생긴 이산화 탄소는 숨을 내쉴 때 폐, 기관지, 기관, 코를 거쳐 몸 밖으로
나간다.

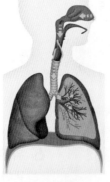

▲ 숨을 들이마실 때(들숨) 공기의 흐름:
코 → 기관 → 기관지 → 폐

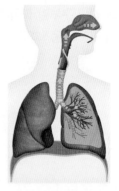

▲ 숨을 내쉴 때(날숨) 공기의 흐름:
폐 → 기관지 → 기관 → 코

2. 순환 기관

(1) 순환 기관 소화로 흡수한 영양소와 호흡으로 얻은 산소는 혈액을 통해 온몸 구석구석으로 이동한다. 이러한 혈액의 이동에 관여하는 심장과 혈관을 순환 기관이라고 한다.

① 심장은 모양과 크기가 자신의 주먹만 하고, 몸통 가운데에서 왼쪽으로 약간 치우쳐 있다.

② 심장은 펌프 작용으로 혈액을 온몸으로 보낸다. 심장에서 나온 혈액은 온몸을 거쳐 다시 심장으로 돌아오는 순환 과정을 반복한다. 혈액은 혈관을 따라 이동하며 우리 몸에 필요한 영양소와 산소를 온몸으로 운반한다.

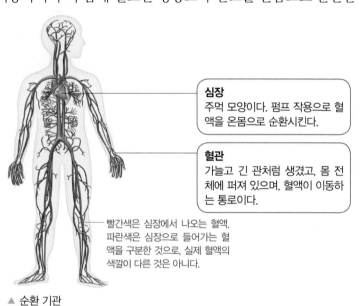

심장
주먹 모양이다. 펌프 작용으로 혈액을 온몸으로 순환시킨다.

혈관
가늘고 긴 관처럼 생겼고, 몸 전체에 퍼져 있으며, 혈액이 이동하는 통로이다.

빨간색은 심장에서 나오는 혈액, 파란색은 심장으로 들어가는 혈액을 구분한 것으로, 실제 혈액의 색깔이 다른 것은 아니다.

▲ 순환 기관

③ 심장이 빨리 뛰면 혈액이 이동하는 빠르기가 빨라지고 혈액의 이동량이 많아질 것이다. 반대로 심장이 느리게 뛰면 혈액이 이동하는 빠르기가 느려지고 혈액의 이동량이 적어질 것이다. 만약 심장이 멈춘다면 혈액이 이동하지 못해 몸에 영양소와 산소를 공급하지 못할 것이다. **교과서속 탐구 76쪽**

> **심화 혈액의 구성 성분**
>
> • 혈액의 45 %는 적혈구, 백혈구, 혈소판으로 구성되어 있고, 혈장(물)이 55 %로 이루어져 있다.
>
> | 적혈구 | 백혈구 | 혈소판 |
> |---|---|---|
> | | | |
> | 가운데가 오목한 원반 모양으로 붉은색을 띠며, 산소를 운반한다. | 모양이 일정하지 않고, 외부에서 침입한 세균을 잡아먹는다. | 모양이 일정하지 않고, 상처가 나서 피가 날 때 혈액을 *응고시킨다. |

혈관의 종류와 하는 일
• 동맥: 심장에서 나오는 혈액이 흐르는 혈관으로, 보통 피부 깊숙이 분포한다. 혈관 벽이 두껍고 탄력이 강하다.
• 정맥: 심장으로 들어가는 혈액이 흐르는 혈관으로, 피부 가까이에 분포한다. 동맥보다 혈관 벽이 얇고 탄력이 약하다.
• 모세 혈관: 동맥과 정맥을 연결해 주는 아주 가는 혈관으로, 주변의 세포에 산소와 영양소를 공급하고 세포에서 생긴 이산화 탄소와 노폐물을 받는다.

용어
•응고 액체 따위가 엉기고 뭉쳐 딱딱하게 굳어지는 것.

교과서 속 탐구 "순환 기관의 생김새와 하는 일 알아보기"

과정

1. 물이 반 정도 담긴 수조에 붉은색 식용 색소를 넣어 녹인다.
2. 주입기의 펌프로 붉은 색소 물을 한쪽 관으로 빨아들이고 다른 쪽 관으로 내보낸다.
3. 주입기의 펌프를 빠르게 누르거나 느리게 누르면서 붉은 색소 물이 이동하는 모습을 관찰한다.
4. 주입기의 펌프와 관, 붉은 색소 물은 우리 몸의 어떤 부분과 같은 역할을 하는지 생각한다.

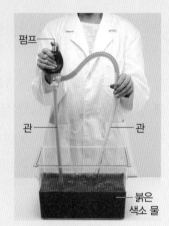

결과 ▶ **주입기의 펌프를 누를 때 붉은 색소 물의 이동**

주입기의 펌프	붉은 색소 물의 이동 빠르기	붉은 색소 물의 이동량
빠르게 누를 때	빨라진다.	많아진다.
느리게 누를 때	느려진다.	적어진다.

알 수 있는 사실 ▶ 주입기의 펌프는 우리 몸의 심장, 주입기의 관은 혈관, 붉은 색소 물은 혈액의 역할을 한다.

 탐구 문제

정답과 해설 42쪽

1 순환 기관에 대해 알아보기 위해 주입기의 펌프로 붉은 색소 물을 한쪽 관으로 빨아들이고 다른 쪽 관으로 내보내는 탐구를 하려고 합니다. 주입기의 펌프와 관, 붉은 색소 물이 우리 몸의 어떤 부분과 같은 역할을 하는지 각각 쓰시오.

(1) 주입기의 펌프: ( )
(2) 주입기의 관: ( )
(3) 붉은 색소 물: ( )

2 주입기의 펌프를 눌러 붉은 색소 물을 이동시킬 때 다음 ( ) 안에 들어갈 알맞은 말을 보기에서 골라 기호를 쓰시오.

주입기의 펌프를 ( )

보기

㉠ 빠르게 누를 때 붉은 색소 물의 이동량이 많아진다.
㉡ 느리게 누를 때 붉은 색소 물의 이동량이 많아진다.
㉢ 빠르게 누를 때와 느리게 누를 때 붉은 색소 물의 이동량이 같다.
㉣ 빠르게 누를 때와 느리게 누를 때의 붉은 색소 물의 이동 빠르기는 같다.

( )

1 다음 ( ) 안에 들어갈 알맞은 말을 쓰시오.

우리가 끊임없이 숨을 들이마시고 내쉬는 호흡에 관여하는 (㉠) 기관 중 좌우 한 쌍으로 부풀어 있는 모양인 (㉡)은/는 몸 밖에서 들어온 산소를 받아들이고, 몸 안에서 생긴 이산화 탄소를 몸 밖으로 내보낸다.

㉠ ( ), ㉡ ( )

2 다음과 같이 기관지가 여러 갈래로 갈라져 있는 까닭을 옳게 말한 사람의 이름을 쓰시오.

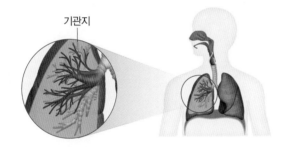

기관지

• 민재: 근육을 보호하기 위해서야.
• 수정: 심장이 더 빠르게 뛰게 하기 위해서야.
• 연호: 공기가 폐에 잘 전달되게 하기 위해서야.

( )

3 숨을 들이마셔 코로 들어온 공기가 우리 몸에 필요한 산소를 공급할 때 거치는 기관을 순서대로 쓰시오.

( ) → ( ) → ( )

4 다음에서 설명하는 몸속 기관의 이름을 쓰시오.

• 주먹 모양으로, 크기가 자신의 주먹만 하다.
• 몸통 가운데에서 왼쪽으로 약간 치우쳐 있다.

( )

5 달리기를 하여 심장이 빨리 뛰면 우리 몸에서 일어나는 일로 옳은 것을 보기 에서 골라 기호를 쓰시오.

보기
㉠ 혈액의 모양이 변한다.
㉡ 혈액이 이동을 멈춘다.
㉢ 혈액의 양이 줄어든다.
㉣ 혈액이 이동하는 빠르기가 빨라진다.

( )

6 혈관에 대한 설명으로 옳은 것을 보기 에서 두 가지 골라 기호를 쓰시오.

보기
㉠ 몸 전체에 퍼져 있다.
㉡ 산소와 영양소를 받아들인다.
㉢ 혈액이 이동하는 통로 역할을 한다.

( )

3

개념 강의

개념 강의

배설 기관, 신경계

만화로 보는
'배설 기관'

배설 중!

콩팥이 기능을 제대로 하지 못하면 우리 몸에 생길 수 있는 일

• 혈액에 있는 노폐물을 걸러 내지 못해 몸에 노폐물이 쌓여 병이 생길 수 있다.

• 노폐물을 걸러 내기 위한 특별한 시술을 받아야 한다. 예 투석

1. 배설 기관

① 생명 활동을 유지하는 과정에서 우리 몸에서는 영양소가 만들어질 뿐만 아니라 노폐물이 생긴다. 노폐물은 혈액을 통해 이동하여 몸 밖으로 내보내지며, 혈액에 있는 노폐물을 몸 밖으로 내보내는 과정을 배설이라고 하고, 배설에 관여하는 콩팥, 방광 등을 배설 기관이라고 한다.

② 콩팥은 혈액에 있는 노폐물을 걸러 낸다. 노폐물이 걸러진 혈액은 다시 혈관을 통해 순환하고, 걸러진 노폐물은 오줌이 되어 방광에 저장되었다가 관을 통해 몸 밖으로 나간다. ― 노폐물이 몸속에 쌓이게 되면 몸에 해롭다.

노폐물이 많은 혈액
온몸을 돌아 노폐물이 많아진 혈액이 콩팥으로 이동된다.

노폐물을 걸러 낸 혈액
콩팥을 거친 혈액은 노폐물이 걸러져 다시 순환한다.

노폐물을 포함한 오줌

콩팥
강낭콩 모양으로 등허리 쪽에 두 개 있으며, 혈액에 있는 노폐물을 걸러 낸다.

방광
콩팥에서 걸러 낸 노폐물을 모아 두었다가 몸 밖으로 내보낸다.

▲ 배설 기관

Mini 탐구 배설 과정 역할놀이 하기

과정 배설 과정에 필요한 기관의 역할을 정하고, 배설 기관이 하는 일과 그것을 어떻게 표현할지 역할놀이를 한다.

결과 배설 과정 역할놀이 하기

기관	하는 일	표현 방법
노폐물이 많은 혈액이 흐르는 혈관	혈액이 이동하는 통로이다.	빨간색과 노란색 솜 방울을 콩팥에 전달한다.
콩팥	노폐물을 걸러 낸다.	노폐물이 많은 혈관에게 받은 빨간색 솜 방울은 노폐물을 걸러 낸 혈관에 전달하고, 노란색 솜 방울은 방광에 전달한다.
노폐물을 걸러 낸 혈액이 흐르는 혈관	혈액이 이동하는 통로이다.	콩팥에게 빨간색 솜 방울을 받는다.
방광	노폐물을 모아 두었다가 몸 밖으로 내보낸다.	노란색 솜 방울을 모으다가 바구니가 차면 변기 바구니에 버린다.

2. 자극에 대한 반응 — 몸속의 여러 기관들이 서로 영향을 주고받으며 각각의 기능을 잘 수행해야 우리가 건강하게 생활할 수 있다.

① 우리 몸은 다양한 자극에 반응한다. 주변으로부터 전달된 자극을 받아들이는 우리 몸의 눈(시각), 귀(청각), 코(후각), 혀(미각), 피부(촉각)와 같은 기관을 감각 기관이라고 한다.

② 감각 기관이 받아들인 자극은 온몸에 퍼져 있는 신경계를 통해 전달된다. 신경계는 전달된 자극을 해석하여 행동을 결정하고, 운동 기관에 명령을 내린다.

▲ 신경계   ▲ 자극이 전달되고 반응하는 과정

3. 운동할 때 몸에 나타나는 변화 80쪽

운동을 할 때는 체온이 올라가며 땀이 나기도 한다. 또한 평소보다 더 많은 영양소와 산소가 필요하므로 맥박과 호흡이 빨라진다.

- **운동 기관**
  영양소와 산소를 이용하여 몸을 움직인다.
- **소화 기관**
  음식물을 소화해 영양소를 흡수한다.
- **호흡 기관**
  우리 몸에 필요한 산소를 제공하고 이산화 탄소를 몸 밖으로 내보낸다.
- **순환 기관**
  영양소와 산소를 온몸에 전달하고, 이산화 탄소와 노폐물을 각각 호흡 기관과 배설 기관으로 전달한다.
- **배설 기관**
  혈액에 있는 노폐물을 걸러 내어 오줌으로 배설한다.
- **감각 기관**
  주변의 자극을 받아들인다.

▲ 몸을 움직일 때 각 기관이 하는 일

 용어
- **맥박** 심장의 박동으로 심장에서 나오는 피가 얇은 피부에 분포되어 있는 동맥의 벽에 닿아서 생기는 주기적인 파동.

우리 몸의 다양한 질병
- 운동 기관에 문제가 생기면 근육통과 골절이 생긴다.
- 소화 기관에 문제가 생기면 위장병이나 변비가 생긴다.
- 호흡 기관에 문제가 생기면 비염, 감기, 천식이 생긴다.
- 순환 기관에 문제가 생기면 심장병, 고혈압이 생긴다.
- 배설 기관에 문제가 생기면 콩팥병, 방광염에 걸린다.
- 감각 기관에 문제가 생기면 백내장, 각막염이 생긴다.

교과서 속 탐구

"운동할 때 몸에 나타나는 변화 알아보기"

과정

1. 평상시 상태에서 체온을 재고 1분 동안 맥박 수를 측정한다.
2. 1분 동안 제자리 달리기를 한 뒤에 체온을 재고 1분 동안 맥박 수를 측정한다.
3. 휴식을 취하여 5분 후 체온을 재고 1분 동안 맥박 수를 측정한다.
4. 측정한 결과를 그래프로 나타내 본다.

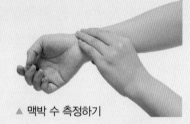

▲ 맥박 수 측정하기

결과

▶ **평상시 상태와 운동한 후의 체온과 맥박 수 측정 결과 예**

구분	평상시	운동 직후	5분 후
체온(℃)	36.7	36.9	36.6
맥박 수(1분당 맥박 수)	65	104	69

▶ **측정 결과를 그래프로 나타내기**

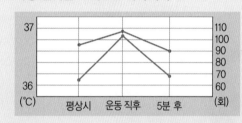

— 체온
— 맥박 수 (1분당 맥박 수)

알 수 있는 사실

▶ 운동하면 체온이 올라가고 맥박 수가 증가한다.
▶ 운동한 후 휴식을 취하면 체온과 맥박 수가 운동하기 전과 비슷해진다.

탐구 문제

정답과 해설 **43쪽**

1 다음은 평상시 상태, 1분 동안 제자리 달리기를 한 직후, 휴식을 취하며 5분 후에 각각 체온을 재고 1분 동안 맥박 수를 측정한 결과 표입니다. 표를 보고, 그래프로 나타내시오.

구분	평상시	운동 직후	5분 후
체온(℃)	36.5	37	36.6
1분당 맥박 수	65	100	68

2 평상시 상태와 운동한 후의 맥박 수와 체온에 대한 설명으로 옳은 것을 보기 에서 골라 기호를 쓰시오.

보기

㉠ 운동하여 올라간 체온은 계속 유지된다.
㉡ 맥박 수가 증가해도 휴식을 취하면 평상시와 비슷해진다.
㉢ 평상시와 운동할 때 맥박 수와 체온은 항상 일정하게 유지된다.
㉣ 1분당 맥박 수는 평상시에 가장 높고, 운동 직후에 가장 낮다.

(   )

확인 문제

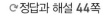정답과 해설 44쪽

1 우리 몸속 혈액에 있는 노폐물을 몸 밖으로 내보내는 과정에 관여하는 기관을 나타낸 것의 기호를 쓰시오.

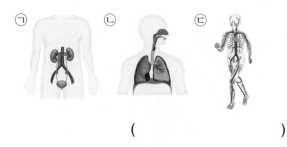

ㄱ　　　ㄴ　　　ㄷ

(　　　　　　　　)

2 다음은 배설 과정에 대한 설명입니다. (　　) 안에 들어갈 알맞은 기관의 이름을 쓰시오.

❶ 온몸을 구석구석 돌아온 혈액에 노폐물이 쌓인다.
❷ (　ㄱ　)에서 혈액에 있는 노폐물을 걸러내고, 노폐물이 걸러져 깨끗해진 혈액은 다시 몸속을 순환한다.
❸ 걸러진 노폐물은 오줌이 되어 (　ㄴ　)에 저장되었다가 관을 통해 몸 밖으로 나간다.

ㄱ (　　　　　　　), ㄴ (　　　　　　　)

3 배설 과정 역할놀이 중 수호가 혈액을 나타내는 빨간색 솜 방울과 노폐물을 나타내는 노란색 솜 방울을 분리하여 빨간색 솜 방울만 지아에게 전달했습니다. 수호가 맡은 역할은 우리 몸속 기관 중 무엇인지 이름을 쓰시오.

(　　　　　　　　)

4 감각 기관과 관련된 행동을 옳게 짝 지은 것을 보기에서 골라 기호를 쓰시오.

보기

ㄱ 시각: 다율이는 노래를 듣고 있다.
ㄴ 후각: 재민이는 급식이 맛있다고 생각했다.
ㄷ 청각: 미란이는 엄마가 부르는 소리를 들었다.

(　　　　　　　　)

5 다음은 날아오는 공을 보고 공을 잡는 과정입니다. 자극이 전달되고 반응하는 과정의 각 단계에서 사용되는 기관의 종류를 쓰시오.

날아오는 공을 본다.	(　ㄱ　) 기관
공이 날아온다는 자극을 전달한다.	자극을 전달하는 (　ㄴ　)
공을 잡겠다고 결정한다.	행동을 결정하는 (　ㄴ　)
공을 잡으라는 명령을 (　ㄷ　) 기관에 전달한다.	명령을 전달하는 (　ㄴ　)
공을 잡는다.	(　ㄷ　) 기관

ㄱ (　　　　　　), ㄴ (　　　　　　)
ㄷ (　　　　　　)

6 자극이 전달되고 우리 몸에서 일어나는 반응에 대한 설명으로 옳은 것에 ○표 하시오.

(1) 뼈에서 자극을 내보낸다. (　　)
(2) 감각 기관에서 자극을 해석한다. (　　)
(3) 호흡 기관에서 자극을 전달한다. (　　)
(4) 운동 기관에서 자극에 반응한다. (　　)

단원 평가

1 뼈에 대한 설명으로 옳지 <u>않은</u> 것은 어느 것입니까?
( )

① 뼈는 몸을 지지한다.
② 뼈는 몸의 형태를 만든다.
③ 근육이 뼈에 연결되어 있다.
④ 여러 기관에 의해 뼈가 보호된다.
⑤ 몸에는 많은 뼈가 있으며, 모양이 각각 다르다.

2 오른쪽은 우리 몸의 뼈와 근육을 나타낸 것입니다. ㉠ 뼈의 특징을 옳게 말한 사람의 이름을 쓰시오.

• 수빈: 바가지 모양으로 둥글어.
• 윤하: 길이가 길고 긴뼈 두 개로 이루어져 있어.
• 태진: 좌우로 둥글게 연결되어 공간을 만들어.

( )

3 다음과 같이 구부린 팔을 펼 수 있는 까닭에 대한 설명으로 옳은 것을 보기 에서 골라 기호를 쓰시오.

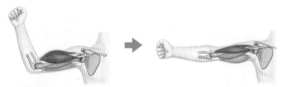

보기

㉠ 근육의 길이가 변하지 않기 때문에 구부린 팔을 펼 수 있다.
㉡ 늘어났던 팔 안쪽 근육이 줄어들면 뼈가 따라 올라가 팔이 펴진다.
㉢ 줄어들었던 팔 안쪽 근육이 늘어나면 뼈가 따라 내려가 팔이 펴진다.

( )

[4~6] 다음은 우리 몸의 소화 기관을 나타낸 것입니다. 물음에 답하시오.

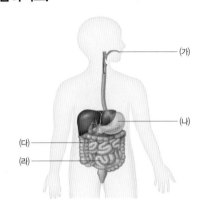

4 위 (가) 소화 기관이 하는 일에 대한 설명으로 ( ) 안에 들어갈 알맞은 말을 쓰시오.

(가)는 음식물을 (㉠)(으)로 잘게 부수고, 혀로 섞은 뒤 (㉡)(으)로 물러지게 하여 삼킬 수 있도록 한다.

㉠ ( ), ㉡ ( )

5 위 (나) 소화 기관의 이름과 하는 역할을 쓰시오.

_____

_____

6 위 (다)와 (라) 소화 기관의 이름을 쓰고, 각각 하는 일을 보기 에서 모두 골라 기호를 함께 쓰시오.

보기

㉠ 음식물을 더 잘게 쪼갠다.
㉡ 소화를 돕는 액체를 분비한다.
㉢ 음식물 찌꺼기의 수분을 흡수한다.

(1) (다) 소화 기관: ( )
(2) (라) 소화 기관: ( )

[7~8] 다음은 우리 몸속 기관을 나타낸 것입니다. 물음에 답하시오.

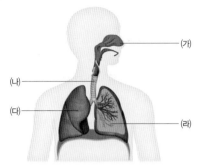

7 위 기관이 하는 일로 옳은 것은 어느 것입니까?
( )

① 몸을 지탱한다.
② 노폐물을 걸러 낸다.
③ 뇌로 자극을 전달한다.
④ 숨을 들이마시고 내쉰다.
⑤ 몸에 필요한 영양소를 흡수한다.

8 위 (가)~(라) 기관 중 좌우 한 쌍으로 부풀어 있는 모양인 기관의 기호를 쓰고, 그 기관의 역할에 대한 설명으로 ( ) 안에 들어갈 알맞은 말을 쓰시오.

(1) 기관: ( )
(2) 기관의 역할

> 몸 밖에서 들어온 (㉠)을/를 받아들이고, 몸 안에서 생긴 (㉡)을/를 몸 밖으로 내보낸다.

㉠ ( ), ㉡ ( )

[9~11] 오른쪽은 붉은색 식용 색소를 넣은 물이 반 정도 담긴 수조에 주입기의 펌프를 빠르게 누르거나 느리게 누르면서 붉은 색소 물을 한쪽 관으로 빨아들이고 다른 쪽 관으로 내보내는 모습입니다. 물음에 답하시오.

9 위 실험 결과에 알맞게 다음 표의 빈칸에 써넣으시오.

주입기의 펌프	붉은 색소 물의 이동 빠르기	붉은 색소 물의 이동량
빠르게 누를 때	㉠	㉡
느리게 누를 때	㉢	㉣

10 위 **9**번 답을 보고, 심장이 뛰는 빠르기에 따른 우리 몸의 변화를 옳게 말한 사람의 이름을 쓰시오.

> • 원효: 심장이 빠르게 뛰면 혈액의 이동량이 많아져.
> • 은정: 심장이 빠르게 뛰면 혈액의 이동 빠르기가 느려져.
> • 손범: 심장이 느리게 뛰면 혈액의 이동 빠르기가 빨라져.

( )

11 위 주입기의 펌프가 우리 몸속 심장을 나타낸다면 다음 ( ) 안에 들어갈 알맞은 말을 쓰시오.

> 심장은 (㉠) 작용으로 (㉡)을/를 통해 (㉢)을/를 온몸으로 순환시켜 몸에 필요한 산소와 영양소를 운반할 수 있도록 한다.

㉠ ( ), ㉡ ( )
㉢ ( )

12 다음과 같은 현상을 통해 알 수 있는 미세 먼지의 영향을 많이 받는 우리 몸속 기관을 두 가지 고르시오. (　　　)

> 미세 먼지는 여러 가지 성분을 가진 공기 중의 물질이다. 자동차의 배기가스나 공장의 매연 등의 먼지에서 발생하며, 크기가 매우 작아 코와 기관을 거쳐 폐에 도달하기도 한다. 또한 혈액을 통해 온몸으로 순환할 수도 있다.

① 소화 기관　　　　② 호흡 기관
③ 배설 기관　　　　④ 감각 기관
⑤ 순환 기관

14 다음을 배설 기관인 콩팥과 방광에 대한 내용으로 각각 분류하여 기호를 쓰시오.

> ㉠ 강낭콩 모양이다.
> ㉡ 작은 공처럼 생겼다.
> ㉢ 걸러진 노폐물을 모아 둔다.
> ㉣ 등허리 좌우로 한 쌍이 있다.
> ㉤ 혈액에 있는 노폐물을 걸러 낸다.

(1) 콩팥: (　　　　　　　　)
(2) 방광: (　　　　　　　　)

15 다음 배설 기관과 연결된 혈관 중 ㉠은 노폐물이 많은 혈액이 흐르는 혈관을 나타내고, ㉡은 노폐물을 걸러 낸 혈액이 흐르는 혈관을 나타낸 것입니다. ㉠과 ㉡ 혈관을 흐르는 혈액이 다른 까닭을 배설 과정과 관련지어 쓰시오.

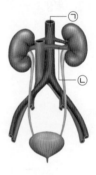

_____

_____

13 배설에 대한 설명으로 옳은 것은 어느 것입니까?
(　　　)

① 방광에서 노폐물을 걸러 낸다.
② 배설에 관여하는 기관을 순환 기관이라고 한다.
③ 배설을 통해 우리 몸에 필요한 영양소를 얻는다.
④ 혈액에 있는 노폐물을 몸 밖으로 내보내는 과정이다.
⑤ 몸에 불필요한 이산화 탄소를 몸 밖으로 내보내는 과정이다.

16 다음 (　　　) 안에 들어갈 알맞은 우리 몸속 기관의 종류를 쓰시오.

> (　㉠　) 기관을 움직이는 데 필요한 영양소는 (　㉡　) 기관에서 얻고, 산소는 (　㉢　) 기관에서 얻는다. 우리 몸에 들어온 영양소와 산소는 (　㉣　) 기관을 거쳐 온몸으로 공급된다.

㉠ (　　　　　　), ㉡ (　　　　　　)
㉢ (　　　　　　), ㉣ (　　　　　　)

17 주연이는 주전자의 뚜껑을 살짝 만져보고 온도를 느낀 뒤 손을 떼었습니다. 주연이에게 자극이 전달되고 반응하는 과정에서 작용한 기관을 순서대로 기호를 쓰시오.

좀 더 끓여야겠네.

⊙ 감각 기관
ⓒ 운동 기관
ⓒ 명령을 전달하는 신경계
ⓒ 자극을 전달하는 신경계
ⓒ 행동을 결정하는 신경계

( ) → ( ) → ( ) → ( ) → ( )

18 다음은 평상시 상태, 운동 직후, 5분 동안 휴식을 취한 후의 체온을 재고 맥박 수를 측정한 결과입니다. 체온과 맥박 수의 변화를 보고 알 수 있는 점을 한 가지 쓰시오.

구분	평상시	운동 직후	5분 후
체온(℃)	36.7	36.9	36.6
맥박 수 (1분당 맥박 수)	65	104	69

_____

_____

_____

19 운동할 때 우리 몸의 순환 기관이 하는 작용에 대해 옳게 말한 사람의 이름을 쓰시오.

• 소진: 이산화 탄소를 만들어.
• 효정: 몸에 필요한 산소를 얻어.
• 태이: 노폐물을 몸 밖으로 내보내.
• 동윤: 몸에 필요한 산소와 영양분을 전달해.

( )

20 운동할 때 산소가 많이 필요해져서 생기는 우리 몸의 변화를 보기 에서 두 가지 골라 기호를 쓰시오.

보기
⊙ 땀이 난다.
ⓒ 호흡이 빨라진다.
ⓒ 심장 박동이 빨라진다.
ⓒ 체온이 일정하게 유지된다.

( )

서술형 문제

1 다음은 납작한 빨대, 주름 빨대, 비닐봉지로 만든 뼈와 근육 모형에 바람을 불어 넣기 전과 바람을 불어 넣은 후, 비닐봉지의 길이를 측정한 결과입니다.

구분	바람을 불어 넣기 전	바람을 불어 넣은 후
비닐봉지의 길이(cm)	20	17

(1) 비닐봉지에 바람을 불어 넣기 전보다 위와 같이 바람을 불어 넣은 후 비닐봉지의 길이가 짧아질 때 나타나는 납작한 빨대의 변화를 쓰시오.

(2) 위 뼈와 근육 모형에서 납작한 빨대는 뼈, 비닐 봉지는 근육 역할을 한다고 할 때 우리가 팔을 구부릴 수 있는 까닭을 모형과 관련지어 쓰시오.

2 몸속에 들어간 빵이 소화되어 몸 밖으로 배출되기까지의 과정에 대해 관여하는 기관을 포함하여 쓰시오.

3 호흡 기관으로 숨을 들이마실 때와 내쉴 때 어깨, 갈비뼈, 가슴둘레의 변화를 비교하여 쓰시오.

4 다음 글을 읽고, 만약 심장이 멈춘다면 우리 몸에 어떤 일이 생길지 쓰시오.

심장의 펌프 작용으로 혈액은 온몸으로 순환된다. 심장의 왼쪽 부분은 산소와 영양소를 포함한 혈액을 뿜어내 온몸으로 내보내는 역할을 한다. 심장의 오른쪽 부분은 각 기관을 돌아 이산화 탄소가 포함된 혈액이 들어오면 폐로 보내어 다시 산소를 받아오게 하는 역할을 한다.

↪정답과 해설 46쪽

5 오른쪽은 붉은색 식용 색소를 넣은 물이 반 정도 담긴 수조에 주입기의 펌프로 붉은 색소 물을 한쪽 관으로 빨아들이고 다른 쪽 관으로 내보내는 모습입니다. 다음 주입기의 펌프를 빠르게 누를 때에 대한 설명을 보고, 이와 관련지어 심장이 빠르게 뛸 때 우리 몸에서 나타나는 변화를 쓰시오.

> 주입기의 펌프를 빠르게 누르면 붉은 색소 물의 이동 빠르기가 빨라지고, 붉은 색소 물의 이동량이 많아진다.

_____

_____

6 다음은 배설 기관을 나타낸 것입니다. ㉠이 기능을 제대로 하지 못하면 우리 몸에 어떤 일이 생길지 ㉠의 이름과 함께 쓰시오.

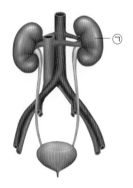

_____

_____

7 다음과 같이 공이 날아오는 것을 보고 행동을 결정하는 신경계와 명령을 전달하는 신경계가 각각 어떤 역할을 하는지 구체적으로 쓰시오.

(1) 행동을 결정하는 신경계: _____

_____

(2) 명령을 전달하는 신경계: _____

_____

8 다음과 같이 줄넘기를 했을 때 우리 몸에 나타나는 변화를 두 가지 쓰시오.

_____

_____

● 운동 기관,
　소화 기관

운동 기관	소화 기관
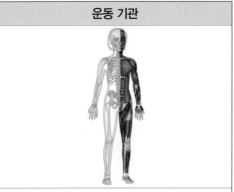	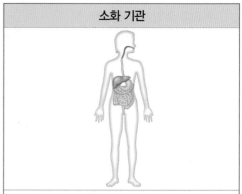
• 움직임에 관여하는 뼈와 근육이다. • 뼈는 몸의 형태를 만들고, 몸을 지지한다. • 근육의 길이가 줄어들거나 늘어나면서 뼈를 움직이게 한다.	• 소화는 우리가 먹은 음식물을 몸속에서 잘게 쪼개는 과정이다. • 입, 식도, 위, 작은창자, 큰창자, 항문을 소화 기관이라고 한다.

● 호흡 기관,
　순환 기관

호흡 기관	순환 기관
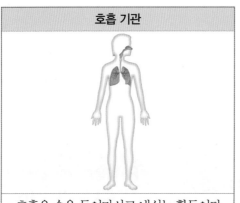	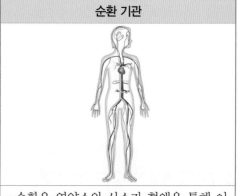
• 호흡은 숨을 들이마시고 내쉬는 활동이다. • 코, 기관, 기관지, 폐 등을 호흡 기관이라고 한다.	• 순환은 영양소와 산소가 혈액을 통해 이동하는 것이다. • 심장과 혈관을 순환 기관이라고 한다.

● 배설 기관,
　신경계

배설 기관	신경계
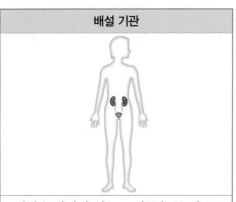	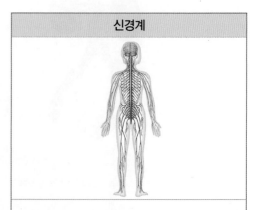
• 배설은 혈액에 있는 노폐물을 몸 밖으로 내보내는 과정이다. • 콩팥, 방광 등이 배설 기관이다.	감각 기관이 받아들인 자극이 온몸에 퍼져 있는 신경계를 통해 전달된다.

소화와 순환

중학교 개념

1 소화 기관과 소화액

개념 71쪽

소화는 섭취한 영양소를 체내로 흡수할 수 있도록 잘게 분해하는 과정이다. 음식물 속에 들어 있는 녹말, 단백질, 지방과 같은 영양소는 크기가 커서 세포로 흡수될 수 있는 작은 크기로 분해하는 과정이 필요하다. 음식물은 입 속에서 이의 씹는 운동(저작 운동)으로 잘게 부서지고, 침샘에서 분비된 침이 섞인다. 침 속에는 소화 효소가 들어 있어 녹말이 엿당으로

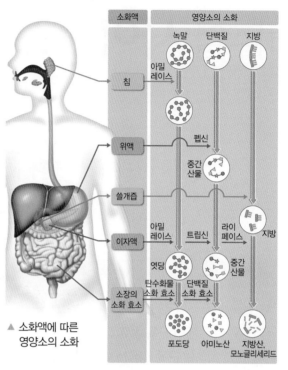

▲ 소화액에 따른 영양소의 소화

분해된다. 음식물이 식도를 지나 위로 들어오면 위샘에서 위액이 분비되어 음식물과 골고루 섞인다. 위액은 단백질을 좀 더 작게 분해한다. 이자액과 쓸개즙은 소장(작은창자)의 앞부분인 십이지장으로 분비되어 지방의 소화를 돕는다. 소장에서 녹말, 단백질, 지방의 소화가 끝나고 흡수된다. 대장(큰창자)은 소장의 끝에 연결된 굵은 소화관으로 소장에서 흡수되고 남은 물의 일부가 흡수되고, 나머지는 대변이 되어 항문으로 이동한 후 몸 밖으로 배출된다.

2 심장의 구조

개념 75쪽

사람의 **심장**은 주먹만 한 크기의 근육질 주머니로, 2개의 심방과 2개의 심실로 이루어져 있다. 심방과 심실은 두꺼운 벽을 경계로 각각 좌우 두 개로 나누어져 있다. 심방은 심장으로 들어가는 혈액을 받아들이는 곳으로 정맥과 연결되고, 심실은 심장에서 혈액을 내보내는 곳으로

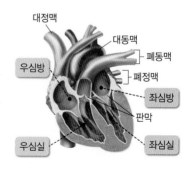

동맥과 연결되어 있다. 심방과 심실 사이, 심실과 동맥 사이에는 혈액이 거꾸로 흐르는 것을 막는 판막이 있다.

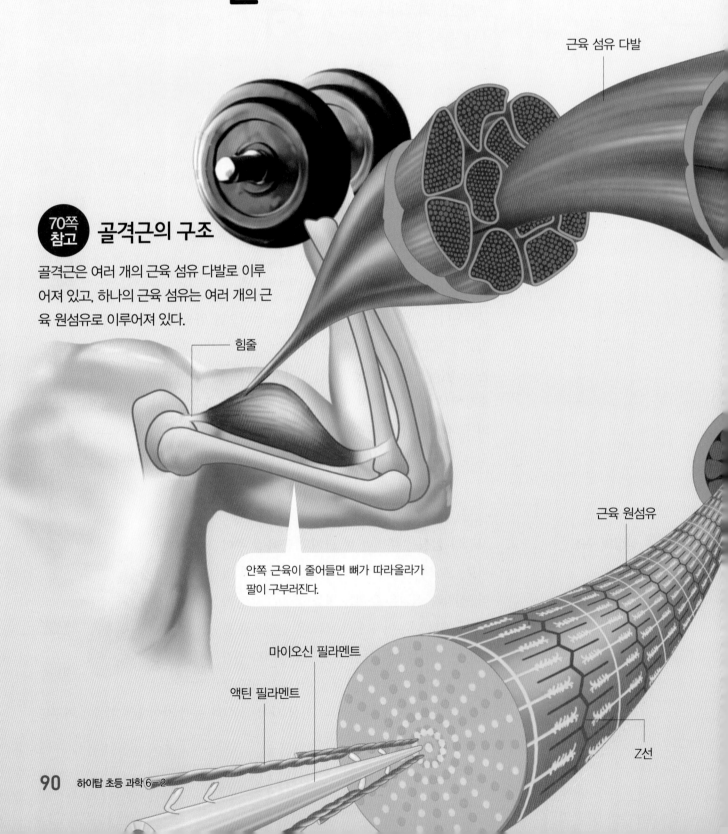

비주얼 **사이언스**

70쪽 참고 **골격근의 구조**

골격근은 여러 개의 근육 섬유 다발로 이루어져 있고, 하나의 근육 섬유는 여러 개의 근육 원섬유로 이루어져 있다.

근육 섬유 다발

힘줄

근육 원섬유

안쪽 근육이 줄어들면 뼈가 따라올라가 팔이 구부러진다.

마이오신 필라멘트

액틴 필라멘트

Z선

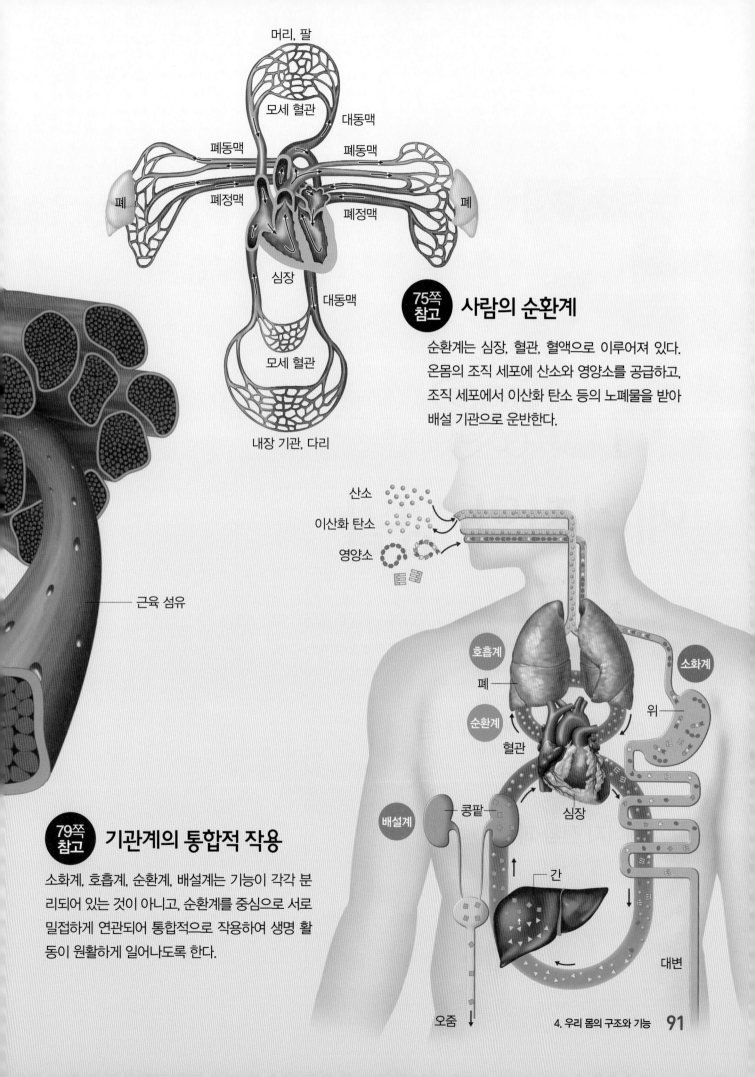

머리, 팔

모세 혈관

대동맥

폐동맥 폐동맥

폐 폐

폐정맥 폐정맥

심장

대동맥

모세 혈관

내장 기관, 다리

근육 섬유

75쪽 참고 **사람의 순환계**

순환계는 심장, 혈관, 혈액으로 이루어져 있다. 온몸의 조직 세포에 산소와 영양소를 공급하고, 조직 세포에서 이산화 탄소 등의 노폐물을 받아 배설 기관으로 운반한다.

산소

이산화 탄소

영양소

호흡계

소화계

폐

순환계

위

혈관

배설계

콩팥

심장

간

대변

오줌

79쪽 참고 **기관계의 통합적 작용**

소화계, 호흡계, 순환계, 배설계는 기능이 각각 분리되어 있는 것이 아니고, 순환계를 중심으로 서로 밀접하게 연관되어 통합적으로 작용하여 생명 활동이 원활하게 일어나도록 한다.

5

에너지와 생활

기계를 움직이거나 생물이 살아가는 데에는 에너지가 필요해.

이 단원의 학습

• 5∼6학년군 에너지와 생활

후속 학습

• 중학교 1∼3학년군
식물과 에너지, 동물과 에너지,
운동과 에너지, 에너지 전환과 보존

에너지 형태와 에너지 전환

개념 강의

만화로 보는
'에너지'

빵을 옮기라고 했더니 먹고 있네?

에너지가 필요해서요!

1. 에너지가 필요한 까닭과 에너지를 얻는 방법

(1) **에너지의 필요성** 기계와 생물은 움직이거나 살아가는 데 에너지가 필요하다. 에너지는 일을 할 수 있는 능력으로, 에너지가 클수록 더 많은 일을 할 수 있다.

(2) **에너지를 얻는 방법**

구분	에너지 부족을 알 수 있는 방법	에너지를 얻는 방법
휴대 전화	전원이 꺼지고, 휴대 전화를 사용할 수 없게 된다.	충전기를 콘센트에 꽂아 전기를 얻는다.
자동차	연료 표시등에 노란색 불이 켜지거나, 남은 연료로 갈 수 있는 거리가 나타난다.	주유한 기름(연료), 액화 석유 가스[LPG], 충전한 전기에서 에너지를 얻는다.
사과나무	자라거나 새잎이 나지 않고, 열매를 맺지 않는다.	햇빛으로 광합성을 하여 양분을 만들어 에너지를 얻는다. ┌비료로 보충하기도 한다.
사람	힘이 빠지고, 키가 크거나 성장할 수 없다.	먹은 음식물을 소화시켜 에너지를 얻는다.

(3) **식물과 동물이 에너지를 얻는 방법의 차이** 식물은 햇빛을 받아 광합성으로 스스로 양분을 만들어 에너지를 얻고, 동물은 다른 생물을 먹어 얻은 양분으로 에너지를 얻는다.

2. 우리 주변의 다양한 형태의 에너지

다양한 형태의 에너지
• 에너지는 열에너지, 전기 에너지, 빛에너지, 화학 에너지, 운동 에너지, 위치 에너지 등 다양한 형태가 있다.
• 우리는 생활하면서 다양한 형태의 에너지를 이용한다.

물체의 온도를 높이는 열에너지

전기 기구를 작동하게 하는 전기 에너지

주위를 밝게 비추는 빛에너지

생물의 생명 활동에 필요한 화학 에너지

움직이는 물체가 가진 운동 에너지

높은 곳에 있는 물체가 가진 위치 에너지
└위치 에너지의 '위치'는 '높이'를 의미한다.

3. 에너지 전환

교과서속 탐구 96쪽 – 대부분의 현상에는 여러 가지 에너지 전환이 동시에 나타난다.

(1) **에너지 전환** 다양한 형태의 에너지는 다른 형태로 바뀔 수 있다. 에너지의 형태가 바뀌는 것을 에너지 전환이라고 한다. ➡ 에너지 전환을 이용해 우리는 필요한 형태의 에너지를 얻을 수 있다.

(2) **놀이공원에서의 에너지 전환**

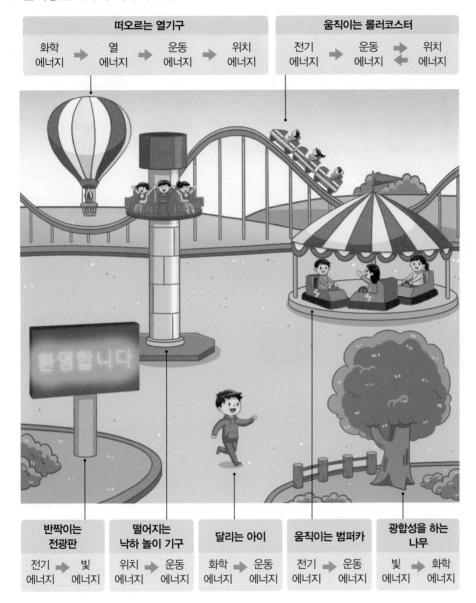

떠오르는 열기구
화학 에너지 ➡ 열 에너지 ➡ 운동 에너지 ➡ 위치 에너지

움직이는 롤러코스터
전기 에너지 ➡ 운동 에너지 ⬅ 위치 에너지

반짝이는 전광판
전기 에너지 ➡ 빛 에너지

떨어지는 낙하 놀이 기구
위치 에너지 ➡ 운동 에너지

달리는 아이
화학 에너지 ➡ 운동 에너지

움직이는 범퍼카
전기 에너지 ➡ 운동 에너지

광합성을 하는 나무
빛 에너지 ➡ 화학 에너지

전기 에너지의 장점
• 다른 에너지로 전환되는 과정에서 열에너지로의 손실이 적다.
• 전선을 통해 에너지를 보낼 수 있기 때문에 운반하기 쉽다.
• 전선, 스위치 등을 이용해 제어하거나 나누기가 쉽다.
• 안전 수칙만 잘 지키면 비교적 안전하고 공해가 없다.

(3) **자연 현상이나 우리 생활에서의 에너지 전환 예**

폭포
위치 에너지 ➡ 운동 에너지

탄소봉
화학 에너지 ➡ 빛에너지, 열에너지

달리는 자동차
연료의 화학 에너지 ➡ 운동 에너지

탐구

"과일·전지 만들기"

● 과정

❶ 반으로 자른 귤 두 개에 각각 구리판과 아연판을 하나씩 꽂는다.

❷ 한쪽 귤의 구리판과 다른 쪽 귤의 아연판을 집게 달린 전선으로 연결한다.

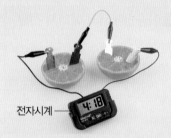

❸ 귤에 꽂아 둔 나머지 구리판과 아연판에 전자시계를 연결한 뒤, 전자시계가 작동하는지 확인한다.

● 결과

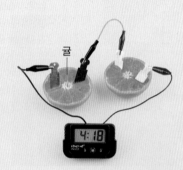

• 과일 전지에 연결한 전자시계가 작동한다.
• 과일 전지에서 전기가 발생하기 때문에 전자시계가 작동한다.

귤, 토마토, 사과 등과 같이 과즙이 풍부한 과일이나 감자, 고구마, 가지 등의 채소로도 실험할 수 있어.

● 알 수 있는 사실 ▶ 과일 전지에서 전자시계를 작동하게 하는 에너지가 나왔다.

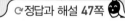

1 과일 전지에 연결한 전자시계가 작동하는 까닭을 옳게 말한 두 사람의 이름을 쓰시오.

• 남운: 과일 전지가 모든 에너지를 흡수하기 때문이야.
• 보람: 전자시계에 과일 전지를 연결하면 전기가 발생하기 때문이야.
• 지우: 과일 전지에서 전자시계를 작동하게 하는 에너지가 나왔기 때문이야.

(   )

2 다음과 같이 구리판과 아연판을 꽂은 레몬과 가지에 각각 전자시계를 연결했더니 전자시계가 작동했습니다. 에너지 전환 과정에 알맞게 에너지 형태를 쓰시오.

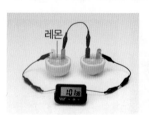

▲ 레몬으로 전자시계 작동하기 ▲ 가지로 전자시계 작동하기

(   ) → (   )

96 하이탑 초등 과학 6-2

1 다음과 같이 전등을 켜거나, 열기구를 띄우는 등의 일을 하기 위해서 필요한 것을 무엇이라고 하는지 쓰시오.

▲ 전등 켜기

▲ 열기구 띄우기

( )

2 오른쪽과 같이 장난감 자동차를 움직이게 하기 위해 전지를 넣었습니다. 이때 장난감 자동차가 이용하는 에너지 형태는 무엇인지 쓰시오.

전지

( )

3 다음의 두 상황에서 볼 수 있는 공통적인 에너지에 대한 설명으로 옳은 것을 보기 에서 골라 기호를 쓰고, 어떤 형태의 에너지인지 함께 쓰시오.

▲ 달리기 하는 육상 선수

▲ 아이가 타고 있는 그네

보기

ㄱ 화분의 식물이 가지고 있는 에너지이다.
ㄴ 움직이는 물체가 가지고 있는 에너지이다.
ㄷ 밤에 놀이터를 비춰 주는 가로등이 가진 에너지이다.

( )

4 전기난로에서 나타나는 에너지 전환 과정에 맞게 ( ) 안에 들어갈 에너지 형태를 쓰시오.

전기 에너지 → ( ) + 빛에너지

( )

5 에너지 전환에 대해 옳게 말한 사람의 이름을 쓰시오.

• 설아: 에너지는 항상 한 가지 형태로만 변해.
• 영주: 에너지가 다른 형태로 전환될 때 항상 빛이 발생해.
• 다운: 에너지는 한 형태로 존재하지 않고 다른 형태로 바뀔 수 있어.

( )

6 다음은 머리말리개의 플러그를 콘센트에 연결하고 전원을 켜서 머리를 말릴 때의 에너지 전환 과정을 나타낸 것입니다. ㉠~㉢에 알맞은 에너지 형태를 쓰시오.

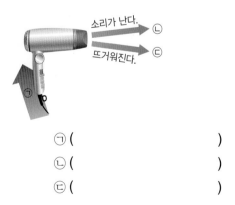
소리가 난다. ㉡
뜨거워진다. ㉢
㉠

㉠ ( )
㉡ ( )
㉢ ( )

2 에너지 전환 과정

개념 강의

만화로 보는
'에너지 전환'

전기 에너지로
전환되도록
열심히 뛰어라!

1. 우리가 이용하는 에너지의 전환 과정 교과서 속 탐구 100쪽

(1) **우리 주변의 에너지 전환 과정** 사람의 운동 에너지는 음식을 먹음으로써 얻게 된 화학 에너지로부터 전환된다. 식물은 광합성으로 태양의 빛에너지에서 화학 에너지를 얻는다. 태양 전지의 전기 에너지는 태양의 빛에너지로부터 전환된 것이다. 수력 발전소의 물은 태양의 빛에너지로부터 위치 에너지를 가지게 되고, 물의 위치 에너지로 전기 에너지를 얻는다.

(2) **태양에서 온 에너지의 전환** 우리가 생활에서 이용하는 에너지는 대부분 태양의 빛에너지로부터 에너지의 형태가 전환된 것이다.

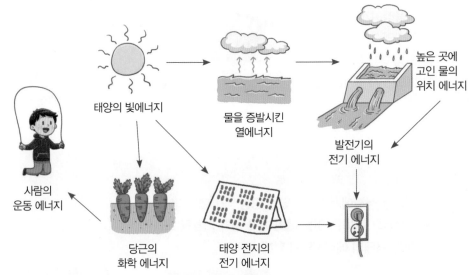

사람의
운동 에너지

태양의 빛에너지

물을 증발시킨
열에너지

높은 곳에
고인 물의
위치 에너지

발전기의
전기 에너지

당근의
화학 에너지

태양 전지의
전기 에너지

▲ 태양에서 온 에너지 전환 과정: 태양에서 온 빛에너지가 여러 가지 형태로 전환되어 우리 생활에 이용된다.

에너지 자원의 한계
우리에게 에너지를 제공하는 에너지 자원은 화석 연료(석탄, 석유, 천연가스)와 같이 매장량이 한정되어 있고 쓰면 없어지는 것도 있지만, 없어지지 않고 계속 쓸 수 있는 재생 가능한 에너지 자원도 있다. 화석 연료를 대신하고자 재생 가능한 에너지 자원을 연구·개발하는 노력을 하고 있다.

용어
●**인력** 떨어져 있는 물체들이 서로 끌어당기는 힘.

보충 플러스+ 에너지의 근원

지구에서 일어나는 현상 중에는 화산이나 지진처럼 지구 내부의 에너지에 의해 일어나는 현상, 태양과 달의인력에 의한 현상도 일부 있지만, 대부분은 태양에서 온 빛에너지로 인해 일어난다. 태양이 지구의 주된 에너지원인 것이다. 태양에서 온 에너지는 식물의 광합성 과정을 통해 화학 에너지로 저장된 뒤 다른 생물의 먹이가 되면서 체온을 일정하게 유지하는 열에너지와 몸을 움직이는 운동 에너지 등으로 전환된다. 또한 태양의 빛에너지는 물과 대기의 순환 현상을 일으키며 운동 에너지와 위치 에너지로 전환되기도 한다.

우주
대기
지표
태양의
빛에너지

2. 에너지의 °효율적 이용 에너지를 얻으려면 자원이 필요하지만 자원의 양은 한정되어 있으므로 에너지를 효율적으로 이용해야 한다.

(1) 에너지 효율 표시가 붙어 있는 전기 기구 에너지를 효율적으로 이용하는 정도를 1~5등급으로 나타낸 '에너지 소비 효율 등급' 표시가 있다. 에너지 소비 효율이 1등급인 제품이 에너지를 가장 효율적으로 이용하는 제품이다. ─ 에너지 소비 효율 등급이 1등급인 제품은 5등급인 제품보다 약 30%~40%의 에너지를 아낄 수 있다.

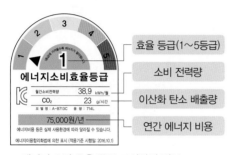

- 효율 등급(1~5등급)
- 소비 전력량
- 이산화 탄소 배출량
- 연간 에너지 비용

▲ 에너지 소비 효율 등급 표시상의 정보

에너지 효율이 높은 전기 기구를 사용하면 전기 에너지를 만드는 과정에서 일어나는 환경 오염을 줄일 수 있어.

(2) 건축물에서 에너지의 효율적 이용

① 이중창은 건물 안의 열에너지가 빠져나가지 않도록 한다.

② 단열재는 바깥 온도의 영향을 차단하여 집 안의 열이 빠져나가지 않도록 막는다.

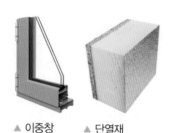

▲ 이중창   ▲ 단열재

(3) 환경에 적응한 식물이나 동물의 에너지의 효율적 이용

① 겨울눈의 비늘은 추운 겨울에 어린싹이 열에너지를 빼앗겨 어는 것을 막아 준다.

② 곰이나 다람쥐 등의 동물은 먹이를 구하기 어렵고 추운 겨울 동안 생명 유지 및 체온 유지를 위한 자신의 화학 에너지를 더 효율적으로 이용하고자 겨울잠을 자기도 한다. 식물이 가을날 낙엽을 떨어뜨리는 것도 비슷한 원리이다.

▲ 목련의 겨울눈

(4) 에너지를 효율적으로 이용하는 전등 전등은 전기 에너지를 빛에너지로 전환해 이용하는 기구이지만, 전기 에너지의 일부는 열에너지로도 전환된다. 발광 다이오드[LED]등은 다른 전등에 비해 열에너지로 전환되어 손실되는 에너지의 양이 적다.

전기 에너지 → 빛에너지 약 5%
→ 열에너지

▲ 백열등

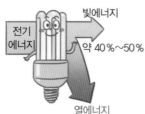

전기 에너지 → 빛에너지 약 40%~50%
→ 열에너지

▲ 형광등

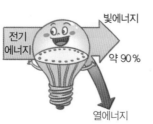

전기 에너지 → 빛에너지 약 90%
→ 열에너지

▲ 발광 다이오드[LED]등

용어

•**효율** 기계가 한 일의 양과 그 일을 하는 데 들인 에너지와의 비율.

에너지 절약 표시

에너지절약

• 전기 기구를 사용하지 않을 때 소비되는 대기 전력을 최소화하기 위한 대기 전력 기준을 만족한 전기 기구에 붙이는 표시이다.
• 컴퓨터, 모니터, 인쇄기, 복사기, 전자레인지, 유·무선 전화기, 비데, 라디오, 오디오 등에 시행되고 있다.

동물의 에너지의 효율적 이용

• 겨울잠을 자는 동물은 겨울잠을 잠으로써 자신의 화학 에너지를 적게 쓸 수 있다.

• 황제펭귄은 서로 몸을 밀착시켜 체온을 나누며 남극의 추운 겨울을 이겨내는 방법으로 에너지를 효율적으로 이용한다.

"태양광 해파리로 에너지 전환 과정 알아보기"

과정

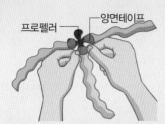

❶ 얇은 종이를 길게 찢거나 잘라서 양면테이프로 프로펠러 날개에 붙인다.

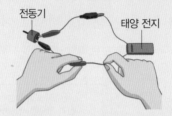

❷ 태양 전지의 전선과 전동기를 집게 달린 전선으로 연결한다.

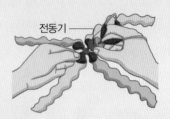

❸ 전동기의 축에 ❶의 프로펠러를 끼워 태양광 해파리를 완성한다.

❹ 태양광 해파리의 움직임을 관찰하고, 태양광 해파리를 움직이게 한 에너지 전환 과정을 이야기한다.

태양 전지가 태양을 향할 때와 향하지 않을 때를 비교하며 관찰해 봐.

결과

• 태양 전지가 태양을 향할 때 태양광 해파리가 돌아간다.
• 태양 전지가 태양을 향하지 않을 때 태양광 해파리가 천천히 돌거나 돌지 않는다.

알 수 있는 사실 ▶ 태양광 해파리가 움직일 때 에너지 전환 과정

태양의 빛에너지	태양 전지 →	전기 에너지	전동기 →	태양광 해파리의 운동 에너지

탐구 문제

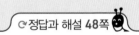
정답과 해설 48쪽

1 다음은 전동기와 태양 전지를 연결해 태양광 해파리를 만드는 중간 과정 모습입니다. 태양 전지가 태양을 향할 때와 태양을 향하지 않을 때 태양광 해파리의 움직임을 비교하여 쓰시오.

전동기   태양 전지

_____

_____

2 태양광 해파리의 태양 전지가 태양을 향할 때 태양광 해파리를 움직이게 한 에너지 전환 과정을 나타낸 것입니다. ㉠~㉢에 들어갈 알맞은 에너지 형태를 쓰시오.

㉠	태양 전지 →	㉡	전동기 →	㉢

㉠ (   )

㉡ (   )

㉢ (   )

↪정답과 해설 48쪽

1 다음 에너지 전환 과정에 맞게 ( ) 안에 들어갈 알맞은 에너지 형태를 쓰시오.

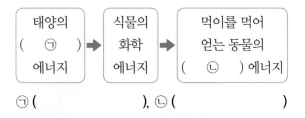

| 태양의 (㉠) 에너지 | → | 식물의 화학 에너지 | → | 먹이를 먹어 얻는 동물의 (㉡) 에너지 |

㉠ ( ), ㉡ ( )

2 다음은 수력 발전으로 전기 에너지가 만들어지는 과정을 순서 없이 나열한 것입니다. ㉠~㉣을 전기 에너지가 만들어지는 순서대로 기호를 쓰시오.

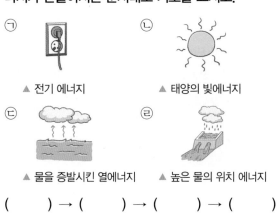

㉠ ▲ 전기 에너지   ㉡ ▲ 태양의 빛에너지

㉢ ▲ 물을 증발시킨 열에너지   ㉣ ▲ 높은 물의 위치 에너지

( ) → ( ) → ( ) → ( )

3 다음은 제조사별 냉장고에 각각 붙어 있는 에너지 효율 표시입니다. 에너지의 효율적 이용에 대해 옳게 말한 사람의 이름을 쓰시오.

 ㉠ 냉장고 ㉡ 냉장고 ㉢ 냉장고

- 승진: ㉢ 냉장고를 사용해야 에너지를 가장 많이 아낄 수 있어.
- 연주: ㉠ 냉장고가 에너지를 가장 효율적으로 이용할 수 있어.
- 채빈: ㉡ 냉장고보다 ㉢ 냉장고가 에너지 효율이 더 높아.

( )

4 건물을 지을 때 창문을 이중창으로 만들면 좋은 점에 대한 설명으로 옳은 것을 보기 에서 골라 기호를 쓰시오.

보기
㉠ 바깥의 공기가 잘 드나들 수 있다.
㉡ 건물 밖의 빛에너지가 들어올 수 없다.
㉢ 건물 안의 열에너지가 빠져나가지 않는다.

( )

5 다음은 환경에 적응한 식물과 동물이 에너지를 효율적으로 이용하는 경우입니다. ( ) 안에 들어갈 알맞은 에너지 형태를 쓰시오.

겨울눈의 비늘은 추운 겨울에 (㉠)에너지가 빠져나가는 것을 막아 주고, 다람쥐는 겨울잠을 자면서 생명 유지를 위한 (㉡) 에너지를 적게 쓸 수 있다.

㉠ ( ), ㉡ ( )

6 전기 에너지를 빛에너지로 전환해 이용하는 형광등과 발광 다이오드[LED]등의 전기 에너지의 전환을 나타낸 그림을 보고, 두 전등에 대한 설명으로 옳은 것에 ○표 하시오.

▲ 형광등   ▲ 발광 다이오드[LED]등

(1) 형광등은 전기 에너지가 모두 빛에너지로 전환된다. ( )
(2) 형광등보다 발광 다이오드[LED]등의 에너지 효율이 낮다. ( )
(3) 발광 다이오드[LED]등은 의도하지 않은 방향으로 전환되는 에너지의 비율이 낮다. ( )

단원 평가

1 에너지에 대한 설명으로 옳은 것을 두 가지 고르시오. (   )

① 에너지의 크기는 항상 같다.

② 에너지는 한 가지 형태만 사용된다.

③ 에너지가 부족해지면 다시 얻을 수 없다.

④ 에너지가 클수록 더 많은 일을 할 수 있다.

⑤ 물체가 움직이기 위해서는 에너지가 필요하다.

2 다음과 같이 휴대 전화에 에너지가 부족할 때 필요한 에너지는 어떻게 얻을 수 있는지 한 가지 쓰시오.

_____

_____

3 다음은 식물이 에너지를 얻는 방법입니다. (   ) 안에 들어갈 알맞은 말을 쓰시오.

> 식물은 태양에서 온 (㉠   )에너지로 광합성을 하여 양분을 만들어 냄으로써 (㉡   ) 에너지를 얻는다.

㉠ (   ), ㉡ (   )

4 다음은 전등을 켜고 공부하는 정은이의 모습입니다. 불 켜진 전등과 관련된 에너지 형태 세 가지를 쓰시오.

(   )

5 위 **4**번 답에 해당하는 에너지와 관련이 없는 것의 기호를 쓰시오.

㉠ ▲ 햇빛   ㉡ ▲ 다리미   ㉢ ▲ 날아가는 새

(   )

6 다음 폭포에서 나타나는 에너지 형태를 보기 에서 두 가지 골라 기호를 쓰시오.

▲ 폭포

> **보기**
> ㉠ 빛에너지   ㉡ 열에너지
> ㉢ 전기 에너지   ㉣ 화학 에너지
> ㉤ 운동 에너지   ㉥ 위치 에너지

(   )

[7~8] 다음은 롤러코스터가 움직이는 모습을 나타낸 것입니다. 물음에 답하시오.

7 위 ㉠~㉢ 부분 중 다음과 같이 사람이 미끄럼틀을 타고 내려오는 동안과 같은 에너지 전환 현상이 나타나는 부분의 기호를 쓰시오.

(   )

8 위 롤러코스터가 ㉡에서 ㉢ 지점으로 올라가는 동안 에너지가 전환되는 과정을 쓰시오.

(   ) 에너지 → (   ) 에너지

9 다음과 같이 떨어지는 낙하 놀이 기구를 타고 있는 사람들의 구간별 에너지 및 에너지 전환 과정에 맞는 에너지 형태를 각각 쓰시오.

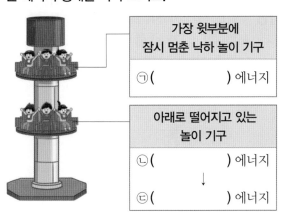

가장 윗부분에 잠시 멈춘 낙하 놀이 기구
㉠ (   ) 에너지

아래로 떨어지고 있는 놀이 기구
㉡ (   ) 에너지
↓
㉢ (   ) 에너지

10 다음과 같이 반짝반짝 빛이 나는 전광판에서의 에너지 전환 과정에 대해 쓰시오.

_____

_____

_____

11 다음은 나뭇잎에서 양분을 만드는 과정을 나타낸 것입니다. (   ) 안에 들어갈 알맞은 말을 쓰시오.

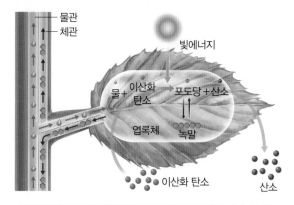

나무가 햇빛을 받아 양분을 만드는 (㉠   )을/를 할 때 태양의 (㉡   )에너지가 나무의 (㉢   ) 에너지로 바뀐다.

㉠ (   ), ㉡ (   )

㉢ (   )

12 다음과 같이 연료를 넣어 달리는 자동차와 멈춰 있는 자동차의 에너지 전환을 비교하여 한 가지 쓰시오.

▲ 달리는 자동차

▲ 멈춰 있는 자동차

____

____

____

13 다음과 같이 공을 던져 올렸더니 공이 높이 올라갔다가 다시 떨어졌습니다. 공이 가지는 에너지 전환에 대해 옳게 말한 사람의 이름을 쓰시오.

- 지호: 던져 올려 높이 올라간 공은 위치 에너지를 가지고 있어.
- 서우: 공이 올라갔다가 다시 떨어지는 과정에서 위치 에너지가 유지돼.
- 배민: 높은 곳에서 다시 떨어질 때 운동 에너지가 위치 에너지로 전환돼.

( )

14 다음과 같이 땅에서 점점 떠오르는 열기구에서 각 단계의 에너지 전환에 알맞은 에너지 형태를 쓰시오.

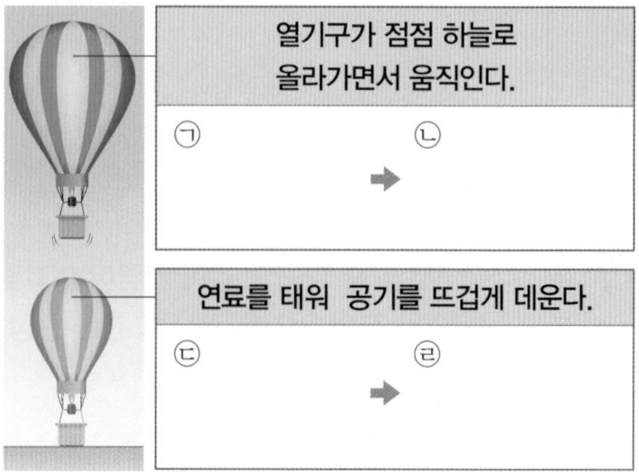
열기구가 점점 하늘로 올라가면서 움직인다.
㉠ ➡ ㉡
연료를 태워 공기를 뜨겁게 데운다.
㉢ ➡ ㉣

15 다음은 모닥불의 열에너지와 빛에너지는 무엇으로부터 전환되었는지 생각하는 과정입니다. ( ) 안에 들어갈 알맞은 에너지 형태를 쓰시오.

> 장작과 낙엽을 태우는 모닥불의 열에너지와 빛에너지는 장작과 낙엽의 (㉠) 에너지로부터 전환되었다. (㉠) 에너지는 태양의 (㉡)에너지로부터 전환되었다.

㉠ ( ), ㉡ ( )

16 다음은 전기 기구에 붙어 있는 에너지 효율 등급 표시입니다. ㉠과 ㉡ 중 어느 표시가 붙은 제품이 에너지를 더 효율적으로 이용하는 제품인지 기호를 쓰시오.

㉠

3
에너지소비효율등급
29,000원/년

㉡

1
에너지소비효율등급
75,000원/년

( )

↪정답과 해설 49쪽

17 다음과 같이 집을 지을 때 벽에 단열재를 이용하는 까닭을 옳게 말한 사람의 이름을 쓰시오.

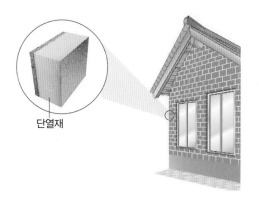

단열재

- 재준: 집 안과 밖의 공기가 잘 통하도록 하기 위해서야.
- 연석: 집 안의 열이 빠져나가지 않도록 막기 위해서야.
- 시연: 집 밖의 열이 집 안으로 잘 들어오도록 하기 위해서야.

(   )

18 다음과 같이 가을에 나무가 낙엽을 떨어뜨리는 것을 에너지 효율과 관련지어 쓰시오.

_____

_____

_____

19 다음은 동물이 환경에 적응하여 에너지를 효율적으로 이용하는 방법입니다. 각각의 동물에 해당하는 방법을 보기 에서 골라 기호를 쓰시오.

보기

㉠ 겨울잠을 잔다.
㉡ 몸통이 유선형이다.
㉢ 털과 두꺼운 지방층을 가지고 있다.
㉣ 서로 몸을 밀착시켜 체온을 나눈다.

(1) 북극곰: (   )
(2) 돌고래: (   )
(3) 다람쥐: (   )
(4) 황제펭귄: (   )

20 다음은 백열등, 형광등, 발광 다이오드[LED]등의 전기 에너지가 빛에너지와 열에너지로 전환되는 비율을 나타낸 것입니다. 에너지 효율이 가장 높은 것과 가장 낮은 것을 쓰시오.

구분	빛에너지(%)	열에너지(%)
백열등	5	95
형광등	40	60
발광 다이오드[LED]등	90	10

(1) 가장 높은 것: (   )
(2) 가장 낮은 것: (   )

서술형 문제

1 다음은 전지를 넣어 움직이게 하는 로봇 장난감입니다. 장난감에 넣는 전지의 개수를 늘리면 어떤 변화가 있는지 에너지와 관련지어 쓰시오. (단, 전지는 병렬 연결됩니다.)

_____

_____

_____

3 다음과 같이 탄소봉에 불을 붙였더니 반짝거리며 탔습니다. 탄소봉에 불을 붙이기 전과 불을 붙인 후의 에너지 전환 과정을 쓰시오.

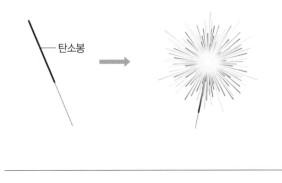

_____

_____

_____

2 선풍기와 전기 다리미는 공통적으로 전기 에너지를 이용합니다. 전기 에너지가 각각 어떤 에너지로 전환되어 어떻게 이용되는지 쓰시오.

▲ 선풍기   ▲ 다리미

_____

_____

_____

4 태호가 당근을 먹고 나서 줄넘기를 하고 있습니다. 태호가 이용하는 에너지의 근원은 무엇인지 에너지 전환 과정을 쓰시오.

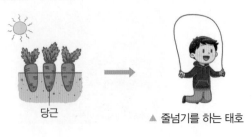

당근   ▲ 줄넘기를 하는 태호

_____

_____

_____

5 가정에서 사용하는 전기 기구에는 에너지 소비 효율 등급 표시가 붙어 있습니다. 다음과 같이 에너지 소비 효율 등급을 표시하여 에너지를 효율적으로 이용하면 좋은 점을 한 가지 쓰시오.

▲ 텔레비전

▲ 냉장고

_____

_____

_____

6 집을 지을 때 안쪽 벽과 바깥쪽 벽 사이에 단열재를 설치하는 것은 어떤 형태의 에너지의 이동을 막기 위한 것인지, 또 단열재가 어떻게 효과적으로 에너지를 절약하는 것인지 쓰시오.

(1) 단열재가 막는 에너지의 형태: (   )

(2) 단열재의 에너지 절약 방법: _____

_____

_____

7 다음은 곰이 추운 겨울에 겨울잠을 자는 모습입니다. 겨울 동안 먹이를 먹지 않고도 곰이 살 수 있는 까닭을 에너지 효율과 관련지어 쓰시오.

_____

_____

_____

8 다음은 여러 전등의 에너지 효율을 비교하기 위한 표입니다. 같은 시간 동안 사용한 결과라면, ㉠~㉢ 제품 중 에너지를 가장 효율적으로 이용하는 전등은 어느 것인지 그 까닭과 함께 쓰시오.

구분	비교 결과
사용한 전기 에너지의 양	㉠ 제품 > ㉡ 제품 > ㉢ 제품
빛의 밝기	㉠ 제품 = ㉡ 제품 = ㉢ 제품

_____

_____

_____

● 에너지를 얻는 방법

휴대 전화	충전기를 콘센트에 꽂아 전기를 얻는다.
자동차	주유한 기름(연료), 액화 석유 가스[LPG], 충전한 전기에서 에너지를 얻는다.
사과나무	햇빛으로 광합성을 하여 양분을 만들어 에너지를 얻는다.
사람	먹은 음식물을 소화시켜 에너지를 얻는다.

▶ 기계가 움직이거나 생물이 살아가는 데에는 에너지가 필요하다.

● 다양한 형태의 에너지

열에너지	물체의 온도를 높여 주거나, 음식이 익게 해 주는 에너지이다.
전기 에너지	전기 기구들을 작동하게 하는 에너지이다.
빛에너지	어두운 곳을 밝게 비춰 주는 에너지이다.
화학 에너지	화분의 식물이나 사람 등의 생명 활동에 필요하며, 물질이 가진 잠재적인 에너지이다.
운동 에너지	움직이는 물체가 가진 에너지이다.
위치 에너지	높은 곳에 있는 물체가 가지는 에너지이다.

▶ 우리가 이용하는 에너지의 근원은 대부분 태양의 빛에너지이다.

● 놀이공원에서의 에너지 전환

움직이는 롤러코스터	전기 에너지 → 운동 에너지 ⇄ 위치 에너지
떠오르는 열기구	화학 에너지 → 열에너지 → 운동 에너지 → 위치 에너지
움직이는 범퍼카	전기 에너지 → 운동 에너지
떨어지는 낙하 놀이 기구	위치 에너지 → 운동 에너지

▶ 에너지 전환을 이용해 필요한 형태의 에너지를 얻는다.

● 에너지의 효율적 이용

에너지 소비 효율 등급	• 에너지를 효율적으로 이용하는 정도를 1~5등급으로 나타낸다. • 1등급인 제품이 에너지를 가장 효율적으로 이용하는 제품이다.
건축물	• 이중창은 건물 안의 열에너지가 빠져나가지 않도록 한다. • 단열재는 바깥 온도의 영향을 차단하여 집 안의 열이 빠져나가지 않도록 막는다.
동물과 식물	• 겨울눈의 비늘은 추운 겨울에 어린 싹이 열에너지를 빼앗겨 어는 것을 막아 준다. • 곰, 다람쥐 등의 동물은 추운 겨울에 겨울잠을 자면서 화학 에너지를 더 효율적으로 이용한다.
전등	발광 다이오드[LED]등이 에너지 효율이 가장 좋고, 형광등, 백열등 순으로 에너지 효율이 낮아진다.

개념 " 역학적 에너지 보존과 소비 전력 "

1 역학적 에너지 보존

위로 던져 올리거나 위에서 아래로 떨어지는 물체는 움직이고 있으므로 **운동 에너지**를 가지고 있다. 높은 곳에 있기 때문에 **위치 에너지**도 가지고 있다. 이 때 물체가 가진 위치 에너지와 운동 에너지의 합을 역학적 에너지라고 한다. 마찰이나 공기 저항이 없다면 물체가 위에서 아래로 떨어질 때 감소한 위치 에너지만큼 운동 에너지로 전환되어 물체의 속력이 빨라진다. 어느 위치에서나 위치 에너지와 운동 에너지의 합인 역학적 에너지의 양이 일정한 것이다. 마찰과 공기 저항이 없다면 롤러코스터의 운동에서 역학적 에너지는 보존된다.

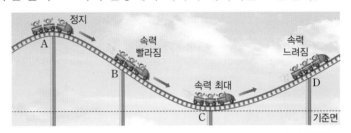

위치	A	B	C	D
위치 에너지	최대	감소	0(최소)	증가
운동 에너지	0(최소)	증가	최대	감소
역학적 에너지 전환	위치 에너지 → 운동 에너지		운동 에너지 → 위치 에너지	
역학적 에너지	일정			

2 소비 전력과 전력량

전기 에너지는 여러 가지 전기 기구에서 다양한 에너지로 전환되어 편리하게 이용된다. 1초 동안 사용한 전기 에너지를 소비 전력이라고 하며, 소비 전력이 클수록 더 많은 전기 에너지를 사용한다. 소비 전력을 나타내는 단위는 W(와트)와 kW(킬로와트) 등을 사용한다. 모든 전기 기구에는 전기 기구가 안정적으로 작동되는 전압과 이때 소비되는 전력이 표시되어 있다. 같은 용도로 사용하더라도 사용 과정에서 불필요하게 낭비되는 에너지가 많은 전기 기구일수록 소비 전력이 크다. 그리고 일정 시간 동안 사용한 전기 에너지의 양을 소비 전력량이라고 하며, 소비 전력량은 소비 전력과 사용 시간을 곱한 값이다. 각 가정에서 사용한 전기 에너지의 양은 전력량계로 측정한다.

> 전력량(kW) = 소비 전력(W) × 사용 시간(h)

비주얼 사이언스

 95쪽 참고 **역학적 에너지 전환**

운동하는 물체의 위치 에너지와 운동 에너지가 서로 전환되는 것을 역학적 에너지 전환이라고 한다.

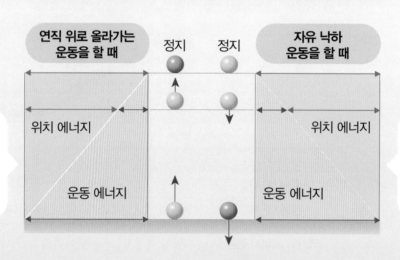

연직 위로 올라가는 운동을 할 때

정지 정지

자유 낙하 운동을 할 때

위치 에너지

운동 에너지

위치 에너지

운동 에너지

• 운동 에너지 감소,
  위치 에너지 증가
• 운동 에너지 →
  위치 에너지
  (역학적 에너지 전환)

• 위치 에너지 감소,
  운동 에너지 증가
• 위치 에너지 →
  운동 에너지
  (역학적 에너지 전환)

 95쪽 참고 **휴대 전화에서 에너지 전환**

한 가지 형태의 에너지가 다양한 형태의 에너지로 전환될 수 있다.

전기 에너지

빛에너지
화면에서 빛이 난다.

소리 에너지
스피커에서 소리가 난다.

열에너지
휴대 전화가 뜨거워진다.

운동 에너지
휴대 전화가 진동한다.

중력에 의한 위치 에너지 운동 에너지

95쪽 참고 역학적 에너지 보존의 법칙

역학적 에너지가 보존된다는 것은 운동을 방해하는 힘이
전혀 없는 상황에서만 가능하다.

보존되지 않는 역학적 에너지
바닥에서 튀어 오르는 공의 운동 에너지는 열에너지,
소리 에너지 등으로 빠져나가고, 땅과의 마찰, 공기의
저항에 의해 역학적 에너지가 감소한다.

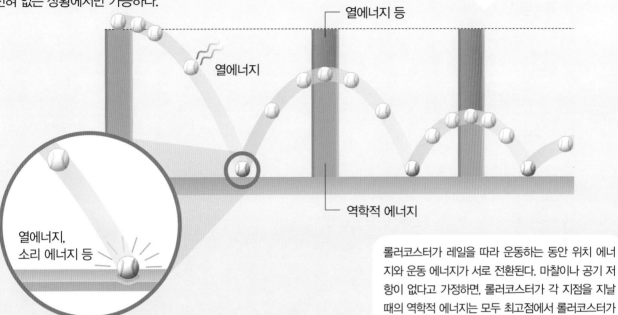

열에너지 등

열에너지

열에너지,
소리 에너지 등

역학적 에너지

롤러코스터가 레일을 따라 운동하는 동안 위치 에너
지와 운동 에너지가 서로 전환된다. 마찰이나 공기 저
항이 없다고 가정하면, 롤러코스터가 각 지점을 지날
때의 역학적 에너지는 모두 최고점에서 롤러코스터가
가진 중력에 의한 위치 에너지로 일정하게 보존된다.

중력에 의한
위치 에너지 　 운동
에너지

중력에 의한
위치 에너지 　 운동
에너지

Where there is a will,
there is a way.

심화

HIGHTOP

> > > **하이탑** 초등 과학

6학년

HIGHTOP
초등 과학의 구성과 특징

심화 → **1**

창의 서술형 문제

초등의 중요 개념부터 중등의 연계 개념까지 확장된 창의적인 서술형 문제입니다.
수행평가는 물론 영재고·영재원 선발 시험까지 대비할 수 있도록 실력을 쌓을 수 있습니다.

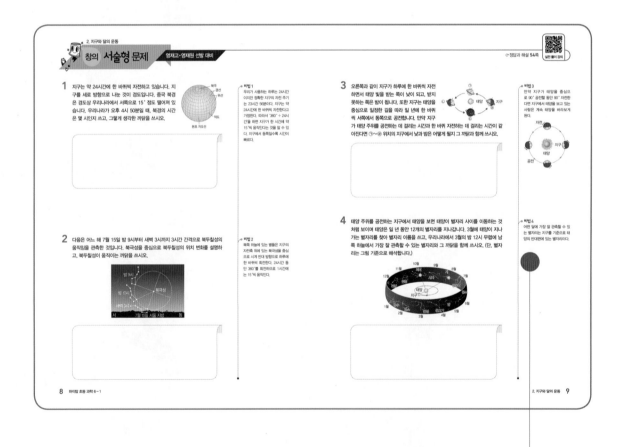

무료 스마트러닝
• 2권 심화 문제 풀이 강의

● 비법
서술형 문제가 어렵게 느껴지나요?
비법을 읽어 보면 문제의 핵심 TIP을
얻을 수 있어요.

"

과학 고수가 되는 길!

초등부터 HIGHTOP(하이탑)과 함께라면
과학 공부 어렵지 않아요.

"

2 과학 탐구 대회

과학 탐구 대회는 탐구 보고서 작성, 과학 토론 대회, 발명품 경진 대회, 영재 학교 대비 에세이 (ESSAY) 작성의 네 가지 유형을 준비와 실전 단계로 구성하였습니다. 교과서 단원에 맞는 창의적인 주제와 참고 자료, 예시 답안을 보면서 각각의 대회 및 입시를 대비할 수 있습니다.

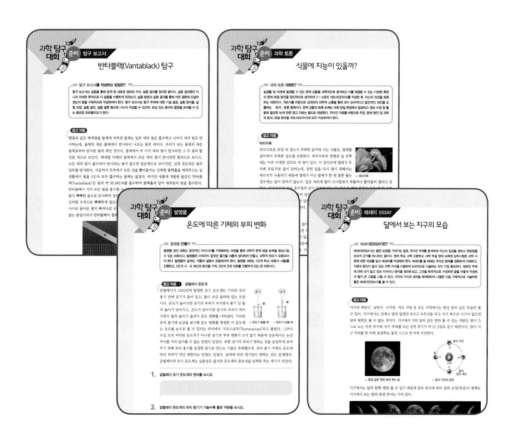

탐구 보고서	실험을 통해 얻은 정보와 지식, 실험 결과를 보고서로 정리합니다.
과학 토론	문제 상황을 과학적으로 분석하고 다양한 해결 방안을 창의적으로 생각합니다.
발명품	창의적인 아이디어를 구체화하는 과정을 통해 문제 해결 능력을 향상시킵니다.
에세이(ESSAY)	주어진 주제를 분석하고, 자신의 생각과 논리적 근거를 제시합니다.

HIGHTOP 초등 과학의 **차례** 심화

2

지구와 달의 운동

- ● 창의 서술형 문제

- ● 과학 탐구 대회

창의 서술형 문제

영재고·영재원 선발 대비

1 지구는 약 24시간에 한 바퀴씩 자전하고 있습니다. 지구를 세로 방향으로 나눈 것이 경도입니다. 중국 북경은 경도상 우리나라에서 서쪽으로 15° 정도 떨어져 있습니다. 우리나라가 오후 4시 50분일 때, 북경의 시간은 몇 시인지 쓰고, 그렇게 생각한 까닭을 쓰시오.

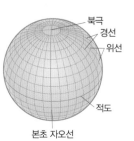

북극
경선
위선
적도
본초 자오선

비법 1
우리가 사용하는 하루는 24시간 이지만 정확한 지구의 자전 주기는 23시간 56분이다. 지구는 약 24시간에 한 바퀴씩 자전한다고 가정한다. 따라서 '360°÷24시간'을 하면 지구가 한 시간에 약 15°씩 움직인다는 것을 알 수 있다. 지구에서 동쪽일수록 시간이 빠르다.

2 다음은 어느 해 7월 15일 밤 9시부터 새벽 3시까지 3시간 간격으로 북두칠성의 움직임을 관측한 것입니다. 북극성을 중심으로 북두칠성의 위치 변화를 설명하고, 북두칠성이 움직이는 까닭을 쓰시오.

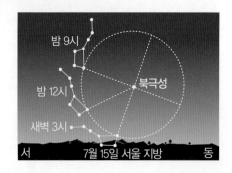

밤 9시
밤 12시
새벽 3시
북극성
서   7월 15일 서울 지방   동

비법 2
북쪽 하늘에 있는 별들은 지구의 자전축 위에 있는 북극성을 중심으로 시계 반대 방향으로 하루에 한 바퀴씩 회전한다. 24시간 동안 360°를 회전하므로 1시간에는 15°씩 움직인다.

3 오른쪽과 같이 지구가 하루에 한 바퀴씩 자전하면서 태양 빛을 받는 쪽이 낮이 되고, 받지 못하는 쪽은 밤이 됩니다. 또한 지구는 태양을 중심으로 일정한 길을 따라 일 년에 한 바퀴씩 서쪽에서 동쪽으로 공전합니다. 만약 지구가 태양 주위를 공전하는 데 걸리는 시간과 한 바퀴 자전하는 데 걸리는 시간이 같아진다면 ㉠~㉣ 위치의 지구에서 낮과 밤은 어떻게 될지 그 까닭과 함께 쓰시오.

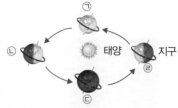

비법 3
만약 지구가 태양을 중심으로 90° 공전할 동안 90° 자전한다면 지구에서 태양을 보고 있는 사람은 계속 태양을 바라보게 된다.

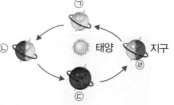

4 태양 주위를 공전하는 지구에서 태양을 보면 태양이 별자리 사이를 이동하는 것처럼 보이며 태양은 일 년 동안 12개의 별자리를 지나갑니다. 3월에 태양이 지나가는 별자리를 찾아 별자리 이름을 쓰고, 우리나라에서 3월의 밤 12시 무렵에 남쪽 하늘에서 가장 잘 관측할 수 있는 별자리와 그 까닭을 함께 쓰시오. (단, 별자리는 그림 기준으로 해석합니다.)

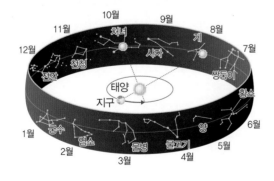

비법 4
어떤 달에 가장 잘 관측할 수 있는 별자리는 지구를 기준으로 태양의 반대편에 있는 별자리이다.

창의 **서술형** 문제　　영재고·영재원 선발 대비

5 윤서는 보름 간격으로 같은 시각에 서쪽 하늘에서 사자자리를 관측하였습니다. 같은 시각에 관측한 사자자리가 매일 조금씩 위치가 달라지는 까닭을 쓰시오.

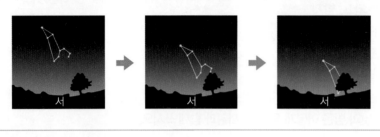

● 비법 5
사자자리는 매일 같은 장소에서 같은 시각에 관측하여 하루에 약 1°씩 서쪽으로 위치가 변한다.

6 태희는 달력을 보다가 '음력 11 / 7'이라는 표시를 보았습니다. 음력이란 달의 모양이 변하는 것을 기준으로 만든 날짜입니다. 음력 11 / 7에 낮 12시부터 3시간 간격으로 달이 지나가는 길 위에 상현달의 위치를 그리고, 며칠 후에 보름달을 볼 수 있을지 쓰시오.

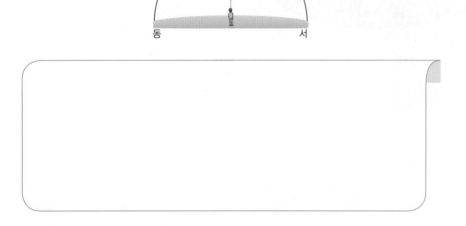

● 비법 6
음력 7일에 관측할 수 있는 달은 상현달이다. 해가 지기 전에 상현달이 뜨지만 밝은 태양 빛 때문에 상현달을 관측하기는 어렵다.

7 다음은 음력 8일 무렵 저녁 9시에 남반구 중위도(20°~50°), 북극, 적도에서 동시에 관측한 지고 있는 달의 모습을 순서 없이 나타낸 것입니다. ㉠, ㉡, ㉢은 각각 어디에서 관측한 것인지 그렇게 생각한 까닭과 함께 쓰시오.

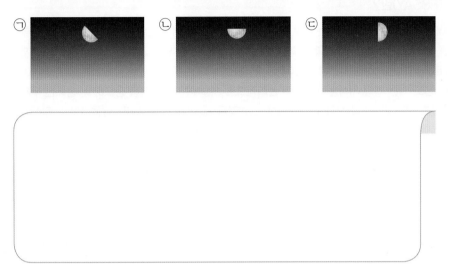

● 비법 7
상현달은 대략 낮 12시 무렵에 떠서 밤 12시 무렵에 진다. 우리 나라에서는 밤 9시 무렵에 상현달이 서쪽 하늘을 향해 지고 있다.

8 영우는 어느 날 해가 뜰 때 달의 모습을 관측했고, 약 10~13일 후 해가 질 때 다시 달을 관측하였습니다. 영우가 관측한 ㉠과 ㉡ 달의 모양에 대한 설명을 쓰시오.

▲ 어느 날 해가 뜰 때

▲ 10~13일 후 해가 질 때

● 비법 8
달은 스스로 빛을 내지 못하기 때문에 태양을 향하는 쪽이 밝다.

달에서 보는 지구의 모습

에세이(ESSAY)란?

에세이(ESSAY)는 짧은 논문을 가리키는 말로, 주어진 주제를 분석하여 자신의 입장을 정하고 뒷받침할 논리적 근거를 제시하는 글이다. 영재 학교, 과학 고등학교, 대학 부설 영재 교육원 입학시험은 과학 지문에 대한 자료를 읽고 에세이를 작성해야 한다. 에세이를 쓸 때에는 주어진 문제를 정확하게 이해하고, 지문과 본인이 알고 있는 과학 지식을 이용하여 논리적으로 서술하는 것이 가장 중요하다. 정해진 주제에 대해 내가 알고 있는 지식이나 생각을 정리해 보고, 그것을 체계적으로 구성하면 글을 어떻게 작성해야 할지 큰 그림을 그릴 수 있다. 각각의 지식과 생각을 체계화하여 나열한 다음 구체적으로 서술하면 좋은 에세이(ESSAY)를 쓸 수 있다.

참고 자료

지구의 북반구, 남반구, 극지방, 적도 지방 등 모든 지역에서는 항상 달의 같은 모습만 볼 수 있다. 지구에서는 언제나 달의 앞면만 보이고 우주선을 타고 지구 밖으로 나가지 않으면 달의 뒷면은 볼 수 없는 것이다. 지구에서 거의 달의 같은 면만 볼 수 있는 까닭은 달이 스스로 도는 자전 주기와 지구 주위를 도는 공전 주기가 약 27.3일로 같기 때문이다. 달이 지구 주위를 한 바퀴 공전하는 동안 스스로 한 바퀴 자전한다.

▲ 항상 같은 면만 보여 주는 달

▲ 달의 자전과 공전

지구에서는 달의 한쪽 면만 볼 수 있기 때문에 달의 위치에 따라 달의 모양(위상)이 변해도 지구에서 보는 달의 표면 무늬는 거의 같다.

▲ 지구에서 보는 달의 모양 변화

1. 다음과 같이 태양, 지구, 달이 위치할 때 달에 간 사람이 본 지구는 어떤 모양으로 보일지 ☐ 안에
지구의 모양을 그리시오.

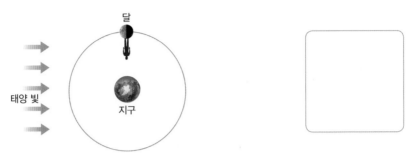

2. 지구의 자전으로 태양이 뜨고 지는 것처럼 보입니다. 달도 지구와 같이 서쪽에서 동쪽으로 자전하
는데 달에서 본 지구의 시간에 따른 위치 변화는 어떻게 보일 것 같은지 자신의 생각을 쓰시오.

3. 일식은 달이 태양을 가리는 현상이지만 달의 관점에서 보면 태양을 지구가 가리는 현상이 나타납
니다. 지구가 태양의 전체를 다 가리는 현상은 달 대부분의 지역에서 일어나지만 달이 태양의 전
체를 가리는 현상은 지구의 특정한 지역에서만 관측할 수 있는 까닭을 쓰시오.

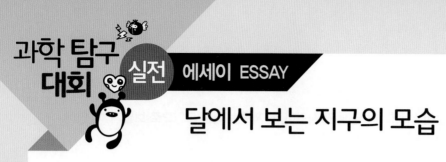

달에서 보는 지구의 모습

Tip
과학 에세이는 문제를 다양한 관점으로 바라보고 작성해야 한다. 또한 작성한 까닭에 대해 과학적인 개념을 연결하여 작성한다.

달에서 보는 지구의 모습 변화에 대해 쓰시오.

↻ 정답과 해설 56쪽

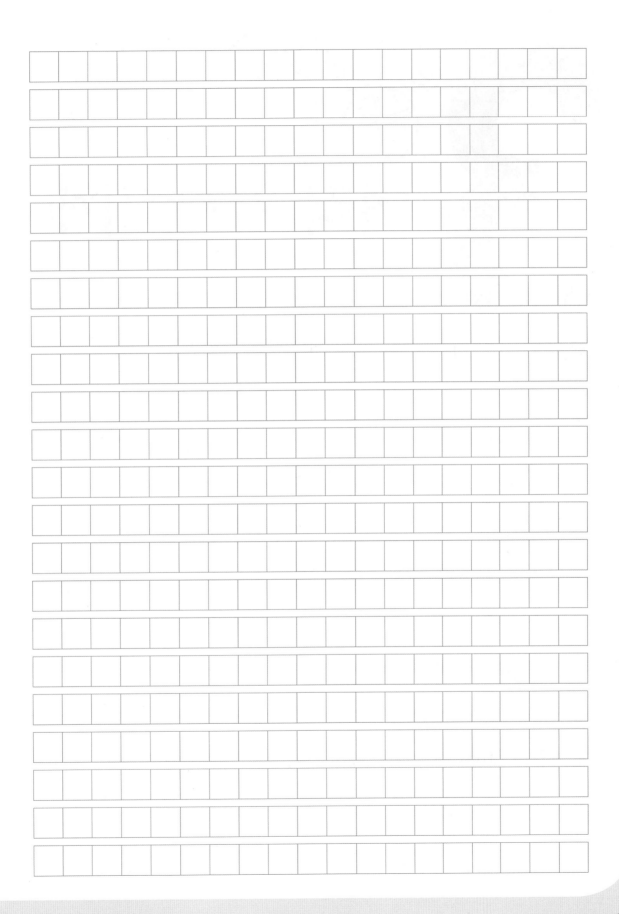

3 여러 가지 기체

- 창의 서술형 문제

- 과학 탐구 대회

  발명품 온도에 따른 기체의 부피 변화

창의 **서술형 문제**

영재고·영재원 선발 대비

1 다음 두 가지 현상은 공통적으로 어떤 한 기체와 관련이 있습니다. 어떤 기체와 관련이 있는지 쓰고, 이러한 현상이 나타나는 까닭을 쓰시오.

> ㉠ 비 오는 날에 지렁이가 땅 위로 올라온다.
> ㉡ 더운 여름날에 종종 물고기가 수면 위로 올라오는 것을 볼 수 있다.

● 비법 1
· 생물은 숨을 쉬기 위해 반드시 산소가 필요하다.
· 온도가 높을수록 기체의 용해도가 낮아진다.

2 규선이는 고무풍선을 작게 불어서 주사기에 넣었습니다. 주사기의 입구를 손가락으로 막고 주사기의 피스톤을 눌렀을 때 고무풍선에 나타나는 변화와 그러한 변화가 나타나는 까닭을 함께 쓰시오.

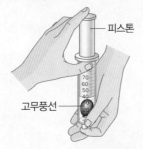

피스톤

고무풍선

● 비법 2
물과 같은 액체는 힘을 가해도 부피의 변화가 거의 없지만, 공기와 같은 기체는 가하는 힘의 크기에 따라 부피가 달라진다.

↱정답과 해설 **57**쪽

실전 풀이 강의

3 다음과 같이 페트병 안쪽 윗부분에 끼여 있는 고무풍선이 아래로 내려오게 하기 위한 ㉠ 과정에 들어갈 수 있는 방법을 한 가지 쓰시오.

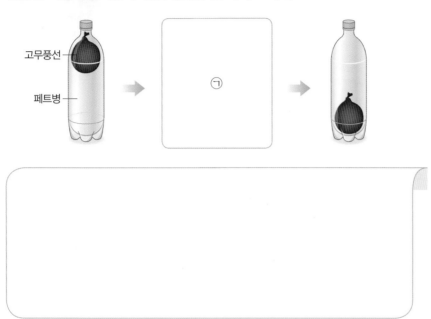

● **비법 3**
고무풍선이 페트병에 끼여 있으므로 고무풍선의 크기를 줄여야 페트병 아래로 내려오게 할 수 있다. 고무풍선 속 공기의 부피를 줄이기 위해서는 힘을 가하는 방법과 온도를 낮추는 방법이 있다.

4 오줌싸개 인형을 집게로 잡아 뜨거운 물에 넣었다가 꺼내어 찬물에 넣었습니다. 인형을 꺼내어 접시 위에 올려놓고 인형에 뜨거운 물을 부으면 인형에서 물이 나옵니다. 오줌싸개 인형에서 물이 나오는 까닭을 쓰시오.

● **비법 4**
오줌싸개 인형은 속이 비어 있는 도자기 인형으로, 앞에 오줌이 나오는 작은 구멍이 있다. 오줌싸개 인형 안에 물이 없을 때는 공기로 가득 차 있고, 온도에 따라 공기의 부피가 변한다.

창의 서술형 문제　영재고·영재원 선발 대비

5 물을 조금 넣은 음료수 캔을 수증기가 나올 때까지 가열 후, 입구를 막고 찬물 속에 넣으면 음료수 캔의 모양이 어떻게 변하는지 쓰고, 그 까닭을 함께 쓰시오.

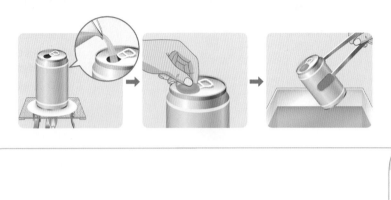

비법 5
• 기체의 부피는 온도 변화에 따라 달라진다.
• 음료수 캔 입구를 막으면 공기가 출입할 수 없다.

6 공기를 이루는 여러 가지 기체 중 질소는 약 78 %를 차지합니다. 질소는 불에 타지 않고 다른 물질과 잘 반응하지 않으며 독성이 없는 기체입니다. 그러나 밀폐된 공간에서 작업하던 작업자가 사망하는 사고의 원인이 질소 가스 유입이라는 뉴스가 나오기도 합니다. 독성이 없는 질소가 어떤 역할을 해서 사망 사고가 난 것인지 그 까닭을 쓰시오.

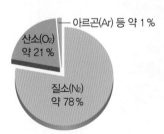

아르곤(Ar) 등 약 1 %
산소(O_2) 약 21 %
질소(N_2) 약 78 %

비법 6
독일에서는 공기 중에서 연소를 돕지 않는 물질을 '질식시키는 물질'이라 불렀고, 이 표현이 '질소'가 되었다고 한다.

7 다음은 힌덴부르크호의 추락 사고에 대한 내용입니다. 글을 읽고, 수소 기체 대신 사용할 수 있는 기체를 한 가지 쓰고, 그 기체를 사용할 수 있는 알맞은 까닭을 쓰시오.

> 1937년 비행선을 띄우기 위해 가벼운 수소 기체를 사용했던 독일의 대서양 횡단 비행선인 힌덴부르크호는 운행 중 불이 붙어 추락하는 사고로 수많은 인명 피해가 났다.

● **비법 7**
수소는 공기보다 가볍지만, 폭발 위험성이 있는 기체이다.

8 설탕을 녹일 때 베이킹 소다의 주성분인 탄산수소 나트륨을 넣어 섞으면 부풀어 오르는 성질을 이용하여 단단하지 않고 부드러운 설탕 과자를 만들 수 있습니다. 설탕 과자는 캐러멜을 과자 형태로 부풀린 것입니다. 다음을 보고 설탕 과자가 부풀어 오르는 원리를 쓰시오.

● **비법 8**
탄산수소 나트륨을 가열하여 녹이면 이산화 탄소가 발생한다.

> • 설탕을 가열하면 수분이 빠져나가면서 '설탕 → 포도당 → 캐러멜' 순서로 변한다.
> • 탄산수소 나트륨을 가열하면 탄산 나트륨, 물, 이산화 탄소로 분해된다.

온도에 따른 기체의 부피 변화

📢 발명품 만들기 📢

발명품 경진 대회는 창의적인 아이디어를 구체화하는 과정을 통해 과학적 문제 해결 능력을 향상시킬 수 있는 대회이다. 발명품은 아직까지 없었던 물건을 새롭게 생각하여 만들고, 과학적 원리가 포함되어야 한다. 발명품의 설계도, 작품의 설명이 포함되어야 한다. 발명품 대회는 1단계 학교 대회(3~4월)를 진행하고, 2단계 시·도 예선과 본선을 거쳐, 3단계 전국 대회를 진행하게 되는 큰 대회이다.

참고 자료 ① 갈릴레이 온도계

갈릴레이가 1592년에 발명한 초기 온도계는 기다란 유리 용기 안에 공기가 들어 있고, 물이 조금 올라와 있는 모양이다. 온도가 높아지면 공기의 부피가 커지면서 용기 안 물의 높이가 낮아지고, 온도가 낮아지면 공기의 부피가 작아지면서 물의 높이가 올라가 온도 변화를 나타낸다. 기다란 유리 용기에 눈금을 표시해 온도 변화를 측정한 이 온도계

▲ 온도가 높을 때   ▲ 온도가 낮을 때

는 온도를 눈으로 볼 수 있다는 의미에서 '서모스코프(Thermoscope)'라고 불렀다. 그러나 수십 도의 커다란 온도 차가 아니면 공기의 부피 변화가 크지 않기 때문에 상온에서는 눈금 차이를 거의 알아볼 수 없는 단점이 있었다. 또한 공기의 부피가 변하는 것을 균일하게 보여 주기 위해 유리 용기를 일정한 굵기로 만드는 기술도 부족했으며, 유리 용기 자체도 온도에 따라 부피가 약간 변한다는 단점도 있었다. 날씨에 따라 대기압이 변하는 것도 문제였다. 갈릴레이의 초기 온도계는 실용성은 없지만 온도계의 중요성을 일깨워 주는 계기가 되었다.

---

1. 갈릴레이 초기 온도계의 원리를 쓰시오.

2. 갈릴레이 온도계의 유리 용기가 가늘수록 좋은 까닭을 쓰시오.

↪정답과 해설 **58**쪽

참고 자료 2 화재 감지기

화재 감지기는 화재가 발생했을 때 자동적으로 화재를 빠르게 감지하여 화재 경보를 알려 주는 장치이다. 화재 감지기는 화재에 의해 발생하는 열에 의한 공기의 팽창을 이용하여 작동된다. 화재 감지기 내부에 있는 감열실은 속이 기체로 가득 차 있다. 온도가 상승하면 감열실 속 기체의 부피가 커지고, 감열실의 팽창에 의해 주접점과 보조 접점이 연결되어 경보가 울린다. 화재 경보기는 주위 온도가 일정 온도 이상이 되면 작동한다.

▲ 화재 감지기　　　　　　　　▲ 화재 감지기 내부 구조

1. 불이 나서 화재 경보가 울리는 상황에서 불을 꺼도 계속 화재 경보가 울린다면 화재 경보를 끌 수 있는 방법을 한 가지 쓰시오.

2. 불이 났을 때 열에 의해 기체의 부피가 커지는 현상 외에 다른 어떤 것을 감지할 수 있을지 한 가지 쓰시오.

온도에 따른 기체의 부피 변화

온도 변화에 따른 기체의 부피 변화를 활용한 발명품을 그리시오.

발명품 아이디어 산출하기
기체의 부피 변화를 적용할 수 있을 생활용품을 생각해 보자.

↻정답과 해설 **59쪽**

● <u>발명품 이름</u>

● <u>발명품이</u>
  <u>활용되는</u>
  <u>장소</u>

● <u>발명품을</u>
  <u>만들게 된</u>
  <u>동기</u>

● <u>발명품이</u>
  <u>작동하는</u>
  <u>과정</u>

● <u>발명품에</u>
  <u>대한 설명</u>

4 식물의 구조와 기능

● 창의 서술형 문제

● 과학 탐구 대회

과학 토론 식물에 지능이 있을까?

탐구 보고서 | 발명품 | 과학 토론 | 에세이 ESSAY |

창의 서술형 문제

영재고·영재원 선발 대비

1 민들레는 뿌리가 굵고 곧아 물이 많지 않은 메마른 땅에서 비교적 잘 자랍니다. 만약 민들레 뿌리가 강아지풀 뿌리와 같은 수염뿌리로 바뀐다면 어떻게 될지 쓰시오.

▲ 곧은뿌리(민들레)

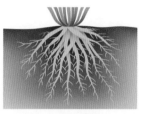

▲ 수염뿌리(강아지풀)

비법 1

뿌리의 주된 역할은 물의 흡수 작용 및 지지 작용이다. 뿌리는 식물의 종류에 따라 곧은뿌리를 갖는 것과 수염뿌리를 갖는 것이 있다. 뿌리의 형태는 식물이 살아가는 환경과 밀접하게 연관되어 있다.

2 고구마는 잎에서 만든 양분을 뿌리에 저장하는 식물입니다. 만약 고구마가 햇빛을 충분히 받지 못하는 곳에서 자라면 어떻게 될지 그렇게 생각한 까닭과 함께 쓰시오.

▲ 고구마

비법 2

무와 고구마와 같은 식물은 사용하고 남은 양분을 뿌리에 저장한다.

3 오른쪽은 열대지방의 바닷가에서 사는 맹그로브
입니다. 맹그로브가 사는 바닷가의 바닥은 주로
질퍽한 갯벌입니다. 맹그로브의 뿌리가 물 밖으
로 나와 있는 까닭을 쓰시오.

● 비법 3
맹그로브가 사는 지역은 따뜻한
열대 바닷가이다. 따뜻한 바닷물
이 드나드는 두꺼운 진흙 갯벌에
는 산소가 거의 없다. 또 진흙 갯
벌은 흙이 부드러워 땅이 단단하
지 않다.

4 식물의 줄기는 뿌리에서 흡수한 물과 잎에서 만든 양분이 이동하는 통로입니다.
다음은 사과나무의 줄기 껍질을 고리 모양으로 둥글게 벗겨 내고 오랜 시간이 지
난 후의 모습입니다. 껍질을 벗겨 낸 부분의 윗쪽이 부풀어 두꺼워지는 결과가
나타난 까닭을 물의 이동 통로와 양분의 이동 통로와 관련지어 쓰시오.

껍질

물관부

오랜 시간이
지난 후

● 비법 4
식물의 줄기에서 물이 이동하는
물관은 안쪽에, 양분이 이동하는
체관은 바깥쪽에 있다.

체관   물관

창의 서술형 문제

5 다음 탐구 결과를 보고 생쥐를 식물과 함께 두면 살 수 있는 까닭을 광합성과 관련지어 쓰시오.

▲ 밀폐된 유리종 속에 생쥐만 두면 생쥐가 죽는다.

▲ 밀폐된 유리종 속에 식물과 생쥐를 함께 두면 생쥐가 죽지 않는다.

● 비법 5
식물은 햇빛이 있을 때 물과 이산화 탄소를 이용하여 광합성을 하고, 그 결과 양분과 산소를 만들어낸다. 동물은 호흡할 때 산소를 들이마시고 이산화 탄소를 내뱉는다.

6 지구 온난화 등의 이상 기후로 우리나라의 기후가 변하고 있습니다. 기후가 변하면서 기온이 높아져 더운 날이 많아지면 식물의 모습도 변합니다. 우리나라의 기후가 점점 더 더워진다면 바늘처럼 가늘고 긴 잎이 많은 침엽수와 넓고 큰 잎이 많은 활엽수 중 어느 종류가 많아질지 그렇게 생각한 까닭과 함께 쓰시오.

▲ 침엽수의 잎

▲ 활엽수의 잎

● 비법 6
식물은 증산 작용을 통해 식물체 내의 물을 수증기의 형태로 식물체 밖으로 내보내 주변의 열을 빼앗아가므로 식물 내의 온도가 상승하는 것을 막는다.

7 벚나무의 열매는 버찌라고 불립니다. 버찌는 동물  들이 많이 먹습니다. 만약 이 열매가 동물들이 싫 어하는 맛으로 변한다면 어떤 일이 일어날지 벚나 무가 씨를 퍼뜨리는 방법과 관련지어 쓰시오.

● 비법 7
식물의 씨는 곤충, 새, 바람, 물 등의 도움을 받아 멀리 퍼진다.

8 영민이네는 온실에서 과일을 재배합니다. 부모님은 과일나무가 잘 자라게 하기 위해 햇빛이 잘 들어오게 온실을 유리로 만들고, 자동으로 물과 양분을 주는 장치 도 만들었습니다. 또한 해충이 들어오지 못하게 온실을 밀폐하고 깨끗한 공기만 들어올 수 있도록 했습니다. 그런데 과일나무에 과일이 잘 열리지 않았다면 무엇 이 잘못되었는지 추리해서 쓰시오.

● 비법 8
식물이 열매를 맺기 위해서는 꽃 가루받이(수분)가 이루어져야 한다.

식물에 지능이 있을까?

과학 토론 대회란?

실생활 및 미래에 발생할 수 있는 문제 상황을 과학적으로 분석하고 이를 해결할 수 있는 다양한 측면의 문제 해결 방안을 창의적으로 생각하여 3 ~ 4장의 개요서(요약서)를 작성한 후, 자신의 의견을 토론하는 대회이다. 개요서를 바탕으로 상대와의 과학적 소통을 통해 보다 논리적이고 발전적인 대안을 도출하는 토의·토론 종목이다. 문제 상황과 토론 논제는 대회 당일 현장에서 발표하고 정보 수집 및 활용에 필요한 논제 관련 참고 자료는 별도로 제공한다. 주어진 자료를 바탕으로 주장, 문제 원인 및 과학적 분석, 해결 방안을 개요서(요약서)에 모두 작성하여야 한다.

참고 자료

파리지옥

파리지옥은 토양 속 질소가 부족한 습지에 사는 식물로, 벌레를 잡아먹어 부족한 질소를 보충한다. 파리지옥의 변형된 잎 안쪽에는 아주 미세한 감각모 세 쌍이 있다. 이 감각모에 벌레가 두 차례 부딪치면 잎이 닫히는데, 닫힌 잎을 다시 열기 위해서는 에너지가 사용되기 때문에 벌레가 아닌 물체가 한 번 잘못 닿는

▲ 파리지옥

경우에는 잎이 닫히지 않는다. 잎은 세포에 물이 드나들면서 부풀거나 줄어들어 열리고 닫힌다. 파리지옥의 잎은 용수철과 같이 당겨져 있는 두 잎이 두 번의 접촉이 있을 때 한 순간에 닫히기 때문에 파리지옥의 잎이 닫히는 데에는 겨우 0.1초 정도가 걸린다. 일부 과학자는 30초 안에 두 번 건드려야 잎이 닫히는 것은 식물이 자극을 기억하고 있고, 그 기억을 이용하여 잎을 닫는다고 주장한다.

미모사

미모사는 잎의 세포에 물이 들어가 부피가 늘어나면 잎이 펴져 있고 자극을 받으면 세포에서 물이 빠져나가 잎이 접힌다. 반으로 접힌 잎을 본 천적들은 그 잎은 먹을 게 없다고 느끼기 때문에 미모사는 잎을 접음으로써 잎을 보호할 수 있다. 미모사 잎이 접히는 것

▲ 자극 받은 미모사의 움직임

은 많은 에너지가 사용되기 때문에 자꾸 만지면 미모사는 시들어 죽을 수도 있다. 미모사에 물방울을 떨어뜨리면 처음에는 잎을 오므리지만 반복적으로 물방울을 떨어뜨리면 잎을 접지 않는 것을 보고 일부 과학자는 식물이 지능이 있다고 주장하였다. 하지만 식물체 내 에너지가 없어서 자극에 반응을 하지 못하였다는 주장을 하는 식물학자도 있다.

↶정답과 해설 **62쪽**

1. 파리지옥이 지능이 있다고 주장하는 과학자들은 어떤 근거를 제시했는지 쓰시오.

2. 식물이 지능이 있다고 생각하는지, 식물은 지능이 없다고 생각하는지 자신의 생각을 쓰시오.

3. [토론 논제]가 다음과 같을 때 토론 개요서에 핵심적으로 들어가야 할 항목을 모두 쓰시오.

> **[토론 논제]**
> 식물에 지능이 있는지, 없는지에 대해 자신의 생각과 그렇게 생각한 까닭을 함께 쓰시오.

식물에 지능이 있을까?

● 앞의 자료를 보고, 토론 개요서(요약서)를 작성하시오.

논제

식물에 지능이 있는지, 없는지에 대해 자신의 생각과 그렇게 생각한 까닭을 함께 쓰시오.

주장

근거 및 까닭

↪정답과 해설 **62**쪽

근거 및 까닭

상대 의견에 대한 예상 질문

5 빛과 렌즈

- 창의 서술형 문제

- 과학 탐구 대회

  탐구 보고서 반타블랙(Vantablack)

창의 서술형 문제

1 프리즘을 통과한 햇빛은 여러 가지 색의 빛으로 나누어집니다. 프리즘을 통과한 여러 가지 색의 빛을 다시 한 번 프리즘을 통과시키면 어떻게 될지 쓰시오.

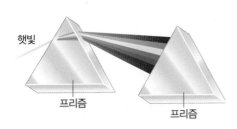

● 비법 1
햇빛이 프리즘을 통과하면 빛이 여러 가지 색으로 넓게 퍼져 보인다.

2 다음 (가)와 같이 물이 든 수조에 레이저 지시기의 빛을 위쪽에서 아래쪽으로 비스듬하게 비추면 빛이 꺾여 보입니다. (나)와 같이 수조의 물 위쪽에 얼음이 얼었을 때, 같은 각도로 레이저 지시기의 빛을 위쪽에서 아래쪽으로 비스듬하게 비추면 얼음과 물의 경계에서 빛이 ㉠, ㉡, ㉢ 중 어느 방향으로 나아갈지 기호를 쓰고, 그렇게 생각한 까닭을 함께 쓰시오.(단, 굴절률은 공기<얼음<물 순이다.)

(가)

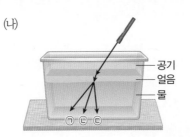

(나)

● 비법 2
빛은 물질에 따라 나아가는 속력이 다르기 때문에(굴절률이 다르기 때문에) 공기와 유리, 물과 기름 등과 같이 다른 물질이 만나는 경계에서 굴절한다.

3 물이 없는 수조 속에 넣은 빨대는 곧은 모양으로 보입니다. (1) 물이 있는 수조 속에 넣은 빨대는 어떻게 보일지 수조 속에 그림과 화살표로 나타내고, (2) 그렇게 보이는 까닭을 빛과 관련지어 어떤 현상 때문인지 쓰시오.

▲ 물이 없는 수조 속의 빨대

● 비법 3
빛이 서로 다른 물질을 통과할 때 물질마다 빛의 진행 속도가 달라 빛의 굴절이 나타난다. 굴절한 빛이 눈으로 들어올 때 사람은 그 빛이 직진한 것으로 인식한다.

(1) 물이 있는 수조 속의 빨대가 보이는 모습

(2) 그렇게 보이는 까닭

4 높이가 낮고 불투명한 컵 속에 동전을 넣고 동전이 보이지 않는 위치에서 컵에 물을 조금씩 부었는데 동전이 보이지 않았습니다. 이 컵 속의 물에 설탕을 넣어 녹이면 어떤 현상이 나타날지 쓰시오.

● 비법 4
물에 설탕을 넣어 녹이면 설탕을 넣기 전보다 물과 공기의 경계에서 빛이 더 많이 꺾인다.

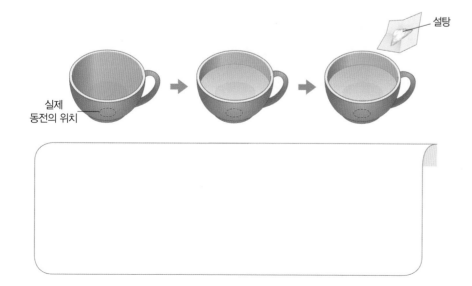

실제 동전의 위치

설탕

창의 서술형 문제 　영재고·영재원 선발 대비

5 다음 여러 가지 렌즈 ㉠～㉤ 중 볼록 렌즈인 것을 모두 골라 기호를 쓰고, 이 렌즈들이 볼록 렌즈인 것을 확인할 수 있는 방법을 세 가지 쓰시오.

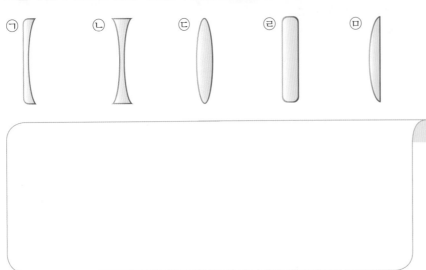

㉠　　㉡　　㉢　　㉣　　㉤

● 비법 5
볼록 렌즈는 빛을 굴절시켜 빛을 한 곳으로 모은다.

6 다음은 볼록 렌즈를 이용한 실험 과정입니다. 검은색 종이로 볼록 렌즈의 반을 가리면 반대편 스크린에 맺힌 전구의 모양은 어떻게 될지 그 까닭과 함께 쓰시오.

❶ 전구에 불을 켜 놓은 상태에서 볼록 렌즈를 사용하여 전구의 반대편 스크린에 상이 맺히도록 한 다음, 스크린에 맺힌 전구의 모양을 관찰한다.
❷ 검은색 종이로 볼록 렌즈를 조금씩 가리면서 스크린에 맺힌 전구의 모양을 관찰한다.

스크린　검은색 종이
볼록 렌즈　?

● 비법 6
전구의 한 점에서 여러 방향으로 나온 빛이 볼록 렌즈를 지나면서 굴절하여 다시 종이의 한 점에 모인다.

정답과 해설 **63**쪽

7 투명한 둥근 그릇에 물을 가득 담고 구슬을 실에 매달아 물속에 집어넣었습니다. 둥근 그릇의 겉면을 통해 구슬을 볼 때, 실에 매단 구슬이 물의 중간 부분에 있을 때와 물의 표면 가까이에 있을 때 중 언제 구슬의 크기가 더 커 보일지 쓰고, 그렇게 생각한 까닭을 함께 쓰시오.

▲ 물의 중간에 있을 때   ▲ 물의 표면 가까이에 있을 때

비법 **7**
투명한 둥근 그릇에 든 물은 볼록 렌즈의 역할을 한다. 물체의 상이 확대되어 보이는 크기는 렌즈의 두께가 두꺼울수록 크다.

8 우리의 눈은 물체에서 반사된 빛이 망막에 맺혀 물체를 보는 원리입니다. 외부에서 들어온 빛이 수정체를 통해 굴절되어 물체의 상이 망막에 맺히게 되는데, 원시는 물체의 상이 망막보다 뒤쪽에 맺힙니다. 원시인 사람들이 볼록 렌즈로 만든 안경을 쓰는 까닭을 쓰시오.

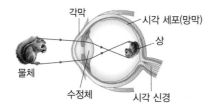 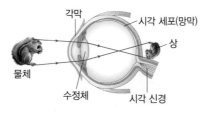

▲ 정상적인 눈: 가까운 거리를 볼 때 수정체가 두꺼워진다.   ▲ 원시: 가까운 거리를 볼 때 수정체가 두꺼워지지 못한다.

비법 **8**
원시는 망막 뒤쪽에 물체의 상이 맺혀서 먼 곳은 잘 보이지만 가까운 곳은 잘 보이지 않는 눈이다.

과학 탐구 대회 준비 탐구 보고서

반타블랙(Vantablack) 탐구

❝❝ 탐구 보고서를 작성하는 방법은? ❞❞

탐구 보고서는 실험을 통해 얻게 된 새로운 정보와 지식, 실험 결과를 정리한 글이다. 실험 결과뿐만 아니라 어떠한 목적으로 이 실험을 수행하게 되었는지, 실험 방법과 실험 결과를 통해 어떤 결론에 도달하였는지 등을 구체적으로 작성하여야 한다. 탐구 보고서는 탐구 주제에 대한 가설 설정, 실험 준비물, 실험 과정, 실험 결과, 실험 결론 등으로 나누어 작성할 수 있으며, 관심 있는 분야의 열정을 보여줄 수 있는 중요한 포트폴리오가 된다.

참고 자료

햇빛과 같은 백색광을 물체에 비추면 물체는 일부 색의 빛은 흡수하고 나머지 색의 빛은 반사하는데, 물체의 색은 물체에서 반사되어 나오는 빛의 색이다. 우리가 보는 물체의 색은 물체로부터 반사된 빛의 색인 것이다. 물체에서 두 가지 색의 빛이 반사되면 그 두 빛의 합성된 색으로 보인다. 백색광 아래의 물체에서 모든 색의 빛이 반사되면 흰색으로 보이고, 모든 색의 빛이 흡수되어 반사되는 빛이 없으면 검은색으로 보이지만, 실제 검은색은 빛의 일부를 반사한다. 지금까지 우주에서 모든 것을 빨아들이는 강력한 블랙홀을 제외하고는 실생활에서 빛을 100 % 모두 흡수하는 물체는 없었다. 하지만 새롭게 개발된 물감인 '반타블랙(Vantablack)'은 빛의 약 99.965 %를 흡수하여 블랙홀과 같이 대부분의 빛을 흡수한다. 반타블랙이 거의 모든 빛을 흡수할 수 있는 까닭은 반타블랙을 수백만 그루의 키가 큰 나무들이 빽빽한 숲으로 묘사하여 설명할 수 있다. 키가 큰 나무로 가득한 숲의 아래쪽이 어두운 것처럼 수직으로 빽빽하게 밀도가 높은 탄소 나노 큐브들로 구성되어 있는 반타블랙은 그 사이로 들어온 빛이 빠져나갈 수 없는 구조이다. 반타블랙은 빛의 반사가 거의 이루어지지 않는 물질이라서 반타블랙이 칠해진 물체는 아주 깊은 구멍처럼 보인다.

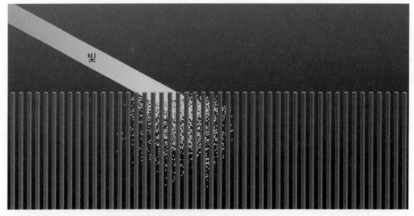

▲ 빛이 반타블랙의 빽빽한 탄소 나노 튜브 사이로 들어가면 반사되어 나오지 못한다.

↻정답과 해설 **65쪽**

1. 반타블랙은 어떤 원리로 빛의 약 99 %를 흡수하는지 정리해서 한 문장으로 쓰시오.

2. 반타블랙 물감이 있다면 어디에 칠하고 싶은지 상상하여 그 까닭과 함께 쓰시오.

3. 반타블랙 물감을 태양 전지판에 칠한다면 어떤 좋은 점이 있을지, 자신의 생각을 쓰시오.

4. 탐구를 하기 전에는 어떤 목적으로 이 실험을 할 것인지를 결정하는 것이 가장 중요합니다. 반타블랙 물감이 있다면 어떤 것을 확인하는 실험을 하고 싶은지 쓰시오.

반타블랙(Vantablack) 탐구

배경 지식

모든 탐구는 정확한 결과값을 얻기 위해 같게 해야 할 조건과 다르게 해야 할 조건을 생각해야 한다. 반타블랙 탐구는 반타블랙과 여러 가지 검은색 물감에 따라 각각 반사된 빛의 양을 측정하여 빛 흡수율을 비교해 본다. 같게 해야 할 조건은 빛의 양과 빛을 비추는 거리, 어떤 면이 받는 빛의 밝기인 조도를 측정하는 위치 등이다. 온도나 습도는 조도와는 상관이 없어서 같게 맞추지 않아도 된다. 다르게 해야 할 조건은 검은색 재료이다. 수채화 물감, 포스터 물감, 아크릴 물감, 사인펜, 매직펜, 검은색 도화지, 반타블랙 등을 이용한다.

탐구 주제 **다양한 검은색 물감의 빛 흡수율 연구**

● **가설 설정**

> 반타블랙은 어떤 검은색 물감보다 빛 흡수율이 좋을 것이다.

● **탐구 준비물**

- 검은색 재료(수채화 물감, 포스터 물감, 아크릴 물감, 사인펜, 매직펜, 검은색 도화지, 반타블랙 종이)
- 손전등
- 조도계(빛의 밝기를 측정하는 기계 장치)

조도 감지 센서

- 조도 감지 센서를 실험하고자 하는 곳을 향하게 하고 RANGE 버튼을 누르면 조도가 측정된다.
- 조도(조명도) 값은 lux(럭스) 단위로 광학에서 빛에 관련된 물리적인 양을 측정하는 단위이다.

● **탐구 과정**

탐구 주제, 가설 설정, 탐구 준비물을 읽고 탐구 과정을 구체적으로 작성하고, 실험 장치를 그리시오.

1

전기의 이용

- **창의 서술형 문제**

- **과학 탐구 대회**

  탐구 보고서　전압과 전류의 세기

창의 **서술형** 문제   영재고·영재원 선발 대비

1 다음과 같은 멀티탭에 여러 개의 전기 제품을 연결하여 동시에 사용하던 중 한 전기 제품에 과부화가 걸려 하나의 콘센트 전선이 끊어졌습니다. 다른 콘센트에 연결된 전기 제품은 제대로 작동이 되고 있다면 그 까닭은 무엇인지 전기 회로의 연결 방법과 관련지어 쓰시오.

● **비법 1**
　전기 회로에서 전기 제품은 직렬연결과 병렬연결에 따라 전류의 흐름이 달라진다.

2 다음은 동일한 전구 네 개, 전지 두 개가 연결된 전기 회로입니다. 전구 ㉠, ㉡, ㉢, ㉣의 밝기를 비교하여 쓰시오.

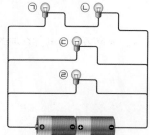

● **비법 2**
　전구 여러 개를 병렬연결했을 때 각각의 전구에는 같은 세기의 전류가 흐른다.

3 다음 ㉠~㉫ 전기 회로 중 전구에 불이 켜지는 것과 켜지지 않는 것으로 분류하여 쓰고, 전구에 불이 켜지는 전기 회로의 전구의 밝기를 비교하여 쓰시오.

● **비법 3**
전기 회로가 끊어지면 전류가 흐르지 않아 전구에 불이 켜지지 않는다.

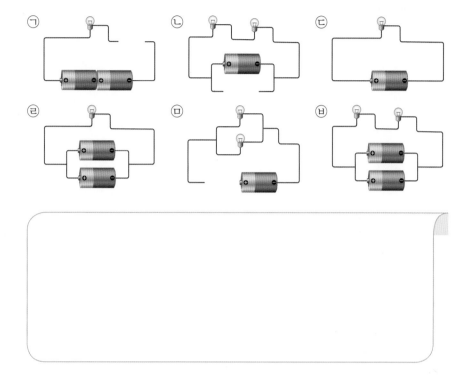

4 다음과 같이 전동기에 날개를 꽂고 전지 두 개를 연결하여 간이 선풍기 전기 회로를 만들었습니다. 전지 두 개를 직렬연결했을 때와 병렬연결했을 때 각각 어떤 장점이 있는지 쓰시오.

● **비법 4**
전지를 직렬연결하면 전압이 높아져서 강한 힘을 낼 수 있고, 전지를 병렬연결하면 전지를 한 개 연결할 때와 전압은 같지만 더 오래 사용할 수 있다.

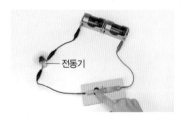

▲ 전지 두 개를 직렬연결했을 때

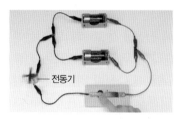

▲ 전지 두 개를 병렬연결했을 때

창의 **서술형** 문제 영재고·영재원 선발 대비

5 다음 (가) 전기 회로의 ㉠ 전구와 (나) 전기 회로의 ㉢ 전구의 필라멘트가 끊어진다면 ㉡과 ㉣ 전구에 불이 켜지는지, 켜지지 않는지 비교하여 쓰고, 그 까닭을 함께 쓰시오.

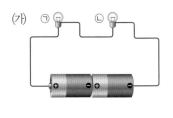

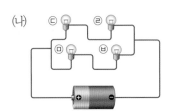

> **비법 5**
> 전구의 병렬연결에서는 전구 한 개의 필라멘트가 끊어져 전류가 흐르지 않아도 다른 전선에 연결된 전구에는 불이 켜진다.

6 오른쪽과 같이 나침반 위와 아래에 전선을 놓고 각각의 전선에 같은 세기의 전류를 흐르게 하였습니다. 두 전선에 흐르는 전류의 방향이 아래쪽에서 위쪽으로 같을 때 나침반 바늘의 움직임은 어떻게 될지 그렇게 생각한 까닭과 함께 쓰시오. (단, 지구 자기장의 효과는 무시합니다.)

전류의
방향

> **비법 6**
> 같은 방향으로 전류가 흐르는 전선이 나침반 위에 있을 때와 아래에 있을 때 전류에 의해 나침반 바늘의 N극이 가리키는 방향은 반대이다.

7 다음은 둥근머리볼트에 에나멜선을 감아 만든 전자석에 붙은 시침바늘의 개수를 나타낸 표입니다. 표를 보고, 전지 네 개를 직렬연결했을 때 전자석에 붙는 시침바늘의 개수를 예상하고, 표를 통해 알 수 있는 사실을 쓰시오.

직렬연결한 전지의 개수(개)	1	2	3	4
전자석에 붙은 시침바늘의 개수(개)	3	7	12	?

비법 7
전자석의 세기는 막대에 감는 에나멜선의 굵기, 에나멜선을 감은 수, 그리고 직렬연결한 전지의 개수 등에 따라 달라진다.

8 스피커는 내부에 있는 전자석이 얇은 판을 진동시켜 소리를 내는 원리입니다. 스피커 내부의 전자석은 원통 모양으로 되어 있으며, 얇은 판을 붙인 전자석을 둥근 영구 자석에 끼운 다음 전류의 방향이 계속 바뀌는 교류 전류를 흐르게 합니다. 이때 교류 전류가 흐르면 전자석의 극과 움직임이 어떻게 되는지 쓰시오.

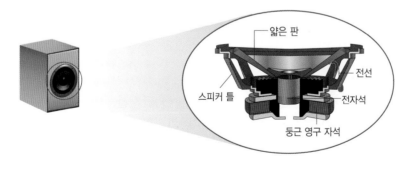

비법 8
교류 전류는 크기와 방향이 주기적으로 변하는 전류로, 전류가 흐르는 방향에 따라 전자석의 극이 변한다.

전압과 전류의 세기

> **탐구 보고서를 작성하는 방법은?**
>
> 탐구 보고서는 실험을 통해 얻게 된 새로운 정보와 지식, 실험 결과를 정리한 글이다. 실험 결과뿐만 아니라 어떠한 목적으로 이 실험을 수행하게 되었는지, 실험 방법과 실험 결과를 통해 어떤 결론에 도달하였는지 등을 구체적으로 작성하여야 한다. 탐구 보고서는 탐구 주제에 대한 가설 설정, 실험 준비물, 실험 과정, 실험 결과, 실험 결론 등으로 나누어 작성할 수 있으며, 관심 있는 분야의 열정을 보여 줄 수 있는 중요한 포트폴리오가 된다.

참고 자료 **전류와 전류계 사용법**

전기 회로에 전지를 연결하면 금속 전선을 따라 전하가 이동한다. 이렇게 금속 전선을 따라 일정한 방향으로 전하가 흐르는 것을 전류라고 한다. 금속 전선에서 전류가 흐르는 것은 전자 때문이라는 것은 20세기 이후에 밝혀졌다. 전자의 존재를 알지 못했던 이전의 과학자들은 (+)전하가 전지의 (+)극에서 (−)극으로 움직여서 전류가 흐른다고 생각하였다. 이런 까닭으로 과학자들은 전류를 전지의 (+)극에서 (−)극으로 이동한다고 정하였다. 이후 전자가 발견되어 전자의 흐름으로 전류가 발생하는 것이라는 것을 알게 되었지만, 전류의 방향은 그대로 사용하기로 하였다. 전류의 세기의 단위는 한 지점을 통과하는 전하의 양을 나타내는 A(암페어)를 사용한다.

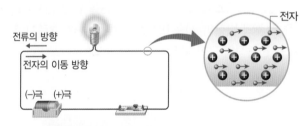

▲ 전류가 흐를 때 전자의 이동

전기 회로에서 전류의 세기를 측정하는 장치인 전류계는 (+)단자를 전기 회로에 연결된 전지의 (+)극 쪽에 연결하고, (−)단자를 (−)극 쪽에 직렬로 연결하면 계기판에서 전류의 세기 값을 읽을 수 있다. 전류계의 단자를 반대로 연결하면 계기판의 바늘이 반대로 움직이게 되므로 전류계의 단자를 반대로 연결하지 않도록 주의해야 한다. 색깔만으로 구분할 수 있도록 (+)단자는 빨간색으로, (−)단자는 검은색

▲ 전류계

으로 되어 있으며, 전류계의 측정 범위를 넘어서는 전류의 세기를 측정하면 전류계가 고장 날 수 있다.

1. 다음 전기 회로에서 ㉠, ㉡, ㉢ 전류계로 측정한 전류의 세기를 비교하여 그 까닭과 함께 쓰시오.

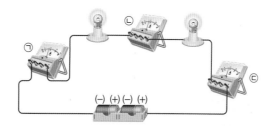

2. 오른쪽과 같이 동일한 두 개의 전구를 병렬연결한 전기 회로에 ㉠~㉣ 네 개의 전류계를 연결하였습니다. 전류계의 측정값을 비교하여 그 까닭과 함께 쓰시오.

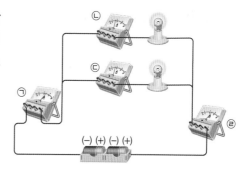

3. 위 2번 전기 회로에서 두 전구를 규격이 서로 다른 것으로 바꾸어 연결한 후 측정하였더니 ㉠ 전류계의 전류의 세기가 6A(암페어)이고, ㉡ 전류계의 전류의 세기가 1A(암페어)였습니다. ㉢과 ㉣ 전류계의 전류의 세기는 각각 얼마일지 쓰고, 그 까닭을 함께 쓰시오.

전압과 전류의 세기

배경 지식

전압

전기 회로에서는 전지로 인한 전기적 위치 에너지의 차이로 인해 전류가 흐르게 된다. 전기적 위치 에너지의 차이를 전압이라고 하고, 전압이 클수록 전류의 세기가 증가한다. 전압의 단위는 V(볼트)를 사용한다. 전지에는 1.5 V, 3 V 등으로 전압이 표시되어 있다.

전압계

전압계는 전기 회로에서 전압을 측정하는 장치이다. 전기 회로에서 측정하고자 하는 부분에 전압계를 병렬연결하여 전압을 측정할 수 있다. 전압계의 (+)단자는 전지의 (+)극이 나오는 전선에 연결하고, 전압계의 (−)단자는 전지의 (−)극이 나오는 전선에 연결하여 전압을 측정한다. 전류계와 달리 전압계는 전기 회로에 병렬로 연결하는 것에 주의한다.

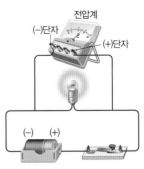

▲ 전압계의 연결 방법

탐구 주제	전압에 따른 전류의 세기에 대한 연구

● **가설 설정**

> 전압이 커질수록 전류의 세기도 커질 것이다.

● **탐구 준비물**

> 전지 1.5 V(개수는 제한 없음.), 전지 끼우개, 전류계, 전압계, 집게 달린 전선, 전구, 전구 끼우개

● **탐구 과정**

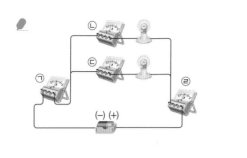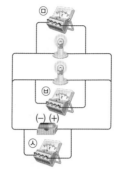

▲ 전류 측정   ▲ 전압 측정

① 전구 두 개를 병렬연결하고, 1.5 V 전지 한 개를 연결한다.

② 전류계 ㉠~㉣을 위 그림과 같이 연결한다.

③ 각 지점에서의 전류의 세기를 측정한다.

④ 전류계를 제거하고, 전압계 ㉤~㉥을 병렬로 연결한다.

⑤ 각 지점에서의 전압을 측정한다.

⑥ 1.5 V 전지를 한 개 더 직렬연결하여 3 V일 때 과정 ②~⑤를 반복한다.

● **탐구 결과**

구분	전류계(A)				전압계(V)		
	㉠	㉡	㉢	㉣	㉤	㉥	㉦
전지 한 개 연결	0.7	0.35	0.35	0.7	1.5	1.5	1.5
전지 두 개를 직렬연결	1.4	0.7	0.7	1.4	3	3	3

> 탐구 결과 표를 보고, 전구에 걸리는 전류와 전압의 관계 그래프를 그리시오.

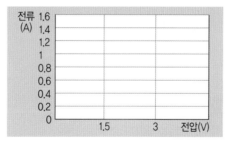

● **탐구 결론**

> 탐구 결과 표와 그래프를 보고, 자료를 해석하여 알 수 있는 사실을 쓰시오.

2 계절의 변화

- **창의 서술형 문제**

- **과학 탐구 대회**

 태양계 행성의 계절

탐구 보고서 | 발명품 | 과학 토론 | 에세이 ESSAY |

창의 서술형 문제

영재고 · 영재원 선발 대비

1 조선시대에 사용된 규표(圭表)는 해가 남중할 때 막대기의 그림자 길이를 측정하여 계절을 24절기로 나누었던 기구입니다. 규(圭)는 땅에 수평으로 눕힌 막대, 표(表)는 땅에 수직으로 세운 막대입니다. 우리나라에서 규(圭)는 어느 방향으로 설치해야 하는지 그 까닭과 함께 쓰고, 남반구 중위도에서도 규표를 사용할 수 있을지, 우리나라와 비교하여 어떻게 해석해야 하는지 쓰시오.

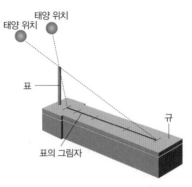

▲ 규표(圭表)의 모습

● 비법 1
절기는 우리 조상들이 계절의 변화를 알기 위하여 일 년을 24등분한 것이다. 우리나라는 북반구의 중위도(20°~50°)에 위치한다.

2 다음은 서울에 사는 경준이와 제주도에 사는 소연이가 같은 날 같은 시각에 같은 높이의 막대기를 사용하여 태양 고도를 측정한 결과입니다. 같은 시각에 측정한 태양 고도가 다른 까닭을 쓰시오.

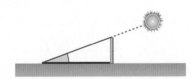

▲ 서울에서 경준이가 측정한 태양 고도

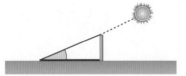

▲ 제주도에서 소연이가 측정한 태양 고도

● 비법 2
지구는 편평하지 않고 둥근 모양이므로 보통 적도 부근의 태양 고도가 높다.

실전 풀이 강의

3 다음은 북반구의 위도 30°인 지역에 태양 전지판을 설치한 모습입니다. 계절별 태양의 남중 고도 표를 보고, 현재 계절이 봄이라면 태양 전지판과 바닥 사이의 경사각이 몇 °일 때 가장 효율적일지 그 까닭과 함께 쓰시오.

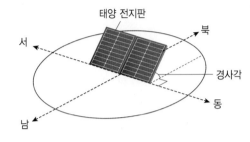

계절	태양의 남중 고도
봄	52°
여름	76°
가을	52°
겨울	29°

● 비법 3
태양 전지판은 바닥에 붙이는 것보다 태양의 고도를 고려하여 태양 빛이 수직으로 들어오도록 설치하는 것이 가장 효율이 좋다.

4 다음은 어느 해 월별 태양의 남중 고도와 월별 낮의 길이를 나타낸 그래프입니다. 태양의 남중 고도와 낮의 길이 사이의 관계를 쓰고, 낮이 가장 짧았다가 다시 길어지는 시기(월)는 언제인지 쓰시오.

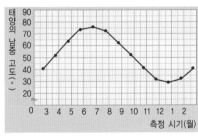

▲ 월별 태양의 남중 고도

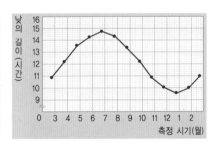

▲ 월별 낮의 길이

● 비법 4
낮의 길이는 여름에 가장 길고, 겨울에 가장 짧다.

창의 **서술형** 문제　　영재고·영재원 선발 대비

5 다음과 같이 손전등에 원통형으로 접은 종이를 붙여 책상을 기준으로 손전등과 모눈종이가 이루는 각도를 다르게 하여 빛을 비추었습니다. 책상에 손전등 빛을 90°로 비추었을 때에는 60°, 30°로 비추었을 때보다 빛이 닿는 면적이 작지만 온도는 가장 높은 까닭을 쓰고, 손전등을 비추는 각도가 작아질수록 온도는 어떻게 달라지는지 함께 쓰시오.(단, 온도는 모눈종이 한 칸의 온도를 측정하여 비교합니다.)

6 지구의 위도 50° 이상의 지역에서는 태양이 지평선 아래로 내려가지 않아 밤중에도 밝은 '백야' 현상이 발생하며, 이 현상이 가장 긴 곳은 6개월 동안 지속됩니다. 다음 ㉠~㉣ 중 지구의 위치가 어느 곳일 때 북극 지방에서 백야 현상을 가장 잘 관측할 수 있는지 기호와 그 때의 계절을 함께 쓰시오.

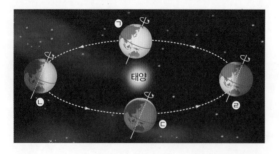

7 다음 (가)는 태양 주위를 도는 지구의 공전 궤도를 나타낸 것이고, (나)는 지구의 자전축이 기울어진 방향을 나타낸 것입니다. 지구가 공전 궤도면을 따라 ㉠ 위치에서 ㉡ 위치로 이동하는 중간 지점에 있을 때 태양에서 지구를 관측한다면 지구는 어떤 모습으로 보일지 ㉢~㉤에서 기호를 골라 그 까닭과 함께 쓰고, 이때 지구의 남반구에 위치한 호주의 계절을 쓰시오.

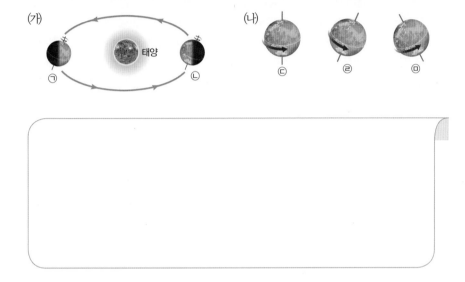

비법 7
우리나라가 여름일 때 태양 빛은 수직에 가깝게 들어온다. 지구의 북반구와 남반구의 계절은 반대이다.

8 지구 자전축의 기울기는 약 23.5°이며 오랜 시간 동안 약 21.5°~24.5°의 범위 내에서 조금씩 변하고 있습니다. 만약 지구 자전축의 기울기가 0°가 되거나 자전축의 북극 방향이 90°로 항상 태양 쪽을 향한 채 태양 주위를 공전한다면 지구의 계절은 어떻게 변할지 비교하여 한 가지씩 쓰시오.

▲ 지구 자전축의 기울기: 23.5°   ▲ 지구 자전축의 기울기: 0°   ▲ 지구 자전축의 기울기: 90°

비법 8
지구 자전축의 기울기가 커질수록 계절의 변화가 뚜렷해진다.

태양계 행성의 계절

에세이(ESSAY)란?

에세이(ESSAY)는 짧은 논문을 가리키는 말로, 주어진 주제를 분석하여 자신의 입장을 정하고 뒷받침할 논리적 근거를 제시하는 글이다. 영재 학교, 과학 고등학교, 대학 부설 영재 교육원 입학시험은 과학 지문에 대한 자료를 읽고 에세이를 작성해야 한다. 에세이를 쓸 때에는 주어진 문제를 정확하게 이해하고, 지문과 본인이 알고 있는 과학 지식을 이용하여 논리적으로 서술하는 것이 가장 중요하다. 정해진 주제에 대해 내가 알고 있는 지식이나 생각을 정리해 보고, 그것을 체계적으로 구성하면 글을 어떻게 작성해야 할지 큰 그림을 그릴 수 있다. 각 지식이나 생각을 체계화하여 나열한 다음 구체적으로 서술하면 에세이(ESSAY)를 쓸 수 있다.

참고 자료 태양계 행성

대부분의 천체는 자전하고 있다. 태양도 자전하고 있고, 태양 이외의 다른 항성과 블랙홀 중에서도 자전이 확인된 것이 있다. 천체가 자전하는 데 중심이 되는 축을 자전축이라고 하며, 한 바퀴 자전하는 데 걸리는 시간을 자전 주기라고 한다. 자전축의 기울기는 각 행성의 공전 궤도면에 수직인 축에 대해 시계 방향으로 기울어진 정도를 뜻하며, 자전 주기는 각 행성이 $360°$ 회전하는 데 걸리는 시간을 말한다. 지구는 자전축이 $23.5°$로 기울어진 채 일 년을 주기로 태양을 중심으로 공전하기 때문에 계절의 변화가 생긴다.

태양계 행성의 공전 주기와 자전축의 기울기는 다음 표와 같다.

행성	수성	금성	지구	화성	목성	토성	천왕성	해왕성
자전 주기	58일 15시간	243일	23시간 56분	1일 36분	9시간 55분	10시간 40분	17시간	16시간
자전 방향	시계 반대 방향	시계 방향	시계 반대 방향	시계 반대 방향	시계 반대 방향	시계 반대 방향	특이한 자전을 함.	시계 반대 방향
자전축 기울기	$0.01°$	$177°$	$23.44°$	$25.19°$	$3.12°$	$26.73°$	$96°$	$28.33°$
공전 주기	0.24년 (88일)	0.68년 (225일)	1.0년 (365일)	1.88년 (687일)	12년	29년	84년	165년

태양계 행성의 자전 방향은 대부분 공전 방향과 동일하며, 북반구를 기준으로 보면 시계 반대 방향이지만 금성은 시계 방향으로 자전하고, 천왕성은 자전축이 공전 궤도면과 거의 나란하게 누워 있으며 다른 행성과 다르게 특이한 자전을 한다.

1. 다음은 태양계 행성의 움직임을 간단하게 표현한 것입니다. 북반구에서 본 행성의 자전 방향과 공전 방향에 알맞게 보기의 행성을 분류하여 기호를 쓰시오.

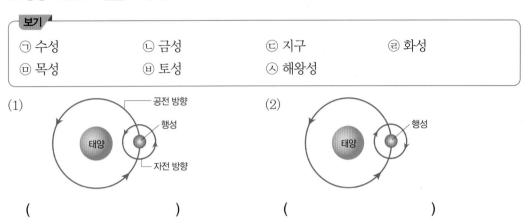

2. 수성은 자전축의 기울기가 0.01 °로 거의 기울어지지 않았습니다. 수성의 계절은 어떻게 변할지 그렇게 생각한 까닭과 함께 쓰시오.(단, 수성의 자전축 기울기 효과만을 고려합니다.)

3. 천왕성은 공전 궤도면과 자전축이 거의 비슷합니다. 천왕성의 계절은 어떻게 변할지 그렇게 생각한 까닭과 함께 쓰시오.

태양계 행성의 계절

Tip 지구의 자전축이 기울어져 있어 지구의 위치에 따라 태양의 남중 고도가 달라지기 때문에 봄, 여름, 가을, 겨울과 같은 계절 변화가 나타난다.

태양의 남중 고도에 따른 태양계 행성의 계절 변화에 대해 쓰시오.

2학기

3 연소와 소화

- 창의 서술형 문제

- 과학 탐구 대회

  과학 토론 / 산불의 소화

창의 서술형 문제

영재고·영재원 선발 대비

1 초를 만들 때 심지를 넣는 것을 깜빡하여 오른쪽과 같이 심지가 없는 초가 되었습니다. 이 초에 불을 붙이면 어떤 현상이 나타날지 심지가 있는 초에 불이 붙는 과정과 비교하여 쓰시오.

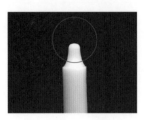

● **비법 1**
초가 타기 위해서는 기체 상태가 되어야 한다. 초의 심지는 초가 기체 상태가 되는 것을 돕는 역할을 한다.

2 연소가 일어나기 위해서는 산소가 필요합니다. 만약 산소가 가득 찬 방에서 성냥불을 켜면 어떤 현상이 일어나게 될지 그렇게 생각한 까닭과 함께 쓰시오.

● **비법 2**
연소가 일어나려면 탈 물질과 산소가 있어야 하고, 온도가 발화점 이상이 되어야 한다. 성냥은 탈 물질이다.

정답과 해설 **72쪽**

실전 풀이 강의

3 다음은 우리나라의 전통적 난방 방법인 온돌의 모습입니다. 온돌에서의 공기의
흐름을 나타낸 것을 보고, 어떤 원리로 방을 따뜻하게 하였을지 연소의 조건 세
가지를 관련지어 쓰시오.

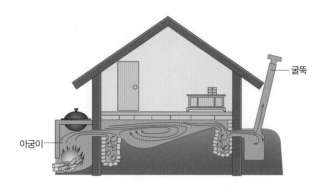

굴뚝

아궁이

비법 3
물질이 연소할 때 주변의 뜨거워진 공기는 아래쪽에서 위쪽으로 이동한다.

4 다음과 같이 종이컵에 물을 넣고 알코올램프로 가열하면 종이컵이 타지 않고 물
을 끓일 수 있습니다. 그 까닭은 무엇인지 쓰시오.

종이컵

알코올램프

비법 4
발화점까지 도달하지 않으면 물체를 가열해도 그 물체는 타지 않는다.

창의 서술형 문제 영재고·영재원 선발 대비

5 하영이네 집에서 화재가 발생했습니다. 화재 원인을 조사한 결과, 베란다 쪽 거실에 있던 물이 담긴 투명한 둥근 어항과 화분에 주기 위해 물을 받아 두었던 페트병 근처에 있던 종이에서 불이 시작되었다고 합니다. 어항과 페트병 근처의 종이에 불이 붙을 수 있었던 까닭을 쓰시오.

비법 5
볼록 렌즈로 햇빛을 한 곳으로 모아 타기 쉬운 물질에 비추면 그 물질에 불이 붙을 수 있다.

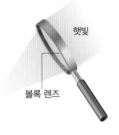

6 다음과 같이 드라이아이스를 넣고 뚜껑에 빨대를 꽂아 고정한 다음, 빨대를 촛불 가까이에 가져갔더니 잘 타던 촛불이 꺼졌습니다. 촛불이 꺼진 원리를 소화와 관련지어 쓰시오.

비법 6
드라이아이스는 고체 상태의 이산화 탄소로, 상온에서 쉽게 기체로 변한다.

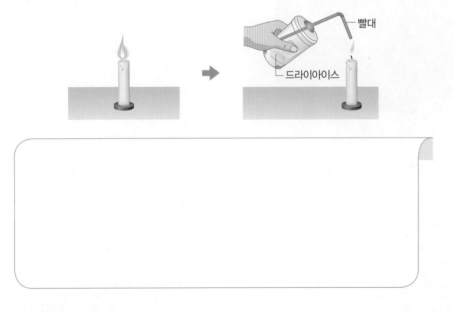

7 화재 초기 단계에 불을 끄는 도구인 소화기 중 이산화 탄소 소화기에는 이산화 탄소를 압축해 액체로 만든 것이 들어 있습니다. 이 소화기를 뿌리면 소화액이 나오면서 드라이아이스로 변합니다. 어떤 원리로 불을 끌 수 있는지 쓰시오.

● 비법 7
소화는 연소의 세 가지 조건 중 한 가지 이상의 조건을 없애는 것이다.

8 수백 명의 사람을 한꺼번에 수송할 수 있는 비행기는 장거리를 이동하기 위해 많은 양의 연료가 필요합니다. 항공기 화재는 대형 폭발 사고로 이어질 수 있기 때문에 항공기 연료는 화재가 잘 발생하지 않도록 발화점이 높지만, 화재가 발생했을 때에는 연료에 의한 화재가 크게 번지는 것을 막기 위해 물로 끄지 않고 거품을 뿌려 불을 끕니다. 기름(연료)에 의한 화재에 물을 사용하면 안 되는 까닭을 쓰시오.

● 비법 8
비행기에 뿌리는 거품은 불이 난 곳에 산소의 공급을 막는 것, 액체 기름을 불꽃과 분리시키는 등의 역할을 한다.

산불의 소화

🔹🔹 과학 토론 대회란? 🔹🔹

실생활 및 미래에 발생할 수 있는 문제 상황을 과학적으로 분석하고 이를 해결할 수 있는 다양한 측면의 문제 해결 방안을 창의적으로 생각하여 3~4장의 개요서(요약서)로 작성한 후, 자신의 의견을 토론하는 대회이다. 개요서를 바탕으로 상대와의 과학적 소통을 통해 보다 논리적이고 발전적인 대안을 도출하는 토의·토론 종목이다. 문제 상황과 토론 논제는 대회 당일 현장에서 발표하고 정보 수집 및 활용에 필요한 논제 관련 참고 자료는 별도로 제공한다. 주어진 자료를 바탕으로 주장, 문제 원인 및 과학적 분석, 해결 방안을 개요서(요약서)에 모두 작성하여야 한다.

🔖 참고 자료

지난 4월 4일 오후 7시에 강원도 고성군에서 산불이 발생했다. 불은 26 m/s의 강풍을 타고 30분만에 속초시까지 빠르게 번졌다. 오후 11시쯤에는 강릉시에서 불이 났다. 이 불은 한 시간 만에 동해시까지 번졌다. 4~5일에만 인제, 고성, 속초, 강릉, 동해에서 동시다발적으로 산불이 났다. 전문가들은 이번 산불은 습도와 바람, 지역 특성, 시간대 등 네 가지 요인이 맞물려 빠르게 불의 규모를 키웠다고 분석했다. 불이 잘 붙는 소나무가 많은 강원 지역에는 건조 주의보가 내려질 정도로 강수량이 적어 나무가 마른 상태에서 산불이 났고, 봄철에 영서지방에서 영동지방으로 부는 바람을 타고 산불이 급속히 확산됐으며, 밤 시간이라 진화 작업도 어려웠다는 것이다. 이 지역에서 부는 바람의 특성은 '강한 바람'과 '고온 건조'이다. 이런 현상은 우리나라의 봄철 기압 배치와 태백산맥 때문에 발생한다. 우리나라의 봄철에는 남쪽에 고기압, 북쪽에 저기압이 되면 고기압과 저기압 사이에 강한 서풍이 형성된다. 이러한 바람이 태백산맥을 넘어 가파른 경사를 타고 내려오면서 세기가 더 강해진다. 즉, 산불이 번지기 좋은 조건이 형성되는 것이다. 이 바람의 위력은 태풍을 능가한다. 4일 오후 8~9시 산불이 시작될 무렵 주변 지역에는 27.6 m/s 이상의 강한 바람이 불었는데, 이 세기를 시속으로 나타내면 99.36 km/h이다. 20 m/s 이상의 강풍은 사람이 가만히 서 있기 어렵고, 우산을 펼쳤을 때 완전히 망가질 정도의 세기이다.

태백산맥

고온 건조한
강풍

강원도 일대의 산에 소나무가 많다는 것도 산불이 크게 번지는 데 영향을 끼쳤다. 소나무는 다른 나무보다 불이 잘 붙는다. 강원도는 토양이 기름지지 못하고 메마르며 경사가 심해 활엽수보다 소나무와 같은 침엽수가 주로 자란다. 또한 기름과 비슷한 정도로 불에 잘 타는 특성이 있는 소나무의 송진은 산불의 연료 역할을 하고, 바람을 타고 솔방울이 불똥 역할을 해 화재를 확산시켰다. 강원도 산의 두껍게 쌓인 낙엽도 불이
붙기 좋은 조건이었다. 이번 산불은 소방대원이 발화 지점에 접근하기 힘들고, 소방차의 소방용수도 10분이면 소진될 정도로 피해 면적이 넓었으며, 야간에 발생하여 소방 헬기가 떠서 진화 작업을 하기에도 어려움이 있었다.

1. 강원도에서 발생한 산불의 규모가 커질 수 있었던 까닭을 연소의 세 가지 요소와 관련지어 쓰시오.

2. [토론 논제]가 다음과 같을 때 토론 개요서에 핵심적으로 들어가야 할 항목을 두 가지 쓰시오.

> **[토론 논제]**
>
> 불은 인류의 생존에 반드시 필요하면서도 많이 위험하고, 일반적인 화재보다 산불은 생태계를 파괴하여 피해가 큰 편이다. 산불이 생기는 원인을 분석한 후 산불을 방지하기 위한 방법 및 피해를 최소화하기 위한 방안을 창의적으로 쓰시오.

산불의 소화

● 앞의 자료를 보고, 토론 개요서(요약서)를 작성하시오.

논제

불은 인류의 생존에 반드시 필요하면서도 많이 위험하고, 일반적인 화재보다 산불은 생태계를 파괴하여 피해가 큰 편이다. 산불이 생기는 원인을 분석한 후 산불을 방지하기 위한 방법 및 피해를 최소화하기 위한 방안을 창의적으로 쓰시오.

주장

문제 원인

해결 방안

4 우리 몸의 구조와 기능

- 창의 서술형 문제

- 과학 탐구 대회

창의 서술형 문제
영재고·영재원 선발 대비

1 오른쪽은 손가락뼈의 모습입니다. 손가락뼈의 특징을 쓰고, 손가락뼈가 여러 개의 관절로 되어 있어서 편리한 점은 무엇인지 쓰시오.

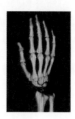

● **비법 1**
손가락뼈는 하나의 뼈로 이루어지지 않았다. 만약 손가락뼈에 관절이 없다면 구부리거나 펼 수 없다.

2 근육은 우리 몸을 움직일 수 있게 합니다. 팔의 안쪽 근육에 문제가 생겼을 때 팔의 움직임에 대해 옳게 말한 사람의 이름과 그렇게 생각한 까닭을 함께 쓰시오.

안쪽
근육

- 은주: 팔을 구부릴 수 없어.
- 수민: 팔을 구부릴 수 있지만 펼 수는 없어.
- 정석: 팔을 구부리거나 펴는 데 아무 상관없어.
- 준호: 팔은 움직일 수 있지만 손가락은 움직일 수 없어.

● **비법 2**
뼈와 연결된 근육은 길이가 줄어들거나 늘어나면서 뼈를 움직이게 한다.

정답과 해설 **74**쪽

실전 풀이 강의

3 배가 아파 화장실을 가니 설사를 했습니다. 설사가 나는 경우에는 우리 몸속 어떤 기관에 문제가 생긴 것일지 보기 에서 골라 쓰고, 그 까닭을 함께 쓰시오.

비법 3
작은창자에서 대부분의 영양소와 물이 흡수되고 큰창자에서 남은 물의 일부가 흡수된다.

보기

위, 식도, 큰창자, 항문

4 해발 고도 2000 m 이상의 높은 산에 올라가면 숨이 차고, 심장이 빨리 뛰며 심한 경우 두통과 구토 증세가 나타나기도 합니다. 높은 산에 올라가면 숨이 차고 심장이 빨리 뛰는 까닭을 높은 산의 환경과 관련지어 쓰시오.

비법 4
해발 고도가 높아질수록 공기의 양이 줄어든다. 즉, 우리 몸에 필요한 산소가 부족한 환경이 되기 때문에 높은 산에 올라가는 사람들은 산소마스크를 착용하기도 한다.

창의 서술형 문제 | 영재고·영재원 선발 대비

5 심장에서 나가는 혈액이 흐르는 혈관을 동맥, 심장으로 들어오는 혈액이 흐르는 혈관을 정맥이라고 합니다. 오른쪽은 동맥과 정맥의 단면을 나타낸 것입니다. 동맥과 정맥의 단면 모양의 차이점을 쓰고, 모양에 차이가 있는 까닭을 혈관의 기능과 관련지어 쓰시오.

▲ 동맥   ▲ 정맥

● **비법 5**
심장의 펌프 작용으로 혈액이 나가는 혈관인 동맥은 일반적으로 혈관벽이 두꺼우며 탄력성이 크다.

6 땀을 많이 흘리는 운동 후에는 소변의 양이 평소보다 적은 까닭을 쓰시오.

● **비법 6**
우리 몸의 수분량은 땀과 오줌으로 조절된다.

7 다음은 혈액 투석을 받고 있는 환자의 모습입니다. 혈액 투석이란 기계로 혈액 속의 노폐물을 걸러 주는 것입니다. 혈액 투석을 받아야 하는 사람은 어떤 기관에 질병이 있으며, 혈액 투석을 받아야 하는 까닭은 무엇인지 쓰시오.

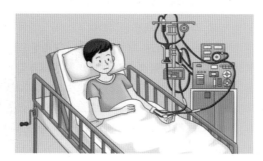

● 정답과 해설 74쪽

● 비법 7
혈액 속에는 우리 몸속에서 에너지를 만들 때 생긴 노폐물이 섞여 있다. 노폐물을 걸러 내지 못하면 몸에 독성 성분이 쌓여 몸이 붓거나 질병에 걸리게 된다.

8 도로 교통법에서는 앞에 가던 자동차가 갑자기 정지할 경우 그 앞차와의 충돌을 피할 수 있는 안전거리를 확보해서 운전해야 한다고 규정하고 있습니다. 안전거리 확보가 중요한 까닭을 우리 몸의 자극에 대한 반응 과정과 관련지어 쓰시오.

● 비법 8
감각 기관을 통해 전달된 자극을 뇌에서 받아들이고 분석하여 다시 명령을 내려 운동 기관이 행동으로 옮기는 과정까지는 사람마다 다르지만 어느 정도의 시간이 걸린다.

지구의 환경과 생물의 구조

에세이(ESSAY)란?

에세이(ESSAY)는 짧은 논문을 가리키는 말로, 주어진 주제를 분석하여 자신의 입장을 정하고 뒷받침할 논리적 근거를 제시하는 글이다. 영재 학교, 과학 고등학교, 대학 부설 영재 교육원 입학시험은 과학 지문에 대한 자료를 읽고 에세이를 작성해야 한다. 에세이를 쓸 때에는 주어진 문제를 정확하게 이해하고, 지문과 본인이 알고 있는 과학 지식을 이용하여 논리적으로 서술하는 것이 가장 중요하다. 정해진 주제에 대해 내가 알고 있는 지식이나 생각을 정리해 보고, 그것을 체계적으로 구성하면 글을 어떻게 작성해야 할지 큰 그림을 그릴 수 있다. 각각의 지식과 생각을 체계화하여 나열한 다음 구체적으로 서술하면 좋은 에세이(ESSAY)를 쓸 수 있다.

참고 자료

현재 지구의 대기는 약 78 %의 질소와 21 %의 산소, 1 %의 물, 그리고 적은 양의 아르곤과 이산화 탄소 등으로 이루어져 있다. 우리는 폐를 통해 공기 중 산소를 받아들일 수 있다. 폐는 약 3억 개의 작은 폐포로 구성된 넓은 표면적을 가지며 이 곳에서 산소를 받아들이고, 불필요한 이산화 탄소를 내보낸다.

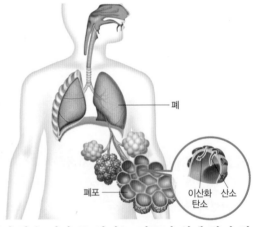

폐

폐포

이산화 탄소   산소

공기로 둘러싸여 있는 지구의 평균 기온은 약 17 ℃로, 수성이나 달처럼 온도 변화가 심하지 않은 까닭 중 하나는 지표면 위에 쌓여 있는 공기인 대기에 의한 효과이다. 대기는 태양 빛을 어느 정도 줄여주고, 지표에서 빠져나가는 열을 막아 주어 낮과 밤의 온도 차이를 줄이고 생명체가 살기에 적당한 온도를 유지시킨다. 지구 대기가 누르는 힘을 대기 압력이라고 하는데, 줄여서 대기압이라고 한다. 공기가 하늘까지 쌓여 있어서 사람의 어깨를 누르는 힘은 약 8000 kg 정도로, 성인 남자 100명이 누를 때의 무게와 같지만 우리 몸은 태어날 때부터 적응되었기 때문에 그 무게를 느낄 수 없다.

동물의 몸에서 중요한 기관인 심장은 수축과 이완을 통해 온몸으로 혈액을 내보낸다. 이때 나타나는 압력이 혈압이며, 혈압은 동물마다 다르다. 작은 동물은 심장에서 가장 먼 세포까지의 거리가 가까워서 혈압이 낮고, 기린과 같이 큰 동물은 심장에서 가장 먼 세포까지의 거리가 멀어서 심장이 크고 혈압이 높다.

➔정답과 해설 **76**쪽

1. 만약 지구의 공기 중 산소의 농도가 지금보다 더 높았다면 사람의 폐는 어떻게 바뀌었을지 자신의 생각을 쓰시오.

2. 우리는 지구의 대기압에 적응되어 공기가 누르는 힘을 견딜 수 있습니다. 하지만 현재의 대기압이 반으로 줄어든다면 우리 몸속 뼈는 어떻게 변할지 자신의 생각을 쓰시오.

3. 아주 옛날에 살았던 공룡 중에는 몸길이가 25 m나 되는 것도 있었습니다. 이러한 공룡은 어떤 방법으로 긴 목을 지나 머리까지 혈액을 운반하였을지 심장의 크기와 관련지어 자신의 생각을 쓰시오.

지구의 환경과 생물의 구조

Tip
지구의 동물과 비슷한 구조를 가지고 있다고 생각하고 몸의 구조가 어떻게 변화될지 자세히 기록해 보자.

평균 기온이 지구와 비슷한 17 ℃인 어느 행성의 공기 성분은 질소가 60 %, 이산화 탄소가 25 %, 산소가 5 %, 나머지 기체가 10 % 정도입니다. 대기압은 지구보다 2배가 높은 이 행성에 살고 있는 몸길이 5 m 정도의 생물의 구조를 상상하여 쓰시오.

5

에너지와 생활

- 창의 서술형 문제

- 과학 탐구 대회

발명품 열전 소자를 이용한 발명품

창의 서술형 문제

영재고·영재원 선발 대비

1 옛날에는 곡식을 찧기 위해 물레방아를 이용하였습니다. 물레방아는 높은 곳에서 떨어지는 물을 이용하여 방아를 찧습니다. 물레방아에서의 에너지 전환에 대해 쓰고, 더 많은 에너지를 낼 수 있는 방법을 한 가지 쓰시오.

> **비법 1**
> 위치 에너지(퍼텐셜 에너지)는 기준점으로부터 물체의 위치와 관련된 에너지로, 높은 곳에 있는 물체일수록 위치 에너지를 많이 가지고 있다.

2 다음 ㉠과 ㉡의 두 선풍기는 바람을 일으켜 시원하게 해 주는 장치이지만, 바람이 나오기까지의 에너지 전환 과정이 다릅니다. ㉠과 ㉡에서의 에너지 전환 과정을 비교하여 쓰시오.

㉠ 손잡이를 잡고 손으로 직접 돌려서 바람을 일으킨다.
㉡ 전지를 넣고 스위치를 켜서 바람을 일으킨다.

> **비법 2**
> 선풍기의 날개를 돌게 하는 운동 에너지는 다른 에너지의 전환으로 만들어질 수 있다.

↪정답과 해설 **78**쪽
실전 풀이 강의

3 다음 표는 병 속에 $\frac{3}{5}$ 정도 모래를 넣고 뚜껑을 닫은 다음, 병을 흔든 횟수에 따른 모래의 온도를 측정한 것입니다. 표를 보고, 팔의 운동 에너지로 모래를 데울 때 병을 흔든 횟수에 따른 온도 변화와 에너지 전환에 대하여 쓰시오.

● 비법 7
에너지 전환은 에너지의 형태가 바뀌는 현상이며, 에너지는 일로 전환될 수 있고, 일은 에너지로 전환될 수 있다.

병을 흔든 횟수(회)	처음	50	100	200	300
병 속 모래의 온도(℃)	15	17	19	23	27

4 다음 여러 가지 롤러코스터 ㉠~㉣ 중 에너지의 손실이 없다고 할 때 출발점에서 출발하여 도착점에 도착할 수 없는 롤러코스터의 기호를 쓰고, 그 까닭을 함께 쓰시오.

● 비법 4
롤러코스터는 전기 에너지를 이용하여 가장 높은 곳까지 올라가 위치 에너지가 최대인 지점에서부터 자유 운동을 시작한다.

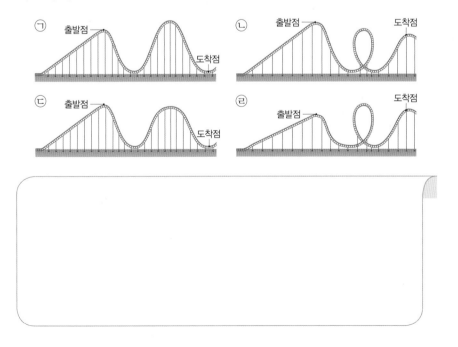

창의 서술형 문제 영재고·영재원 선발 대비

5 다음은 스크루를 이용하여 물을 끌어올리고 끌어올려진 물로 수차를 돌려 다시 스크루를 이용하여 물을 끌어올리는 장치를 나타낸 것입니다. 이 장치는 한 번 외부에서 동력을 전달받으면 더 이상 에너지의 공급 없이 스스로 영원히 작동하며 일을 한다는 가상의 기관으로, 제 1종 영구 기관이라고 합니다. 하지만 실제로는 이 장치가 에너지의 공급 없이 영원히 일을 하는 것은 불가능한데, 그 까닭을 쓰시오.

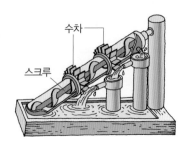

● 비법 5
에너지는 새로 만들어지거나 사라지지 않고 항상 일정한 양이 존재하여 그 총량이 일정하게 보존된다는 것을 에너지 보존 법칙이라고 한다.

6 지구 대부분 에너지의 근원은 태양입니다. 태양에서 시작하여 수력 발전으로 전기를 생산하고, 이 전기가 컴퓨터에 들어올 때까지의 에너지 전환 과정을 쓰시오.

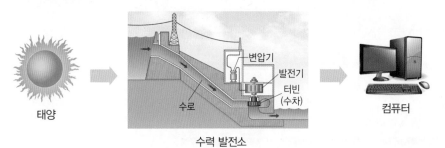

태양 수력 발전소 컴퓨터

● 비법 6
수력 발전은 댐에 있는 물을 흘려 보내 터빈을 돌려 발전기에서 전기를 생산한다.

물 터빈 발전기

7 다음은 환경에 적응한 두 여우의 모습입니다. 더운 사막 지역에 사는 사막여우는 귀가 크고 털이 얇고 빽빽하지만, 추운 북극 지역에 사는 북극여우는 귀가 작고 털이 두껍고 더 빽빽합니다. 사막여우와 북극여우의 생김새가 다른 까닭을 에너지 효율과 관련지어 쓰시오.

▲ 사막여우   ▲ 북극여우

비법 7
사막여우는 귀가 커서 열이 몸 밖으로 잘 빠져나가고, 북극여우는 귀가 작아 열이 몸 밖으로 잘 빠져나가지 않는다.

8 집안이 어두워 전등을 교체하려는데, 형광등보다 발광 다이오드[LED]등으로 교체하는 것이 가격이 더 비싸지만 요즘에는 형광등보다 발광 다이오드[LED]등을 더 많이 사용하는 까닭을 에너지 효율과 관련지어 쓰시오.

▲ 형광등   ▲ 발광 다이오드[LED]등

비법 8
발광 다이오드[LED]등이 형광등보다 에너지 효율이 더 높다.

열전 소자를 이용한 발명품

발명품 경진 대회란?

발명품 경진 대회는 창의적인 아이디어를 구체화하는 과정을 통해 과학적 문제 해결 능력을 향상시킬 수 있는 대회이다. 발명품은 아직까지 없었던 물건을 새롭게 생각하여 만들고, 과학적 원리가 포함되어야 한다. 발명품의 설계도, 작품의 설명이 포함되어야 한다. 발명품 대회는 1단계 학교 대회(3~4월)를 진행하고, 2단계 시 · 도 예선과 본선을 거쳐, 3단계 전국 대회를 진행하게 되는 큰 대회이다.

참고 자료 ❶ 열전 소자

에너지는 다른 형태의 에너지로 전환될 수 있다. 전기 에너지는 열에너지, 운동 에너지 등으로 전환될 수 있고, 운동 에너지는 다시 전기 에너지로 전환될 수 있다. 전기 전열기는 전기 에너지로 열에너지를 만들 수 있는 기기이다. 열과 전기의 상호 작용으로 나타나는 각종 효과를 이용한 소자를 열전 소자라고 한다. 열전 소자는 냉동기나 온도를 높이는 기기에 사용된다. 프랑스 펠티에가 발견한 현상을 이용한 것으로 펠티에 소자라고도 부른다. 열전 소자에 전류를 흐르게 하면 한쪽에서는 열을 흡수하고, 다른 쪽에서는 열을 방출하는 현상이 일어난다. 냉동기는 열전 소자의 냉각 효과를 이용한 것으로, 빠르게 열을 흡수(흡열)하는 현상이 일어난다. 반대로 열전 소자의 한쪽은 차갑게 하고 다른 쪽을 따뜻하게 하면 반대로 전기가 발생되는 현상도 관찰된다. 전류량에 따라 열을 흡수하는 양, 열을 방출하는 양이 조절된다.

1. 생활 속에서 열을 흡수해서 다른 쪽을 차갑게 해 주는 전기 제품에는 어떤 것이 있는지 쓰시오.

2. 위 1번 답과 같은 전기 제품에 사용된 열전 소자는 어떤 단점이 있을지 한 가지 쓰시오.

참고 자료 ❷ **열전 소자를 이용한 제습기**

한쪽은 차갑게 만들고, 다른 쪽은 뜨겁게 만드는 열전 소자의 특징을 이용하여 습한 공기 중의 수증기를 액화시켜 물로 만들고, 건조한 공기를 내뿜는 장치인 제습기를 만들 수 있다. 공기 중 수증기가 많아서 습할 때 제습기의 팬이 움직이면 공기가 제습기 안으로 들어간다. 이때 열전 소자에 전기가 흐르면 한쪽은 냉각이 되고 다른 쪽에서는 열이 나온다. 공기가 들어가는 쪽에는 냉각기가 있고, 공기가 나가는 쪽에는 발열기가 달려 있다. 들어온 습한 공기가 냉각면을 만나면 습한 공기 속 수증기는 온도가 낮아져 응결되어 아래쪽 물통에 떨어진다. 수증기가 줄어든 공기는 건조해지고, 그 공기가 바깥으로 나가면 습기가 제거되어 제습이 된다.

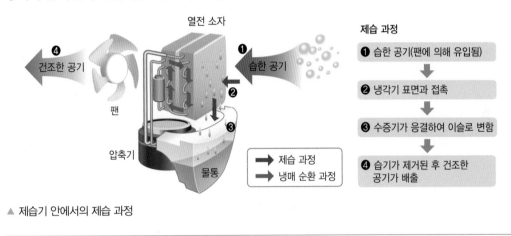

▲ 제습기 안에서의 제습 과정

1. 열전 소자가 전기를 만들어 낼 수 있는 것을 검증하기 위한 탐구를 한다면 어떤 방법으로 해야 하는지 탐구 계획을 쓰시오.

열전 소자를 이용한 발명품

생활 속에서 사용할 수 있는 열전 소자를 이용한 발명품을 그리시오.

 Tip 발명품 아이디어 산출하기

한쪽은 뜨겁고 다른 쪽은 차갑게 해야 하는 곳은 어디일지 찾아보고, 적용할 수 있는 아이디어를 떠올려 보세요.

↻정답과 해설 **80**쪽

- **발명품 이름**

- **발명품이 활용되는 장소**

- **발명품을 만들게 된 동기**

- **발명품이 작동하는 과정**

- **발명품 활용 방안**

  온도 차이가 많이 나는 상황을 찾고, 발명품이 활용될 수 있는 방안을 쓰시오.

Where there is a will,
there is a way.

내신과 등업을 위한 강력한 한 권!

2022 개정 교육과정 완벽 반영
수매씽 시리즈

중학 수학	개념 연산서	1~3학년 1·2학기
	개념 기본서	
	유형 기본서	

고등 수학	개념 기본서	공통수학1, 공통수학2, 대수, 미적분I, 확률과 통계, 미적분II, 기하
	유형 기본서	공통수학1, 공통수학2, 대수, 미적분I, 확률과 통계, 미적분II

동아출판

HIGHTOP
하이탑
초등과학 6학년

하이탑에서 제공되는 강의는
• 1권 초등 과학 개념 강의
• 2권 심화 문제 풀이 강의

동아출판 무료 스마트러닝으로
초등 자기주도 학습 완성!

동아출판
초등 모든 교재
제공 **100%**

친절한 동영상
강의를
QR코드 스캔하면
바로! **1초**

교재별 최적화된
강의 커리큘럼으로
학습 효과 UP! **2배**

무료
스마트러닝
바로보기

무료
스마트
러닝

63400

9 788900 451368
ISBN 978-89-00-45136-8

초등학교   학년   반   번

이름

☎ **Telephone** 1644-0600
⌂ **Homepage** www.bookdonga.com
✉ **Address** 서울시 영등포구 은행로 30 (우 07242)

• 정답 및 풀이는 동아출판 홈페이지 내 학습자료실에서 내려받을 수 있습니다.
• 교재에서 발견된 오류는 동아출판 홈페이지 내 정오표에서 확인 가능하며, 잘못 만들어진 책은 구입처에서 교환해 드립니다.
• 학습 상담, 제안 사항, 오류 신고 등 어떠한 이야기라도 들려주세요.

믿고 보는 초등 과학 개념서

HIGHTOP
하이탑

초등 과학 6학년

1학기·2학기

동아출판

3권 정답 | 자세한 풀이·친절한 해설 | 이해하기 쉬운 보충 설명

1권

하이탑 초등 과학 6학년

정답과 해설

1 과학처럼 탐구해 볼까요?

1 과학자처럼 탐구하기

탐구 문제   12쪽

1 ㉠ 5 ㉡ 5 ㉢ 5 ㉣ 9   2 (1) 예 ㉢ (2) 예 ㉢

1 표는 되도록 단순하게 만들어 간결한 방식으로 상세한 정보를 제공해야 합니다. 실험 결과를 표로 자료 변환하면 많은 양의 자료를 한눈에 알아보기 쉽게 나타낼 수 있습니다.

2 일반적으로 그래프의 가로축에는 실험에서 다르게 한 조건, 즉 표의 첫 번째 줄의 내용을 나타냅니다. 이 실험에서는 시험관을 담근 물의 온도를 가로축의 제목으로 정하고, 차가운 물과 따뜻한 물을 적어야 합니다. 세로축에는 실험에서 측정한 효모액의 부피를 나타내고, 세로축의 눈금은 측정한 값 중에서 최솟값과 최댓값을 모두 표시할 수 있는 범위로 정합니다.

확인 문제   13쪽

1 현준   2 ④   3 ㉢
4 ㉠   5 준호   6 ㉠ 가설 ㉡ 결론

1 궁금한 점이 생기면 궁금한 점에 대한 탐구 문제를 정하고 탐구의 결과를 예상하여 가설을 세운 후 탐구를 실행해 볼 수 있습니다.

(내용 플러스)

탐구 문제 정하기
• 자연 현상의 관찰로부터 문제를 파악하고, 궁금한 점에서 탐구의 방법 및 내용 등이 분명하게 드러나도록 탐구 문제를 찾아 명확하게 나타냅니다.

가설 세우기
• 내가 관찰한 사실이나 경험, 책에서 알게 된 내용 등을 바탕으로 가설을 세웁니다.
• 가설을 세울 때에는 탐구를 하여 알아보려는 내용이 분명하게 드러나야 하고, 이해하기 쉽도록 간결하게 표현하며, 탐구를 하여 가설이 맞는지 확인할 수 있어야 합니다.

2 내가 알고 있는 과학적 지식으로 설명할 수 없는 자연 현상에 의문을 갖고 탐구 문제를 정하는 문제 인식 과정을 마치면, 탐구 결과에 대한 잠정적인 답인 가설을 세우고 이를 검증할 수 있는 탐구를 시작합니다.

3 실험 결과가 예상과 다르더라도 고치거나 빼지 않고 바로 기록합니다.

4 자료 변환은 관찰한 내용이나 측정한 결과에서 얻은 자료를 기록하고, 자료의 의미를 해석할 수 있도록 표나 그래프 등으로 정리하는 것입니다. 실험을 통해 얻은 결과로 자료를 변환하여 나타내면 자료의 특징을 한눈에 비교하기 쉽습니다.

5 탐구 문제에 따라 관찰 횟수를 정해서 적당한 횟수로 관찰하고 결과를 정리해야 합니다.

6 결론 도출은 실험이나 연구로 수집한 자료를 논리적으로 추론하여 실험 결과를 분석하는 과정입니다. 또한 자료를 해석하여 문제의 해답을 얻거나, 잠정적으로 설정한 가설에 대해 옳고 그름을 최종적으로 판단하는 과정입니다.

단원 평가   14쪽

1 지원 2 (가) ㉣ (나) ㉠, ㉡, ㉢, ㉣ 3 (1) ○ (2) ○

4 (1)

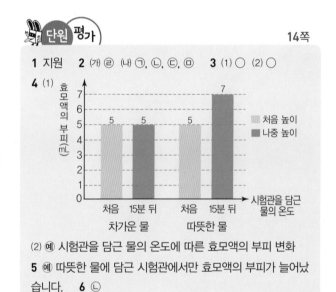

(2) 예 시험관을 담근 물의 온도에 따른 효모액의 부피 변화
5 예 따뜻한 물에 담근 시험관에서만 효모액의 부피가 늘어났습니다.   6 ㉡

1 가설은 탐구를 하여 가설이 맞는지 확인할 수 있어야 하므로, 탐구를 하여 알아보려는 내용이 무엇인지 분명하게 드러나야 하고, 이해하기 쉽도록 간결하게 표현해야 합니다.

2 차가운 곳과 따뜻한 곳에서 발효한 정도를 비교해야 하므로 효모액을 넣은 시험관을 담글 물의 온도만 차가운 물과 따뜻한 물로 온도를 다르게 하고, 나머지 조건은 모두 같게 해야 정확한 결과값을 얻을 수 있습니다.

3 차가운 곳과 따뜻한 곳에서 효모가 얼마나 발효되는지 확인해야 하므로 시험관에서 일어나는 변화를 관찰하고 효모의 부피 변화를 측정해 비교합니다.

4 그래프의 제목은 다르게 한 조건에 따라 나타난 실험 결과의 형식으로 나타냅니다.

5 차가운 물에 담근 시험관에서는 효모액의 부피 변화가 없고, 따뜻한 물에 담근 시험관에서만 효모액의 부피가 늘어났다는 것을 막대그래프의 길이를 비교하여 알 수 있습니다.

6 더 알고 싶은 새로운 내용이 생기면 탐구 문제를 정한 후 가설을 세워 새로운 탐구를 시작할 수 있습니다.

서술형 문제   15쪽

1 예 가설 설정은 탐구 문제를 정하고 탐구의 결과를 예상하는 것으로, 내가 관찰한 사실이나 경험, 책에서 알게 된 내용 등을 바탕으로 세울 수 있습니다.   **2** 예 차가운 곳과 따뜻한 곳에서 발효되는 정도를 비교하는 실험이므로, 물의 온도 차이를 더 크게 해야 합니다.   **3** 예 시험관을 비커에 동시에 담그지 않으면 실험 결과에 영향을 줄 수 있기 때문입니다. **4** 예 표로는 많은 양의 자료를 체계적으로 정리할 수 있고, 그래프로는 실험 조건과 결과의 관계를 한눈에 알아보기 쉽게 나타낼 수 있습니다.   **5** 예 기차가 가장 빠르고 자동차, 버스, 배, 자전거 순으로 빠릅니다.   **6** 예 실험 결과가 나의 가설과 같다면 이를 토대로 탐구 문제의 답을 정리해 결론을 내립니다. 실험 결과가 나의 가설과 다르다면 가설을 수정하여 탐구를 다시 시작해야 합니다.

1 가설을 세울 때에는 탐구를 하여 알아보려는 내용이 분명하게 드러나야 하며, 이해하기 쉽도록 간결하게 표현해야 합니다.

채점 기준

상	가설 설정의 의미와 가설을 세우는 방법에 대한 내용을 모두 알맞게 쓴 경우
중	가설 설정의 의미와 가설을 세우는 방법 중 한 가지만 알맞게 쓴 경우

2 실험 계획을 세울 때에는 가설이 맞는지 확인할 수 있는 실험 방법을 생각합니다. 물의 온도 차이에 따른 효모의 발효 정도를 비교하기 위한 것이므로 물의 온도 차이를 더 크게 해야 정확한 결과를 얻을 수 있습니다.

3 실험을 할 때에는 변인 통제에 유의하여 다르게 해야 할 조건을 제외한 나머지 조건은 같게 유지해야 믿을 수 있는 실험 결과를 얻을 수 있습니다.

4 자료 변환은 관찰한 내용이나 측정한 결과에서 얻은 자료를 기록하고, 자료의 의미를 해석할 수 있도록 표나 그래프, 그림 등으로 바꾸는 것입니다. 자료 변환을 하면 실험 결과로 얻은 자료의 특징을 한눈에 비교하기 쉽습니다.

채점 기준

상	표는 많은 양의 자료를 정리할 수 있고, 그래프는 실험 조건과 결과의 관계를 한눈에 알아보기 쉽게 나타낼 수 있다는 내용을 쓴 경우
중	표는 자료를 정리하기에 좋고, 그래프는 한눈에 알아보기 쉽다는 내용으로만 쓴 경우

내용 플러스

• 표: 많은 양의 자료를 한눈에 알아보기 쉽게 나타낼 수 있습니다.
• 그래프: 실험 조건과 결과의 관계를 한눈에 알아보기 쉽게 나타낼 수 있습니다.
• 그림: 사물의 모양이나 자연 현상을 이해하기 쉽게 표현할 수 있습니다.

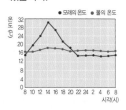

▲ 꺾은선그래프: 점 또는 선으로 자료의 값을 표현한 그래프

▲ 그림: 짚신벌레 영구 표본을 현미경으로 본 모습

5 막대그래프는 막대의 길이로 자료의 값을 표시하는 그래프입니다. 한 시간 동안 교통수단이 이동한 거리를 비교하는 그래프에서 막대의 길이가 길수록 빠른 것입니다. 자전거는 20 km/h, 자동차는 80 km/h, 배는 40 km/h, 기차는 100 km/h, 버스는 60 km/h와 같이 각 교통수단의 평균 속력을 구할 수도 있습니다.

6 결론을 내릴 때에는 실험 결과를 보고 나의 가설이 맞는지 판단해야 하고, 탐구 문제의 해답을 찾아 정리해야 합니다. 실험 결과가 나의 가설과 같다면 이를 토대로 탐구 문제의 답을 정리해 결론을 내리고, 실험 결과가 나의 가설과 다르다면 가설을 수정하여 탐구를 다시 시작합니다.

채점 기준

상	실험 결과가 가설과 같다면 결론을 내리고, 가설과 다르다면 가설을 수정하여 탐구를 다시 시작한다는 내용을 쓴 경우
중	실험 결과가 가설과 같을 때와 다를 때 중 한 가지 내용만 알맞게 쓴 경우

2 지구와 달의 운동

1 지구의 자전

탐구 문제   20쪽

1 (1) ○   (2) ×   (3) ○
2 (1)   (2) 밤

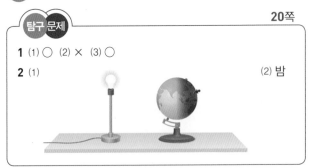

1 지구의의 우리나라가 전등 빛을 받는 쪽은 낮, 전등 빛을 받지 못하는 쪽은 밤에 해당합니다. 따라서 우리나라가 밤일 때 관측자 모형은 전등을 향하지 않습니다.

2 관측자 모형이 전등 빛을 받는 방향에서 지구의를 반바퀴 돌리면 관측자 모형이 전등 빛을 받지 못하는 쪽에 있어 밤에 해당합니다.

▲ 우리나라가 낮일 때

▲ 우리나라가 밤일 때

확인 문제   21쪽

1   ⊙ 한(1)   ⓛ 서   ⓒ 동
              2 동, 서   **3** ⓛ, ⓒ   **4** 지구의 자전
              5 보희   **6** 예 낮과 밤이 하루에 한 번
씩 번갈아 나타납니다.

1 지구가 북극과 남극을 이은 가상의 직선인 자전축을 중심으로 하루에 한(1) 바퀴씩 서쪽에서 동쪽(시계 반대 방향)으로 회전하는 것을 지구의 자전이라고 합니다.

2 지구의가 서쪽에서 동쪽으로 회전하기 때문에 지구의 위에 있는 관측자 모형에게는 전등이 동쪽에서 서쪽으로 움직이는 것처럼 보입니다.

3 지구의가 돌면서 관측자 모형이 전등 빛을 받는 쪽에 있을 때 우리나라가 낮이 되고, 관측자 모형이 전등 빛을 받지 못하는 쪽에 있을 때 우리나라가 밤이 됩니다.

4 실제로 태양이 움직이지 않지만 지구가 서쪽에서 동쪽으로 자전하기 때문에 지구의 움직임을 느끼지 못하는 지구에 있는 우리가 볼 때에는 태양이 동쪽에서 서쪽으로 움직이는 것처럼 보입니다.

내용 플러스
지구의 자전으로 나타나는 현상
하루 동안 태양, 달, 별이 동쪽에서 서쪽으로 움직이는 것처럼 보이고, 하루에 낮과 밤이 번갈아 나타납니다.

5 달은 하루 동안 동쪽 하늘에서 남쪽 하늘을 지나 서쪽 하늘로 움직이는 것처럼 보입니다. 이처럼 달의 위치가 변하는 것은 실제로 달이 움직이지 않지만 지구가 하루 동안 한 바퀴씩 자전하기 때문입니다.

6 지구가 자전축을 중심으로 자전하면서 태양 빛을 받는 쪽은 낮, 태양 빛을 받지 못하는 쪽은 밤이 됩니다. 이 때문에 낮과 밤이 하루에 한번씩 번갈아 나타납니다.

채점 TIP 낮과 밤이 하루에 한 번씩 번갈아 나타난다는 내용을 쓰면 정답으로 합니다.

▲ 지구의 낮과 밤

내용 플러스
낮과 밤의 구분
• 낮은 태양이 동쪽에서 떠오를 때부터 서쪽으로 완전히 질 때까지의 시간입니다.
• 밤은 태양이 서쪽으로 진 때부터 다시 동쪽에서 떠오르기 전까지의 시간입니다.

② 지구의 공전

탐구 문제 24쪽

1 (3) ○ **2** 예 관측자 모형이 사자자리를 잘 볼 수 있는 위치에 있을 때 페가수스자리는 전등과 같은 방향에 있어 전등 빛 때문에 볼 수 없습니다.

1 전등을 중심으로 지구의를 공전시키면 지구의의 위치가 달라지면서 달라진 지구의의 위치에 따라 밤에 보이는 별자리가 달라집니다.

2 한 계절에 다른 계절의 별자리도 볼 수 있지만, 태양과 같은 방향에 있는 별자리는 태양 빛 때문에 볼 수 없습니다.

채점 TIP 사자자리를 잘 볼 수 있는 위치에서 페가수스자리는 전등과 같은 방향에 있어 전등 빛 때문에 볼 수 없다는 내용을 쓰면 정답으로 합니다.

(내용 플러스)
지구의 공전으로 계절별 잘 보이는 별자리와 볼 수 없는 별자리

• 봄철에 볼 수 없는 별자리: 가을철 대표 별자리
• 여름철에 볼 수 없는 별자리: 겨울철 대표 별자리
• 가을철에 볼 수 없는 별자리: 봄철 대표 별자리
• 겨울철에 볼 수 없는 별자리: 여름철 대표 별자리

확인 문제 25쪽

1 ㉠ 태양 ㉡ 일 년(1년) **2** ㉡ **3** (3) ○
4 호정 **5** ㉠ 거문고자리 ㉡ 페가수스자리 ㉢ 오리온자리 ㉣ 사자자리 **6** 동쪽 (하늘)

1 지구가 자전하면서 동시에 태양을 중심으로 일정한 길을 따라 일 년에 한 바퀴씩 서쪽에서 동쪽으로 회전하는 것을 지구의 공전이라고 합니다.

2 지구는 자전축을 중심으로 하루에 한 바퀴씩 서쪽에서 동쪽(시계 반대 방향)으로 자전하면서 동시에 태양을 중심으로 일 년에 한 바퀴씩 서쪽에서 동쪽(시계 반대 방향)으로 공전합니다.

3 지구의가 놓인 위치에 따라 우리나라가 한밤일 때 향하는 곳이 달라지기 때문에 각 위치에서 관측자 모형에게 보이는 모습이 다릅니다.

4 지구가 태양 주위를 공전하면서 계절에 따라 지구의 위치가 달라지고, 그 위치에 따라 밤에 보이는 별자리가 달라집니다. 태양과 같은 방향에 있는 별자리는 태양 빛 때문에 볼 수 없고, 태양과 반대 방향에 있어 밤하늘에서 볼 수 있는 별자리를 그 계절의 대표적인 별자리라고 합니다.

(내용 플러스)
계절별 대표적인 별자리
계절에 따라 보이는 시간이 긴 별자리를 그 계절의 대표적인 별자리라고 합니다.

봄철	사자자리, 목동자리, 처녀자리 등
여름철	백조자리, 독수리자리, 거문고자리 등
가을철	페가수스자리, 안드로메다자리, 물고기자리 등
겨울철	오리온자리, 쌍둥이자리, 큰개자리 등

5 지구의의 각각의 위치에서 우리나라 위치에 붙인 관측자 모형이 전등의 반대편을 바라볼 때가 한밤을 나타냅니다. 따라서 지구의가 ㉠ 위치에 있을 때에는 거문고자리, ㉡ 위치에 있을 때에는 페가수스자리, ㉢ 위치에 있을 때에는 오리온자리, ㉣ 위치에 있을 때에는 사자자리가 가장 잘 보입니다.

6 별자리들은 한 계절에만 보이는 것이 아니라 두 계절이나 세 계절에 걸쳐 보이기 때문에 봄철 저녁 9시 무렵에 남쪽 하늘에서 본 사자자리는 겨울철 저녁 9시 무렵에는 동쪽 하늘, 여름철에는 서쪽 하늘에서 볼 수 있습니다. 보이는 위치는 달라지지만 사자자리는 겨울, 봄, 여름의 세 계절에 걸쳐 모두 보입니다.

③ 달의 모양과 위치 변화

탐구 문제 28쪽

1 (1) × (2) × (3) ○ (4) ○ **2** ㉣, ㉢, ㉡, ㉠

1 초승달, 상현달, 보름달이 뜨는 기간인 약 15일 동안 2~3일에 한 번씩 같은 시각, 같은 장소에서 남쪽을 향해 서서 관측할 수 있도록 관측 계획을 세웁니다. 주변 건물이나 나무 등의 위치를 표시해 두면 달의 위치를 표시하고 확인하기가 쉽습니다.

2 음력 2일 무렵에 ㉣ 초승달을 서쪽 하늘에서 볼 수 있고 이후에 달의 위치가 날마다 조금씩 서쪽에서 동쪽으로 옮겨 가며 초승달에서 상현달, 보름달로 모양이 변합니다.

1권
1학기

2 지구의를 서쪽에서 동쪽으로 돌리면 지구의 위에 있는 관측자 모형이 보기에 전등이 동쪽에서 서쪽으로 움직이는 것처럼 보입니다.

3 하루 동안 태양은 동쪽 하늘에서 보이기 시작하여 남쪽 하늘을 지나 서쪽 하늘로 움직이는 것처럼 보이지만, 실제로 태양이 움직이는 것이 아니라 지구가 서쪽에서 동쪽으로 자전하기 때문에 지구에 있는 우리가 볼 때에는 태양이 동쪽에서 서쪽으로 움직이는 것처럼 보이는 것입니다.

┌─(**내용 플러스**)────
태양의 움직임
지구는 하루에 한 바퀴씩 서쪽에서 동쪽으로 자전하므로 태양은 한 시간에 약 15°씩 서쪽에서 동쪽으로 움직이는 것처럼 보입니다.(360°÷24시간=15°/시간)
─────────────────

4 하루 동안 달뿐만 아니라 태양, 별의 위치가 모두 동쪽에서 서쪽으로 움직이는 것처럼 보이는 까닭은 천체는 실제로 움직이지 않지만 지구가 서쪽에서 동쪽으로 하루에 한 바퀴씩 자전하기 때문입니다.
채점 TIP 지구가 서쪽에서 동쪽으로 자전하기 때문에 달이 동쪽에서 서쪽으로 위치가 변한다는 내용을 쓰면 정답으로 합니다.

5 지구는 하루에 한 바퀴씩 자전하면서 태양 빛을 받는 쪽은 낮이 되고, 태양 빛을 받지 못하는 쪽은 밤이 됩니다. 이 때문에 낮과 밤이 하루에 한 번씩 번갈아 나타납니다.

6 현재 우리나라는 태양이 서쪽으로 진 시간이므로 밤에 해당합니다. 지구의 밤은 태양 빛을 받지 못해 어두운 쪽이므로 태양은 우리나라의 반대편(㉠ 방향)에 있습니다.

7 지구가 태양을 중심으로 일 년에 한 바퀴씩 일정한 길을 따라 서쪽에서 동쪽(시계 반대 방향)으로 회전하는 것을 지구의 공전이라고 합니다.

8 지구는 공전 궤도면에 대해 약 23.5° 기울어진 자전축을 중심으로 하루에 한 바퀴씩 서쪽에서 동쪽(시계 반대 방향)으로 자전합니다. 또한 지구는 태양을 중심으로 일 년에 한 바퀴씩 서쪽에서 동쪽(시계 반대 방향)으로 공전합니다.

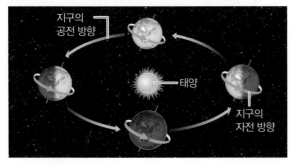

▲ 지구의 자전과 공전

9 지구의를 전등을 중심으로 위치를 옮기는 것은 지구가 태양을 중심으로 일 년에 한 바퀴씩 서쪽에서 동쪽(시계 반대 방향)으로 회전하는 지구의 공전을 나타냅니다. 전등은 태양 역할, 지구의는 지구 역할, 지구의에 붙인 관측자는 지구에 있는 사람 역할을 합니다.

10 지구의가 회전하여 위치가 달라지면 달라진 위치에 따라 우리나라가 한밤일 때 향하는 곳이 달라지기 때문에 ㈎, ㈏, ㈐, ㈑ 각각의 위치에서 관측자 모형에게 보이는 교실의 모습이 다릅니다.
채점 TIP 지구의가 놓인 위치에 따라 우리나라가 한밤일 때 향하는 방향이 달라지기 때문에 보이는 모습이 다르다는 내용을 쓰면 정답으로 합니다.

11 ㈎ 목동자리, 처녀자리, 사자자리는 봄, ㈏ 백조자리, 독수리자리, 거문고자리는 여름, ㈐ 물고기자리, 안드로메다자리, 페가수스자리는 가을, ㈑ 쌍둥이자리, 큰개자리, 오리온자리는 겨울에 볼 수 있는 계절별 대표적인 별자리입니다.

12 봄철의 대표적인 별자리인 사자자리는 겨울에는 동쪽 하늘에서 볼 수 있고, 봄에는 남쪽 하늘에서 볼 수 있으며, 여름에는 서쪽 하늘에서 볼 수 있습니다. 별자리들은 한 계절에만 보이는 것이 아니라 두 계절이나 세 계절에 걸쳐 보입니다.

┌─(**내용 플러스**)────
사자자리를 가을철에 볼 수 없는 까닭
가을철에 사자자리는 태양과 같은 방향에 있기 때문에 밝은 태양 빛 때문에 볼 수 없습니다.
─────────────────

13 지구가 태양 주위를 공전하기 때문에 계절에 따라 지구의 위치가 달라지고, 지구의 위치에 따라 밤에 보이는 별자리가 달라집니다. 페가수스자리가 남쪽 하늘에서 보이는 계절은 가을이므로, ㈐의 별자리가 잘 보이는 때입니다.

14 지구의 공전 궤도에서 지구의 위치에 따라 태양 반대편의 별이 한밤에 보입니다. 태양과 같은 방향에 있는 별자리는 태양 빛 때문에 볼 수 없기 때문입니다.
채점 TIP 태양과 같은 방향에 있어 태양 빛 때문에 볼 수 없다는 내용을 쓰면 정답으로 합니다.

15 지구가 태양 주위를 공전하기 때문에 계절에 따라 지구의 위치가 달라지고, 달라진 지구의 위치에 따라 밤에 보이는 별자리가 다릅니다. 계절에 따라 잘 보이는 별자리를 그 계절의 대표적인 별자리라고 합니다. 가을철의 대표적인 별자리인 페가수스자리는 여름철에는 동쪽 하늘에서 보이지만 겨울철에는 서쪽 하늘에서 보입니다.

16 보름달은 음력 15일 무렵 볼 수 있으므로, 음력 3월 15일에 해당하는 양력 4월 11일 무렵 밤하늘에서 보름달을 볼 수 있습니다. 4월 11일 무렵에 보름달을 보았다면 약 30일 후에 보름달을 다시 볼 수 있습니다.

17 눈썹 모양인 초승달의 반대 모양의 달은 그믐달입니다. 그믐달은 음력 27~28일 무렵 태양이 뜨기 직전 동쪽 하늘에서 잠깐 관측할 수 있습니다.

─(내용 플러스)─

달의 위상
• 지구에서 볼 때 달 표면이 빛을 받아 나타나는 여러 가지 모습을 달의 위상이라고 합니다.
• 달은 스스로 빛을 내지 못하고 태양으로부터 빛을 받아 반사하기 때문에 달, 태양, 지구의 위치와 각도에 따라서 달의 위상이 달라집니다.
• 달의 위상은 평균 약 29.53일을 주기로 변화하며 삭, 초승달, 상현달, 보름달(망), 하현달, 그믐달이 대표적인 형태입니다.

초승달   상현달   보름달   하현달   그믐달

▲ 달의 위상 변화

18 상현달은 저녁 7시 무렵에 남쪽 하늘에서 보이므로 낮 12시에 동쪽 하늘에 뜬 것입니다.

채점 TIP 낮 12시에 동쪽 하늘에 있다가 점점 남쪽으로 이동해 저녁 7시 무렵에는 남쪽 하늘에서 보인다는 내용을 쓰면 정답으로 합니다.

19 여러 날 동안 같은 시각, 같은 장소에서 관측한 달은 모양뿐 아니라 위치도 달라집니다. 달은 하루에 약 13°씩 서쪽에서 동쪽으로 조금씩 위치를 옮겨 갑니다.

─(내용 플러스)─

지구에서 달의 앞면만 보이는 까닭
달이 자전축을 중심으로 하루에 약 13°씩 서쪽에서 동쪽(시계 반대 방향)으로 한 달에 한 바퀴씩 회전하는 것을 달의 자전이라고 하고, 달이 일정한 길을 따라 하루에 약 13°씩 서쪽에서 동쪽(시계 반대 방향)으로 회전하는 것을 달의 공전이라고 합니다. 달은 자전 주기와 공전 주기가 같기 때문에 지구에서는 달의 앞면만 볼 수 있습니다.

20 음력 2~3일 무렵에는 서쪽 하늘에서 초승달을 볼 수 있고, 음력 7~8일 무렵에는 남쪽 하늘에서 상현달을 볼 수 있으며, 음력 15일 무렵에는 동쪽 하늘에서 보름달을 볼 수 있습니다.

 서술형 문제

1 (1) ⑩ 서쪽에서 동쪽으로 돌립니다. (2) ⑩ 실제로 태양이 움직이지 않지만 지구가 자전축을 중심으로 하루에 한 바퀴씩 서쪽에서 동쪽으로 자전하기 때문에 태양이 움직이는 것처럼 보입니다. **2** ⑩ 우리나라는 현재 밤입니다. 낮과 밤이 하루에 한 번씩 나타나는 까닭은 지구가 하루에 한 바퀴 자전하면서 태양 빛을 받는 쪽과 받지 못하는 쪽이 달라지기 때문입니다. **3** ⑩ 빠르게 달리는 기차 안에서 보면 창밖의 나무가 반대 방향으로 움직이는 것처럼 보입니다. **4** ⑩ 지구는 자전축을 중심으로 하루에 한 바퀴씩 서쪽에서 동쪽으로 자전하면서 태양을 중심으로 일 년에 한 바퀴씩 서쪽에서 동쪽으로 공전하므로, 현재의 위치에 다시 오기까지 약 일 년 정도 걸립니다. **5** (1) ⑩ 겨울철에는 동쪽 하늘에 보이고, 봄철에는 남쪽 하늘에 보이며, 여름철에는 서쪽 하늘에 보입니다. (2) ⑩ 지구가 태양 주위를 공전하면서 계절에 따라 지구의 위치가 달라지기 때문입니다. **6** ⑩ 거문고자리는 태양과 같은 방향에 있어서 태양의 밝은 빛 때문에 볼 수 없습니다. **7** ⑩ 음력 2~3일 무렵에는 초승달, 음력 7~8일 무렵에는 상현달, 음력 15일 무렵에는 보름달, 음력 22~23일 무렵에는 하현달, 음력 27~28일 무렵에는 그믐달을 볼 수 있고, 초승달에서 보름달까지 15일 동안 점점 커지다가 보름달에서 그믐달까지 15일 동안 점점 작아집니다. **8** (1) ⑩ 달이 서쪽에서 동쪽으로 날마다 조금씩 위치를 옮겨 갔고, 초승달에서 상현달, 보름달로 모양이 변했습니다. (2) ⑩ 달이 지구를 중심으로 공전하기 때문입니다.

1 지구는 서쪽에서 동쪽으로 자전하므로 지구의를 서쪽에서 동쪽으로 한 바퀴 돌립니다. 실제로 태양은 움직이지 않고 지구가 하루에 한 바퀴씩 서쪽에서 동쪽으로 회전하기 때문에 태양이 동쪽에서 서쪽으로 움직이는 것처럼 보입니다.

동   남   서

▲ 하루 동안 태양의 움직임

채점 기준

상	(1) 지구의를 서쪽에서 동쪽으로 돌리고, (2) 지구가 서쪽에서 동쪽으로 자전하기 때문이라고 쓴 경우
중	(1) 지구의를 서쪽에서 동쪽으로 돌리고, (2) 지구가 자전하기 때문이라고만 쓴 경우
하	(1) 지구의를 서쪽에서 동쪽으로 돌린다는 내용만 쓴 경우

2 지구는 하루에 한 바퀴씩 공전 궤도면에 대해 약 23.5° 기울어진 자전축을 중심으로 자전하기 때문에 낮과 밤이 하루에 한 번씩 나타납니다.

채점 기준

상	우리나라는 현재 밤이라고 쓰고, 지구가 하루에 한 바퀴씩 자전하기 때문에 태양 빛을 받는 쪽과 받지 못하는 쪽이 달라진다는 내용을 쓴 경우
중	우리나라는 현재 밤이라고 쓰고, 지구가 하루에 한 바퀴씩 자전하기 때문이라고만 쓴 경우
하	우리나라는 현재 밤이라고만 쓴 경우

3 우리는 지구의 움직임을 느끼지 못하지만 지구가 자전하고 있기 때문에 태양은 지구 자전의 반대 방향으로 움직이는 것처럼 보입니다.

채점 TIP 지구의 자전과 같이 운동하는 물체가 멈추어 있는 물체를 보았을 때 반대 방향으로 움직이는 것처럼 보이는 현상을 알맞게 쓴 경우 정답으로 합니다.

4 지구는 자전하면서 동시에 태양을 중심으로 일정한 길을 따라 공전합니다.

채점 기준

상	지구의 자전 방향과 자전 주기, 공전 방향과 공전 주기와 함께 현재의 위치에 오기까지 일 년 정도 걸린다는 내용을 쓴 경우
중	지구가 하루에 한 바퀴씩 자전하면서 일 년에 한 바퀴씩 공전한다는 내용만 쓴 경우

---(**내용 플러스**)---

지구의 운동
- 지구가 자전축을 중심으로 하루에 한 바퀴씩 서쪽에서 동쪽(시계 반대 방향)으로 회전하는 것을 지구의 자전이라고 합니다.
- 지구가 태양을 중심으로 일 년에 한 바퀴씩 서쪽에서 동쪽(시계 반대 방향)으로 회전하는 것을 지구의 공전이라고 합니다.
- 지구는 하루에 한 바퀴씩 자전하면서 동시에 태양을 중심으로 일 년에 한 바퀴씩 공전합니다.

---

5 지구의 공전으로 지구의 위치가 달라지면 그 위치에 따라 밤에 보이는 별자리가 달라지며, 별자리가 계절에 따라 움직이는 것처럼 보입니다.

채점 기준

상	(1) 계절별 사자자리의 위치 변화를 옳게 쓰고, (2) 지구가 태양 주위를 공전하면 계절에 따라 지구의 위치가 달라지기 때문이라고 쓴 경우
중	(1) 계절별 사자자리의 위치 변화를 옳게 쓰고, (2) 지구가 태양 주위를 공전하기 때문이라고만 쓴 경우
하	(1) 계절별 사자자리의 위치 변화만 옳게 쓴 경우

6 민지가 들고 있는 별자리를 보고 있는 관측자 모형의 위치에서 거문고자리는 태양과 같은 방향에 있어 볼 수 없습니다.

채점 기준

상	거문고자리가 태양과 같은 방향에 있어 태양은 빛 때문에 볼 수 없다고 쓴 경우
중	거문고자리가 태양과 같은 방향에 있어 볼 수 없다고만 쓴 경우
하	거문고자리를 볼 수 없다고만 쓴 경우

---

7 달이 15일 동안 초승달(음력 2~3일 무렵)에서 점점 커지다가 상현달(음력 7~8일 무렵)이 되고, 상현달에서 점점 커져 보름달(음력 15일 무렵)이 된 뒤에는 15일 동안 점점 작아지면서 하현달(음력 22~23일 무렵), 그믐달(음력 27~28일 무렵)이 됩니다.

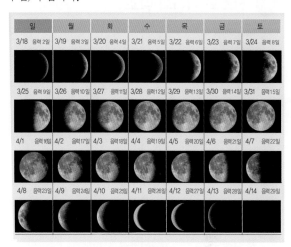

▲ 30일 동안 관측한 달의 모양 변화 예

채점 기준

상	음력 날짜별 달의 이름과 관련지어 15일 동안 점점 커지다가 이후 15일 동안 점점 작아진다는 내용을 쓴 경우
하	음력 날짜별 달의 이름만 쓴 경우

8 달이 지구를 중심으로 공전하기 때문에 지구에서 보는 달의 밝은 부분이 달라져 달의 모양이 변합니다.

채점 기준

상	(1) 달의 위치는 서쪽에서 동쪽으로, 모양은 초승달에서 상현달, 보름달로 변했다고 쓰고, (2) 달이 지구를 중심으로 공전하기 때문이라고 쓴 경우
중	(1) 달의 위치와 모양 변화 중 한 가지만 쓰고, (2) 달이 지구를 중심으로 공전하기 때문이라고 쓴 경우
하	(1)과 (2) 중 한 가지만 쓴 경우

3 여러 가지 기체

1 산소와 이산화 탄소

탐구 문제

1

2 예 향불의 불꽃이 커집니다.

1 ㄱ자 유리관의 끝부분을 집기병 속으로 너무 깊이 넣지 않고 집기병 입구에 두어 물속에 있게 해야 불순물 없이 순수한 기체를 모을 수 있습니다.

2 산소는 다른 물질이 타는 것을 돕는 성질이 있으므로, 향불을 넣으면 향불의 불꽃이 커집니다.

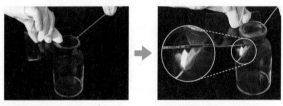

▲ 향불을 넣기 전　　▲ 향불을 넣은 후

채점 TIP 향불의 불꽃이 커진다고 쓰면 정답으로 합니다.

탐구 문제

1 (3) ○　　　　　　　　　　2 예 향불이 꺼집니다.

1 ㄱ자 유리관 끝부분에서 거품이 나오는 것을 보고, 기체 발생 장치에서 기체가 나오고 있음을 알 수 있습니다.

2 이산화 탄소는 다른 물질이 타는 것을 막는 성질이 있으므로, 향불을 넣으면 향불이 꺼집니다.

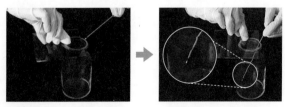

▲ 향불을 넣기 전　　▲ 향불을 넣은 후

채점 TIP 향불이 꺼진다고 쓰면 정답으로 합니다.

1 ㉠, ㉢　　2 ①, ⑤　　3 예 산소는 철을 녹슬게 하므로 공기 중에 오래 있으면 녹이 습니다.　　4 산소　　5 (1) ㉣ (2) ㉡
6 재성　　7 ㉠ 없 ㉡ 끄　　8 (1) 용진 (2) 산소　　9 예 코로 직접 냄새를 맡지 않고 손으로 바람을 일으켜 냄새를 맡습니다.　　10 예 탄산수소 나트륨　　11 ㉡　　12 ㉠

1 산소에는 색깔과 냄새가 없고 스스로 타지 않지만 다른 물질이 타는 것을 돕는 성질이 있습니다. 산소가 다른 물질과 반응하는 것을 산화라고 합니다. ㉡ 산소에는 냄새가 없습니다. ㉢ 산소는 스스로 타지 않습니다. ㉣ 산소는 다른 물질이 타는 것을 돕는 성질이 있습니다.

2 ① 금속을 자르거나 붙일 때 산소와 아세틸렌이라는 기체를 혼합하여 이용합니다. ⑤ 응급 환자의 산소 호흡 장치는 환자에게 고농도의 산소를 공급하여 생명을 유지할 수 있도록 합니다. ② 물질이 타는 것을 막을 때와 ③ 음식물을 시원하게 보관할 때, ④ 탄산음료의 톡 쏘는 맛을 낼 때 이용하는 기체는 이산화 탄소입니다.

3 철이나 구리와 같은 금속은 산소와 만나면 반응하여 산화철이 형성되어 녹이 습니다. 이것을 부식이라고 합니다.

채점 TIP 산소와 만나 녹이 슨다는 내용을 쓰면 정답으로 합니다.

┌─(**내용 플러스**)─────────────
│ **산화철과 부식**
│ • 철과 산소의 화합물입니다.
│ • 천연에서는 자철석, 적철석으로 생산됩니다.
│ • 자기적인 성질이 있어 반도체, 마그넷, 자기테이프의 원료로 쓰입니다.
│ • 철은 공기 중의 산소와 반응하여 전혀 다른 물질인 녹을 생성한다.
└─────────────────────────

4 스스로 타지 않지만 다른 물질이 타는 것을 돕는 기체는 산소입니다.

5 가지 달린 삼각 플라스크에 물과 함께 이산화 망가니즈를 넣은 뒤 묽은 과산화 수소수를 깔때기에 붓고 조금씩 흘려보내면 산소가 발생합니다.

┌─(**내용 플러스**)─────────────
│ **산소계 표백제로 산소 발생시키기**
│ • 실험 방법: 강판에 감자를 간 뒤 산소계 표백제와 함께 비닐봉지에 넣은 뒤 비닐봉지 속의 공기를 모두 빼고 고무줄로 입구를 막습니다.
│ • 실험 결과: 비닐봉지가 부풀어 오릅니다. 산소가 발생해 비닐봉지 속에 모였기 때문입니다.
└─────────────────────────

6 산소에는 색깔과 냄새가 없기 때문에 공기 중에서는 산소가 얼마나 모였는지 알 수 없습니다. 산소를 물속에서 모으면 ㄱ자 유리관 끝에서 나오는 거품으로 산소가 나오고 있음을 알 수 있습니다. 또한, 산소를 공기 중에서 모으면 다른 공기와 섞여 산소만 모으기가 어려울 수 있지만, 물속에서 모으면 다른 기체와 섞이지 않은 산소를 모을 수 있는 장점도 있습니다.

7 탄산음료를 컵에 따르면 거품이 생기는 것은 탄산음료에 녹아 있던 이산화 탄소가 나온 것입니다. 이산화 탄소에는 색깔과 냄새가 없으며, 물질이 타는 것을 막는 성질이 있습니다.

8 이산화 탄소의 불을 끄는 성질을 이용해 소화기를 만들고, 위급 상황에서 자동으로 팽창하는 구명조끼에 이용하며, 이산화 탄소를 고체 덩어리로 만든 드라이아이스로 음식물을 차갑게 보관합니다. 소방관의 압축 공기통은 숨을 쉬기 어려운 화재 현장에서 소방관이 호흡할 수 있도록 도와주는 장치로, 산소를 압축하여 넣습니다.

▲ 소화기

▲ 드라이아이스

9 기체의 냄새를 맡을 때에는 직접 코를 가져다 대고 냄새를 맡지 않고, 기체가 든 용기 위쪽에서 손으로 바람을 일으켜 냄새를 맡아야 합니다. 코로 직접 냄새를 맡으면 코에 무리가 갈 수도 있고 몸에 해로운 기체도 있기 때문입니다.

채점 TIP 코로 직접 냄새를 맡지 않고 손으로 바람을 일으켜 냄새를 맡는다는 내용을 쓰면 정답으로 합니다.

10 이산화 탄소 발생 장치의 가지 달린 삼각 플라스크에 물을 조금 넣은 뒤 탄산수소 나트륨을 네다섯 숟가락 정도 넣습니다.

11 기체를 모을 때 ㄱ자 유리관을 집기병 속에 깊숙이 넣어 기체가 물을 통과하지 않으면 부산물이 제거되지 않아 냄새가 날 수 있습니다. 순수한 기체를 모으기 위해 ㄱ자 유리관을 집기병 속에 깊숙이 넣지 않습니다.

12 이산화 탄소는 물질이 타는 것을 막는 성질이 있으므로 이산화 탄소를 모은 집기병에 향불을 넣으면 향불이 꺼집니다.

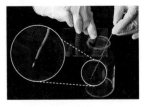
▲ 향불을 넣은 후

② 압력 변화에 따른 기체의 부피

 50쪽

1 (2) ○   (3) ○

2 예 피스톤을 약하게 누를 때와 세게 누를 때 모두 피스톤이 잘 들어가지 않고, 물의 부피는 그대로입니다.

1 공기가 든 주사기의 입구를 손가락으로 막고 피스톤을 세게 누를수록 공기의 부피가 많이 작아지기 때문에 피스톤이 많이 들어갑니다.

2 액체는 압력을 가해도 부피가 변하지 않기 때문에 물을 넣은 주사기의 피스톤을 약하게 누를 때와 세게 누를 때의 물의 부피는 변하지 않습니다.

채점 TIP 피스톤을 약하게 누를 때와 세게 누를 때 모두 피스톤이 잘 들어가지 않고, 물의 부피가 그대로라는 내용을 쓰면 정답으로 합니다.

 확인 문제   51쪽

1 (1) ⓛ (2) ⓒ   **2** ㉠ 낮아 ㉡ 커   **3** 지민   **4** (가)
5 ⓒ   **6** 높은 산 위에 있을 때

1 액체는 압력을 가해도 부피가 변하지 않지만, 기체는 일정한 온도에서 압력을 가한 정도에 따라 기체에 가하는 압력이 커지면 부피가 작아지고 기체에 가하는 압력이 작아지면 부피가 커집니다.

(내용 플러스)

보일 법칙
· 온도가 일정할 때 일정량의 기체의 부피는 압력에 반비례한다는 법칙입니다.
· 즉, 일정한 온도에서 기체에 가하는 압력이 2배, 3배가 되면 기체의 부피는 각각 $\frac{1}{2}$, $\frac{1}{3}$로 줄어들며, 기체의 압력과 부피를 곱한 값은 항상 일정합니다

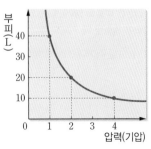
▲ 압력에 따른 기체의 부피 변화 그래프 예

2 물 표면에 가까워질수록 물의 압력(수압)이 낮아지기 때문에 물속에서 잠수부가 내쉰 공기 방울은 물 표면으로 올라갈수록 점점 커집니다.

3 공기에 압력을 가하면 공기의 부피가 작아집니다.

4 공기를 넣은 주사기의 피스톤을 누르면 공기의 부피가 작아지면서 피스톤이 들어가지만, 물을 넣은 주사기의 피스톤을 누르면 물의 부피가 그대로이기 때문에 피스톤이 들어가지 않습니다.

5 주사기의 피스톤에 가한 힘을 없애면 공기의 압력이 원래대로 커지기 때문에 피스톤을 누르기 전의 부피대로 되돌아갑니다.

6 높이 올라갈수록 주위 공기의 압력(대기압)이 낮아지기 때문에 과자 봉지 안의 압력이 커지므로 높은 산 위의 과자 봉지가 산 아래의 과자 봉지보다 부피가 커집니다.

❸ 온도 변화에 따른 기체의 부피

탐구 문제   54쪽

1 ㉠   **2** 준환, 정선

1 플라스틱 스포이트를 뜨거운 물에 넣으면 공기의 부피가 커져 물방울이 처음보다 위로 올라가고, 얼음물에 넣으면 공기의 부피가 작아져 물방울이 처음보다 아래로 내려갑니다.

▲ 뜨거운 물에 넣었을 때   ▲ 얼음물에 넣었을 때

2 기체의 부피는 온도가 높을수록 커지고, 온도가 낮을수록 작아집니다.

---(**내용 플러스**)---

샤를 법칙
• 압력이 일정할 때 일정량이 기체는 그 종류에 관계없이 온도가 높아지면 부피가 일정한 비율로 늘어난다는 법칙입니다.
• 샤를 법칙에 따라 압력이 일정할 때 기체의 부피는 그 종류에 관계없이 온도가 1℃ 높아질 때마다 0℃ 때 부피의 $\frac{1}{273}$배씩 증가합니다.

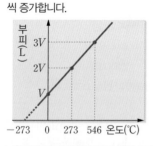

▲ 온도에 따른 기체의 부피 변화 그래프 예

1 온도   **2** ㉠, ㉡   **3** ㉠
4 ㉠ 산소 ㉡ 질소   **5** ㉢   **6** 헬륨, ㉣

1 온도가 변하면 기체의 부피가 달라집니다. 페트병을 냉장고에 넣어 두면 페트병 속 기체의 온도가 낮아져 부피가 작아지기 때문에 페트병이 찌그러집니다.

2 축구공에 공기를 넣은 다음날 기온이 더 낮아졌기 때문에 축구공 속 기체의 부피가 작아져 축구공이 공기가 빠진 것처럼 보입니다.

3 온도가 높아지면 기체의 부피는 커지고, 온도가 낮아지면 기체의 부피는 작아지기 때문에 뜨거운 물이 든 비커에 삼각 플라스크를 넣었을 때 고무풍선이 부풀어 올라 부피가 커집니다.

▲ 뜨거운 물에 넣었을 때   ▲ 얼음물에 넣었을 때

4 공기는 여러 가지 기체가 섞인 혼합물로, 공기의 약 78 %는 질소, 약 21 %는 산소로 이루어져 있고, 아르곤, 수소, 네온, 헬륨, 이산화 탄소 등의 기체가 섞여 있습니다.

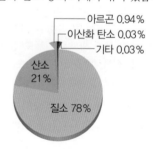

▲ 공기를 구성하는 여러 가지 기체

5 질소는 다른 물질과 잘 반응하지 않기 때문에 식품의 내용물을 보존하거나 신선하게 보관하는 데 이용됩니다. ㉠ 소화기와 ㉡ 탄산음료에는 이산화 탄소가 이용됩니다.

6 헬륨은 공기보다 가벼운 기체로, 불에 타지 않아 폭발의 위험이 적어 비행선에 넣어 이용합니다. ㉠ 특유의 빛을 내는 기체는 네온이고, ㉡ 탈 때 물이 생성되는 기체는 수소입니다. ㉢ 다른 물질과 잘 반응하지 않는 기체는 질소입니다.

1 (1) 산소 (2) 예 산소는 다른 물질이 타는 것을 돕는 성질이 있기 때문입니다. **2** 예주 **3** ③ **4** (1) 산소 (2) 이산화 탄소 **5** ㈎ 이산화 탄소 ㈏ 산소 **6** 실험 ❷ **7** ③ **8** 예 농구 선수가 뛰어올랐다가 내려와 착지할 때 부피가 작아지면서 농구 선수의 몸에 가해지는 충격을 줄여 줍니다. **9** ㉢ **10** ⑤ **11** ㉢ **12** 예 뜨거운 음식을 비닐 랩으로 씌우면 그릇 안 기체의 부피가 커져서 비닐 랩이 부풀어 올랐다가 시간이 지난 뒤 음식이 식으면 기체의 부피가 작아져 비닐 랩이 안쪽으로 오목하게 들어갑니다. **13** ㈎ **14** 예 기체의 온도가 높아지면 기체의 부피가 커지고, 온도가 낮아지면 기체의 부피가 작아지기 때문입니다. **15** ⑤ **16** 예 뜨거운 물에서는 물방울이 처음보다 위로 올라가고, 얼음물에서는 물방울이 처음보다 아래로 내려갑니다. **17** ㉠ 커 ㉡ 작아 **18** 네온 **19** ㈐, 질소 **20** (1) 헬륨 (2) 이산화 탄소

1 산소는 스스로 타지 않지만 다른 물질이 타는 것을 돕는 성질이 있기 때문에 금속을 자르거나 붙일 때 높은 온도의 열을 이용하기 위해서 산소를 이용하기도 합니다.
> 채점 TIP (1) 산소를 쓰고, (2) 산소는 다른 물질이 타는 것을 돕는 성질이 있다는 내용을 쓰면 정답으로 합니다.

2 환자의 호흡 장치는 숨을 쉬기 어려운 환자에게 고농도의 산소를 공급하는 장치로, 산소를 모을 수 있습니다.

3 산소와 이산화 탄소는 색깔과 냄새가 없는 공통점이 있습니다. ① 산소는 스스로 타지 않지만 다른 물질이 타는 것을 돕는 성질이 있고, ④ 이산화 탄소는 물질이 타는 것을 막는 성질이 있습니다. ⑤ 산소와 이산화 탄소는 헬륨 기체보다 무겁습니다.

4 묽은 과산화 수소수와 이산화 망가니즈가 반응하면 산소가 발생하고, 진한 식초와 탄산수소 나트륨이 반응하면 이산화 탄소가 발생합니다.

5 산소는 다른 물질이 타는 것을 돕는 성질이 있고, 이산화 탄소는 물질이 타는 것을 막는 성질이 있습니다. ㈎의 집기병에서 향불이 꺼지므로 실험 ❷에서 발생한 이산화 탄소가 들어 있습니다. ㈏에서 향불의 불꽃이 커지면서 잘 타는 것으로 보아 실험 ❶에서 발생한 산소가 들어 있습니다.

6 석회수는 이산화 탄소를 만나면 뿌옇게 흐려지는 성질이 있는 용액이므로, 실험 ❷에서 발생한 이산화 탄소가 들어 있는 집기병에서 뿌옇게 흐려지는 모습을 관찰할 수 있습니다.

7 기체에 압력을 가하면 압력을 가한 정도에 따라 부피가 달라집니다. 일정한 온도에서 기체에 가하는 압력이 2배, 3배가 되면 기체의 부피는 각각 $\frac{1}{2}$, $\frac{1}{3}$로 작아집니다.

8 농구 선수가 뛰어올랐다가 내려와 발이 땅에 닿을 때 공기 주머니에 들어 있는 기체에 압력을 가하게 되고, 이때 공기 주머니에 들어 있는 기체의 부피가 작아지면서 발에 가해지는 충격을 줄여 줍니다.
> 채점 TIP 뛰어올랐다가 내려올 때 부피가 작아지면서 몸에 가해지는 충격을 줄여 준다는 내용을 쓰면 정답으로 합니다.

9 기체에 압력을 가하면 부피가 작아집니다. 일정한 온도에서 외부 압력이 커지면 기체 입자 사이의 거리가 가까워져서 기체의 부피가 작아지고, 외부 압력이 작아지면 기체 입자 사이의 거리가 멀어져서 기체의 부피가 커집니다.

-(내용 플러스)-
입자 모형으로 나타낸 기체의 압력과 부피 관계

10 기체는 온도가 올라가면 부피가 커지기 때문에 찌그러진 탁구공을 뜨거운 물 속에 넣으면 탁구공 속 공기의 부피가 커지면서 탁구공이 펴집니다.

-(내용 플러스)-
입자 모형으로 나타낸 기체의 온도와 부피의 관계

11 기체에 압력을 가하면 기체의 부피가 작아지지만 액체에 압력을 가하면 액체의 부피는 작아지지 않습니다. 공기만 넣은 ㉢ 주사기의 피스톤이 가장 많이 들어가고, ㉠ 주사기의 피스톤은 ㉢ 주사기의 피스톤보다 적게 들어가며, ㉡ 주사기의 피스톤은 들어가지 않습니다.

-(내용 플러스)-
기체 입자들의 거리는 액체나 고체에 비해 멀기 때문에 기체에 압력을 가하면 입자들 사이의 간격이 줄어들면서 부피가 작아지고, 반대로 가했던 압력을 제거하면 다시 기체의 부피가 원래대로 되돌아갑니다.

12 기체는 온도가 높아지면 부피가 커지고, 온도가 낮아지면 부피가 작아집니다. 즉, 뜨거운 음식을 비닐 랩으로 씌우면 처음에는 그릇 안 기체의 온도가 높아지면서 그릇 안 기체의 부피가 커져 그릇 윗부분의 비닐 랩이 부풀어 오르지만, 음식이 식으면 기체의 온도가 낮아지면서 그릇 안 기체의 부피가 작아져 그릇 윗부분의 비닐 랩이 오목하게 들어갑니다.

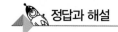

정답과 해설

채점 TIP 뜨거운 음식을 비닐 랩으로 씌우면 그릇 안 기체의 부피가 커졌다가 음식이 식으면 기의 부피가 작아지기 때문이라는 내용을 쓰면 정답으로 합니다.

13 삼각 플라스크를 얼음물에 넣으면 고무풍선이 오그라들고, 뜨거운 물에 넣으면 고무풍선이 부풀어 오릅니다.

14 얼음물에 넣으면 고무풍선과 삼각 플라스크 속의 공기의 온도가 낮아져 공기의 부피가 작아지기 때문에 고무풍선이 오그라들고, 뜨거운 물에 넣으면 고무풍선과 삼각 플라스크 속의 공기의 온도가 높아져 공기의 부피가 커지기 때문에 고무풍선이 부풀어 오릅니다.
채점 TIP 기체의 온도가 높아지면 기체의 부피가 커지고, 기체의 온도가 낮아지면 기체의 부피가 작아진다는 내용으로 온도 변화에 따른 기체의 부피 변화에 대해 쓰면 정답으로 합니다.

15 바닷속에서 잠수부가 내뿜는 공기 방울이 물 표면으로 올라갈수록 커지는 것은 깊은 물속보다 물 표면으로 올라갈수록 주위의 압력이 낮아지기 때문에 나타나는 현상입니다.

16 뜨거운 물에서는 플라스틱 스포이트 속 공기의 부피가 커져 처음 위치보다 물방울이 위로 올라가고, 얼음물에서는 플라스틱 스포이트 속 공기의 부피가 작아져 처음 위치보다 물방울이 아래로 내려갑니다.
채점 TIP 뜨거운 물에서는 물방울이 위로 올라가고, 얼음물에서는 물방울이 아래로 내려간다는 내용을 쓰면 정답으로 합니다.

17 일정한 압력에서 기체의 온도가 높아지면 기체의 움직임이 활발해져 부피가 커지고, 온도가 낮아지면 기체의 움직임이 감소하여 부피가 작아집니다.

18 네온을 유리관에 넣고 전류를 흐르게 하면 붉은색을 내며, 유리관에 네온 기체 외에 다른 기체를 넣거나 형광 물질을 발라 다양한 색깔을 만들 수 있습니다. 이러한 특징을 이용해 조명 기구나 광고에 네온이 이용됩니다. (나)의 풍선은 헬륨, (다)의 소화기는 이산화 탄소, (라)의 자동차 에어백은 질소가 이용됩니다.

---(내용 플러스)---
공기를 이루는 기체의 이용

질소	과자, 차, 견과류 등을 포장할 때, 비행기 타이어나 자동차 에어백을 채울 때, 혈액, 세포 등을 보존할 때 등에 이용됩니다.
산소	응급 환자의 호흡 장치, 잠수부의 압축 공기통, 우주 비행사의 호흡 장치, 물질의 연소 등에 이용됩니다.
수소	전기를 만드는 데 이용되고, 수소 자동차와 수소 자전거에도 이용됩니다.
이산화 탄소	소화기, 드라이아이스, 탄산음료의 재료 등으로 이용됩니다.
네온	조명 기구나 네온 광고에 이용됩니다.
헬륨	비행선이나 풍선을 공중에 띄울 때 이용되고, 목소리를 변조하거나 냉각제로 이용하기도 합니다.

19 다른 물질과 잘 반응하지 않으면서 과일, 과자, 견과류 등을 신선하게 유지하거나 보관할 때 이용되는 기체는 질소입니다. 질소는 비행기 타이어나 자동차 에어백을 채우는 데에도 이용됩니다.

20 (나) 하늘을 날아가는 풍선에는 가벼운 기체인 헬륨이 이용되고, (다) 소화기는 물질이 타는 것을 막는 성질이 있는 이산화 탄소가 이용됩니다.

서술형 문제 60~61쪽

1 예 압축 공기통과 호흡 장치에 이용되는 기체는 산소로, 산소는 다른 물질이 타는 것을 돕는 성질이 있기 때문에 향불을 넣으면 불꽃이 커지면서 탑니다. 2 (1) 예 집기병에 향불을 넣어 향불이 타지 않고 꺼지면 모은 기체가 이산화 탄소라는 것을 알 수 있습니다. (2) 예 집기병에 석회수를 넣고 흔들어 석회수가 뿌옇게 변하면 모은 기체가 이산화 탄소라는 것을 확인할 수 있습니다. 3 예 압력을 약하게 가하면 기체의 부피가 조금 작아지고, 압력을 세게 가하면 기체의 부피는 많이 작아집니다. 4 예 샴푸 통의 꼭지를 누르면 통 안의 압력이 커지기 때문에 압력이 작은 관으로 샴푸가 밀려 관을 통해 밖으로 빠져나오는 것입니다. 5 예 플라스틱 스포이트의 머리 부분(아랫부분)에 들어 있는 기체의 온도가 높아지면 부피가 커져 물방울을 위로 옮길 수 있으므로, 스포이트의 머리 부분을 뜨거운 물에 넣습니다. 6 예 햇볕이 내리쬐는 곳의 자동차 안 공기의 온도는 금방 높아지고, 온도가 높아지면 과자 봉지 속 기체의 부피가 커져 과자 봉지가 팽팽하게 부풉니다. 7 예 페트병 속 기체의 온도가 높아져서 부피가 커지기 때문에 찌그러진 페트병이 펴집니다. 8 예 산소가 과자 봉지 속의 과자를 변하게 할 것입니다.

1 잠수부의 압축 공기통과 환자의 호흡 장치에는 숨을 쉴 때 필요한 산소가 들어 있습니다.

채점 기준

상	공통으로 이용된 기체는 산소로, 산소는 다른 물질이 타는 것을 돕는 성질이 있어 산소를 모은 집기병에 향불을 넣으면 불꽃이 커지면서 잘 탄다는 내용을 쓴 경우
중	공통으로 이용된 기체는 산소로, 산소를 모은 집기병에 향불을 넣으면 잘 탄다고 쓴 경우
하	공통으로 이용된 기체는 산소라고만 쓴 경우

2 이산화 탄소는 물질이 타는 것을 막는 성질이 있어 향불을 꺼지게 하고, 석회수는 이산화 탄소를 만나면 뿌옇게 흐려집니다.

▲ 이산화 탄소가 든 집기병에 석회수를 넣고 흔들었을 때의 변화: 투명하던 석회수가 뿌옇게 됩니다.

채점 기준

상	집기병에 향불을 넣어 꺼지는 것을 확인하고, 집기병에 석회수를 넣었을 때 석회수가 뿌옇게 변하는 것을 확인한다고 두 가지를 옳게 쓴 경우
하	집기병에 향불을 넣어 꺼지는 것을 확인하거나 집기병에 석회수를 넣었을 때 석회수가 뿌옇게 변하는 것을 확인한다는 두 가지 중 한 가지만 옳게 쓴 경우

3 압력을 약하게 가하면 기체의 부피가 약간 작아져 피스톤이 조금 들어가고, 압력을 세게 가하면 기체의 부피가 많이 작아져 피스톤이 많이 들어갑니다.

▲ 압력을 약하게 가할 때   ▲ 압력을 세게 가할 때

채점 기준

상	압력을 약하게 가하면 기체의 부피가 조금 작아지고, 압력을 세게 가하면 기체의 부피가 많이 작아진다는 내용을 쓴 경우
중	압력을 세게 가할수록 기체의 부피가 많이 작아진다는 내용만 쓴 경우

4 일정한 온도에서 기체에 가하는 압력이 2배, 3배가 되면 기체의 부피는 $\frac{1}{2}$, $\frac{1}{3}$로 작아집니다. 즉, 샴푸 통의 꼭지를 누르면 통 안의 압력이 커지면서 기체의 부피가 작아지고, 압력의 차이 때문에 통 안에 든 샴푸가 관을 통해 바깥으로 빠져나오게 됩니다.

채점 기준

상	샴푸 통의 꼭지를 누르면 통 안의 압력이 커져 압력이 작은 관으로 샴푸가 밀려나온다는 내용을 쓴 경우
중	샴푸 통의 꼭지를 누르면 통 안의 압력이 커지기 때문이라고만 쓴 경우

5 온도가 높아지면 기체의 부피는 커지고, 온도가 낮아지면 기체의 부피는 작아집니다. 따라서, 플라스틱 스포이트의 머리 부분(아랫부분) 속 기체의 온도가 높아지면 공기의 부피가 커지면서 물방울이 밀리기 때문에 물방울이 위로 올라갑니다.

채점 기준

상	플라스틱 스포이트의 머리 부분의 온도를 높여 주는 구체적인 방법을 알맞게 쓴 경우
중	플라스틱 스포이트의 머리 부분의 온도를 높여 준다고만 쓴 경우

6 더운 여름철에 햇볕이 강하게 내리쬐는 곳에 자동차를 몇 시간 동안 주차해 두면 자동차 실내의 온도는 80 ℃~90 ℃까지 올라갑니다. 실내 공기의 온도가 올라가면 그 안에 있는 과자 봉지 속 기체의 온도도 올라가기 때문에 과자 봉지의 부피가 커져 과자 봉지가 팽팽해집니다.

채점 기준

상	자동차 안 공기의 온도가 올라가면 과자 봉지 속 기체의 온도도 높아져 기체의 부피가 커지기 때문에 과자 봉지가 팽팽하게 부푼다는 내용을 알맞게 쓴 경우
하	자동차 안 공기의 온도가 올라가기 때문이라고만 쓴 경우

7 냉장고 속에서 페트병 속 기체가 차가워졌다가 페트병을 꺼내 놓으면 기체가 다시 점점 따뜻해지면서 부피가 커지므로 찌그러진 페트병이 펴집니다.

채점 기준

상	페트병 속 기체의 온도가 높아지면서 부피가 커지기 때문에 찌그러진 페트병이 펴진다는 내용을 쓴 경우
하	페트병 속 기체의 부피가 커지기 때문이라고만 쓴 경우

8 과자 봉지에서 질소를 빼내고 산소를 넣으면 시간이 지날수록 과자와 산소가 반응하여 과자가 변할 수도 있고, 산소는 숨을 쉴 때 필요한 기체이므로 과자 봉지 속에 작은 미생물이나 벌레가 생길 수도 있습니다.

채점 기준

상	산소가 과자 봉지 속 과자를 변하게 할 것이라는 내용을 썼거나 과자 봉지 속에 벌레가 생길 것이라는 내용을 쓴 경우
중	과자가 변할 것이라고만 쓴 경우

(**내용 플러스**)

질소 충전 포장
질소는 다른 기체에 비해 다른 물질과 잘 반응하지 않기 때문에 과자, 차, 분유 등을 포장할 때 이용됩니다.

과자 봉지 속 질소

4 식물의 구조와 기능

1 식물의 세포와 뿌리

70쪽

1 흡수 기능
2 예 뿌리를 자르지 않은 양파는 뿌리로 물을 흡수했지만, 뿌리를 자른 양파는 물을 거의 흡수하지 못했기 때문입니다.

1 다른 조건은 모두 같게 하고 뿌리가 있는 것과 없는 것만 다르게 했기 때문에 뿌리가 물을 흡수하는 기능에 대해 알아보는 것입니다.

▲ 뿌리를 자른 양파

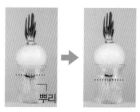
▲ 뿌리를 자르지 않은 양파

2 뿌리를 자른 양파는 물을 거의 흡수하지 못해 비커 속 물의 양이 거의 변하지 않고, 뿌리를 자르지 않은 양파는 뿌리로 물을 흡수하여 비커 속 물의 양이 줄어듭니다. 이 실험으로 뿌리는 물을 흡수하는 역할을 한다는 것을 알 수 있습니다.
채점 TIP 뿌리를 자르지 않은 양파는 뿌리로 물을 흡수하고, 뿌리를 자른 양파는 물을 거의 흡수하지 못했기 때문이라는 내용을 쓰면 정답으로 합니다.

확인 문제 **71쪽**

1 세포
2 (1) 핵 (2) 윤호
3 (1) ㉠ (2) 세포벽
4 뿌리털
5 ㉢, ㉣
6 지지 기능

1 세포는 생물의 몸을 구성하는 기본 단위로, 크기와 모양은 생물의 종류에 따라 다양합니다. 대부분의 세포는 현미경으로 관찰해야 볼 수 있는 크기이지만 개구리알이나 달걀과 같이 맨눈으로 볼 수 있는 크기가 큰 세포도 있습니다.

2 식물 세포는 세포벽과 세포막으로 둘러싸여 있고, 그 안에는 핵이 있습니다. 둥근 모양인 핵은 각종 유전 정보를 포함하고 있으며 생명 활동을 조절해 줍니다. 세포의 모양을 일정하게 유지하고 세포를 보호하는 것은 세포벽의 역할이고, 세포 내부와 외부를 드나드는 물질의 출입을 조절해 주는 것은 세포막의 역할입니다.

3 ㉠은 동물 세포이고, ㉡은 식물 세포입니다. 식물 세포에는 세포막 바깥을 싸고 있는 단단한 세포벽이 있어 세포의 모양을 유지하고 세포를 보호하지만, 동물 세포에는 식물 세포와 다르게 세포벽이 없습니다.

4 뿌리털은 표피 세포의 일부가 가늘고 길게 변형된 것으로 흙에 닿는 표면적을 넓혀 흙 속의 물과 무기 양분을 효율적으로 흡수할 수 있습니다.

내용 플러스
뿌리가 물을 흡수하는 원리
• 반투과성 막을 경계로 용액의 농도가 다를 때 농도가 낮은 쪽에서 농도가 높은 쪽으로 물이 이동하는 것을 삼투라고 합니다.
• 뿌리털의 세포막은 반투과성 막이고 뿌리털을 구성하는 세포 속 용액의 농도는 흙 속에 있는 용액의 농도보다 높으므로, 세포막을 경계로 삼투가 일어나 농도가 낮은 흙 속에서 농도가 높은 뿌리 내부로 물이 이동하게 됩니다.

흙 (저농도)	물 이동 (삼투) →	뿌리 내부 (고농도)

5 식물의 뿌리는 물을 흡수하고, 식물을 지지합니다. 고구마, 당근, 무와 같이 뿌리에 양분을 저장하여 뿌리가 크고 두꺼운 식물도 있습니다.

▲ 고구마　▲ 당근　▲ 무

6 나무에 뿌리가 없다면 나무가 비바람에 쉽게 쓰러지겠지만 나무의 뿌리가 땅속으로 뻗어 흙을 감싸고 있어 나무를 지지하기 때문에 강한 바람에도 나무가 잘 쓰러지지 않습니다.

2 식물의 줄기와 잎

탐구 문제 **74쪽**

1 (1) × (2) ○
2 ㉡

1 빛에 의해 광합성이 일어나 녹말과 같은 양분을 확인하는 탐구이므로, 빛의 유무만 다르게 합니다.

2 아이오딘-아이오딘화 칼륨 용액이 녹말과 반응하면 청람색으로 변합니다. 빛을 받지 못한 잎과 빛을 받은 잎 중 빛을 받은 잎만 청람색으로 변했기 때문에 빛을 받은 잎에서만 광합성이 일어나 녹말이 만들어진다는 것을 알 수 있습니다.

1 ⓒ	2 연석	3 물이 이동한 통로(물관)
4 광합성	5 ⊙ 증산 작용 ⓒ 기공	6 ⊙

1 식물의 줄기에는 땅속으로 뻗은 뿌리가 이어져 있고 햇빛을 향해 펼쳐진 잎도 나 있습니다. ⊙은 식물의 잎, ⓒ은 식물의 뿌리에 해당합니다.

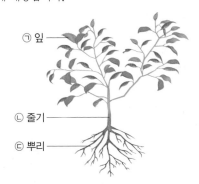

2 줄기의 겉은 꺼칠꺼칠하거나 매끈한 껍질로 싸여 있으며, 이 껍질이 해충이나 세균 등의 침입을 막고 추위와 더위로부터 식물을 보호합니다. 줄기는 식물을 지지하고, 양분을 저장하기도 합니다. 식물은 광합성으로 살아가는 데 필요한 양분을 스스로 만들며, 광합성은 주로 잎에서 일어납니다.

3 붉은 색소 물에 의해 붉게 물든 부분은 물이 이동한 통로(물관)라는 것을 알 수 있습니다. 물은 줄기에 있는 통로(물관)를 통해 위로 올라갑니다.

4 광합성은 식물이 빛과 이산화 탄소, 뿌리에서 흡수한 물을 이용하여 살아가는 데 필요한 양분을 스스로 만드는 작용입니다. 광합성은 주로 잎에서 일어납니다.

5 증산 작용은 식물 안에 있는 물이 수증기로 상태가 변하여 잎의 표면에 있는 기공을 통해 빠져나가는 현상으로, 뿌리에서 흡수한 물을 식물의 꼭대기까지 끌어 올릴 수 있도록 돕고 식물의 온도를 조절하는 역할을 합니다.

▲ 광합성과 양분의 이동

6 뿌리에서 흡수한 물이 잎을 통해 식물 밖으로 빠져나가기 때문에(증산 작용) 비닐봉지 안에 물방울이 생기는 것을 관찰할 수 있습니다.

3 식물의 꽃과 열매

1 뿌리	2 잎

1 뿌리는 식물의 종류와 사는 곳에 따라 다양한 크기와 형태로 발달하지만, 물과 양분을 흡수한다는 공통점이 있습니다.

2 햇빛을 이용해 광합성이 이루어지는 곳은 식물의 잎입니다.

1 ⊙ 암술 ⓒ 수술 ⓒ 꽃잎 ② 꽃받침	2 태정
3 (1) 꽃가루받이(수분) (2) ⑩ 암술 속에서 씨가 생겨 자랍니다.	
4 ⓒ, ②, ⊙, ⓒ	5 씨	6 ⓒ

1 ⊙은 씨가 될 밑씨가 들어 있으며 꽃가루받이가 이루어지는 암술, ⓒ은 꽃가루를 만드는 수술, ⓒ은 암술과 수술을 보호하고 곤충을 유인하여 꽃가루받이가 잘 이루어지도록 하는 꽃잎, ②은 꽃잎을 받치고 보호하는 꽃받침입니다.

2 대부분의 꽃은 암술, 수술, 꽃잎, 꽃받침으로 이루어져 있지만 종류에 따라 크기, 모양, 색깔 등이 서로 다르고 암술, 수술, 꽃잎, 꽃받침 중 일부가 없는 것도 있습니다.

---(**내용 플러스**)

갖춘꽃과 안갖춘꽃
• **갖춘꽃**: 사과꽃과 같이 한 꽃 안에 암술, 수술, 꽃잎, 꽃받침이 모두 있는 꽃을 갖춘꽃이라고 합니다.
• **안갖춘꽃**: 수세미오이꽃과 같이 한 꽃 안에 암술, 수술, 꽃잎, 꽃받침 중 일부가 없는 꽃을 안갖춘꽃이라고 합니다.

---

3 수술에서 만든 꽃가루가 암술로 옮겨지는 꽃가루받이(수분)가 일어난 후에는 암술 속에서 씨가 생겨 자랍니다.

4 ⓒ 곤충에 의해 꽃가루받이가 되면 ② 암술 속에서는 씨가 생겨 자랍니다. ⊙ 씨가 자라는 동안 씨를 싸고 있는 암술이나 꽃받침 등이 함께 자라서 열매가 됩니다. ⓒ 사과는 씨와 껍질 사이에 양분이 저장되어 있는 열매로, 크고 둥근 모양입니다.

5 열매는 어린 씨를 보호하다가 씨가 익으면 익은 씨를 멀리 퍼뜨리는 일을 합니다. 씨를 퍼뜨리는 방법은 열매의 생김새에 따라 다양합니다.

6 도꼬마리 열매는 갈고리가 있기 때문에 동물의 털이나 사람의 옷에 붙어서 씨를 멀리 퍼뜨릴 수 있습니다. 가막사리, 도깨비바늘, 우엉 등도 갈고리가 있어 동물의 털이나 사람의 옷에 붙어서 씨가 퍼집니다. ⊙ 연꽃, 수련, 코코야자 등은 물에 떠서 이동하여 씨가 퍼집니다. ⓒ 벚나무, 겨우살이, 참외 등은 동물에게 먹힌 뒤에 씨가 똥과 함께 나와 퍼집니다.

1 ㉠, ㉢ **2** (1) 예 뿌리에 솜털처럼 가는 뿌리털이 나 있습니다. (2) 민들레의 뿌리는 굵고 곧은 뿌리에 가는 뿌리들이 나 있고, 파의 뿌리는 굵기가 비슷한 뿌리가 여러 가닥으로 수염처럼 나 있습니다. **3** 희영 **4** 예 줄기로 이동하여 식물의 각 부분으로 이동합니다. **5** ③, ⑤ **6** (1) 감는줄기 (2) 기는줄기 (3) 곧은줄기 **7** ③ **8** ㉢, 예 뿌리에서 흡수한 물이 줄기를 통해 잎과 꽃으로 이동하기 때문에 꽃잎이 붉은색으로 물듭니다. **9** 물 **10** 훈석 **11** (1) ㉢ (2) 예 식물은 빛과 이산화 탄소, 뿌리에서 흡수한 물을 이용하여 광합성을 할 수 있습니다. **12** 빛(의 유무) **13** (1) ㉢ (2) 녹말 **14** ㉢, ㉢ **15** (가), (다) **16** 예 뿌리에서 흡수한 물은 잎의 기공에서 빠져나가기 때문에 잎이 가장 많은 (가)에서 물이 가장 많이 빠져나갈 수 있습니다. **17** (1) 꽃잎 (2) 꽃받침 (3) 수술 (4) 암술 **18** 예 사과꽃은 한 꽃이 암술, 수술, 꽃잎, 꽃받침으로 이루어져 있지만, 수세미오이꽃은 암꽃과 수꽃이 구분되어 암꽃에는 수술이 없고, 수꽃에는 암술이 없습니다. **19** 리수 **20** ②

1 크기가 매우 작아 맨눈으로 관찰할 수 없는 식물 세포와 동물 세포는 광학 현미경으로 확대하여 관찰할 수 있습니다. 식물 세포와 동물 세포에는 핵과 세포막이 있지만, 세포벽은 식물 세포에만 있고 동물 세포에는 없습니다.

▲ 식물 세포

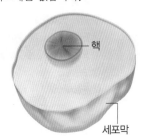
▲ 동물 세포

2 민들레의 뿌리와 파의 뿌리 모두 솜털처럼 가는 뿌리털이 나 있으며, 민들레의 뿌리는 굵고 곧은 뿌리에 가는 뿌리들이 나 있고 파의 뿌리는 굵기가 비슷한 뿌리가 여러 가닥으로 수염처럼 나 있습니다. 땅속으로 곧게 뻗은 굵은 원뿌리에 옆으로 비스듬히 뻗어 나오는 곁뿌리가 많이 붙어 있는 민들레의 뿌리는 곧은뿌리라고 합니다. 파의 뿌리와 같이 원뿌리와 곁뿌리의 구별 없이 굵기가 비슷한 뿌리들이 줄기 끝에 모여서 나는 것을 수염뿌리라고 합니다.
채점 TIP (1) 뿌리에 가는 뿌리털이 있다는 내용을 쓰고, (2) 민들레의 뿌리는 굵고 곧은 뿌리에 가는 뿌리들이 나 있고, 파의 뿌리는 여러 가닥으로 나 있다는 내용을 쓰면 정답으로 합니다.

3 당근, 고구마, 무 등은 뿌리에 양분을 저장하기 때문에 다른 식물보다 뿌리가 굵고 단맛이 납니다.

4 식물의 뿌리는 땅속으로 뻗어 물을 흡수하며, 뿌리에서 흡수한 물은 줄기를 따라 이동하면서 식물의 각 부분으로 이동합니다.
채점 TIP 줄기로 이동한다고 쓰거나, 식물의 각 부분으로 이동한다는 내용을 쓰면 정답으로 합니다.

5 뿌리를 자르지 않은 양파 쪽 비커의 물이 뿌리를 자른 양파 쪽 비커의 물보다 더 많이 줄어듭니다. 뿌리를 자르지 않은 양파는 뿌리로 물을 흡수하지만, 뿌리를 자른 양파는 물을 거의 흡수하지 못하기 때문입니다. 이 실험을 통해 식물의 뿌리는 물을 흡수하는 역할을 한다는 것을 알 수 있습니다.

6 나팔꽃은 가늘고 긴 줄기가 다른 물체를 감아 올라가는 감는줄기이고, 고구마는 땅 위를 기는 듯이 뻗는 기는줄기이며, 느티나무는 굵고 곧은 곧은줄기입니다.

7 식물의 줄기에는 땅속으로 뻗은 뿌리가 이어져 있고 햇빛을 향해 펼쳐진 잎도 있습니다. 줄기는 식물을 지지하는 역할을 합니다. 감자, 토란과 같은 식물은 땅속으로 이어진 줄기 부분에 양분을 저장하기도 합니다. 줄기의 겉은
▲ 감자
꺼칠꺼칠하거나 매끈한 껍질로 싸여 있는데, 이 껍질은 해충이나 세균 등의 침입을 막고, 추위와 더위로부터 식물을 보호합니다.

8 뿌리에서 흡수한 물이 줄기에 있는 통로를 통해 잎과 꽃으로 이동하기 때문에 줄기뿐만 아니라 꽃도 붉게 물드는 모습을 볼 수 있습니다.
채점 TIP ㉢을 쓰고, 뿌리에서 흡수한 물이 줄기에 있는 통로를 통해 꽃으로 이동했기 때문이라는 내용을 쓰면 정답으로 합니다.

9 붉게 물이 든 부분은 물이 이동한 통로로, 뿌리에서 흡수한 물은 줄기에 있는 통로를 통해 위로 올라가는 것을 알 수 있습니다.

▲ 가로 단면

▲ 세로 단면

10 셀러리를 붉은 색소 물에 담가 놓으면 흡수한 물이 줄기의 통로를 통해 이동하기 때문에 줄기를 세로로 자르면 붉은 선이 줄기를 따라 이어져 있는 모습을 볼 수 있습니다.

▲ 셀러리

11 식물의 광합성은 주로 잎에서 일어나는 과정으로, 식물이 빛과 이산화 탄소, 뿌리에서 흡수한 물을 이용하여 스스로 양분을 만드는 것입니다.
채점 TIP (1) ㉢을 쓰고, (2) 빛, 이산화 탄소, 뿌리에서 흡수한 물이 있어야 광합성을 할 수 있다는 내용을 쓰면 정답으로 합니다.

12 어둠상자를 씌운 모종의 잎은 빛을 받지 못하고 어둠상자를 씌우지 않은 모종의 잎은 빛을 받습니다. 따라서 다르게 한 조건은 빛(의 양)입니다.

13 잎은 빛을 받으면 광합성을 통해 녹말과 같은 양분을 스스로 만듭니다.

14 뿌리에서 흡수한 물이 잎에 도달한 후 물의 일부는 양분을 만드는 광합성 과정에 이용되고 남은 물은 잎의 표면에 있는 작은 구멍인 기공을 통해 식물 밖으로 빠져나가는 것이 증산 작용입니다. 증산 작용은 뿌리에서 흡수한 물을 식물의 꼭대기까지 끌어 올릴 수 있도록 돕고 식물의 온도를 조절하는 역할을 합니다.

15 잎이 가장 많은 ㈎ 비닐봉지 안에 물방울이 가장 많이 생기고, 잎을 반 정도 남겨 둔 ㈏ 비닐봉지 안에는 물방울이 조금 생기며, 잎이 없는 ㈐ 비닐봉지 안에는 물방울이 생기지 않습니다.

16 뿌리에서 흡수한 물이 잎의 기공을 통해 식물 밖으로 빠져나가기 때문에 비닐봉지 안에 물방울이 맺힙니다.

채점 TIP 뿌리에서 흡수한 물이 잎의 기공을 통해 빠져나가기 때문에 잎이 가장 많은 ㈎에서 물이 가장 많이 빠져갈 수 있다는 내용을 쓰면 정답으로 합니다.

17 꽃은 암술, 수술, 꽃잎, 꽃받침으로 이루어져 있습니다. 암술에는 씨가 될 밑씨가 들어 있으며, 암술은 꽃가루받이가 이루어지는 곳입니다. 수술은 꽃가루를 만들고, 꽃잎은 암술과 수술을 보호하고 곤충 등을 유인하여 꽃가루받이가 이루어지도록 합니다. 꽃받침은 꽃잎을 받치고 보호합니다.

18 곤충이나 새 등이 꽃에 있는 꿀을 먹으려고 날아들면 곤충이나 새에 묻어 꽃가루가 암술로 옮겨지는 꽃가루받이가 이루어집니다. 꽃가루가 곤충에 의해 암술로 옮겨지는 식물을 충매화라고 합니다.

채점 TIP 사과꽃은 하나의 꽃이 암술, 수술, 꽃잎, 꽃받침으로 이루어져 있지만, 수세미오이꽃은 암꽃과 수꽃이 구분되어 있다는 내용을 쓰면 정답으로 합니다.

19 곤충이나 새 등이 꽃에 있는 꿀을 먹으려고 날아들면 곤충이나 새에 묻어 꽃가루가 암술로 옮겨지는 꽃가루받이가 이루어집니다. 꽃가루가 곤충에 의해 암술로 옮겨지는 꽃을 충매화라고 합니다.

20 제비꽃과 봉숭아는 열매껍질 속에서 씨가 익은 후 껍질이 터질 때 그 힘에 의해 씨가 튀어 나가 멀리 퍼집니다.

서술형 문제

84~85쪽

1 (1) ⓒ (2) 예 핵이 둥근 모양입니다. **2** 예 감자는 줄기에 양분을 저장하고, 고구마는 뿌리에 양분을 저장합니다. **3** 예 뿌리를 자르지 않은 양파의 뿌리가 비커의 물을 흡수했기 때문에 뿌리를 자른 양파 쪽 비커보다 물이 더 많이 줄어들었습니다. **4** 예 해충이나 세균 등의 침입을 막습니다. 추위와 더위로부터 식물을 보호합니다. **5** 예 식물의 잎에 있는 기공을 통해 물이 빠져나가는 증산 작용입니다. **6** 예 아이오딘-아이오딘화 칼륨 용액은 감자와 밥의 색깔 변화와 같이 녹말을 만났을 때 청람색으로 변하므로, 빛을 받은 잎에서만 녹말이 만들어졌다는 것을 알 수 있습니다. **7** (1) 꽃가루받이(수분) (2) 예 배꽃이 피면 곤충이 날아와 꽃의 꿀을 먹으면서 꽃가루를 암술에 묻혀 주어 꽃가루받이(수분)이 일어나 열매를 맺습니다. **8** 예 민들레 씨는 바람에 날려서 퍼질 수 있도록 씨에 가벼운 솜털이 붙어 있습니다.

1 광학 현미경의 대물렌즈는 회전판을 돌려 배율이 가장 낮은 렌즈부터 관찰을 시작하고 점점 배율을 높여야 합니다. 광학 현미경으로 양파 표피 세포를 관찰하면 염색되어 붉게 보이는 둥근 모양의 핵을 볼 수 있습니다.

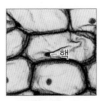

▲ 양파 표피 세포

채점 기준

상	(1) ⓒ을 쓰고, (2) 둥근 모양의 핵이 있다는 것, 벽돌처럼 쌓여있는 모양이 다르다는 것 등의 양파 표피 세포를 보고 알 수 있는 내용을 쓴 경우
하	(1) ⓒ만 옳게 쓴 경우

---(**내용 플러스**)---

양파 표본 만들기

❶ 양파 비늘잎 안쪽에 면도 칼로 칼금을 긋고 핀셋으로 표피를 벗겨 냅니다.

❷ 받침 유리 위에 표피를 올리고 물을 한 방울 떨어뜨립니다.

❸ 덮개 유리를 비스듬하게 덮습니다.

❹ 덮개 유리 속으로 염색액을 흘려 보냅니다.

❺ 반대쪽에서 거름종이로 염색액을 흡수합니다.

2 감자는 광합성을 통해 만들어진 양분을 줄기에 저장(저장줄기)합니다. 고구마는 뿌리에 양분을 저장(저장뿌리)하기 때문에 뿌리가 굵고 단맛이 납니다.

채점 기준

상	감자는 줄기에 양분을 저장하고, 고구마는 뿌리에 양분을 저장한다는 차이점을 옳게 쓴 경우
중	양분을 저장하는 부분이 다르다고만 쓴 경우

---(**내용 플러스**)---

줄기나 뿌리에 양분을 저장하는 식물
• 줄기에 양분을 저장하는 식물: 감자, 돼지감자, 토란, 양파 등
• 뿌리에 양분을 저장하는 식물: 고구마, 당근, 무, 인삼 등

3 뿌리는 땅속으로 뻗어 물을 흡수하는 역할을 합니다.

채점 기준

상	뿌리를 자르지 않은 양파의 뿌리가 물을 흡수하기 때문에 뿌리를 자른 양파 쪽보다 비커 속 물이 더 많이 줄어들었다고 쓴 경우
중	뿌리를 자르지 않은 양파를 올린 비커의 물이 뿌리를 자른 양파를 올린 비커의 물보다 더 많이 줄어들었다고만 쓴 경우

---(**내용 플러스**)---

뿌리가 하는 일
• 뿌리의 흡수 기능: 뿌리는 땅속으로 뻗어 물을 흡수하는데, 뿌리털은 물을 더 잘 흡수하도록 해 줍니다.
• 뿌리의 저장 기능: 일부 식물은 잎에서 만든 양분을 저장하여 뿌리가 굵어졌습니다.
• 뿌리의 지지 기능: 뿌리가 땅속으로 뻗어 흙을 감싸고 있어 식물을 지지하기 때문에 식물이 강한 바람에도 잘 쓰러지지 않습니다.

4 나무줄기의 껍질에는 두껍고 특이한 무늬가 있습니다. 껍질로 싸여 있으면 해충이나 세균 등의 침입을 막을 수 있고, 추위와 더위로부터 식물을 보호할 수 있습니다.

채점 기준

상	나무줄기가 껍질로 싸여 있어서 식물에게 좋은 점 두 가지를 옳게 쓴 경우
중	나무줄기가 껍질로 싸여 있어서 식물에게 좋은 점을 한 가지만 옳게 쓴 경우

5 식물의 증산 작용으로 주변 공기의 습도를 높일 수 있습니다. 증산 작용은 빛의 세기가 강할 때, 기온이 높을 때, 습도가 낮을 때, 바람이 불 때, 식물체 내 수분량이 많을 때 잘 일어납니다.

채점 기준

상	기공을 통해 물이 빠져나가는 증산 작용 때문이라는 내용을 쓴 경우
중	잎에서 물이 빠져나가기 때문이라고만 쓴 경우

---(**내용 플러스**)---

증산 작용
증산 작용은 잎의 표피 세포 일부가 변형된 두 개의 공변세포에 의해 기공이 열리거나 닫히면서 조절됩니다.

기공

- 기공은 식물 잎에 있는 작은 구멍으로, 주로 잎의 뒷면에 있습니다.
- 기공을 통해 광합성에 필요한 이산화 탄소가 들어오고 광합성의 결과로 만들어진 산소가 빠져나갑니다.

▲ 기공

6 식물의 잎이 빛을 받아 광합성을 하면 양분(녹말)이 생긴다는 것을 알 수 있습니다.

채점 기준

상	아이오딘-아이오딘화 칼륨 용액이 녹말을 만났을 때 청람색으로 변하는 것을 보고, 빛을 받은 잎에서만 녹말이 만들어진다는 내용을 쓴 경우
중	빛을 받은 잎만 색깔이 변한다고 쓴 경우

7 벌, 나비, 파리 등과 같은 곤충에 의해 꽃가루받이가 일어나는 충매화는 곤충에 의해 꽃가루가 암술로 옮겨집니다. 과수원에서는 좀 더 많은 양의 과일을 얻기 위해 인공적으로 꽃가루받이를 해 주는 것이 필요합니다.

채점 기준

상	(1) 꽃가루받이(수분)를 옳게 쓰고, (2) 곤충이 꽃가루를 암술에 묻혀 준다는 내용을 쓴 경우
중	(1) 꽃가루받이(수분)를 옳게 쓰고, (2) 곤충이 꽃가루받이를 해 준다는 내용만 쓴 경우
하	(1) 꽃가루받이(수분)만 옳게 쓴 경우

8 민들레는 씨를 멀리 보내기 위해 씨에 솜털이 붙어 있습니다. 이 솜털이 활짝 벌어지면 바람이 잘 들어가 멀리 날아갈 수 있습니다. 낙하산에 사람이 매달려 있는 것과 같이 씨가 솜털보다 무겁기 때문에 씨는 아래쪽에 위치하여 중심을 잡고 날아다닙니다.

채점 기준

상	바람에 날려서 퍼지도록 씨에 가벼운 솜털이 붙어 있다는 내용을 쓴 경우
중	바람에 날릴 수 있도록 가볍다는 내용만 쓴 경우

5 빛과 렌즈

① 빛이 나아가는 모습

탐구 문제   94쪽

1 ㉡   **2** (1) ㉡ (2) ㉠

1 컵에 물을 붓지 않으면 동전에서 반사된 빛이 눈에 도달하지 않기 때문에 컵 속의 동전을 볼 수 없습니다. 컵에 물을 부으면 동전에서 반사된 빛의 일부가 물속에서 공기 중으로 나올 때 물과 공기의 경계에서 굴절되어 사람의 눈으로 들어오기 때문에 컵 속의 동전을 볼 수 있습니다.

▲ 물을 붓지 않았을 때   ▲ 물을 부었을 때

2 컵에 물을 붓지 않았을 때에는 젓가락이 반듯하게 보이지만, 물을 부은 다음에는 젓가락이 꺾여 보입니다.

확인 문제   95쪽

1 희선   **2** 물방울

3 (1) [그림]

(2) 예 하얀색 도화지에 여러 가지 빛깔로 나타납니다. 여러 가지 빛깔이 연속해서 나타납니다.

4 ③   **5** (1)

(2)

6 빛의 굴절

1 햇빛은 여러 가지 빛깔로 이루어져 있으므로, 햇빛이 공기 중에서 프리즘을 지날 때 각각의 색의 빛마다 경계면에서 꺾이는 정도가 달라 여러 가지 색의 빛으로 나누어져 보입니다.

2 무지개는 공기 중에 떠 있는 작은 물방울이 햇빛을 받아 빛이 분산되어 나타나는 것으로, 무지개가 생기는 것은 공기 중에 있는 물방울이 프리즘 구실을 하기 때문입니다. 햇빛은 프리즘 구실을 하는 물방울을 통과할 때 색깔에 따라 꺾이는 각도가 다른데, 빨간색 빛은 조금 꺾이고 보라색 빛은 많이 꺾이면서 여러 가지 빛깔로 분산되어 보입니다.

▲ 무지개

3 햇빛은 여러 가지 색의 빛이 합성되어 있으며, 공기 중에서 프리즘을 지날 때 각 색의 빛마다 그 경계면에서 굴절되는 정도가 달라 여러 가지 색의 빛으로 나누어져 보이는 빛의 분산 현상이 나타납니다.

---(내용 플러스)------------------

빛의 분산

• 빛이 여러 가지 색의 빛으로 나누어지는 현상을 빛의 분산이라고 합니다.

• 빛의 색깔에 따라 한 물질에서 다른 물질로 굴절하는 정도가 다르기 때문에 빛의 분산이 나타납니다.

• 빛이 프리즘을 지날 때 여러 가지 빛으로 나누어져 보이는 것과 무지개는 빛의 분산에 의한 현상의 예입니다.

----

4 빛은 공기 중에서 물로 비스듬히 나아가다 공기와 물의 경계에서 아래쪽 방향으로 꺾여 나아갑니다.

5 빛을 수면에 수직으로 비추면 빛이 공기와 물의 경계에서 꺾이지 않고 그대로 나아가고, 빛을 수면에 비스듬하게 비추면 빛이 공기와 물의 경계에서 꺾여 나아갑니다.

6 물고기에 닿아 반사된 빛은 물속에서 공기 중으로 나올 때 물과 공기의 경계에서 굴절해 사람의 눈으로 들어옵니다. 사람은 눈으로 들어온 빛의 연장선에 물고기가 있다고 생각하지만, 물속에 있는 실제 물고기의 위치는 사람이 생각하는 물고기의 위치보다 더 아래쪽에 있어 실제 물고기와 사람이 생각하는 물고기의 위치가 다릅니다.

---

② 볼록 렌즈의 특징과 성질

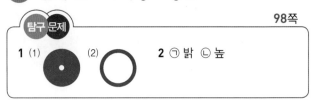

탐구 문제　　　　　　　　　　　　　98쪽

1 (1)　　(2)　　　**2** ㉠ 밝 ㉡ 높

1 햇빛에 볼록 렌즈를 통과시키면 볼록 렌즈를 통과한 햇빛은 굴절되어 한곳으로 모입니다.

▲ 가까울 때(5 m)　　▲ 중간일 때(25 m)　　▲ 멀 때(45 m)

2 볼록 렌즈로 햇빛을 모으면 빛이 한곳으로 모이기 때문에 그 부분은 밝기가 밝고, 온도가 높습니다. 평면 유리는 빛을 모을 수 없기 때문에 볼록 렌즈와 같은 결과를 얻을 수 없습니다.

확인 문제　　　　　　　　　　　　　99쪽

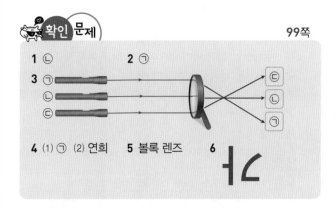

1 ㉡　　　　　**2** ㉠

3 ㉠ → ㉢　㉡ → ㉡　㉢ → ㉠

4 (1) ㉠ (2) 연희　　**5** 볼록 렌즈　　**6**

1 볼록 렌즈는 가운데 부분이 가장자리보다 두껍고 빛을 굴절시키는 특징이 있습니다. 따라서 가운데 부분이 가장자리보다 두껍고 투명하여 빛을 통과시킬 수 있는 물방울, 유리 막대, 물이 담긴 둥근 어항 등은 볼록 렌즈의 구실을 합니다.

▲ 물방울　　　▲ 유리 막대　　　▲ 물이 담긴 둥근 어항

2 물방울은 빛을 통과시킬 수 있고 가운데 부분이 가장자리보다 두꺼워 볼록 렌즈의 구실을 하므로, 책에 물방울을 떨어뜨리면 글자가 크게 보입니다.

3 곧게 나아가던 레이저 지시기의 빛이 볼록 렌즈의 가장자리를 통과하면 빛은 두꺼운 가운데 부분으로 꺾여 나아가고, 곧게 나아가던 레이저 지시기의 빛이 볼록 렌즈의 가운데 부분을 통과하면 빛은 꺾이지 않고 그대로 나아갑니다.

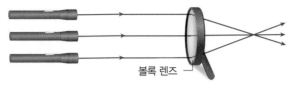

▲ 레이저 지시기의 빛이 나아가는 모습

4 볼록 렌즈는 햇빛을 굴절시켜 빛을 한곳으로 모을 수 있습니다. 평면 유리는 햇빛을 모을 수 없습니다.

5 볼록 렌즈를 사용하면 물체의 모습을 확대해서 볼 수 있습니다.

6 간이 사진기에 있는 볼록 렌즈가 빛을 굴절시켜 물체의 모습을 만들기 때문에 간이 사진기로 본 물체의 모습은 실제 물체와 비교하여 상하좌우가 바뀐 모습으로 보입니다.

┌─(**내용 플러스**)────────────────────────
│ **간이 사진기**
│
│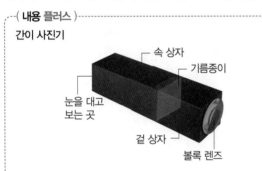
│
│ • 물체에서 반사된 빛을 겉 상자에 있는 볼록 렌즈로 모아 물체
│   의 모습이 속 상자의 기름종이에 나타나게 하는 간단한 사진
│   기입니다.
│ • 간이 사진기의 기름종이는 스크린의 역할을 하므로 기름종이
│   에서 물체의 모습을 볼 수 있습니다.
│ • 간이 사진기는 볼록 렌즈와 기름종이 사이의 거리를 조절하여
│   기름종이에 물체의 모습이 선명하게 나타나도록 합니다. ➡
│   물체가 가까이 있을 때에는 볼록 렌즈와 기름종이 사이의 거
│   리를 멀리 해야 하고, 물체가 멀리 있을 때에는 볼록 렌즈와
│   기름종이 사이의 거리를 가깝게 해야 합니다.
│
│
│
│ 가까이   멀리   멀리   가깝게
│ 있는 물체   한다.   있는 물체   한다.
└──────────────────────────────────────

1 ㉠   **2** ⑳ 햇빛은 여러 가지 빛깔로 이루어져 있습니다.
3 ㉠ 햇빛 ㉡ 분산   **4** (1) ㉠ (2) ㉢ (3) ㉡
5 (1) [그림] (2) [그림]

6 ㉠   **7** (1) ㉡ (2) ⑳ 물고기에 닿아 반사된 빛은 물속에서 공기 중으로 나올 때 물과 공기의 경계에서 굴절해 사람의 눈으로 들어오지만, 사람은 눈으로 들어온 빛의 연장선에 물고기가 있다고 생각하기 때문입니다.   **8** 지혜   **9** ④
10 ⑤   **11** ③   **12** ⑳ 유리 막대와 같이 가운데 부분이 가장자리보다 두껍고 빛을 통과시킬 수 있는 물체를 대고 글씨를 읽습니다.   **13** (1) ㉢ (2) ㉡   **14** (다)   **15** ㉢   **16** ⑳ 평면 유리를 통과한 햇빛이 만든 원 안의 밝기는 볼록 렌즈가 만든 원 안의 밝기보다 어둡습니다.   **17** 지선   **18** ⑳ 볼록 렌즈는 물체의 모습을 확대해서 볼 수 있기 때문에 볼록 렌즈를 사용하면 관찰하고자 하는 작은 물체나 멀리 있는 물체를 확대해서 볼 수 있습니다.   **19** ㉢   **20** ⑤

1 햇빛은 프리즘을 통과하면 여러 가지 빛깔로 나타납니다.

2 햇빛이 공기 중에서 프리즘을 통과하면 하얀색 도화지에 여러 가지 빛깔로 나타나는 까닭은 햇빛이 여러 가지 빛깔로 이루어져 있기 때문에 각각의 색의 빛마다 경계면에서 꺾이는 정도가 달라 여러 가지 색의 빛으로 나누어져 보이는 것입니다.

채점 TIP 햇빛이 여러 가지 빛깔로 이루어져 있다는 내용을 쓰면 정답으로 합니다.

3 무지개는 비가 내린 뒤에 공기 중의 물방울을 햇빛이 지나면서 꺾일 때 색이 분산되어 여러 가지 빛깔로 보이는 것입니다.

4 빛이 공기 중에서 직진하면서 나아가다 거울을 만나면 반사되지만, 물을 만나면 공기와 물의 경계에서 꺾여 나아갑니다. 또 물에서 나아가던 빛이 공기를 만나면 물과 공기의 경계에서 꺾여 나아갑니다.

5 직진하던 빛은 공기와 물의 경계에서 굴절합니다.

6 빛이 비스듬히 나아갈 때 서로 다른 물질의 경계에서 꺾여 나아가므로, 공기와 유리가 만나는 경계에서도 굴절합니다.

7 빛이 물과 공기의 경계에서 굴절하기 때문에 물속에 있는 물체의 모습은 실제와 다른 위치에 있는 것처럼 보입니다. 즉, 물고기에 닿아 반사된 빛은 물속에서 공기 중으로 나올 때 물과 공기의 경계에서 굴절해 사람의 눈으로 들어옵니다. 사람은 눈으로 들어온 빛의 연장선에 물고기가 있다고 생각하지만 물속에 있는 실제 물고기의 위치는 사람이 생각하는 물고기의 위치보다 더 아래쪽에 있습니다.

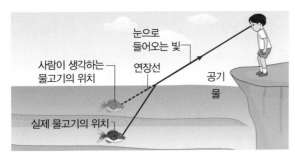

채점 TIP (1) ㉡을 쓰고, (2) 물과 공기의 경계에서 빛이 굴절하고 사람은 눈에 들어온 빛의 연장선에 물고기가 있다고 생각한다는 내용을 쓰면 정답으로 합니다.

8 컵에 물을 부으면 동전에서 반사된 빛의 일부가 물속에서 공기 중으로 나올 때 물과 공기의 경계에서 굴절되어 사람의 눈으로 들어오기 때문에 컵 속의 동전을 볼 수 있습니다. 하지만 사람은 빛이 직진하여 눈에 도달하는 것으로 인식하기 때문에 동전이 떠 보입니다.

9 빨대의 모양은 빛의 굴절에 의해 우리 눈에 위로 꺾인 모습으로 보입니다.

10 아지랑이는 공기의 온도 차에 의한 빛의 굴절 현상입니다. 물속의 물고기는 빛의 굴절 때문에 실제보다 얕은 곳에 있는 것처럼 보입니다.

11 볼록 렌즈의 가장자리를 통과한 빛은 두꺼운 가운데 부분으로 꺾여 나아가고, 가운데 부분을 통과한 빛은 꺾이지 않고 그대로 나아갑니다.

12 유리 막대, 물방울, 물이 담긴 둥근 어항, 물이 담긴 투명 지퍼 백 등은 가운데 부분이 가장자리보다 두껍고 빛을 통과시킬 수 있어 볼록 렌즈의 구실을 할 수 있습니다.
채점 TIP 유리 막대, 물방울, 물이 담긴 둥근 어항 등과 같이 볼록 렌즈의 구실을 할 수 있는 물체를 대고 읽는다는 내용을 쓰면 정답으로 합니다.

13 곧게 나아가던 레이저 지시기의 빛이 볼록 렌즈의 가장자리를 통과하면 렌즈의 두꺼운 부분으로 꺾여 나아가지만, 빛이 볼록 렌즈의 가운데 부분을 통과하면 꺾이지 않고 그대로 나아갑니다.

14 햇빛을 볼록 렌즈에 통과시키면 볼록 렌즈는 햇빛을 굴절시켜 한곳으로 모으기 때문에 햇빛이 모인 곳은 밝기가 주변보다 밝고 온도가 주변보다 높습니다.

15 볼록 렌즈와 하얀색 도화지 사이의 거리가 약 25 cm일 때 하얀색 도화지에 햇빛이 만든 원의 크기보다 약 45 cm로 멀리 할 때 햇빛이 만든 원의 크기가 더 커집니다.

16 볼록 렌즈를 통과한 햇빛은 굴절되어 한곳으로 모이지만, 평면 유리를 통과한 햇빛은 굴절되지 않기 때문에 빛을 모을 수 없습니다.
채점 TIP 평면 유리를 통과한 햇빛이 만든 원 안의 밝기는 볼록 렌즈가 만든 원 안의 밝기보다 어둡다는 내용을 쓰면 정답으로 합니다.

17 휴대 전화에 이용한 볼록 렌즈로 빛을 모아 사진이나 영상을 촬영할 때 쓸 수 있습니다.

18 현미경은 작은 물체를 확대할 때 쓰이고, 망원경은 멀리 있는 물체를 확대할 때 쓰입니다. 현미경의 대물렌즈에 사용한 볼록 렌즈는 작은 물체에서 온 빛을 모이게 하여 물체의 모습을 거꾸로 크게 맺히게 하고, 접안렌즈에 사용한 볼록 렌즈는 맺힌 물체의 모습을 더 크게 보이게 합니다.
채점 TIP 작은 물체나 멀리 있는 물체를 확대해서 볼 수 있고, 섬세한 작업을 할 때 도움이 된다는 등의 좋은 점을 쓰면 정답으로 합니다.

19 간이 사진기의 겉 상자 앞면에는 볼록 렌즈를 붙여 들어오는 빛을 굴절시켜 빛을 모아 기름종이에 물체의 상이 맺히게 합니다.

20 간이 사진기를 통해 물체를 보면 물체가 실제와 다르게 상하좌우가 바뀌어 보입니다.

서술형 문제

104~105쪽

1 예 빛은 직진하는 성질이 있습니다. **2** 예 빛이 한 물질에서 다른 물질로 나아갈 때 경계면에서 나아가는 방향이 꺾이는 빛의 굴절에 의해 나타나는 현상입니다.
3 (1)

(2) 예 물의 높이와 상관없이 빛이 꺾이는 정도는 같습니다.
4 예 컵에 물을 붓지 않으면 동전에서 반사된 빛이 눈에 도달하지 않아 동전을 볼 수 없지만, 컵에 물을 부으면 동전에서 반사된 빛이 물속에서 공기 중으로 나올 때 물과 공기의 경계에서 굴절해 사람의 눈으로 들어오기 때문입니다. **5** 예 볼록 렌즈로 본 물체가 실제 물체보다 크게 보일 때도 있고, 실제 물체와 달리 상하좌우가 바뀌어 보일 때도 있습니다.
6 예 볼록 렌즈의 가장자리를 통과하는 ㉠은 볼록 렌즈를 통과하면 두꺼운 가운데 부분으로 꺾여 나아가고, 볼록 렌즈의 가운데 부분을 통과하는 ㉡은 꺾이지 않고 그대로 나아갑니다. **7** 예 볼록 렌즈는 평면 유리와 달리 햇빛을 모을 수 있기 때문에 햇빛이 모인 원 안은 주변보다 온도가 높습니다.
8 (1)

곰

(2) 예 간이 사진기에 있는 볼록 렌즈가 빛을 굴절시켜 기름종이에 위치가 바뀐 물체의 모습을 만들기 때문입니다.

1 빛은 직진하는 성질이 있으며, 직진하다가 렌즈 등을 만나면 꺾이기도 합니다.

채점 기준

상	빛이 직진하는 성질이 있다는 내용을 쓴 경우
중	빛이 곧게 나아간다고 쓴 경우

2 빛의 굴절은 서로 다른 물질의 경계에서 빛이 꺾여 나아가는 현상입니다.

채점 기준

상	빛이 한 물질에서 다른 물질로 나아갈 때 경계면에서 나아가는 방향이 꺾이는 빛의 굴절에 의한 현상이라는 내용을 쓴 경우
중	빛이 다른 물질로 나아갈 때 꺾이는 현상이라는 내용만 쓴 경우

3 빛은 항상 일정한 비율로 꺾이기 때문에 빛을 비추는 각도는 같고 수조에 있는 물의 높이만 다를 때 빛이 꺾이는 정도는 같습니다.

채점 기준

상	(1) 두 수조에서 빛이 꺾이는 정도를 같게 그리고, (2) 물의 높이와 상관없이 빛이 꺾이는 정도는 같다는 내용을 쓴 경우
중	(1) 두 수조에서 빛이 꺾이는 정도만 옳게 그린 경우

4 동전에서 반사된 빛의 일부가 물속에서 공기 중으로 나올 때 물과 공기의 경계에서 굴절되어 사람의 눈으로 들어오기 때문에 컵 속의 동전을 볼 수 있습니다. 사람은 빛이 직진하여 눈에 도달하는 것으로 인식하기 때문에 동전이 떠 보입니다.

채점 기준

상	컵에 물을 붓지 않으면 동전에서 반사된 빛이 눈에 도달하지 않아 볼 수 없고, 컵에 물을 부으면 동전에서 반사된 빛이 물과 공기의 경계에서 굴절해 눈에 도달한다는 내용을 쓴 경우
중	컵에 물을 부으면 동전이 떠 보이기 때문이라고만 쓴 경우

(내용 플러스)

빛의 굴절

• 서로 다른 물질의 경계에서 빛이 꺾여 나아가는 현상을 빛의 굴절이라고 합니다.
• 법선은 서로 다른 물질의 경계에 수직인 가상의 선입니다.
• 굴절 광선: 서로 다른 물질의 경계에서 꺾여 다른 물질로 진행하는 빛입니다.
• 굴절각은 굴절 광선과 법선이 이루는 각입니다.
• 입사각이 커지면 굴절각도 커집니다.
• 빛이 굴절하는 까닭은 각 물질에서 빛이 진행하는 속력이 다르기 때문입니다.

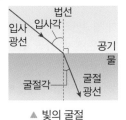

▲ 빛의 굴절

---

5 볼록 렌즈로 가까이 있는 물체를 보면 크게 보이고, 멀리 있는 물체를 보면 상하좌우가 바뀌어 보이기도 합니다.

채점 기준

상	실제 물체보다 크게 보이거나, 상하좌우가 바뀌어 보이기도 한다는 내용을 쓴 경우
중	실제 물체보다 크게 보인다고만 썼거나 상하좌우가 바뀌어 보인다고 만 쓴 경우

(내용 플러스)

볼록 렌즈

• 가운데 부분이 가장자리보다 두꺼운 볼록 렌즈를 통해 본 물체의 모습: 볼록 렌즈와 가까이 있는 물체를 보면 물체보다 크게 보이고, 볼록 렌즈와 멀리 있는 물체를 보면 물체의 상하좌우가 바뀌어 보입니다.

 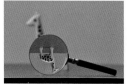

▲ 볼록 렌즈로 가까이 있는 물체를 볼 때   ▲ 볼록 렌즈로 멀리 있는 물체를 볼 때

• 볼록 렌즈는 빛을 굴절시켜 한곳으로 모을 수 있습니다.
• 볼록 렌즈를 이용한 예: 현미경, 망원경, 사진기, 휴대 전화 등

---

6 곧게 나아가던 레이저 지시기의 빛이 볼록 렌즈의 가장자리를 통과하면 두꺼운 가운데 부분으로 꺾여 나아가고, 볼록 렌즈의 가운데 부분을 통과하면 꺾이지 않고 그대로 나아갑니다.

채점 기준

상	㉠은 렌즈의 두꺼운 부분으로 꺾여 나아가고, ㉡은 꺾이지 않고 그대로 나아간다는 내용을 쓴 경우
중	㉠은 꺾여 나아가고, ㉡은 꺾이지 않고 그대로 나아간다고만 쓴 경우

7 볼록 렌즈를 통과한 햇빛은 굴절되어 한곳으로 모이지만, 평면 유리를 통과한 햇빛은 한곳으로 모이지 않습니다.

채점 기준

상	볼록 렌즈는 햇빛을 모을 수 있고 평면 유리는 햇빛을 모을 수 없어서 볼록 렌즈를 통과한 햇빛이 만든 원 안은 주변보다 온도가 높다는 내용을 쓴 경우
중	볼록 렌즈를 통과한 햇빛이 만든 원 안은 주변보다 온도가 높다는 내용만 쓴 경우

8 간이 사진기에 있는 볼록 렌즈가 빛을 굴절시켜 기름종이에 상하좌우가 바뀐 물체의 모습을 만듭니다.

채점 기준

상	(1) 간이 사진기로 본 글자의 모습을 옳게 그리고, (2) 간이 사진기의 볼록 렌즈가 빛을 굴절시키기 때문이라는 내용을 쓴 경우
중	(1) 간이 사진기로 본 글자의 모습만 옳게 그린 경우

1 전기의 이용

1 전기 회로

탐구 문제 　　　　　　　　　　　　　　　12쪽

1 (2) ○ 　　　　　　　　**2** 민주

1 전지 두 개, 전구 두 개를 전선과 스위치로 연결한 후 스위치를 닫았을 때 전지 두 개는 서로 다른 극끼리 직렬연결하고, 전구 두 개는 각각 다른 줄에 나누어 한 개씩 병렬연결한 전기 회로의 전구가 가장 밝습니다.

─(내용 플러스)─
전지의 연결 방법과 전구의 연결 방법에 따른 전구의 밝기
• 전지의 연결 방법에 따른 전구의 밝기: 전지 두 개를 직렬연결한 전기 회로의 전구가 전지 두 개를 병렬연결한 전기 회로의 전구보다 더 밝습니다.

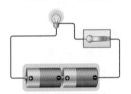 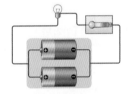

▲ 전지의 직렬연결: 전기 회로에서 전지 두 개 이상을 서로 다른 극끼리 연결하는 방법입니다. 　▲ 전지의 병렬연결: 전기 회로에서 전지 두 개 이상을 서로 같은 극끼리 연결하는 방법입니다.

• 전구의 연결 방법에 따른 전구의 밝기: 전구 두 개를 병렬연결한 전기 회로의 전구가 전구 두 개를 직렬연결한 전기 회로의 전구보다 더 밝습니다.

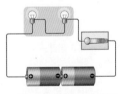 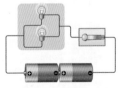

▲ 전구의 직렬연결: 전기 회로에서 전구 두 개 이상을 서로 한 줄로 연결하는 방법입니다. 　▲ 전구의 병렬연결: 전기 회로에서 전구 두 개 이상을 여러 개의 줄에 나누어 한 개씩 연결하는 방법입니다.

2 전구 두 개가 각각 다른 줄에 나누어 한 개씩 연결되어 있기 때문에 한 개의 전구를 빼내도 남은 전구는 전지와 끊어지지 않은 한 길로 연결되어 있어 스위치를 닫았을 때 전구의 불이 켜집니다.

확인 문제 　　　　　　　　　　　　　　　13쪽

1 (1) 예 전류가 잘 흐르는 물질 (2) 예 전류가 잘 흐르지 않는 물질　**2** (나)　**3** 원진　**4** ㉢
5 ㉠　**6** (1) 　(2)

1 철, 구리, 알루미늄, 흑연 등과 같이 전류가 잘 흐르는 물질을 도체라고 하고, 종이, 유리, 비닐, 나무 등과 같이 전류가 잘 흐르지 않는 물질을 부도체라고 합니다.

─(내용 플러스)─
여러 가지 전기 부품에서 도체인 부분과 부도체인 부분

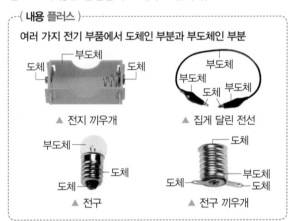

▲ 전지 끼우개　　　▲ 집게 달린 전선

▲ 전구　　　▲ 전구 끼우개

2 전구에 불이 켜지는 것은 전지, 전선, 전구가 끊어지지 않고 연결되어 있으며, 전구가 전지의 (+)극과 전지의 (−)극에 각각 연결되어 있습니다.

3 (나)의 경우, 전구와 연결된 전선 두 개가 모두 전지의 (−)극에 연결되어 있으므로, 전선 한 개를 전지의 (+)극에 연결하면 전구에 불을 켤 수 있습니다.

─(내용 플러스)─
전구에 불이 켜지는 조건
• 전지, 전선, 전구가 끊어지지 않게 연결합니다.
• 전구는 전지의 (+)극과 전지의 (−)극에 각각 연결합니다.
• 전기 부품의 도체끼리 연결합니다.

4 ㉢ 전기 회로는 전지 두 개가 서로 다른 극끼리 연결되어 있는 전지의 직렬연결입니다. ㉠, ㉡, ㉣ 전기 회로는 전지 두 개가 서로 같은 극끼리 연결되어 있는 전지의 병렬연결입니다. 전지 두 개를 직렬연결한 전기 회로의 전구가 전지 두 개를 병렬연결한 전기 회로의 전구보다 밝으므로, ㉢ 전기 회로의 전구가 ㉠, ㉡, ㉣ 전기 회로의 전구보다 밝습니다.

5 전지 두 개가 병렬연결되어 있을 때 전기 회로에서 전지 한 개를 빼내도 남은 전지, 전구, 전선이 끊어지지 않은 한 길로 연결되어 있어 전류가 흐르기 때문에 전구에 불이 켜집니다.

6 전지의 개수와 연결 방법이 같을 때 전구 두 개를 각각 다른 줄에 나누어 병렬연결하면 전구의 밝기가 밝고, 전구 두 개를 한 줄로 직렬연결하면 전구의 밝기가 어둡습니다.

② 자석의 성질, 전자석

1 ⓒ, ⓛ, ㉠

2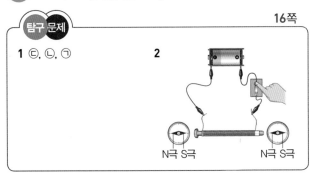
N극 S극   N극 S극

1 같은 전자석에 직렬연결한 전지의 개수가 많을수록 전자석의 세기가 세지며, 전자석의 세기가 셀수록 시침바늘이 많이 붙습니다. 따라서 ⓒ, ⓛ, ㉠ 순서대로 직렬연결한 전지의 개수가 많습니다. 시침바늘이 가장 많이 붙은 ⓒ에 전지를 가장 많이 연결했습니다.

2 전지의 극을 반대로 연결하고 스위치를 닫으면 전류의 방향이 반대가 되어 전자석의 극도 바뀌므로 나침반 바늘이 가리키는 방향도 달라집니다.

 확인 문제 17쪽

1 ⓛ	2 ⓒ	3 (1) ㉠, ㉣ (2) ⓛ, ⓒ
4 하윤	5 ㉠ S극 ⓛ N극	6 ⓒ

1 전류가 흐르는 전선 주위에 자석의 성질이 나타나므로, 전기 회로의 스위치를 닫아 전류가 흐르면 나침반 바늘이 움직입니다.

2 전지의 극을 반대로 연결하면 전류가 흐르는 방향이 바뀌므로 나침반 바늘이 움직이는 방향도 반대로 바뀝니다.

3 막대자석과 같은 영구 자석은 전류가 흐르지 않아도 자석의 성질이 나타나지만 전자석은 전류가 흐를 때에만 자석의 성질이 나타나고, 전류의 방향을 바꾸면 전자석의 극도 바뀝니다.

4 전기 회로에서 직렬로 연결된 전지의 개수가 많을수록, 에나멜선을 많이 감을수록 전자석의 세기가 더 세집니다.

┌─(내용 플러스)─────────────────
│ 전자석의 세기
│ • 전자석에 직렬로 연결한 전지의 개수가 많을수록 전자석의
│   세기가 세집니다.
│ • 전자석에 감은 에나멜선의 수가 많을수록 전자석의 세기가
│   세집니다.
│ • 전자석에 감은 에나멜선의 굵기가 굵을수록 전자석의 세기
│   가 세집니다.
└──────────────────────────────

5 전자석의 ㉠은 나침반 바늘의 N극이 가리키고 있으므로 S극이고, ⓛ은 나침반 바늘의 S극이 가리키고 있으므로 N극입니다.

6 전기 회로에서 전지의 극을 반대로 연결하면 전류의 방향이 반대로 바뀌어 전자석의 극도 바뀌므로, 나침반 바늘이 가리키는 방향도 반대로 바뀝니다.

1 도영   2 ⓔ 집게 달린 전선으로 전구 중 전지와 연결되어 있지 않은 부분과 전지의 (+)극을 연결합니다.

3 (1)   (2)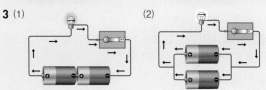

4 (가), (다)   5 (나)   6 (다), (가), (나)

7 (1) (다), (라) (2) 병렬연결   8 (가), (라)

9 ⓔ 전구의 일부가 꺼져도 나머지 전구는 꺼지지 않으므로, 불이 켜진 전구와 불이 꺼진 전구는 각각 다른 줄에 나누어 연결되어 있는 병렬연결입니다.   10 (1) 나침반 (2) ⓔ 전기 회로의 전선을 나침반 위에 놓고, 전선과 나침반 바늘이 나란히 되도록 전선의 위치를 조정합니다.

11 ㉠   12 ⓔ 전지 여러 개를 직렬로 연결합니다.

13 도영   14 (나)   15 ⓔ 전지 두 개를 직렬연결하면 전지 한 개를 연결할 때보다 전류의 세기가 세지기 때문에 전자석의 세기도 세져 시침바늘을 더 많이 끌어당겨 붙기 때문입니다.   16 S극 〈나침반〉 N극

17 ⓔ 전자석의 성질을 이용한 전동기에 날개를 부착해 전동기를 회전시켜 바람을 일으킵니다.   18 ③, ⑤

19

ⓔ 플러그를 뽑을 때 전선을 잡아당기지 않습니다. 콘센트 한 개에 플러그 여러 개를 한꺼번에 꽂아서 사용하지 않습니다. 등   20 (1) ㉣ (2) ㉠ (3) ⓒ (4) ⓛ

1 전구의 꼭지와 꼭지쇠를 각각 전지의 (+)극과 (−)극에 연결하고 전지, 전선, 전구가 끊어지지 않게 전기 부품의 도체끼리 연결해야 전구에 불이 켜집니다.

2 전지, 전선, 전구가 끊어지 않게 연결되고, 전구의 꼭지와 꼭지쇠를 각각 전지의 (+)극과 전지의 (−)극에 연결하며, 전기 부품의 도체끼리 연결하면 전구에 불이 켜집니다. 전지에 연결되어 있지 않은 전구 끼우개의 한쪽 부분과 전지의 (+)극을 직접 연결해도 전구에 불을 켤 수 있습니다.

▲ 전선을 추가했을 때　　　▲ 전선을 추가하지 않았을 때

채점 TIP 전기 부품 한 개를 추가하여 전구에 불이 켜지게 하는 방법을 알맞게 쓰면 정답으로 합니다.

---(**내용 플러스**)---

여러 가지 전기 부품
- 전구: 빛을 내는 전기 부품입니다. 전구의 꼭지와 꼭지쇠로 전류가 흐르면 필라멘트에서 빛이 납니다.
- 전구 끼우개: 전기 회로를 만들 때 전구 끼우개에 전구를 끼워 사용하면 전선을 쉽게 연결할 수 있습니다.
- 전지: 전기 회로에 전류를 흐르게 합니다. 전지의 (+)극과 (−)극을 연결하면 전류가 흐릅니다.
- 전지 끼우개: 전기 회로를 만들 때 전지 끼우개를 사용하면 전지를 전선에 쉽게 연결할 수 있습니다.
- 집게 달린 전선: 전류가 흐르는 통로입니다. 전선에 집게를 연결하면 전선을 여러 가지 전기 부품에 쉽게 연결할 수 있습니다.

3 전기 회로에 흐르는 전기를 전류라고 하며, 전기 부품의 도체 부분에 전류가 흐르면 전구에 불이 켜집니다. 전류는 전지의 (+)극에서 (−)극으로 흐릅니다.

4 손전등은 전지 두 개가 서로 다른 극끼리 연결되어 있으며, 이러한 전지의 연결 방법을 전지의 직렬연결이라고 합니다. ㈎와 ㈐ 전기 회로는 전지가 직렬연결되어 있고, ㈏ 전기 회로는 전지가 병렬연결되어 있습니다.

5 ㈏ 전기 회로는 전구 두 개가 한 줄로 연결되어 있는 직렬연결이고, 전지 두 개는 서로 같은 극끼리 연결되어 있는 병렬연결입니다. ㈎는 전구 두 개가 한 줄로 연결되어 있는 직렬연결이고, 전지 두 개가 서로 다른 극끼리 연결되어 있는 직렬연결입니다. ㈐는 전구 두 개가 각각 다른 줄에 나누어 한 개씩 연결되어 있는 병렬연결이고, 전지 두 개가 서로 다른 극끼리 연결되어 있는 직렬연결입니다.

6 전지는 직렬연결, 전구는 병렬연결할 때 전구의 밝기가 밝습니다. ㈐ 전기 회로의 전구가 가장 밝고, 전구 두 개가 직렬연결되어 있는 ㈎와 ㈏ 전기 회로 중에서는 전지 두 개가 직렬연결되어 있는 ㈎ 전기 회로의 전구가 전지 두 개가 병렬연결되어 있는 ㈏ 전기 회로의 전구보다 밝습니다. 따라서 ㈐ 전기 회로, ㈎ 전기 회로, ㈏ 전기 회로 순서로 전구의 밝기가 밝습니다.

7 전지의 병렬연결은 전기 회로에서 전지 두 개 이상을 서로 같은 극끼리 연결하는 방법으로, 전기 회로에서 전지 한 개를 빼내도 나머지 전지, 전구, 전선이 끊어지지 않고 연결되어 있어 전류가 흐르기 때문에 전구이 불이 켜집니다.

---(**내용 플러스**)---

전지의 직렬연결은 전기 회로에서 전지 두 개 이상을 서로 다른 극끼리 연결하는 방법으로, 전기 회로에서 전지 한 개를 빼내면 전기 회로가 끊어져 전류가 흐르지 않기 때문에 전구 불이 꺼집니다.

8 전구의 직렬연결은 전기 회로에서 전구 두 개 이상을 한 줄로 연결하는 방법으로, 전기 회로에서 전구 하나를 빼내면 전기 회로가 끊겨 전류가 흐르지 않기 때문에 나머지 전구에 불이 켜지지 않습니다.

9 전구의 병렬연결에서는 한 줄의 전구 불이 꺼져도 나머지 줄의 전구 불은 켜집니다.

채점 TIP 불이 켜진 전구와 불이 꺼진 전구는 병렬연결되어 있다는 내용을 쓰면 정답으로 합니다.

---(**내용 플러스**)---

장식용 전구는 직렬연결과 병렬연결을 혼합해 사용합니다. 전구 ㈎가 연결된 전선과 전구 ㈏가 연결된 전선은 각각 전구가 직렬로 연결되어 있습니다. 하지만 전구 ㈎가 연결된 전선과 전구 ㈏가 연결된 전선의 전구는 서로 병렬연결되어 있습니다. 이때 한 줄의 전구가 꺼져도 다른 줄의 전구에는 불이 켜집니다.

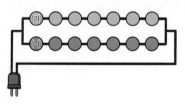

▲ 장식용 전구의 연결

10 전류가 흐르는 전선을 나침반 주위에 놓으면 전류가 흐르는 전선 주위에 자석의 성질이 나타나 자기장이 생기기 때문에 나침반 바늘이 움직이는 것을 관찰할 수 있습니다.

채점 TIP (1) 나침반을 쓰고, (2) 전선을 나침반 위 또는 아래에 나침반 바늘과 나란히 되도록 놓는다는 내용을 쓰면 정답으로 합니다.

내용 플러스

자기장

- 자석이 물체를 끌어당기는 힘을 자기력이라고 하고, 자기력이 미치는 공간을 자기장이라고 합니다.
- 자석 주위에 나침반을 놓았을 때 나침반 바늘이 움직이거나 막대자석 주위에 철 가루가 일정한 모양으로 늘어서는 것으로 자석 주위에 자기장이 있는지 확인할 수 있습니다.

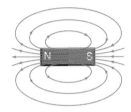

▲ 막대자석 주위에 나타나는 자기장

11 나침반은 자석이 북쪽과 남쪽을 가리키는 성질을 이용한 도구로, 바늘이 자석으로 되어 있습니다. 따라서 전류가 흐르는 전선 주위에 자석의 성질이 나타나면 북쪽과 남쪽을 가리키던 나침반 바늘에 영향을 주어서 나침반 바늘이 가리키는 방향이 달라집니다.

12 전류가 흐르는 전선 주위에서 나침반 바늘이 더 크게 움직이게 하려면 전지 여러 개를 직렬로 연결하거나 전선을 나침반과 나란히 하고 나침반 위에 최대한 가까이 놓아 전류가 흐르는 전선 주위에 자석의 성질이 강하게 나타나게 합니다.

채점 TIP 전지를 직렬로 더 연결한다는 등의 전류를 세게 할 수 있는 알맞은 방법을 쓰면 정답으로 합니다.

13 나침반을 가만히 두면 나침반 바늘은 항상 북쪽과 남쪽을 가리킵니다. 그러나 전류가 흐르는 전선 주위에는 자석의 성질이 나타나기 때문에 극의 방향에 따라 끌어당기고 밀어내는 힘에 의해 나침반 바늘이 가리키는 방향이 달라집니다. 전지의 극을 반대로 연결하여 전류의 방향이 반대가 되면 나침반 바늘이 가리키는 방향도 반대가 됩니다.

14 전자석에 직렬로 연결한 전지의 개수가 많을수록 전자석의 세기가 세집니다. 따라서, 전지 두 개를 직렬연결한 ㈏ 전자석에 시침바늘이 더 많이 붙습니다.

15 전지를 한 개 연결한 전자석보다 전지 두 개를 직렬연결한 전자석의 세기가 더 세기 때문에 시침바늘이 더 많이 붙습니다.

채점 TIP 전지 두 개를 직렬연결하면 전지 한 개를 연결했을 때보다 전자석의 세기가 더 세기 때문이라는 내용을 쓰면 정답으로 합니다.

16 왼쪽 나침반 바늘의 N극이 전자석의 둥근머리 부분을 향하므로 전자석의 둥근머리 부분이 S극이고, 오른쪽 끝부분이 N극이 됩니다. 전자석의 오른쪽 끝부분이 N극이므로, ㉡ 나침반 바늘은 S극이 전자석을 향합니다.

17 선풍기는 전자석의 성질을 이용한 전동기를 부착해 전동기를 회전시켜 바람을 일으킵니다.

채점 TIP 전자석을 이용한 전동기를 부착해 전동기를 회전시킨다는 내용을 쓰면 정답으로 합니다.

18 전자석은 전류가 흐르는 전선 주위에 자석의 성질이 나타나는 것을 이용해 만든 자석으로 전류가 흐를 때에만 자석의 성질이 나타납니다. 전기 회로에 직렬로 연결된 전지의 개수를 다르게 하여 전자석의 세기를 조절할 수 있으며, 연결한 전지의 극을 바꾸어 전류가 흐르는 방향이 바뀌면 전자석의 극도 바뀝니다.

19 전기를 안전하게 사용하기 위해 전선을 잡아당겨 플러그를 뽑지 않고, 콘센트 한 개에 플러그 여러 개를 한꺼번에 꽂아서 사용하지 않으며, 전선을 길게 늘어뜨리지 않습니다. 또 물 묻은 손으로 전기 제품을 만지지 않고, 깜박거리는 형광등 등을 만지지 않습니다.

채점 TIP 전기를 위험하게 사용하는 모습을 두 가지 이상 찾고, 각각의 경우에 안전하게 사용하는 알맞은 방법을 쓰면 정답으로 합니다.

20 퓨즈는 큰 전류가 흘러 온도가 높아지면 녹아서 다른 전기 제품보다 먼저 끊어지고 감지 등은 사람의 움직임을 감지하여 불이 켜지며, 시간 조절 콘센트는 원하는 시간이 되면 자동으로 전원이 차단됩니다. 발광 다이오드[LED]등은 일반 전구보다 전기를 절약할 수 있습니다. 전기를 안전하게 사용하지 않으면 감전되거나 화재가 일어날 수 있으므로 전기 제품의 사용법을 알고 전기 안전 수칙에 따라 전기를 사용해야 합니다.

서술형 문제   22~23쪽

1 (1) ㉠, ㉢, ㉣ (2) ㉙ 동전, 클립, 연필심은 전류가 잘 흐르는 도체이기 때문입니다. **2** ㉙ ㉠ 전지의 (+)극과 ㉡ 전지의 (−)극이 연결되어 있으므로 두 전지가 서로 다른 극끼리 직렬연결되어 있습니다. **3** ㈎ ㉡, ㈏ ㉠ (2) ㉙ ㈎ 전기 회로와 같이 전구 두 개를 한 줄로 연결하는 직렬연결보다 ㈏ 전기 회로와 같이 전구 두 개를 여러 개의 줄에 나누어 한 개씩 연결하는 병렬연결할 때 전구의 밝기가 더 밝습니다. **4** ㉙ 남은 전구와 남은 전지가 끊어지지 않은 한 길로 연결되어 있어 전류가 흐를 수 있기 때문에 전구에 불이 켜집니다. **5** ㉙ 전기 회로의 전지의 극을 바꾸어 연결하여 전류의 방향이 반대가 되면 나침반 바늘이 움직인 방향이 반대로 바뀝니다. **6** (1) ㉣ (2) ㉙ 나무보다는 금속으로 만든 전자석이 자석의 성질이 세고, 직렬연결한 전지의 개수가 많을수록 전자석의 세기가 세지기 때문입니다. **7** (1) N (2) ㉙ 전자석은 전류가 흐르는 방향이 바뀌면 전자석의 극도 바뀌므로 전지의 방향을 반대로 돌려 전기 회로에 연결합니다. **8** ㉙ ㈎는 전류가 흐르지 않아도 자석의 성질이 나타나는 영구 자석으로 만든 물체이고, ㈏는 전류가 흐를 때에만 자석의 성질이 나타나는 전자석으로 만든 물체입니다.

1 구리, 철, 흑연, 알루미늄 등과 같이 전류가 잘 흐르는 물질을 도체라고 하고, 종이, 유리, 비닐, 나무 등과 같이 전류가 잘 흐르지 않는 물질을 부도체라고 합니다. 동전, 클립, 연필심은 도체이므로 전구에 불이 켜지지만, 종이, 빨대, 나무 젓가락은 부도체이므로 전구에 불이 켜지지 않습니다.

채점 기준

상	(1)에서 ㉠, ㉢, ㉤을 쓰고, (2) 전류가 잘 흐르는 도체이기 때문이라고 쓴 경우
중	(1)에서 ㉠, ㉢, ㉤을 쓰고, (2) 전류가 흐르기 때문이라고만 쓴 경우
하	(1)에서 ㉠, ㉢, ㉤만 쓴 경우

2 ㉠ 전지의 (+)극은 ㉡ 전지의 (−)극에 연결되어 있습니다. 이처럼 전기 회로에서 전지 두 개 이상을 서로 다른 극끼리 연결하는 방법을 직렬연결이라고 합니다.

채점 기준

상	㉠ 전지의 (+)극과 ㉡ 전지의 (−)극이 연결되어 있으므로 서로 다른 극끼리 직렬연결되어 있다고 쓴 경우
중	㉠ 전지의 (+)극과 ㉡ 전지의 (−)극이 서로 연결되어 있다고만 쓴 경우

3 전지 두 개를 직렬연결한 전기 회로에서 전구 두 개 이상을 한 줄로 연결하는 전구의 직렬연결보다 전구 두 개 이상을 여러 개의 줄에 나누어 한 개씩 연결하는 병렬연결에서 전구의 불이 더 밝습니다. (가) 전기 회로는 전구 두 개를 직렬연결했고, (나) 전기 회로는 전구 두 개를 병렬연결했으므로, 스위치를 닫았을 때 (나) 전기 회로의 전구가 (가) 전기 회로의 전구보다 더 밝습니다.

채점 기준

상	(1) (가)에 ㉡, (나)에 ㉠을 쓰고, (2) 두 전기 회로의 전구의 밝기를 전구를 한 줄로 연결한 직렬연결과 여러 개의 줄에 나누어 연결한 병렬연결을 관련지어 쓴 경우
중	(1) (가)에 ㉡, (나)에 ㉠을 쓰고, (2) 두 전기 회로의 전구의 밝기만 비교하여 쓴 경우

4 전구 두 개를 병렬연결한 전기 회로에서는 전구 한 개를 빼내도 나머지 전구 불이 꺼지지 않습니다. 전지 두 개를 병렬연결한 전기 회로에서는 전지 한 개를 빼내도 나머지 전지에서 전류가 흐를 수 있습니다.

채점 기준

상	남은 전구와 전지가 끊어지지 않은 한 길로 연결되어 있기 때문에 전류가 흐를 수 있어 전구에 불이 켜진다고 쓴 경우
중	전구에 불이 켜진다고만 썼거나 전류가 흐를 수 있기 때문이라고만 쓴 경우

5 전류가 흐르는 전선 주위에는 자석의 성질이 나타나므로, 전지의 극을 반대로하여 전류가 흐르는 방향을 바꾸어 주면 나침반 바늘이 움직이는 방향이 달라집니다.

채점 기준

상	전기 회로에서 전지의 극을 바꾸어 전류의 방향이 바뀌면 나침반 바늘이 움직인 방향이 반대가 된다는 내용을 쓴 경우
중	전류의 방향을 반대로 한다는 내용만 쓴 경우

─(내용 플러스)─

전류가 흐르는 전선의 위치에 따라 달라지는 나침반 바늘의 움직임

▲ 전선을 나침반 위에 놓았을 때　　▲ 전선을 나침반 아래에 놓았을 때

전류가 흐르는 전선을 나침반 위에 놓았을 때와 아래에 놓았을 때 나침반 바늘의 움직임은 반대로 나타납니다. 그 까닭은 전류가 흐르는 전선의 위치에 따라 자기장의 방향이 달라지기 때문입니다.

6 나무 막대에 에나멜선을 감아 만든 전자석보다 둥근머리 볼트(철심)에 에나멜선을 감아 만든 전자석이 전자석의 세기가 더 세며, 직렬로 연결한 전지의 개수가 많을수록 전자석의 세기가 더 세집니다. 전자석의 세기가 셀수록 시침바늘이 많이 붙으므로, 둥근머리 볼트에 에나멜선을 감고 전지를 직렬로 두 개 연결한 ㉣ 전자석에 시침바늘이 가장 많이 붙고, 나무에 에나멜선을 감고 전지를 한 개 연결한 ㉠ 전자석에 시침바늘이 가장 조금 붙습니다.

채점 기준

상	(1) ㉣을 쓰고, (2) 나무보다는 금속으로 만든 전자석의 세기가 세고, 직렬연결한 전지의 개수가 많을수록 전자석의 세기가 세기 때문이라고 쓴 경우
중	(1) ㉣을 쓰고, (2) 둥근머리 볼트로 만든 전자석의 세기가 더 세다는 내용과 직렬연결한 전지의 개수가 많을수록 전자석의 세기가 세다는 내용 중 한 가지만 쓴 경우

─(내용 플러스)─

철심이 있는 전자석과 철심이 없는 전자석

전류가 흐르는 전선 주위에는 자기장이 발생하므로 철심이 없거나 다른 막대를 넣는다 하더라도 전자석의 역할을 할 수 있습니다. 그러나 실제로 모든 전자석은 내부에 철심을 넣어 만듭니다. 그 까닭은 코일에 흐르는 전류가 만든 자기장 때문에 철심도 자기화되기 때문입니다. 그러므로 철심을 넣은 전자석이 철심을 넣지 않은 전자석보다 전자석의 세기가 훨씬 셉니다.

7 나침반 바늘의 S극이 전자석의 ㉠ 부분을 가리키므로 ㉠ 부분은 N극입니다. 전자석은 전류의 방향이 바뀌면 전자석의 극도 바뀌므로, 전지를 반대로 하고 스위치를 닫으면 전류가 흐르는 방향이 바뀌어 ㉠ 부분은 S극이 됩니다.

채점 기준

상	(1) N극을 쓰고, (2) 전류의 방향이 바뀌면 전자석의 극이 바뀌므로 전지를 반대로 한다는 내용을 쓴 경우
중	(1) N극을 쓰고, (2) 전지를 반대로 한다는 내용만 쓴 경우

8 나침반과 메모 자석은 전류가 흐르지 않아도 자석의 성질이 나타나는 영구 자석을 이용하고, 자기 부상 열차와 전자석 기중기는 전류가 흐를 때에만 자석의 성질이 나타나는 전자석을 이용합니다.

채점 기준

상	㈎는 전류가 흐르지 않아도 자석의 성질이 나타나는 영구 자석을 이용하고, ㈏는 전류가 흐를 때에만 자석의 성질이 나타나는 전자석을 이용한 것이라고 쓴 경우
중	㈎는 항상 자석의 성질이 있고, ㈏는 필요할 때에만 자석의 성질이 나타나게 한다는 내용으로만 쓴 경우

(**내용 플러스**)

영구 자석과 전자석 비교하기
• 영구 자석은 전류가 흐르지 않아도 자석의 성질이 나타나지만 전자석은 전류가 흐를 때에만 자석의 성질이 나타납니다.
• 영구 자석은 자석의 세기가 일정하지만 전자석은 직렬로 연결된 전지의 개수를 다르게 해 전자석의 세기를 조절할 수 있습니다.
• 영구 자석은 자석의 극이 일정하지만 전자석은 전류가 흐르는 방향이 바뀌면 전자석의 극도 바뀝니다.

전자석을 이용한 예
• 자기 부상 열차: 전류가 흐를 때 자기 부상 열차와 철로의 같은 극끼리 서로 밀어내어 열차가 철로 위에 떠서 이동하기 때문에 열차와 철로 사이의 마찰이 없어 빠르게 달릴 수 있습니다.
• 전자석 기중기: 무거운 철제품을 전자석에 붙여 다른 장소로 옮길 수 있습니다.
• 선풍기: 전자석의 성질을 이용한 전동기에 날개를 부착해 전동기를 회전시켜 바람을 일으킵니다.

▲ 전동기의 원리

• 스피커: 전자석과 영구 자석이 밀고 당기면서 얇은 판을 떨리게 해 소리를 발생시킵니다.
• 전기 자동차: 전자석이 회전하면서 자동차 바퀴를 움직입니다.
• 세탁기: 전자석이 회전하면서 빨래를 세탁합니다.
• 머리 말리개: 전자석이 회전하면서 바람을 일으킵니다.

2 계절의 변화

1 태양 고도

탐구 문제   32쪽

1 각   **2** (2) ○ (3) ○

1 태양 고도는 태양 고도 측정기를 태양 빛이 잘 드는 편평한 곳에 놓고 막대기의 그림자 끝에 실을 맞춘 뒤, 그림자와 실이 이루는 각을 측정합니다.

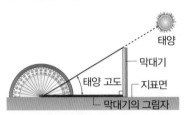

▲ 태양 고도 측정

2 하루 중 태양 고도가 가장 높은 때는 낮 12시 30분경으로 이후에 점점 낮아집니다. 그림자 길이는 낮 12시 30분경에 가장 짧습니다. 하루 중 기온이 가장 높은 때는 14시 30분경(오후 2시 30분)입니다.

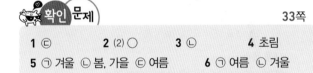

확인 문제   33쪽

1 ㉢   **2** (2) ○   **3** ㉡   **4** 초림
5 ㉠ 겨울 ㉡ 봄, 가을 ㉢ 여름   **6** ㉠ 여름 ㉡ 겨울

1 태양 고도는 지표면과 태양이 이루는 각입니다. 태양 고도를 측정하기 위해 실을 연결한 막대기를 지표면에 수직으로 세우고 그림자 끝과 막대기의 실이 이루는 각을 측정합니다.

2 태양과 지구는 매우 멀리 떨어져 있고 태양 빛은 지구에 평행하게 오기 때문에 막대기의 길이가 길어지면 그림자 길이도 길어지므로 태양 고도는 막대기의 길이에 상관없이 일정하게 측정됩니다.

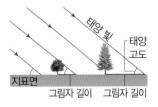

3 하루 동안 태양 고도는 오전에 점점 높아지다가 낮 12시 30분경에 가장 높고, 그 후에 점점 낮아집니다. ㉠은 하루 동안의 그림자 길이 변화를 나타낸 그래프이고, ㉡은 하루 동안의 기온 변화를 나타낸 그래프입니다.

4 ㉠은 하루 동안 태양 고도의 변화를 나타내고, ㉡은 하루 동안 그림자 길이 변화를 나타냅니다. 태양 고도가 높아져 태양이 남중했을 때 그림자는 정북쪽을 향하고, 그림자 길이는 하루 중 가장 짧습니다. 9시 30분경부터 12시 30분경까지 그림자 길이는 점점 짧아지다 다시 점점 길어집니다.

5 태양의 남중 고도는 여름에 가장 높고 겨울에 가장 낮습니다. 봄과 가을의 태양의 남중 고도는 여름과 겨울의 중간 정도입니다.

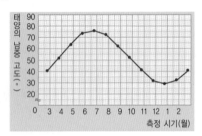

▲ 월별 태양의 남중 고도(서울특별시 기준)

6 낮의 길이가 가장 긴 계절은 여름이고, 낮의 길이가 가장 짧은 계절은 겨울입니다.

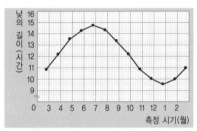

▲ 월별 낮의 길이(서울특별시 기준)

(**내용 플러스**)

계절별 태양의 남중 고도와 낮의 길이의 관계
• 태양의 남중 고도가 높아질수록 낮의 길이도 길어집니다.
• 태양의 남중 고도가 가장 높은 여름(6~7월)에 낮의 길이가 가장 길고, 태양의 남중 고도가 가장 낮은 겨울(12~1월)에 낮의 길이가 가장 짧습니다.

② 계절의 변화

 탐구 문제   36쪽

1 (1) ㉡   (2) ㉠, ㉢, ㉣   **2** 지구의의 자전축을 기울인 경우

1 계절이 변하는 까닭을 알아보기 위한 탐구로, 지구의의 자전축의 기울기 외의 조건은 모두 같게 합니다. 지구의의 자전축을 수직으로 놓고 공전시키면서 태양의 남중 고도를 측정하고, 지구의의 자전축을 23.5° 기울여 놓고 공전시키면서 태양의 남중 고도를 측정하여 비교합니다.

(**내용 플러스**)

자전축의 기울기에 따른 태양의 남중 고도를 측정하는 실험을 할 때 주의할 점
• 태양 빛은 지표면에 평행하게 들어오므로, 전등의 높이를 조절하여 태양 고도 측정기에 빛이 평행하게 오도록 조절합니다.
• 자전축은 항상 같은 방향으로 기울어져 있어야 합니다.
• 전등과 지구의 사이의 거리를 일정하게 하면서 공전시킵니다.
• 태양 고도 측정기의 그림자 길이가 가장 짧아질 때의 고도를 측정합니다. 이때 태양의 남중 고도는 태양 고도 측정기에서 그림자 끝이 가리키는 곳의 각도를 읽습니다. 예를 들어 그림자 끝이 40°와 50°의 중간에 있으면 45°가 태양의 남중 고도입니다.

2 지구의의 자전축을 기울인 경우에는 지구의의 위치에 따라 전등을 향하는 정도가 달라져 태양(전등)의 남중 고도가 높아졌다가 낮아집니다. 지구의의 자전축이 수직인 경우에는 지구의의 위치에 관계없이 태양의 남중 고도는 달라지지 않습니다.

 확인 문제   37쪽

1 (1) ㉡ (2) ㉠ 겨울, ㉡ 여름   **2** (1) (나) (2) (가)   **3** 재명
4 ㉠ 자전축 ㉡ 공전   **5** ㉠ 여름 ㉡ 겨울   **6** ㉠

1 ㉠과 같이 태양 고도가 낮은 겨울에는 일정한 면적에 도달하는 태양 에너지양이 적어 기온이 낮아 춥고, ㉡과 같이 태양 고도가 높은 여름에는 일정한 면적에 도달하는 태양 에너지양이 많아 기온이 높고 덥습니다.

2 전등과 모래가 이루는 각이 크면 좁은 면적을 비추기 때문에 일정한 면적에 도달하는 에너지양이 많아 전등의 열이 모래에 더 많이 전달되어 모래의 온도가 많이 올라갑니다.

▲ 전등과 모래가 이루는 각이 클 때   ▲ 전등과 모래가 이루는 각이 작을 때

3 여름에 태양의 남중 고도가 높아지면 일정한 면적의 지표면에 도달하는 태양 에너지양이 많아지고, 지표면에 도달하는 태양 에너지양이 많아지면 지표면이 더 많이 데워져 기온이 높아집니다. 겨울에 태양의 남중 고도가 낮아지면 일정한 면적의 지표면에 도달하는 태양 에너지양이 적어지고, 지표면에 도달하는 태양 에너지양이 적어지면 지표면이 조금 데워져 기온이 낮아집니다.

4 지구는 자전축이 공전 궤도면의 수직선에 대해 약 23.5° 기울어진 채 태양 주위를 공전하기 때문에 달라진 지구의 위치에 따라 태양의 남중 고도가 달라지고, 계절이 변합니다.

5 ㉠은 북반구에서 태양의 남중 고도가 높은 때입니다. 우리나라는 북반구에 위치해 있으므로 우리나라의 계절은 여름입니다. ㉡은 북반구에서 태양의 남중 고도가 낮은 때입니다. 우리나라는 북반구에 위치해 있으므로 우리나라의 계절은 겨울입니다.

6 지구의의 자전축이 수직이면 지구의 위치가 변해도 태양의 남중 고도는 변하지 않습니다.

 단원 평가

38~41쪽

1 (1) 50 (2) 예 막대기 그림자의 끝과 막대기의 실이 이루는 각을 측정합니다. **2** 지헌 **3** ㉠ 남중 ㉡ 남중 고도 ㉢ 정북 **4** (1) 12:30 (2) 12:30 (3) 14:30(오후 2:30) **5** ㉡ **6** 찬종 **7** ㉠ ㈑ ㉡ ㈎, ㈐ ㉢ ㈏ **8** (1) 예 낮아집니다. (2) 예 짧아집니다. **9** 예 태양의 남중 고도가 높아지면 낮의 길이는 길어지고, 태양의 남중 고도가 낮아지면 낮의 길이가 짧아집니다. **10** ㈐, 겨울 **11** 예 가을부터 겨울까지 태양의 남중 고도는 점점 낮아집니다. **12** 전등과 모래가 이루는 각 **13** (1) ㈎ (2) 지아 **14** (1) ㈏ (2) ㈎ **15** 예 태양의 남중 고도가 높은 여름에는 햇빛이 처마에 가려져 집 안으로 깊숙하게 들어오지 못하고, 태양의 남중 고도가 낮은 겨울에는 햇빛이 집 안으로 깊숙하게 들어와 방을 따뜻하게 하기 때문입니다. **16** ㈒ **17** ㈎ ㉡ ㈏ ㉢ ㈐ ㈑ ㉠ **18** 예 지구가 ㉠ 위치에 있을 때 우리나라는 태양의 남중 고도가 높아 여름입니다. 여름은 기온이 높아 덥고, 사람들은 주로 짧은 옷을 입고 시원한 물놀이를 하기도 합니다. **19** ㈎ ㉡, ㉢ ㈏ ㉠, ㉣ **20** 예 남반구는 북반구와 계절이 반대이기 때문에 북반구에 있는 우리나라가 겨울일 때 뉴질랜드와 같이 남반구에 있는 나라는 여름입니다. 지구의 자전축이 기울어진 채 태양 주위를 공전하기 때문에 계절이 변합니다.

1 태양 고도는 태양이 지표면과 이루는 각으로 나타냅니다. 태양 고도를 측정할 때에는 실을 연결한 막대기를 지표면에 수직으로 세우고 그림자 끝과 막대기의 실이 이루는 각을 측정합니다. 따라서 현재의 태양 고도는 50°입니다.

(내용 플러스)

태양 고도가 낮을 때와 태양 고도가 높을 때 비교하기

태양 고도가 낮을 때에는 태양이 지표면과 이루는 각이 작고, 태양 고도가 높을 때에는 태양이 지표면과 이루는 각이 큽니다.

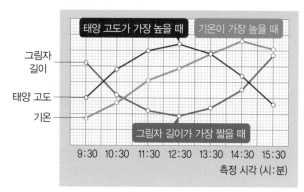

▲ 태양 고도가 낮을 때 　　　 ▲ 태양 고도가 높을 때

2 하루 동안 태양 고도는 낮 12시 30분 무렵에 가장 높고 점점 낮아집니다. 따라서 오후 2시 이후에는 태양 고도가 점점 낮아집니다.

3 하루 중 태양이 정남쪽에 위치하면 태양이 남중했다고 하며, 이때의 고도를 태양의 남중 고도라고 합니다. 태양이 남중했을 때 그림자는 정북쪽을 향하고, 그림자 길이는 하루 중 가장 짧습니다.

4 하루 중 태양 고도가 가장 높은 때는 낮 12시 30분 무렵이며, 태양 고도가 높아지면 그림자 길이는 짧아지고 기온은 높아집니다.

▲ 태양 고도, 그림자 길이, 기온 그래프

5 ㉠은 하루 동안 태양 고도의 변화, ㉡은 하루 동안 기온의 변화, ㉢은 하루 동안 그림자 길이 변화를 나타낸 것입니다.

6 기온이 가장 높게 나타나는 시각의 태양 고도는 태양이 남중한 시각보다 약 두 시간 정도 뒤입니다. 태양 고도가 높아질수록 지표면이 더 많이 데워지지만 지표면이 데워져 공기의 온도가 높아지는 데에는 시간이 걸리기 때문입니다.

7 태양 고도가 가장 낮은 ㉠은 12~1월인 겨울에 태양의 위치 변화를 나타낸 것입니다. 태양 고도가 가장 높은 ㉢은 6~7월인 여름에 태양의 위치 변화를 나타낸 것입니다. ㉡은 봄과 가을에 태양의 위치 변화를 나타낸 것입니다. ㉠은 ㈑ 구간, ㉢은 ㈎와 ㈐ 구간, ㉡은 ㈏ 구간에 해당합니다.

8 태양 고도는 6~7월에 가장 높고 점점 낮아져 12~1월에 가장 낮습니다. 낮의 길이는 6~7월에 가장 길고, 점점 짧아져

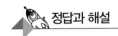

12~1월에 가장 짧습니다. 따라서 9월 10일부터 한 달 뒤에 태양의 남중 고도는 낮아지고, 낮의 길이는 짧아집니다.

9 태양의 남중 고도가 높아지면 태양이 움직이는 거리가 길어지기 때문에 낮의 길이가 길어지고, 태양의 남중 고도가 낮아지면 태양이 움직이는 거리가 짧아지기 때문에 낮의 길이가 짧아집니다.

채점 TIP 태양의 남중 고도가 높아지면 낮의 길이가 길어지고, 태양의 남중 고도가 낮아지면 낮의 길이가 짧아진다는 내용을 쓰면 정답으로 합니다.

┌─(**내용 플러스**)────────────
│ **태양의 남중 고도**
│ • 하루 중 태양이 정남쪽에 위치했을 때의 고도를 태양의 남중 고도라고 합니다.
│ • 태양의 남중 고도는 여름에 가장 높고 겨울에 가장 낮으며, 봄과 가을의 태양의 남중 고도는 여름과 겨울의 중간 정도입니다.
│ • 태양의 남중 고도가 높아질수록 낮의 길이도 길어집니다.
└────────────────────────

10 여름에는 낮의 길이가 길지만 겨울에는 낮의 길이가 짧기 때문에 같은 시각이더라도 여름에는 밝았지만 겨울에는 어둡습니다.

11 가을부터 겨울까지 태양의 남중 고도는 점점 낮아집니다.

채점 TIP 가을부터 겨울까지 태양의 남중 고도가 점점 낮아진다는 내용을 쓰면 정답으로 합니다.

┌─(**내용 플러스**)────────────
│ **태양의 남중 고도와 기온의 관계**
│ • 여름에는 기온이 높아 덥고 겨울에는 기온이 낮아 추운 것은 태양의 남중 고도와 관련이 깊습니다.
│ • 태양의 남중 고도가 높을 때 기온이 높은 까닭: 태양의 남중 고도가 높아지면 일정한 면적의 지표면에 도달하는 태양 에너지양이 많아지고, 지표면에 도달하는 태양 에너지양이 많아지면 지표면이 더 많이 데워져 기온이 높아지기 때문입니다.
└────────────────────────

12 전등은 태양, 모래는 지표면, 전등과 모래가 이루는 각은 태양의 남중 고도를 나타내므로, 전등과 모래가 이루는 각만 다르게 하여 모래의 온도를 측정하면 태양의 남중 고도에 따른 기온 변화를 확인할 수 있습니다.

┌─(**내용 플러스**)────────────
│ **태양의 남중 고도에 따른 기온 변화 실험의 조건**
│ • 다르게 해야 할 조건: 전등과 모래가 이루는 각
│ • 같게 해야 할 조건: 전등과 모래 사이의 거리, 전등을 켠 시간, 전등의 종류, 페트리 접시의 크기 등
└────────────────────────

13 전등과 모래가 이루는 각이 클수록 일정한 면적에 도달하는 에너지양이 많습니다. 따라서 같은 시간 동안 전등 빛을 비추었을 때 전등과 모래가 이루는 각이 클 때 모래의 온도가 더 많이 올라갑니다.

14 ⑴ 전등과 모래가 이루는 각이 작은 ㈏는 태양의 남중 고도가 낮은 경우이고, ⑵ 전등과 모래가 이루는 각이 큰 ㈎는 태양의 남중 고도가 높은 경우입니다.

15 한옥의 처마는 태양의 남중 고도가 높은 여름에는 뜨거운 햇빛을 막고, 태양의 남중 고도가 낮은 겨울에는 햇빛을 잘 받아들일 수 있는 구조입니다.

채점 TIP 태양의 남중 고도가 높은 여름에는 한옥의 처마에 가려져 햇빛이 집 안으로 들어오지 못하고, 태양의 남중 고도가 낮은 겨울에는 햇빛이 집 안으로 깊숙하게 들어오기 때문이라는 내용을 쓰면 정답으로 합니다.

16 지구의 자전축이 공전 궤도면에 대해 수직인 채로 공전한다면 지구의 위치가 변해도 태양의 남중 고도가 변하지 않아서 계절의 변화가 생기지 않을 것입니다.

┌─(**내용 플러스**)────────────
│ **계절의 변화가 생기는 까닭**
│ 지구는 자전축이 공전 궤도면의 수직선에 대해 약 23.5° 기울어진 채 태양 주위를 공전하면 지구의 위치에 따라 태양의 남중 고도가 달라지고, 태양의 남중 고도가 달라지면 낮의 길이도 달라져 계절이 변합니다.
│
│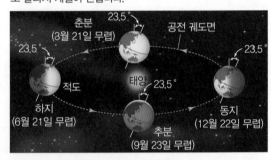
│
│ ▲ 지구의 위치에 따른 우리나라의 계절
└────────────────────────

17 지구의가 ㈏ 위치에 있을 때 우리나라에서 태양의 남중 고도가 가장 높고, ㈐ 위치에 있을 때 우리나라에서 태양의 남중 고도가 가장 낮으며, 지구의가 ㈎와 ㈐ 위치에 있을 때에는 ㈏와 ㈐ 위치의 중간 정도입니다.

18 지구의 북반구가 태양 쪽을 향하는 ㉠ 위치에 있을 때 우리나라의 계절은 여름입니다.

채점 TIP 여름의 더운 날씨와 높은 습도 등의 특징과 사람들의 생활 모습에 대해 알맞게 쓰면 정답으로 합니다.

┌─(**내용 플러스**)────────────
│ 여름에는 기온이 높아 덥기 때문에 사람들은 주로 짧은 옷을 입고 물놀이를 하기도 하고, 비가 자주 오는 장마철에는 우산을 쓰거나 비옷을 입고 다니며, 습도가 높아 음식이 잘 상할 수 있고, 습도를 낮추기 위해 제습제 등을 사용하기도 합니다.
└────────────────────────

19 ㈎ 위치에 있을 때 우리나라는 일 년 중 태양의 남중 고도와 기온이 가장 높은 여름에 해당하고, ㈏ 위치에 있을 때 우리나라는 일 년 중 태양의 남중 고도와 기온이 가장 낮은 겨울에 해당합니다.

20 북반구와 남반구는 계절이 반대입니다. 북반구가 겨울일 때 남반구의 위치에서는 태양 고도가 높습니다.

채점 TIP 북반구에 있는 우리나라가 겨울일 때 남반구에 있는 나라는 여름이라고 쓰고, 지구의 자전축이 기울어진 채 공전하기 때문에 계절이 변한다는 내용을 쓰면 정답으로 합니다.

 서술형 문제

42~43쪽

1 예 실을 세게 잡아당겨 막대기가 휘어졌기 때문에 결과가 정확하지 않습니다. 막대기는 지표면과 90°로 세워져 있어야 합니다. **2** (1) © (2) 예 ⊙에서 ©으로 갈수록 태양 고도가 높아지고 그림자 길이는 짧아지다가 ©을 지나 ⓑ으로 가면서 태양 고도는 낮아지고 그림자 길이는 길어집니다. **3** 예 태양 고도가 높아질수록 태양의 반대편에 생기는 그림자 길이는 점점 짧아지기 때문에 고도가 가장 높게 남중할 때 그림자 길이가 가장 짧습니다. **4** 예 태양 고도가 높아질수록 지표면이 더 많이 데워지지만, 지표면이 데워져 공기의 온도가 높아지는 데에는 시간이 더 걸리기 때문입니다. **5** 예 ⊙ 지역보다 © 지역의 일정한 면적에 도달하는 태양 에너지양이 더 많기 때문입니다. **6** 예 지구의의 자전축을 수직으로 맞추고 전등 주위를 공전시키면 각 위치에서 태양의 남중 고도가 일정하지만, 지구의의 자전축을 기울인 채 전등 주위를 공전시키면 지구의의 위치에 따라 태양의 남중 고도가 높아지거나 낮아집니다. **7** 예 ⊙은 태양이 북반구를 비추고 있으므로 북반구에 있는 우리나라에서 태양 고도가 높기 때문입니다. **8** 예 지구가 공전하지 않고 자전만 한다면 태양의 남중 고도가 달라지지 않기 때문에 계절의 변화는 생기지 않고, 매일 낮과 밤이 바뀌는 하루만 반복될 것입니다.

1 막대기가 휘어지면 막대기의 그림자 길이가 정확하지 않아 측정한 태양 고도가 실제와 다를 수 있습니다. 태양 고도를 측정할 때에는 막대기를 지표면에 수직으로 세우고 막대기가 휘어지지 않도록 실을 세게 잡아당기지 않아야 합니다.

채점 기준	
상	실을 세게 잡아당겨 막대기가 휘어지면 결과가 정확하지 않으므로, 막대기는 지표면과 90°로 세워져 있어야 한다고 쓴 경우
중	막대기가 휘어지지 않도록 실을 세게 잡아당기지 않는다고만 쓴 경우

2 하루 중 태양이 정남쪽에 위치하면 태양이 남중했다고 하고, 이때 태양 고도가 가장 높습니다. 태양이 남중했을 때의 그림자 길이는 하루 중 가장 짧습니다.

채점 기준	
상	(1) ©을 쓰고, (2) ⊙에서 ©으로 갈수록 태양 고도는 높아지고 그림자의 길이는 짧아지며, ©에서 ⓑ으로 갈수록 태양 고도는 낮아지고 그림자 길이는 길어진다는 내용을 쓴 경우
중	(1) ©을 쓰고, (2) 태양 고도는 높아졌다가 낮아지고, 그림자 길이는 짧아졌다가 길어진다고만 쓴 경우
하	(1) ©만 쓴 경우

3 태양 고도가 높아질수록 그림자 길이는 짧아지고, 태양이 남중했을 때 하루 중 태양 고도가 가장 높으므로, 그림자 길이는 하루 중 가장 짧습니다.

채점 기준	
상	그림자는 태양의 반대편에 생기기 때문에 태양 고도가 높아질수록 그림자 길이가 짧아지므로, 태양 고도가 가장 높을 때 그림자 길이가 가장 짧다는 내용을 쓴 경우
중	태양 고도가 높아질수록 그림자 길이가 짧아지기 때문이라고만 쓴 경우

4 태양 고도가 높아질수록 지표면은 더 많이 데워집니다. 하지만 지표면이 데워져 공기의 온도가 높아지는 데에는 시간이 더 걸리기 때문에 하루 동안 기온이 가장 높게 나타나는 시각은 태양이 남중한 시각보다 약 두 시간 정도 뒤입니다.

채점 기준	
상	지표면이 데워지고 공기의 온도가 높아지는 데 시간이 걸리기 때문이라고 쓴 경우
중	지표면과 공기의 온도가 높아지는 데 시간이 걸리기 때문이라고만 쓴 경우

5 태양의 남중 고도가 높을수록, 일정한 면적에 도달하는 태양 에너지양이 많을수록 기온이 높아집니다. © 지역이 ⊙ 지역보다 태양의 남중 고도가 높습니다.

채점 기준	
상	⊙ 지역보다 © 지역의 일정한 면적에 도달하는 태양 에너지양이 더 많기 때문이라는 내용을 쓴 경우
중	⊙ 지역보다 © 지역에 태양이 많이 비추기 때문이라는 내용으로만 쓴 경우

┌ 내용 플러스 ┐
태양의 남중 고도와 태양 에너지
• 계절에 따른 태양의 남중 고도 변화는 지표면에 도달하는 태양 에너지양에 영향을 줍니다. 태양이 머리 위로 높이 떠 있을수록 단위 면적당 태양 에너지양이 많아집니다. 고도가 낮아지면 태양 광선은 넓게 퍼지게 되고 지표면에 도달하는 태양 에너지양이 적어집니다.
• 태양의 남중 고도가 높을수록 낮의 길이가 더 길어집니다. 따라서 태양의 남중 고도가 높은 여름에는 낮의 길이가 길어지기 때문에 지표면에 도달하는 태양 에너지양이 많아집니다.

6 지구의의 자전축이 수직인 채 공전할 때 태양의 남중 고도는 변하지 않지만, 지구의의 자전축이 기울어진 채 공전하

1권
2학기

면 지구의의 각 위치에 따라 태양의 남중 고도가 변합니다.

채점 기준

상	자전축을 수직으로 맞추고 공전시키면 태양의 남중 고도가 일정하고, 자전축을 기울인 채 공전시키면 지구의의 위치에 따라 태양의 남중 고도가 높아졌다가 낮아진다는 내용을 쓴 경우
중	자전축이 수직일 때에는 태양의 남중 고도가 일정하고, 자전축을 기울였을 때에는 태양의 남중 고도가 변한다고만 쓴 경우

(내용 플러스)

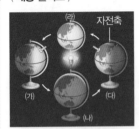

▲ 자전축이 수직일 때

지구의가 ㈎, ㈏, ㈐, ㈑ 위치에 있을 때 태양의 남중 고도는 같습니다.
➡ 지구의의 위치가 달라져도 태양의 남중 고도는 변하지 않습니다.

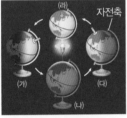

▲ 자전축을 기울였을 때

지구의가 ㈎ 위치에 있을 때 태양의 남중 고도가 가장 높고, 지구의가 ㈐ 위치에 있을 때 태양의 남중 고도가 가장 낮습니다. ➡ 지구의의 각 위치에 따라 태양의 남중 고도가 변합니다.

7 태양의 남중 고도가 높은 ㉠ 위치에 지구가 있을 때 우리나라는 여름이고, 태양의 남중 고도가 낮은 ㉡ 위치에 지구가 있을 때 우리나라는 겨울입니다.

지구의 자전축 / 지구의 자전축

여름에 북반구에서는 태양의 남중 고도가 높다. | 여름 | 겨울에 북반구에서는 태양의 남중 고도가 낮다. | 겨울

채점 기준

상	북반구를 비추는 ㉠ 위치에서 태양의 남중 고도가 높기 때문이라고 쓴 경우
중	태양이 많이 비추기 때문이라고만 쓴 경우

8 지구가 공전 궤도면에 대해 기울어진 채 태양 주위를 공전하기 때문에 계절의 변화가 생깁니다. 따라서 지구가 자전만 하고 태양 주위를 공전하지 않는다면 계절의 변화는 생기지 않을 것입니다.

채점 기준

상	태양의 남중 고도가 달라지지 않아 계절의 변화가 생기지 않을 것이라고 쓴 경우
중	계절의 변화가 생기지 않을 것이라고만 쓴 경우

3 연소와 소화

1 물질이 타는 현상, 연소

 탐구 문제
52쪽

1 (1) ○ (4) ○ **2** ㉡

1 물질이 뜨거워져 발화점에 도달하면 물질이 불에 직접 닿지 않아도 타기 시작합니다. 철판이 뜨거워지면서 성냥의 머리 부분도 뜨거워지기 때문에 불이 붙습니다.

(내용 플러스)

발화점
- 어떤 물질이 불에 직접 닿지 않아도 타기 시작하는 온도를 그 물질의 발화점이라고 합니다.
- 물질의 온도를 높여 발화점 이상이 되면 직접 불을 붙이지 않아도 물질이 탑니다.
- 발화점은 물질마다 다릅니다.
- 발화점이 낮다는 것은 낮은 온도에서도 불이 잘 붙는다는 것을 의미하고, 발화점이 높다는 것은 온도가 높아야 불이 붙는다는 의미입니다. 즉, 발화점이 높은 물질보다 발화점이 낮은 물질에 먼저 불이 붙습니다.

2 물질마다 타기 시작하는 온도인 발화점이 다르기 때문에 물질마다 불이 붙는 데 걸리는 시간이 다릅니다. 성냥의 머리 부분이 나무 부분보다 먼저 불이 붙었으므로, 성냥의 머리 부분이 나무 부분보다 더 낮은 온도에서 불이 붙을 수 있습니다. 즉, 성냥의 머리 부분이 나무 부분보다 발화점이 낮습니다.

(내용 플러스)

여러 가지 물질의 발화점

물질	발화점(℃)
하얀색 인	60
붉은색 인	260
석탄	330~450
나무(종이)	400~470
숯	360
알코올	482
고무	350

 확인 문제
53쪽

1 ㈏ **2** ㉠ **3** (1) 연소 (2) 탈 물질, 산소, 발화점 이상의 온도 **4** (1) ㉠ (2) 예 공기(산소)의 양 **5** 승민
6 (1) (성냥의) 머리 부분 (2) 머리, 나무, 발화점

1 알코올이 타는 현상을 관찰하면 불꽃 모양이 위아래로 길쭉하고 불꽃 색깔은 푸른색, 붉은색이며, 불꽃의 아랫부분이나 옆 부분보다 윗부분이 더 뜨겁습니다.

(내용 플러스)
초가 타는 모습
• 불꽃 모양은 위아래로 길쭉합니다.
• 불꽃 색깔은 노란색, 붉은색입니다.
• 불꽃의 아랫부분이나 옆 부분보다 윗부분이 더 뜨겁습니다.
• 불꽃 윗부분은 밝고 아랫부분은 윗부분보다 어둡습니다.
• 시간이 지날수록 초가 녹아 촛농이 흘러내리고 흘러내린 촛농이 굳어 고체가 됩니다.
• 시간이 지날수록 초의 길이가 짧아집니다.
• 심지 윗부분은 검은색이고 아랫부분은 하얀색이며, 심지 주변이 움푹 팹니다.

2 시간이 지날수록 초의 길이가 짧아지고 알코올의 양도 줄어듭니다.

(내용 플러스)
초와 알코올이 탈 때 나타나는 공통적인 현상
• 불꽃 주변이 밝고 따뜻해집니다.
• 물질이 빛과 열을 내면서 탑니다.
• 물질의 양이 변합니다.
• 물질의 무게가 줄어듭니다.

3 연소가 일어나려면 탈 물질과 산소가 필요하고, 온도가 발화점 이상이 되어야 합니다.
채점 TIP (1) 연소라고 쓰고, (2) 연소의 세 가지 조건을 알맞게 쓰면 정답으로 합니다.

(내용 플러스)
연소의 종류
• 증발 연소: 물질이 탈 때 증발하는 기체가 연소하는 것을 증발 연소라고 합니다. 석유나 양초가 연소할 때의 불꽃은 액체나 고체를 가열했을 때 증발하는 기체가 연소하기 때문에 생깁니다.
• 표면 연소: 기체 상태의 연소가 아니라 고체 상태 그대로 연소하는 것을 표면 연소라고 합니다. 숯은 산소와 접촉하는 표면에서만 연소가 일어나며 화염이 발생하지 않고 빛과 열을 내며 연소합니다.

▲ 증발 연소   ▲ 표면 연소

4 아크릴 통의 크기가 크면 그 안에 공기(산소)의 양이 많으므로 초가 더 오래 타고, 아크릴 통의 크기가 작으면 그 안에 공기(산소)의 양이 적으므로 촛불이 빨리 꺼집니다.

5 초가 타면서 산소를 사용하기 때문에 초가 타기 전보다 타고 난 후의 산소 비율이 줄어듭니다. 이것으로 보아 초가 탈 때 산소가 필요하다는 것을 알 수 있습니다.

6 성냥의 머리 부분이 나무 부분보다 발화점이 낮기 때문에 먼저 발화점에 도달하여 불이 붙습니다. 발화점은 물질마다 다릅니다.

2 불을 끄는 방법, 소화

 문제   56쪽

1 (2) ○ (3) ○   **2** ㉢

1 안쪽 벽면에 푸른색 염화 코발트 종이를 붙인 아크릴 통으로 촛불을 덮으면 아크릴 통 속 공기(산소)의 양이 줄어들어 촛불이 꺼지고 연기가 납니다. 초가 연소하면서 물이 생기기 때문에 푸른색 염화 코발트 종이는 붉게 변합니다.

(내용 플러스)
푸른색 염화 코발트 종이의 색깔 변화
푸른색 염화 코발트 종이는 염화 코발트 용액을 종이에 흡수시켜 말려 놓은 것으로, 물에 닿으면 붉게 변합니다.

물

2 초가 연소하면서 이산화 탄소가 생깁니다. 이산화 탄소는 석회수를 뿌옇게 흐리게 하는 성질이 있기 때문에 연소하는 초를 덮어두었던 집기병에 석회수를 넣으면 석회수가 뿌옇게 흐려집니다.

(내용 플러스)
석회수
수산화 칼슘을 물에 녹인 용액으로, 이산화 탄소를 만나면 하얀색 앙금인 탄산 칼슘을 만들기 때문에 용액의 색깔이 뿌옇게 흐려집니다.

석회수

▲ 이산화 탄소를 모은 집기병에 석회수를 넣고 흔들었을 때의 색깔 변화

> **확인 문제**
>
> **1** 붉은색   **2** (1) 물과 이산화 탄소 (2) 예 물은 푸른색 염화 코발트 종이가 붉은색으로 변하는 것으로 확인하고, 이산화 탄소는 석회수가 뿌옇게 흐려지는 것으로 확인합니다.
> **3** ㉠ 탈 물질 ㉡ 발화점 ㉢ 소화   **4** ㉡   **5** 민수, 아영, 태민, 주은   **6** ㉠, ㉢

1 푸른색 염화 코발트 종이는 물에 닿으면 붉게 변하는 성질이 있으므로, 푸른색 염화 코발트 종이가 붉은색으로 변하는 것을 보고 초가 연소한 후에 물이 생겼다는 것을 알 수 있습니다.

▲ 푸른색 염화 코발트 종이의 색깔 변화

2 초가 연소한 후 푸른색 염화 코발트 종이와 석회수의 색깔 변화로 물과 이산화 탄소가 생기는 것을 알 수 있습니다.

채점 TIP (1) 물과 이산화 탄소를 쓰고, (2) 물은 푸른색 염화 코발트 종이가 붉은색으로 변하고, 이산화 탄소는 석회수가 뿌옇게 흐려지는 것으로 확인한다는 내용을 쓰면 정답으로 합니다.

---(내용 플러스)---

철 솜이 연소하고 난 후 생기는 물질 알아보기

실험 방법	① 연소하기 전 철 솜의 무게를 측정합니다. ② 연소숟가락에 철 솜을 올려놓고 집기병에 넣은 뒤 불을 붙입니다. ③ 집기병의 입구를 유리판으로 막고 철 솜을 연소시킵니다. ④ 철 솜이 연소한 후 푸른색 염화 코발트 종이와 석회수의 색깔 변화를 관찰합니다. ⑤ 연소한 후 철 솜의 무게를 측정합니다.
실험 결과	• 푸른색 염화 코발트 종이가 변하지 않습니다. • 석회수가 변하지 않습니다. • 철 솜의 무게가 늘어납니다.

➡ 철이 연소하면 철과 산소가 결합하여 산화 철로 변하게 됩니다. 철에는 탄소나 수소가 포함되어 있지 않기 때문에 철이 연소하고 난 후에는 물과 이산화 탄소가 발생하지 않습니다. 또한 결합한 산소의 무게만큼 무게가 더 늘어나게 됩니다.

3 연소의 세 가지 조건인 탈 물질, 산소, 발화점 이상의 온도 중에서 하나라도 없다면 연소가 일어나지 않습니다. 소화는 연소의 조건 중에서 한 가지 이상의 조건을 없애 불을 끄는 것입니다.

4 ㉠ 초의 심지를 핀셋으로 집거나 ㉡ 가스레인지의 연료 조절 밸브를 잠그면 탈 물질이 공급되지 않아 불이 꺼집니다.

㉡ 드라이아이스를 불에 가까이 가져가면 공기보다 무거운 이산화 탄소가 공기(산소)의 공급을 막아 불이 꺼집니다.

---(내용 플러스)---

드라이아이스

이산화 탄소를 높은 압력, 낮은 온도의 조건을 맞춰 고체로 변화시킨 물질입니다. 고체 상태에서 바로 기체 상태로 변하면서 주위의 열을 흡수하여 온도를 급격히 낮추기 때문에 함께 담겨진 물질을 차갑게 유지시키는 냉각제로 쓰입니다.

▲ 드라이아이스

5 화재가 발생하면 분말 소화기를 불이 난 곳으로 옮긴 후 소화기의 안전핀을 뽑습니다. 바람을 등지고 소화기의 고무관이 불 쪽을 향하도록 한 손으로 잡고, 다른 한 손으로 소화기의 손잡이를 움켜쥐고 불을 끕니다.

6 화재 피해를 줄이기 위해 소화기를 준비해 두고, 커튼이나 블라인드, 벽지 등에 불에 잘 타지 않는 소재를 사용합니다. 비상구 공간을 평소에 잘 사용하지 않더라도 물건을 보관하거나 하여 막아 두면 화재가 발생했을 때 위험하므로 항상 깨끗하게 비워 두어야 합니다. 이 밖에 미리 소방 시설과 비상구를 확인해 두고 소화기 사용 방법을 알아 두며, 소화전, 화재 감지기, 자동 물뿌리개 등을 설치합니다. 또 여러 사람이 이용하는 공공장소에서는 불에 잘 타지 않는 시설물을 사용합니다.

> **단원 평가**
>
>
> **1** ㉠, ㉢   **2** ㉠, 예 뜨거운 공기는 위로 이동하기 때문에 불꽃의 아랫부분이나 옆 부분보다 윗부분이 더 뜨겁습니다.
> **3** ②   **4** 민정   **5** ㉡   **6** ㉠ 발화점 ㉡ 연소
> **7** 예 탈 물질은 나무 장작, 부채질은 산소 공급, 종이에 붙인 불씨는 발화점 이상의 온도입니다.   **8** ㉠, ㉢   **9** ㉡
> **10** ②, ③, ⑤   **11** 연수   **12** ㉠ 물(이산화 탄소) ㉡ 이산화 탄소(물)   **13** 예 촛불에 물을 뿌리면 발화점 미만으로 온도가 낮아지기 때문에 촛불이 꺼집니다.   **14** (나), (다)
> **15** (1) (가), (라) (2) 예 산소의 공급을 막아 불을 끄는 방법입니다.   **16** 효성   **17** (1) ㉢, ㉫, ㉦ (2) ㉡, ㉣, ㉤ (3) ㉠, ㉥   **18** 산소 공급 막기   **19** (1) 윤진 (2) 예 불을 발견하면 "불이야."라고 큰 소리로 외칩니다.   **20** 예 나무는 불에 타기 쉬워서 위험합니다.

2 불꽃의 아랫부분이나 옆 부분보다 윗부분이 더 뜨겁고, 손을 가까이 하면 손이 점점 따뜻해집니다.

채점 TIP ㉠을 쓰고, 뜨거운 공기가 위로 올라가기 때문에 불꽃의 아랫부분이나 옆 부분보다 윗부분이 더 뜨겁다는 내용을 쓰면 정답으로 합니다.

┌─ **내용 플러스** ─┐

기체의 대류
따뜻한 기체는 위로 올라가고, 차가운 기체는 아래로 내려오면서 열이 전달되는 방법을 기체의 대류라고 합니다. 기체의 대류를 이용한 예로 난방 기구와 냉방 기구의 위치를 들 수 있습니다. 난방 기구는 아래쪽에 설치하는 것이 좋습니다. 난방 기구 주위의 공기가 가열되어서 온도가 높아진 공기가 위로 올라가고, 위쪽에 있는 차가운 공기가 아래로 내려가는 과정이 반복되면서 실내 전체가 따뜻해지기 때문입니다. 냉방 기구는 위쪽에 설치하는 것이 좋습니다. 냉방 기구 주위의 공기가 차가워져 온도가 낮아진 공기는 아래로 내려가고 아래쪽에 있던 따뜻한 공기가 위로 올라가는 과정이 반복되면서 실내 전체가 시원해지기 때문입니다.

▲ 기체의 대류

3 알코올램프에 불을 붙이면 알코올이 타면서 처음보다 양이 줄어들고, 알코올이 줄어들면서 알코올램프의 무게가 불을 붙이기 전보다 가벼워집니다. 알코올이 탈 때 불꽃 색깔은 푸른색, 붉은색이고, 알코올램프 심지의 윗부분은 검은색, 아랫부분은 하얀색입니다.

4 집기병을 반쯤 덮으면 산소가 충분히 공급되지 못해 불꽃이 작아지고, 집기병으로 촛불을 완전히 덮으면 산소가 점점 없어져 결국 불이 꺼집니다. 물질이 타려면 산소가 필요하기 때문에 산소가 부족하면 탈 물질이 남아 있더라도 더 이상 타지 않습니다.

5 공기의 양이 많으면 산소의 양이 많아 초가 더 오래 타고, 공기의 양이 적으면 산소의 양이 적어 촛불이 빨리 꺼지는 것과 같이 초가 탈 때 산소가 필요하기 때문에 초가 타기 전보다 초가 타고 난 후 산소 비율이 줄어듭니다. 그 까닭은 초가 타면서 산소를 사용했기 때문입니다.

6 어떤 물질이 불에 직접 닿지 않아도 타기 시작하는 온도를 그 물질의 발화점이라고 합니다. 물질의 온도가 발화점 이상이 되고, 물질이 산소와 빠르게 반응하여 빛과 열을 내며 타는 것을 연소라고 합니다.

7 연소가 일어나려면 탈 물질과 산소가 있어야 하고, 온도가 발화점 이상이 되어야 하며, 세 가지 조건 중 하나라도 없다면 연소가 일어나지 않습니다.

채점 TIP 나무 장작은 탈 물질, 부채질로 산소 공급, 종이에 붙인 불씨는 발화점 이상의 온도와 같이 연소의 세 가지 조건을 모두 알맞게 쓰면 정답으로 합니다.

8 어떤 물질이 불에 직접 닿지 않아도 타기 시작하는 온도를 그 물질의 발화점이라고 하며, 발화점은 물질마다 다릅니다. 물질의 온도를 높여 발화점 이상이 되면 그 물질에 직접 불을 붙이지 않아도 물질이 타기 시작합니다.

9 발화점이 낮다는 것은 낮은 온도에서도 불이 잘 붙는다는 것을 의미하고, 발화점이 높다는 것은 온도가 높아야 불이 붙는다는 의미합니다. 즉, 발화점이 낮은 물질이 발화점이 높은 물질보다 먼저 불이 붙습니다. 성냥의 머리 부분보다 성냥의 나무 부분의 발화점이 높으므로 성냥의 머리 부분에 불이 먼저 붙습니다.

10 물질이 산소와 빠르게 반응하여 빛과 열을 내는 현상을 연소라고 하며, 연소가 일어나려면 탈 물질과 산소가 있어야 하고, 발화점 이상의 온도가 되어야 합니다. 세 가지 조건 중 하나라도 없다면 연소가 일어나지 않습니다.

11 초가 연소한 후 물이 생기기 때문에 푸른색 염화 코발트 종이가 물을 만나 붉게 변합니다. 촛불이 꺼진 뒤 시간이 지나면 아크릴 통 벽면에 물이 응결해 푸른색 염화 코발트 종이의 색깔 변화가 더 뚜렷하게 나타납니다.

12 초가 연소하면서 물과 이산화 탄소로 변하기 때문에 초가 연소한 후에 무게나 길이가 줄어듭니다.

13 촛불에 물을 뿌리면 심지가 물에 젖어 발화점 미만으로 온도가 낮아지기 때문에 촛불이 꺼집니다.

채점 TIP 물을 뿌리면 발화점 미만으로 온도가 낮아지기 때문이라고 쓰면 정답으로 합니다.

┌─ **내용 플러스** ─┐

소화
• 연소의 조건(탈 물질, 산소, 발화점 이상의 온도) 중에서 한 가지 이상의 조건을 없애 불을 끄는 것을 소화라고 합니다.
• 소화 방법은 탈 물질에 따라 다르므로 적절한 방법을 사용해야 합니다.
 – 나무나 옷에서 화재가 발생하면 물로 불을 끌 수 있습니다.
 – 기름이나 가스로 생긴 화재는 물을 뿌리면 불이 더 크게 번질 수 있으므로 모래, 젖은 이불 등을 덮거나 소화기를 사용해야 합니다.
 – 전기로 생긴 화재는 물을 뿌리면 감전의 위험이 있으므로 소화기를 사용합니다.

14 ㈏ 초의 심지를 핀셋으로 집으면 심지로 탈 물질이 이동하지 못해 탈 물질이 없기 때문에 촛불이 꺼집니다. ㈐ 촛불을

입으로 불면 탈 물질이 날아가기 때문에 촛불이 꺼집니다. ㈎ 촛불을 물수건으로 덮으면 산소 공급을 막고, 발화점 미만으로 온도가 낮아지기 때문에 촛불이 꺼집니다. ㈐ 촛불을 집기병으로 덮으면 산소가 공급되지 않기 때문에 집기병 속 산소를 모두 사용하면 촛불이 꺼집니다.

> **(내용 플러스)**
> **초의 심지를 핀셋으로 집으면 촛불이 꺼지는 까닭**
> 고체인 초가 액체로 상태가 변해 심지를 타고 올라간 뒤, 열에 의해 기체로 변할 때 연소가 일어납니다. 이때 핀셋으로 심지를 집으면 액체인 초가 이동할 수 없기 때문에 연소에 필요한 기체 물질이 공급되지 못합니다. 즉, 탈 물질이 제공되지 않기 때문에 더 이상 연소가 일어나지 않고 촛불이 꺼집니다.

15 타고 있는 알코올램프의 불에 뚜껑을 덮으면 산소가 공급되지 않기 때문에 불이 꺼집니다. ㈎ 촛불을 물수건으로 덮는 것은 산소 공급을 막고, 발화점 미만으로 온도를 낮추는 두 가지 조건을 없애 불을 끄는 방법입니다. ㈐ 촛불을 집기병으로 덮는 것은 산소 공급을 막아 불을 끄는 방법입니다.
> **채점 TIP** (1) ㈎와 ㈐를 쓰고, (2) 산소의 공급을 막아 불을 끄는 방법이라는 내용을 쓰면 정답으로 합니다.

16 전기로 생긴 화재는 물로 끄면 감전이 될 수 있어 위험하므로, 소화기를 사용하거나 모래를 덮는 등의 적절한 방법으로 불을 꺼야 합니다.

17 연소의 세 가지 조건 중 하나라도 없다면 연소가 일어나지 않습니다. 연소의 조건인 탈 물질, 산소, 발화점 이상의 온도 중에서 한 가지 이상의 조건을 없애 불을 끄는 것을 소화라고 합니다. ㉠ 물을 뿌리면 발화점 미만으로 온도가 낮아져 불이 꺼지고, ㉡ 물수건으로 덮으면 산소 공급을 막고, 발화점 미만으로 온도가 낮아져 불이 꺼집니다. ㉢ 초의 심지를 자르고, ㉤ 낙엽 등 타기 쉬운 물질을 치우며, ㉥ 가스레인지의 연료 조절 밸브를 잠그면 탈 물질이 없어 불이 꺼집니다. ㉣ 흙이나 모래를 뿌리거나 ㉦ 두꺼운 담요나 뚜껑으로 덮으면 산소 공급을 막아 불이 꺼집니다.

18 분말 소화기를 사용할 때는 가장 먼저 소화기를 불이 난 곳으로 옮깁니다. 그런 다음 소화기의 안전핀을 뽑고 바람을 등지고 소화기의 고무관이 불 쪽을 향하도록 잡은 뒤 소화기의 손잡이를 움켜쥐고 불을 끕니다. 소화기는 화재의 초기 단계에서 불을 끌 수 있는 유용한 도구입니다. 분말 소화기는 소화 분말이 타는 물체의 표면을 감싸면서 산소의 공급을 막기 때문에 불이 꺼집니다.

19 화재가 발생하면 "불이야."라고 큰 소리로 외치거나 비상벨을 눌러 불이 난 것을 주변에 알리고 119에 화재 신고를 합니다. 젖은 수건으로 코와 입을 막고 몸을 낮춰 안전한 곳으로 이동할 때 승강기 대신 계단을 이용합니다.
> **채점 TIP** (1) 윤진을 옳게 골라 쓰고, (2) 불을 발견하면 "불이야."라고 외치거나 비상벨을 누르는 등 불이 난 것을 주변에 알릴 수 있는 행동으로 알맞게 고쳐서 쓰면 정답으로 합니다.

> **(내용 플러스)**
> **화재가 발생했을 때의 대처 방법**
> • 비상벨을 누르고 119에 신고합니다. ➡ 비상벨을 눌러서 주변 사람에게 알려 대피할 수 있게 하고, 119에 신고하여 도움을 요청할 수 있습니다.
> • 나무로 된 가구 밑에 들어가지 않습니다. ➡ 나무는 불에 타기 쉬워서 위험하고, 가구 밑에 숨으면 갇힌 사람을 찾기 어려워 구조하기 힘들기 때문입니다.
> • 젖은 수건으로 코와 입을 막고 몸을 낮춰 이동합니다. ➡ 유독 가스를 마시는 것을 피할 수 있습니다.
> • 문손잡이가 뜨거우면 문을 열지 않습니다. ➡ 문 반대편에 불이 있을 수 있으므로 함부로 문을 열면 안 됩니다.
> • 아래층에서 불이 나면 옥상이나 높은 곳으로 올라가 구조를 요청합니다. ➡ 아래층으로 대피하면 위험하므로 구조를 요청할 수 있는 옥상으로 대피합니다.
> • 승강기 대신 계단으로 대피합니다. ➡ 화재가 발생하면 정전으로 승강기가 멈춰 갇힐 수 있기 때문입니다.

20 나무는 불에 타기 쉬워서 위험하고, 가구 밑에 숨으면 갇힌 사람을 찾기 어려워 구조하기 힘들기 때문입니다.
> **채점 TIP** 나무로 된 가구는 불에 타기 쉽다는 내용이나 가구 밑에 숨으면 갇혔을 때 구조가 어렵다는 내용을 알맞게 쓰면 정답으로 합니다.

 서술형 문제 62~63쪽

1 예 크기가 큰 아크릴 통으로 덮은 ㉠ 초가 크기가 작은 아크릴 통으로 덮은 ㉡ 초보다 더 오래 탑니다. **2** 예 공기의 양이 많으면 산소의 양이 많으므로 초가 더 오래 타고, 공기의 양이 적으면 산소의 양이 적으므로 촛불이 빨리 꺼집니다.
3 예 성냥의 머리 부분이 성냥의 나무 부분이나 종이보다 발화점이 낮기 때문에 가장 먼저 발화점에 도달하여 불이 붙습니다. **4** 예 실내에서 불이 나면 실내의 산소의 양이 줄어들어 있다가 창문이 깨지는 순간 밖의 공기(산소)가 갑자기 공급되기 때문에 순간적으로 불꽃이 더 커지기 때문입니다.
5 예 이산화 탄소는 불을 끄는 성질과 석회수를 뿌옇게 흐려지게 하는 성질이 있으므로, 초가 연소하면서 생긴 이산화 탄소는 많아지고 산소는 줄어들기 때문에 촛불이 꺼지고, 이산화 탄소에 의해 석회수가 뿌옇게 흐려집니다. **6** 예 탈 물질이 있어야 한다는 연소의 조건 중 초의 심지, 가스레인지의 연료, 이불과 같은 탈 물질을 없애 불을 끄는 방법입니다.
7 (1) 예 물수건으로 불이 붙은 곳을 덮습니다. (2) 예 물수건으로 덮으면 산소 공급을 막고, 발화점 미만으로 온도를 낮출 수 있기 때문입니다. **8** 예 젖은 수건으로 코와 입을 막고 몸을 낮춰 안전한 곳으로 대피합니다.

1   크기가 큰 아크릴 통 속 산소의 양이 크기가 작은 아크릴 통 속 산소의 양보다 많으므로, ㉠ 초가 ㉡ 초보다 더 오래 탑니다.

채점 기준	
상	크기가 큰 아크릴 통으로 덮은 ㉠ 초가 크기가 작은 아크릴 통으로 덮은 ㉡ 초보다 더 오래 탄다고 쓴 경우
중	㉠ 초가 ㉡ 초보다 오래 탄다고만 쓴 경우

2   초가 타기 위해서는 산소가 필요합니다. 공기의 양이 많으면 공기 중에 포함된 산소의 양이 많으므로 초가 더 오래 탑니다.

채점 기준	
상	공기의 양이 많으면 산소의 양이 많기 때문에 초가 더 오래 타고, 공기의 양이 적으면 산소의 양이 적기 때문에 촛불이 빨리 꺼진다는 내용을 쓴 경우
중	공기의 양이 많을수록 초가 오래 탈 수 있다는 내용만 쓴 경우

(내용 플러스)

공기
- 공기는 여러 가지 기체의 혼합물입니다.
- 공기는 대부분 질소와 산소로 이루어져 있으며, 이 밖에도 아르곤, 이산화 탄소, 수소, 네온, 헬륨, 수증기 등이 섞여 있습니다.

▲ 공기를 이루는 여러 가지 기체

3   물질마다 발화점이 다릅니다. 발화점이 낮은 물질이 발화점이 높은 물질보다 먼저 발화점에 도달하기 때문에 먼저 불이 붙습니다.

채점 기준	
상	성냥의 머리 부분을 쓰고, 성냥의 머리 부분이 나무, 종이보다 발화점이 낮아 먼저 발화점에 도달하기 때문이라고 쓴 경우
중	성냥의 머리 부분을 쓰고, 성냥의 머리 부분이 나무, 종이보다 발화점이 낮기 때문이라고만 쓴 경우

4   연소의 조건은 탈 물질과 산소 공급, 발화점 이상의 온도입니다. 밀폐된 공간에서 화재가 발생하면 물질이 연소하면서 산소를 사용하여 산소의 양이 줄어들었다가 창문이나 문이 열리면서 외부에서 많은 양의 공기(산소)를 공급받으면 불꽃이 순간적으로 폭발하는 것처럼 커지게 됩니다.

채점 기준	
상	실내의 산소의 양이 줄어들었다가 창문이 깨질 때 밖의 공기(산소)가 공급되어 불꽃이 커지기 때문이라고 쓴 경우
중	밖에서 공기(산소)가 공급되기 때문이라고만 쓴 경우

5   초가 연소하면 비커 속 산소의 비율이 줄어들고 초가 연소하여 생긴 이산화 탄소의 비율이 늘어나기 때문에 촛불이 꺼집니다. 석회수는 비커 속에 생긴 이산화 탄소와 반응하여 뿌옇게 흐려집니다.

채점 기준	
상	초가 연소하면서 이산화 탄소는 많아지고 산소는 줄어들기 때문에 촛불이 꺼지고, 이산화 탄소에 의해 석회수가 뿌옇게 흐려진다고 쓴 경우
중	촛불이 꺼지고 석회수가 뿌옇게 흐려진다고만 쓴 경우

6   연소가 일어나기 위해서는 탈 물질과 산소가 있어야 하고, 온도가 발화점 이상이 되어야 합니다. 연소의 세 가지 조건 중에서 한 가지라도 없으면 연소가 일어나지 않습니다. 초의 심지를 자르면 탈 물질인 기체인 초가 공급되지 않아 촛불이 꺼지고, 가스레인지의 연료 조절 밸브를 잠그면 탈 물질인 가스가 공급되지 않아 불이 꺼지며, 불이 붙은 난방 기기 주변에 있던 이불을 치우면 탈 물질이 제거되어 불이 꺼집니다.

채점 기준	
상	탈 물질인 초의 심지, 연료, 이불을 없애 불을 끄는 방법이라는 내용을 쓴 경우
중	탈 물질을 없애 불을 끄는 방법이라고만 쓴 경우

7   물수건으로 덮기, 모래로 덮기, 소화기 사용하기 등의 방법으로 불을 끌 수 있습니다. 물수건으로 불이 난 곳을 덮으면 산소 공급을 막고 물 때문에 온도가 발화점 미만으로 낮아지기 때문에 불이 꺼집니다. 모래로 불이 난 곳을 덮으면 산소 공급을 막기 때문에 불이 꺼집니다. 소화기를 사용하면 소화 분말이 물체의 표면을 감싸면서 산소 공급을 막아 불이 꺼집니다.

채점 기준	
상	(1) 주변에 있는 물체를 이용하여 불을 끄는 방법을 쓰고, (2) (1)의 답으로 쓴 방법으로 불을 끌 수 있는 까닭을 연소의 조건 중 어떤 조건을 없앤 것인지 알맞게 쓴 경우
중	(1) 주변에 있는 물체를 이용하여 불을 끄는 방법만 썼거나 (2) 불을 끌 수 있는 까닭만 쓴 경우

8   유독 가스는 열에 의해 위로 올라가므로 유독 가스가 적은 아래쪽으로 몸을 낮춰 이동하고, 연기가 날 때 유독 가스를 마시는 것을 피하려면 젖은 수건으로 코와 입을 막습니다.

코와 입을 막고 몸을 낮춰서 이동해요.

채점 기준	
상	젖은 수건으로 코와 입을 막고 몸을 낮춰 이동한다고 쓴 경우
중	코와 입을 막고 이동한다고만 썼거나 몸을 낮춰 이동한다고만 쓴 경우

정답과 해설

4 우리 몸의 구조와 기능

1 운동 기관, 소화 기관

탐구 문제

72쪽

1 (1) 뼈 (2) 근육 **2** ㉠

1 뼈와 근육 모형에서 납작한 빨대는 길이가 긴 팔뼈 역할을 하고, 비닐봉지는 팔뼈에 연결되어 있는 근육 역할을 합니다.

2 뼈와 근육 모형에 바람을 불어 넣으면 비닐봉지가 부풀어 오르면서 길이가 짧아지고 납작한 빨대가 따라 올라갑니다. 납작한 빨대가 올라가면 손 그림도 같이 올라가면서 실제 팔을 구부린 모습이 됩니다. 이처럼 팔뼈에 붙어 있는 안쪽 근육의 길이가 줄어들면서 뼈가 움직여 팔이 구부러지는 것입니다. 비닐봉지의 길이를 측정함으로써 근육의 길이가 줄어든다는 것을 알 수 있습니다.

▲ 바람을 불어 넣기 전

▲ 바람을 불어 넣은 후

확인 문제

73쪽

1 근육 **2** ㉢, 척추뼈 **3** (1) 예 늘어납니다. (2) 예 줄어듭니다. **4** 입, 식도, 위, 작은창자, 큰창자, 항문 **5** ㉢
6 ㉡, 간

1 뼈에 연결되어 있는 단단하거나 부드러운 근육의 길이가 줄어들거나 늘어나면서 뼈가 따라 올라가거나 내려가 우리 몸이 움직이게 합니다.

2 척추뼈(㉢)는 짧은뼈 여러 개가 이어져 기둥을 이루는 뼈로, 몸을 지지합니다. ㉠은 머리뼈입니다. 머리뼈는 바가지 모양입니다. ㉡은 갈비뼈입니다. 갈비뼈는 휘어져 있고 좌우로 둥글게 연결되어 공간을 만듭니다. ㉣은 다리뼈입니다. 다리뼈는 팔뼈보다 더 길고 두꺼우며, 아래쪽 뼈는 긴뼈 두 개로 이루어져 있습니다.

3 구부러진 팔에서 팔 안쪽 근육이 늘어나면 뼈가 따라 내려가 팔이 펴집니다. 이때 바깥쪽 근육은 줄어듭니다.

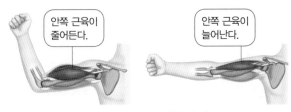
▲ 팔을 구부릴 때   ▲ 팔을 펼 때

안쪽 근육이 줄어든다.   안쪽 근육이 늘어난다.

4 입은 음식물을 이로 잘게 부수고 혀로 섞은 뒤 침으로 물러지게 하여 삼킬 수 있도록 합니다. 입에서 넘어간 음식물은 식도를 통해 위로 이동하여 위에서 더 잘게 쪼개집니다. 작은창자에서 소화를 돕는 액체로 음식물을 잘게 분해하고 대부분의 영양소를 흡수한 후, 큰창자에서는 음식물 찌꺼기의 수분을 흡수합니다. 항문은 소화되지 않은 음식물 찌꺼기를 배출합니다.

5 위에서 위액과 고루 섞인 음식물은 작은창자로 내려갑니다. 작은창자는 음식물을 본격적으로 분해하여 음식물에 들어 있는 대부분의 영양소를 흡수하고, 남은 찌꺼기는 큰창자로 보냅니다. 작은창자는 지름이 2.5 cm 정도의 작은 관으로 꼬불꼬불하게 꼬여서 배 안에 가득 차 있습니다.

6 간은 소화에 직접적으로 관여하는 소화 기관이 아니고 소화를 도와주는 기관으로, 소화를 돕는 액체인 쓸개즙을 만듭니다.

2 호흡 기관, 순환 기관

탐구 문제

76쪽

1 (1) 심장 (2) 혈관 (3) 혈액 **2** ㉠

1 주입기의 펌프는 심장, 주입기의 관은 혈관, 붉은 색소 물은 혈액 역할을 합니다. 주입기의 펌프 작용으로 붉은 색소 물이 관을 통해 이동하듯이 심장의 펌프 작용으로 심장에서 나온 혈액이 혈관을 통해 온몸으로 이동합니다.

2 주입기의 펌프를 빠르게 누르면 붉은 색소 물이 이동하는 빠르기는 빨라지고 물의 이동량이 많아집니다. 주입기의 펌프를 느리게 누르면 붉은 색소 물이 이동하는 빠르기는 느려지고 물의 이동량은 적어집니다.

(내용 플러스)

심장이 빨리 뛰거나 느리게 뛸 때 우리 몸에서 일어날 수 있는 일
• 주입기의 펌프를 빠르게 누를 때 붉은 색소 물이 이동하는 빠르기가 빨라지고 물의 이동량이 많아지듯이 심장이 빨리 뛰면 혈액이 이동하는 빠르기가 빨라지고 혈액의 이동량이 많아질 것입니다.
• 주입기의 펌프를 느리게 누를 때 붉은 색소 물이 이동하는 빠르기가 느려지고 물의 이동량의 적어지듯이 심장이 느리게 뛰면 혈액이 이동하는 빠르기가 느려지고 혈액의 이동량이 적어질 것입니다.

확인 문제

77쪽

| 1 ㉠ 호흡 ㉡ 폐 | 2 연호 | 3 기관, 기관지, 폐 |
| 4 심장 | 5 ㉣ | 6 ㉠, ㉢ |

1 우리가 끊임없이 숨을 들이마시고 내쉬는 활동을 호흡이라고 하고, 호흡에 관여하는 코, 기관, 기관지, 폐 등을 호흡 기관이라고 합니다.

--(내용 플러스)--

호흡 기관

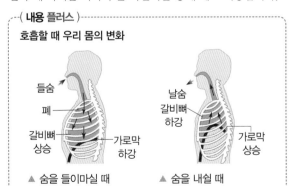

- 코: 공기가 드나드는 곳입니다.
- 기관: 굵은 관 모양으로, 공기가 이동하는 통로입니다.
- 기관지: 나뭇가지처럼 여러 갈래로 갈라져 있습니다. 기관과 폐 사이를 이어 주는 관으로, 공기가 이동하는 통로입니다.
- 폐: 좌우 한 쌍으로 부풀어 있는 모양입니다. 몸 밖에서 들어온 산소를 받아들이고, 몸 안에서 생긴 이산화 탄소를 몸 밖으로 내보냅니다.

2 나뭇가지처럼 생긴 기관지는 기관과 폐를 이어 주는 관으로, 코로 들이마신 공기를 폐에 잘 전달되게 하기 위해 여러 갈래로 갈라져 있습니다.

3 코로 들어온 공기는 공기가 이동하는 통로인 기관을 지나 기관과 폐 사이를 이어 주는 기관지를 통해 폐로 이동합니다.

--(내용 플러스)--

호흡할 때 우리 몸의 변화

들숨
폐
갈비뼈 상승
가로막 하강

날숨
갈비뼈 하강
가로막 상승

▲ 숨을 들이마실 때   ▲ 숨을 내쉴 때

폐는 근육이 없어 스스로 움직일 수 없고, 폐를 둘러싼 가로막과 갈비뼈가 올라가거나 내려감으로써 폐의 압력이 변합니다. 폐의 압력이 변하면 폐로 공기가 이동하여 숨을 쉬게 됩니다.

4 주먹 모양으로 크기가 자신의 주먹만 하며, 몸통 가운데에서 왼쪽으로 약간 치우쳐 있는 몸속 기관은 심장입니다. 심장은 펌프 작용으로 혈액을 온몸으로 보내며, 혈액은 혈관을 따라 이동하며 우리 몸에 필요한 산소와 영양소를 온몸으로 운반합니다.

5 심장이 빨리 뛰면 혈액이 이동하는 빠르기가 빨라지고 혈액의 이동량이 많아집니다.

6 혈관은 가늘고 긴 관처럼 생겼고, 몸 전체에 퍼져 있으며, 혈액이 이동하는 통로입니다.

--(내용 플러스)--

혈관의 종류와 하는 일

- 동맥: 심장에서 나오는 혈액이 흐르는 혈관으로, 보통 피부 깊숙이 분포합니다. 동맥은 온몸에 산소가 풍부한 혈액을 공급해 줍니다.
- 정맥: 심장으로 들어가는 혈액이 흐르는 혈관으로, 피부 가까이에 분포합니다. 정맥은 산소가 적은 혈액을 심장으로 되돌려 보내는 역할을 합니다.
- 모세 혈관: 동맥과 정맥을 연결해 주는 아주 가는 관입니다. 모세 혈관은 주변의 세포에 산소와 영양분을 공급하고 세포에서 생긴 이산화 탄소와 노폐물을 받습니다.

③ 배설 기관, 신경계

탐구 문제

80쪽

1
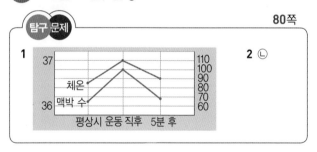

2 ㉡

1 평상시보다 운동할 때 체온이 올라가고 맥박 수가 증가하지만, 체온에 비해 맥박 수의 변화가 뚜렷하게 나타납니다.

--(내용 플러스)--

맥박

- 심장은 박동할 때마다 동맥을 따라 혈액을 밀어내는데, 이러한 혈액의 흐름으로 인하여 동맥이 늘어났다 줄어들었다를 되풀이하게 되며, 이것을 맥박이라고 합니다.
- 맥박은 손목, 목, 겨드랑이, 발목 등 피부와 동맥이 가까운 곳에 손을 대면 느낄 수 있습니다.
- 맥박은 심장 박동에 의해 나타나므로, 맥박 수는 심장 박동 수와 같습니다. 심장 박동이 빨라지면 맥박도 빨라집니다.
- 일반적으로 성인의 맥박 수는 분당 60~80회이고, 나이가 적을수록 많아져서 신생아는 분당 120~140회입니다.
- 심장의 활동성이 클수록 동맥으로 혈액을 더 빨리 내보내므로 맥박이 빨라집니다.

1권
2학기

2 운동을 하면 평상시보다 체온이 올라가고 맥박 수가 증가하지만, 운동한 후 휴식을 취하면 체온과 맥박 수가 운동하기 전과 비슷해집니다.

 확인 문제

81쪽

1 ㉠ **2** ㉠ 콩팥 ㉡ 방광 **3** 콩팥 **4** ㉢
5 ㉠ 감각 ㉡ 신경계 ㉢ 운동 **6** (4) ○

1 혈액에 있는 노폐물을 몸 밖으로 내보내는 과정을 배설이라고 하며, 배설에 관여하는 콩팥, 방광 등을 배설 기관이라고 합니다. ㉡은 숨을 들이마시고 내쉬는 활동인 호흡에 관여하는 호흡 기관, ㉢은 혈액의 이동에 관여하는 순환 기관을 나타낸 것입니다.

2 생명 활동을 유지하는 과정에서 만들어진 노폐물은 혈액을 통해 이동하여 콩팥에서 걸러져 오줌이 된 후 방광에 저장되어 있다가 관을 통해 몸 밖으로 나갑니다.

3 노폐물이 많은 혈관에게 받은 빨간색 솜 방울은 노폐물을 걸러 낸 혈관에게 전달하고, 노란색 솜 방울은 방광에 전달하는 수호는 우리 몸속 콩팥 역할을 맡은 것입니다. 콩팥 역할을 맡은 수호에게 빨간색 솜 방울을 받은 지아가 맡은 몸속 기관은 노폐물을 걸러 낸 혈액이 흐르는 혈관입니다.

4 시각은 눈으로 보는 것, 후각은 코로 냄새를 맡는 것, 청각은 귀로 듣는 것, 미각은 혀로 느끼는 것을 나타냅니다.

(내용 플러스)

감각 기관

• 주변으로부터 전달된 자극을 느끼고 받아들이는 우리 몸의 눈, 귀, 코, 혀, 피부와 같은 기관을 감각 기관이라고 합니다.
• 눈으로 주변의 사물을 볼 수 있고(시각), 귀로 소리를 들을 수 있으며(청각), 코로 냄새를 맡을 수 있습니다(후각). 혀로 맛을 알 수 있고(미각), 피부로 온도와 촉감을 느낄 수 있습니다.

---

5 감각 기관이 받아들인 자극은 온몸에 퍼져 있는 신경계를 통해 이 자극이 전달되고, 신경계는 전달된 자극을 해석하여 행동을 결정하고 운동 기관에 명령을 내려 운동 기관이 공을 잡는 반응을 합니다.

6 감각 기관이 받아들인 자극은 온몸에 퍼져 있는 신경계를 통해 전달됩니다. 신경계는 전달된 자극을 해석하여 행동을 결정하고, 운동 기관에 명령을 내리면 운동 기관이 자극에 반응하여 행동합니다. (1) 뼈는 우리 몸의 형태를 만들어 주고, 몸을 지지하는 역할을 하며, 심장이나 폐 등을 보호합니다. (2) 감각 기관은 주변으로부터 전달된 자극을 느끼고 받아들입니다. (3) 호흡 기관은 숨을 들이마시고 내쉬는 활동에 관여합니다.

 단원 평가

82~85쪽

1 ④ **2** 태진 **3** ㉢ **4** ㉠ 이 ㉡ 침 **5** 예 ㈏는 위입니다. 위는 소화를 돕는 액체를 분비하여 음식물과 섞고, 음식물을 더 잘게 쪼갭니다. **6** (1) 큰창자, ㉢ (2) 작은창자, ㉠, ㉡ **7** ④ **8** (1) ㈐ (2) ㉠ 산소, ㉡ 이산화 탄소 **9** ㉠ 예 빨라집니다. ㉡ 예 많아집니다. ㉢ 예 느려집니다. ㉣ 예 적어집니다. **10** 원효 **11** ㉠ 펌프 ㉡ 혈관 ㉢ 혈액 **12** ②, ⑤ **13** ④ **14** (1) ㉠, ㉣, ㉤ (2) ㉡, ㉢ **15** 예 ㉠ 혈관의 혈액은 콩팥으로 들어가기 전의 노폐물이 많은 혈액이고, ㉡ 혈관의 혈액은 콩팥으로 들어가 노폐물이 걸러진 후이기 때문이다. **16** ㉠ 운동 ㉡ 소화 ㉢ 호흡 ㉣ 순환 **17** ㉠, ㉣, ㉢, ㉡ **18** 예 운동하면 체온이 올라가고 맥박 수가 증가하지만, 운동한 후 휴식을 취하면 체온과 맥박 수가 운동하기 전과 비슷해집니다. **19** 동윤 **20** ㉡, ㉢

1 뼈는 몸의 형태를 만들고 몸을 지지하며, 심장이나 폐 등의 몸속 기관을 보호하는 역할을 합니다. 근육이 뼈에 연결되어 있어 몸을 움직일 수 있습니다. 몸에는 많은 뼈가 있으며 모양이 각각 다릅니다.

2 척추뼈에 연결된 ㉠ 갈비뼈는 12쌍입니다. 갈비뼈는 휘어져 있고, 좌우로 둥글게 연결되어 큰 공간을 만듭니다. 이 공간은 심장과 폐를 보호하는 역할을 합니다.
• 수빈: 바가지 모양으로 둥근 뼈는 머리뼈입니다.
• 윤하: 길이가 길고 긴뼈 두 개로 이루어져 있는 뼈는 팔뼈와 다리뼈입니다. 다리뼈는 팔뼈보다 더 길고 두껍습니다.

3 팔 안쪽 근육이 줄어들면 뼈가 따라 올라와 팔이 구부러지고, 팔 안쪽 근육이 늘어나면 뼈가 따라 내려가 팔이 펴집니다.

4 음식물이 잘게 부서져야 몸에서 흡수가 잘되기 때문에 ㈎ 입에서는 음식물을 이로 잘게 부수고, 혀로 섞은 뒤 침으로 물러지게 하는 역할을 합니다.

5 ㈏는 위입니다. 위는 소화를 돕는 액체인 위액을 분비하여 음식물과 섞고 음식물을 더 잘게 쪼갭니다. 위는 주머니 모양이고, 식도와 작은창자를 연결합니다. 몸통 가운데에서 약간 왼쪽으로 치우쳐 있고, 음식물이 없을 때에는 주먹 정도의 크기지만, 음식물이 가득 차면 20배 이상 커집니다. 위에서 위액과 고루 섞인 음식물은 작은창자로 내려갑니다.

채점 TIP ㈏는 '위'라고 쓰고, 위는 소화를 돕는 액체를 분비하여 음식물을 섞고 잘게 쪼갠다는 내용을 쓰면 정답으로 합니다.

6 위에서 위액과 고루 섞인 음식물은 작은창자로 내려가고 작은창자는 소화를 돕는 액체를 분비하여 음식물을 본격적으로 분해하여 음식물에 들어 있는 대부분의 영양소를 흡수하고, 남은 찌꺼기는 큰창자로 보냅니다. 큰창자에서는 남은 음식물 찌꺼기에서 수분을 흡수합니다.

7 숨을 들이마시고 내쉬는 활동인 호흡에 관여하는 코, 기관, 기관지, 폐 등을 나타낸 것입니다. ① 몸을 지탱하는 역할을 하는 기관은 뼈입니다. ② 노폐물을 걸러 내는 역할을 하는 기관은 배설 기관입니다. ③ 자극을 전달하는 역할을 하는 기관은 신경계입니다. ⑤ 몸에 필요한 영양소를 흡수하는 일을 하는 기관은 소화 기관입니다.

8 폐는 가슴 부분에 위치하며 좌우 한 쌍으로 부풀어 있는 모양입니다. 기관지와 연결되어 있으며 갈비뼈로 둘러싸여 보호됩니다. 몸 밖에서 들어온 산소를 받아들이고, 몸 안에서 생긴 이산화 탄소를 몸 밖으로 내보냅니다. ㉮는 코로 공기가 드나드는 곳입니다. ㉯는 기관으로, 굵은 관 모양이고 공기가 이동하는 통로입니다. ㉰는 기관지로, 나뭇가지처럼 여러 갈래로 갈라져 있고 기관과 폐 사이를 이어 주며 공기가 이동하는 통로입니다.

9 주입기의 펌프를 빠르게 누르면 붉은 색소 물이 이동하는 빠르기는 빨라지고 물의 이동량이 많아집니다. 주입기의 펌프를 느리게 누르면 붉은 색소 물이 이동하는 빠르기는 느려지고 물의 이동량은 적어집니다.

10 주입기의 펌프를 빠르게 누를 때 붉은 색소 물이 이동하는 빠르기가 빨라지고 물의 이동량이 많아지듯이 심장이 빨리 뛰면 혈액이 이동하는 빠르기가 빨라지고 혈액의 이동량이 많아질 것입니다. 주입기의 펌프를 느리게 누를 때 붉은 색소 물이 이동하는 빠르기가 느려지고 물의 이동량의 적어지듯이 심장이 느리게 뛰면 혈액이 이동하는 빠르기가 느려지고 혈액의 이동량이 적어질 것입니다.

11 주입기의 펌프 작용으로 붉은 색소 물이 관을 통해 이동하듯이 심장의 펌프 작용으로 심장에서 나온 혈액이 혈관을 통해 온몸으로 이동하고, 이 혈액은 다시 심장으로 들어가는 것을 반복합니다. 혈액은 혈관을 따라 이동하며 우리 몸에 필요한 영양소와 산소를 온몸으로 운반합니다.

12 공기 중에 미세 먼지가 많을 때에는 호흡 기관(코, 기관, 기관지, 폐)이나 순환 기관(심장, 혈관)에 좋지 않은 영향을 끼친다는 것을 알 수 있습니다.

13 배설은 생명 활동을 유지하는 과정에서 몸에 생긴 노폐물을 몸 밖으로 내보내는 과정입니다. 배설에 관여하는 콩팥, 방광 등을 배설 기관이라고 합니다. 배설 기관이 노폐물을 걸러 내지 못하면 몸속에 노폐물이 쌓이게 되어 병이 생길 수 있습니다. ① 방광은 배설 기관으로, 콩팥에서 걸러 낸 노폐물을 모아 두었다가 몸 밖으로 내보냅니다. ② 혈액에 있는 노폐물을 몸 밖으로 내보내는 과정을 배설이라고 하며, 배설에 관여하는 콩팥, 방광 등을 배설 기관이라고 합니다. 혈액의 이동에 관여하는 심장과 혈관을 순환 기관이라고 합니다. ③ 배설을 통해 몸속에 생긴 노폐물을 몸 밖으로 내보냅니다. 소화를 통해 우리 몸에 필요한 영양소를 얻습니다. ⑤

호흡을 통해 우리 몸에 필요한 산소를 얻고 이산화 탄소를 몸 밖으로 내보냅니다.

14 콩팥은 강낭콩 모양으로 등허리 좌우로 한 쌍이 있으며 혈액에 있는 노폐물을 걸러 냅니다. 콩팥에서 걸러진 노폐물은 방광으로 모입니다. 방광은 작은 공처럼 생겼으며 콩팥에서 걸러진 노폐물을 모아 두었다가 일정량의 오줌이 모이면 몸 밖으로 내보냅니다.

15 ㉠ 혈관의 노폐물이 많은 혈액은 콩팥으로 들어가 노폐물이 걸러진 후 콩팥에서 걸러진 노폐물은 오줌이 되어 방광에 저장되었다가 관을 통해 몸 밖으로 나갑니다.
채점 TIP ㉠ 혈관 속 혈액의 노폐물이 콩팥에서 걸러지고, ㉡ 혈관 속 혈액은 콩팥에서 노폐물이 걸러진 후의 혈액이라는 내용을 쓰면 정답으로 합니다.

16 몸을 움직일 때 각 기관은 서로 영향을 주고받으며 상호 작용을 합니다. 몸을 움직이는데 필요한 영양소는 소화 기관에서 얻고, 산소는 호흡 기관에서 얻습니다. 우리 몸에 들어온 영양소와 산소는 순환 기관을 거쳐 온몸으로 공급됩니다.

17 감각 기관인 손(피부)으로 온도를 느끼고 주전자가 따뜻하다는 자극은 자극을 전달하는 신경계가 행동을 결정하는 신경계에 전달합니다. 행동을 결정하는 신경계는 전달된 주전자가 따뜻한 자극을 해석하여 주전자에서 손을 떼겠다고 행동을 결정합니다. 명령을 전달하는 신경계가 주전자에서 손을 떼라는 명령을 운동 기관에 전달하면 운동 기관이 손을 들어올립니다.

18 운동하면 체온이 올라가고, 평소보다 더 많은 영양소와 산소가 필요하여 맥박과 호흡이 빨라집니다. 체온에 비해 맥박 수의 변화가 크게 달라집니다.
채점 TIP 운동하면 체온이 올라가고 맥박 수가 증가하지만, 운동 후 시간이 지나면 체온과 맥박 수가 운동하기 전과 비슷해진다는 내용을 쓰면 정답으로 합니다.

┌─ (내용 플러스) ─────────────────
운동할 때 우리 몸에 나타나는 변화
• 체온이 올라가며 땀이 나기도 합니다.
• 맥박과 호흡이 빨라집니다. ➡ 평소보다 더 많은 영양소와 산소가 필요하기 때문입니다.
└──────────────────────────

19 우리가 운동할 때 우리 몸속 순환 기관은 영양소와 산소를 온몸에 전달하고, 이산화 탄소와 노폐물을 각각 호흡 기관과 배설 기관으로 전달합니다.

20 운동할 때 우리 몸은 많은 에너지를 내기 위해 많은 산소가 필요하기 때문에 호흡이 빨라집니다. 호흡이 빨라지면 산소를 많이 공급할 수 있습니다. 또한 심장 박동이 빨라져 혈액 순환이 빨라지면 많은 양의 산소와 영양소가 우리 몸에 공급되어 에너지를 많이 낼 수 있습니다.

서술형 문제
86~87쪽

1 (1) 예 납작한 빨대가 구부러집니다. (2) 예 뼈와 근육 모형의 비닐봉지에 바람을 불어 넣으면 비닐봉지의 길이가 줄어들어 납작한 빨대가 구부러지는 것처럼, 팔뼈에 연결되어 있는 안쪽 근육이 줄어들면 뼈가 따라 올라와 팔이 구부러집니다. 2 예 몸속에 들어간 빵은 입에서 잘게 부서지고 물러져 식도, 위를 지나 작은창자를 거쳐 큰창자로 이동합니다. 이 과정에서 빵은 점차 잘게 부서지고 쪼개져서 영양소와 수분은 몸속으로 흡수되고 소화되지 않은 음식물 찌꺼기는 항문을 통해 몸 밖으로 배출됩니다. 3 예 호흡할 때 숨을 들이마시면 어깨와 갈비뼈가 올라가며 가슴둘레가 커집니다. 숨을 내쉬면 어깨와 갈비뼈가 내려오며 가슴둘레가 작아집니다. 4 예 심장이 멈추면 혈액이 이동하지 못해 몸에 영양소와 산소를 공급하지 못하므로 생명을 유지할 수 없을 것입니다. 5 예 심장이 빠르게 뛰면 혈액이 이동하는 빠르기가 빨라지고, 혈액의 이동량이 많아질 것입니다. 6 예 ⊙은 혈액에 있는 노폐물을 걸러 내는 콩팥으로, 콩팥이 기능을 제대로 하지 못하면 노폐물을 걸러 내지 못해 몸에 노폐물이 쌓이고 병이 생깁니다. 7 (1) 예 공을 잡을지 피할지 결정합니다. (2) 예 공을 잡거나 피하라는 명령을 운동 기관에 전달합니다. 8 예 땀이 납니다. 호흡이 빨라집니다. 심장이 빠르게 뜁니다.

1 뼈와 근육 모형의 비닐봉지에 바람을 불어 넣으면 비닐봉지가 부풀어 오르면서 비닐봉지의 길이가 줄어들어 납작한 빨대가 구부러집니다.

채점 기준

상	(1) 납작한 빨대가 구부러진다고 쓰고, (2) 비닐봉지의 길이가 줄어들어 빨대가 구부러지는 것처럼 팔의 근육이 줄어들어 팔뼈가 따라 올라와 팔이 구부러진다는 내용을 알맞게 쓴 경우
중	(1) 납작한 빨대가 구부러진다고 쓰고, (2) 뼈와 근육의 작용으로 팔을 구부릴 수 있다고 쓴 경우
하	(1) 납작한 빨대가 구부러진다고만 쓴 경우

2 우리 몸에 들어온 음식물은 입, 식도, 위, 작은창자, 큰창자의 순서로 이동합니다. 이 과정에서 음식물은 점차 잘게 쪼개져서 영양소와 수분은 몸속으로 흡수되고, 소화되지 않은 음식물 찌꺼기는 마지막 소화 기관인 항문을 통하여 몸 밖으로 배출됩니다.

채점 기준

상	입, 식도, 위, 작은창자, 큰창자의 순서로 이동하면서 잘게 부서져 영양소와 수분은 흡수되고, 소화되지 않은 음식물 찌꺼기는 항문으로 배출된다고 쓴 경우
중	소화 기관에서 잘게 부서지고, 소화되지 않은 음식물 찌꺼기는 몸 밖으로 배출된다고만 쓴 경우

(내용 플러스)

소화 기관과 소화 기관이 하는 일

- 우리가 먹은 음식물을 몸속에서 잘게 쪼개는 과정을 소화라고 하고, 소화에 직접 관여하는 입, 식도, 위, 작은창자, 큰창자를 소화 기관이라고 합니다.
- 소화 기관이 하는 일

입	음식물을 이로 잘게 부수고 침으로 물러지게 하여 삼킬 수 있게 합니다.
식도	입에서 삼킨 음식물을 위로 이동시키는 통로입니다.
위	소화를 돕는 액체가 나와 음식물과 섞고 음식물을 더 잘게 쪼갭니다.
작은창자	음식물을 잘게 분해하고 영양소를 흡수합니다.
큰창자	음식물 찌꺼기의 수분을 흡수합니다.
항문	소화되지 않은 음식물 찌꺼기를 배출합니다.

입 / 식도 / 위 / 작은창자 / 큰창자 / 항문

- 음식물이 소화되는 과정: 입 → 식도 → 위 → 작은창자 → 큰창자 → 항문

3 숨을 들이마시면 어깨뼈와 갈비뼈가 올라가며 가슴둘레가 커지고 숨을 내쉬면 어깨뼈와 갈비뼈가 내려오며 가슴둘레가 작아집니다. 숨을 들이마시면 몸속 공간을 크게 하여 공기를 받아들이고, 숨을 내쉬면 몸속 공간을 작게 합니다.

채점 기준

상	숨을 들이마실 때와 내쉴 때의 어깨, 갈비뼈, 가슴둘레의 변화를 알맞게 비교하여 쓴 경우
중	숨을 들이마실 때와 내쉴 때의 어깨, 갈비뼈, 가슴둘레의 변화가 반대라는 내용으로만 쓴 경우

(내용 플러스)

숨을 들이마실 때 공기가 폐로 들어가는 원리

숨을 들이마실 때에는 갈비뼈가 위로 올라가고 가로막이 아래로 내려가 흉강(목과 가로막 사이의 공간)이 커지고 흉강 내의 압력이 대기압(대기의 압력)보다 낮아지기 때문에 공기가 밖에서 폐로 들어갑니다. 공기는 압력이 높은 곳에서 낮은 곳으로 이동하기 때문에 숨을 들이마실 때 압력이 높은 대기의 공기가 압력이 낮은 폐로 이동하는 것입니다.

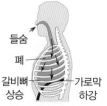

들숨
폐
갈비뼈 상승
가로막 하강

▲ 숨을 들이마실 때

4 심장은 펌프 작용으로 혈액을 온몸으로 보냅니다. 심장에서 나온 혈액은 온몸을 거쳐 다시 심장으로 돌아오는 순환 과정을 반복합니다. 혈액은 혈관을 따라 이동하며 우리 몸에 필요한 영양소와 산소를 온몸으로 운반합니다. 따라서 심장이 멈추면 혈액이 이동하지 못해 몸에 영양소와 산소를 공급하지 못하므로 생명을 유지할 수 없을 것입니다.

채점 기준

상	혈액이 이동하지 못해 영양소와 산소를 공급하지 못하고 몸에 생명을 유지할 수 없을 것이라고 쓴 경우
중	혈액이 이동하지 못한다고만 쓴 경우

5 주입기의 펌프는 우리 몸에서 심장의 역할을 합니다.

채점 기준

상	혈액이 이동하는 빠르기가 빨라지고, 혈액의 이동량이 많아질 것이라는 내용을 쓴 경우
중	혈액이 이동하는 빠르기와 혈액의 이동량 중 한 가지 내용만 쓴 경우

6 생명 활동으로 생긴 노폐물이 우리 몸속에 쌓이게 되면 몸에 해롭습니다. 콩팥은 혈액에 있는 노폐물을 걸러 내고, 걸러진 혈액은 다시 혈관을 통해 순환합니다. 걸러진 노폐물은 오줌이 되어 방광에 저장되었다가 관을 통해 몸 밖으로 나갑니다.

채점 기준

상	① 콩팥이 노폐물을 걸러 내지 못하면 몸속에 노폐물이 쌓이고 병이 생길 수 있다고 쓴 경우
중	① 콩팥이 노폐물을 걸러 낼 수 없다고만 쓴 경우

7 자극을 전달하는 신경계가 자극을 전달하면 행동을 결정하는 신경계가 행동을 결정하여 명령을 전달하는 신경계를 통해 운동 기관에 명령을 전달해 행동합니다.

채점 기준

상	(1) 공을 잡을지 피할지 결정한다는 내용을 쓰고, (2) 공을 잡거나 피하라는 명령을 전달한다는 내용을 쓴 경우
중	(1)과 (2) 중 한 가지만 구체적으로 쓴 경우

8 운동을 할 때에는 체온이 올라가고 땀이 나기도 하며, 평소보다 더 많은 영양소와 산소가 필요하므로 맥박과 호흡이 빨라집니다.

채점 기준

상	땀이 나고, 호흡이 빨라지며, 심장이 빠르게 뛰는 등 줄넘기를 하면 나타나는 변화 두 가지를 알맞게 쓴 경우
중	줄넘기를 하면 나타나는 변화를 한 가지만 알맞게 쓴 경우

5 에너지와 생활

① 에너지 형태와 에너지 전환

 탐구 문제   96쪽

1 보람, 지우   **2** 화학 에너지, 전기 에너지

1 과일 전지에서 전자시계를 작동하게 하는 전기 에너지가 나왔습니다.

---(내용 플러스)---

과일 전지를 만들 때 주의할 점

• 전자시계가 작동하지 않는다면 집게 달린 전선이 구리판, 아연판, 전자시계와 연결되어 있는지 확인합니다. 전선이 끊어진 곳 없이 연결되어 있으나 과일 전지가 잘 작동하지 않는다면 과일 조각을 여러 개 직렬로 연결해 사용하거나 판 사이에 약간의 소금을 뿌려 줍니다.
• 실험에 사용한 과일이나 채소는 아연 이온이 들어 있으므로 절대 먹지 않습니다.
• 실험 후 구리판과 아연판에 묻은 물기를 닦아 냅니다.
• 구리판은 건조한 상태로 별도로 보관하고, 아연판은 건조한 곳에 밀폐해 보관하며 물, 습기, 불꽃을 피하도록 합니다.

2 레몬과 가지 안의 화학 에너지가 전기 에너지로 전환되어 전자시계가 작동하는 것입니다.

 확인 문제   97쪽

1 에너지   **2** 전기 에너지   **3** ⓒ, 운동 에너지
4 열에너지   **5** 다운   **6** ① 전기 에너지 ⓒ 소리 에너지
ⓒ 열에너지

1 전기나 연료는 물체를 움직이게 하거나 열을 내게 하기 위해 필요한 에너지를 가지고 있습니다.

---(내용 플러스)---

에너지

사람이나 물체가 일을 할 수 있는 능력을 에너지라고 하며, 에너지의 크기는 물체가 할 수 있는 일의 양을 의미합니다. 물체가 높은 곳에서 떨어지거나 움직일 때, 연료가 타서 열이 발생할 때와 같이 한 형태에서 다른 형태로 변화할 때 에너지의 효과가 나타납니다. 에너지 자원에는 태양, 바람, 석유, 석탄, 가스 등이 있고, 에너지의 형태에는 운동 에너지, 위치 에너지, 전기 에너지, 열에너지, 빛에너지, 화학 에너지 등이 있습니다.

2 장난감 자동차를 움직이게 하기 위해 전지를 이용하는 것은 전지의 전기 에너지를 이용하는 것입니다.

┌─ **내용 플러스** ─────────────────
다양한 형태의 에너지
- **전기 에너지**: 전등, 텔레비전, 시계 등 우리가 생활에서 사용하는 여러 전기 기구들을 작동하게 하는 에너지입니다.
- **운동 에너지**: 뛰어다니는 강아지와 같이 움직이는 물체가 가진 에너지입니다.
- **위치 에너지**: 스키 점프하여 높이 떠오른 운동 선수, 벽에 달린 시계와 같이 높은 곳에 있는 물체가 중력(지구와 물체가 서로 당기는 힘)에 의해 가지는 잠재적인 에너지입니다.
- **화학 에너지**: 화분의 식물이나 사람 등의 생명 활동에 필요하며, 물질이 가진 잠재적인 에너지입니다.
- **빛에너지**: 전등의 불빛처럼 어두운 곳을 밝게 비춰 주는 에너지입니다.
- **열에너지**: 옷의 주름을 펴 주는 다리미의 열과 같이 물체의 온도를 높여 주거나 음식이 익게 해 주는 에너지입니다.
└────────────────────────────

3 달리기 하는 선수와 아이가 타고 있는 그네는 움직이는 물체가 가지고 있는 운동 에너지를 공통적으로 가지고 있습니다. ㉠ 화분의 식물이 가지고 있는 에너지는 화학 에너지이고, ㉡ 밤에 놀이터를 비춰 주는 가로등은 빛에너지, 열에너지 등을 가지고 있습니다.

4 전기난로는 전기 에너지가 열에너지와 빛에너지로 전환되어 주위 공기의 온도를 높여 줍니다.

5 에너지 전환이란 에너지의 형태가 바뀌는 현상입니다. 에너지는 여러 가지 다른 형태의 에너지로 전환되거나 여러 단계를 거치면서 전환되기도 합니다.

6 소리는 물체의 진동에서 발생하여 소리로 들을 수 있는 것으로, 소리 에너지입니다. 물체가 뜨거워지는 것은 온도가 올라가는 것으로, 열에너지입니다. 머리말리개의 플러그를 연결하고 전원을 켜면 소리가 나고 뜨거워지므로, 전기 에너지가 소리 에너지와 열에너지로 전환되었습니다.

② 에너지 전환 과정

 탐구 문제   100쪽

┌──────────────────────────────
1 예 태양 전지가 태양을 향할 때에는 태양광 해파리가 돌아가고, 태양 전지가 태양을 향하지 않을 때에는 태양광 해파리가 천천히 돌거나 돌지 않습니다.   **2** ㉠ (태양의) 빛에너지 ㉡ (태양 전지의) 전기 에너지 ㉢ (태양광 해파리의) 운동 에너지
└──────────────────────────────

1 태양 전지가 태양을 향하면 태양의 빛에너지를 받아 태양 전지에서 전기 에너지를 만들 수 있습니다.

채점 TIP 태양 전지가 태양을 향하면 태양광 해파리가 돌아가고, 태양을 향하지 않으면 태양광 해파리가 천천히 돌거나 돌지 않는다는 내용을 쓰면 정답으로 합니다.

┌─ **내용 플러스** ─────────────────
태양 전지
태양 전지는 열이나 빛 형태의 태양 에너지를 전기 에너지로 전환시킬 수 있도록 만든 전지로, 일반적으로 태양 빛을 이용하는 광전지를 말합니다.
└────────────────────────────

2 태양의 빛에너지가 태양 전지에서 전기 에너지로 전환되고, 태양 전지의 전기 에너지가 전동기를 통해 운동 에너지로 전환되어 전동기가 돌아가면서 태양광 해파리가 돌아갑니다.

 확인 문제   101쪽

┌──────────────────────────────
1 ㉠ 빛 ㉡ 화학   **2** ㉡, ㉢, ㉣, ㉠   **3** 연주   **4** ㉢
5 ㉠ 열 ㉡ 화학   **6** (3) ○
└──────────────────────────────

1 식물은 광합성으로 태양의 빛에너지에서 화학 에너지를 얻습니다. 동물은 식물이나 다른 동물을 먹이로 먹어 화학 에너지를 얻습니다. 먹이가 가진 화학 에너지는 태양의 빛에너지로부터 얻은 것입니다.

┌─ **내용 플러스** ─────────────────
광합성
식물이 빛과 이산화 탄소, 뿌리에서 흡수한 물을 이용하여 스스로 양분을 만드는 것을 광합성이라고 합니다. 광합성은 주로 잎에서 일어나며, 잎에서 광합성으로 만든 양분은 줄기를 거쳐 뿌리, 줄기, 열매 등 필요한 부분으로 운반되어 사용되거나 저장됩니다.

▲ 광합성과 양분의 이동
└────────────────────────────

2 수력 발전소의 물은 태양의 빛에너지로부터 위치 에너지를 가지게 되고, 물의 위치 에너지로 전기 에너지를 얻습니다.

3 에너지 소비 효율 등급은 1~5등급으로 표시합니다. 에너지 소비 효율이 1등급인 제품이 에너지를 가장 효율적으로 이용하는 제품이며, 에너지 소비 효율 등급이 1등급인 제품을 사용하면 에너지 소비 효율 등급이 5등급인 제품을 사용했을 때보다 에너지를 약 30~40 % 아낄 수 있습니다.

4 이중창은 건물 안의 열에너지가 빠져나가지 않도록 하여 에너지를 효율적으로 이용할 수 있습니다.

5 겨울눈의 비늘은 열에너지가 빠져나가는 것을 줄여 주어 식물의 어린 싹이 얼지 않도록 해 주고, 다람쥐는 겨울잠을 잠으로써 먹이가 부족한 추운 겨울날 생명 유지 및 체온 유지를 위한 화학 에너지를 적게 쓸 수 있습니다.

┌─(내용 플러스)─────────────────────┐

겨울눈

주로 여름부터 가을을 거쳐 추운 겨울을 지내기 위해 잎이 떨어진 자리와 줄기나 가지 끝에 만드는 눈을 겨울눈이라고 하며, 봄이 되면 겨울눈에서 새싹이 나옵니다. 겨울눈으로 겨울을 나는 식물에는 목련, 동백나무, 벚나무 등이 있습니다.

▲ 목련의 겨울눈: 여러 겹의 비늘 껍질과 따뜻한 털로 어린싹을 보호합니다.
└────────────────────────────────┘

6 전등의 전기 에너지는 의도한 빛에너지 외에 열에너지로도 전환됩니다. 의도하지 않은 열에너지로 전환되어 손실되는 에너지의 양이 적은 발광 다이오드[LED]등이 형광등보다 에너지를 효율적으로 이용할 수 있습니다.

🐰 단원 평가

102~105쪽

1 ④, ⑤   **2** 예 충전기를 콘센트에 꽂아 전기를 얻습니다.
3 ㉠ 빛 ㉡ 화학   **4** 전기 에너지, 빛에너지, 열에너지
5 ㉢   **6** ㉤, ㉥   **7** ㉠   **8** 운동, 위치   **9** ㉠ 위치 ㉡ 위치 ㉢ 운동   **10** 예 빛이 나는 전광판에서는 전기 에너지가 빛에너지로 전환됩니다.(일부는 열에너지로 전환됩니다.)   **11** ㉠ 광합성 ㉡ 빛 ㉢ 화학   **12** 예 달리는 자동차에서는 연료의 화학 에너지가 운동 에너지로 전환되지만, 멈춰 있는 자동차에서는 에너지 전환이 일어나지 않습니다.   **13** 지호   **14** ㉠ 열에너지 ㉡ 운동 에너지, 위치 에너지 ㉢ 화학 에너지 ㉣ 열에너지, 빛에너지   **15** ㉠ 화학 ㉡ 빛   **16** ㉡   **17** 연석
18 예 낙엽을 떨어뜨려 추운 겨울날 화학 에너지를 적게 쓸 수 있어 에너지 효율을 높이는 경우입니다.   **19** (1) ㉢ (2) ㉡ (3) ㉠ (4) ㉣   **20** (1) 발광 다이오드[LED]등 (2) 백열등

---

1 에너지가 클수록 더 많은 일을 할 수 있으며, 물체가 움직이기 위해서는 에너지가 필요합니다. 한 가지 현상에 대부분 여러 가지 형태의 에너지가 나타납니다.

2 휴대 전화의 에너지가 부족하면 충전하여 전기 에너지를 얻습니다.

[채점 TIP] 충전하기, 충전기를 콘센트에 꽂아 전기 얻기, 보조 배터리와 연결해 충전하기 등의 내용을 쓰면 정답으로 합니다.

┌─(내용 플러스)─────────────────────┐

에너지가 필요한 까닭과 에너지를 얻는 방법

구분	에너지가 필요한 까닭	에너지를 얻는 방법
휴대 전화	전화를 거는 데 필요합니다.	콘센트에 연결해 충전합니다.
자동차	작동하는 데 필요합니다.	자동차에 기름(연료)을 넣습니다.
사과나무	자라고 열매를 맺는 데 필요합니다.	햇빛으로 광합성을 하여 양분을 만듭니다.
사람	살아가는 데 필요합니다.	여러 음식을 먹어 소화합니다.

└────────────────────────────────┘

3 식물은 태양의 빛에너지로 광합성을 하여 양분을 만들어 냄으로써 살아가는 데 필요한 화학 에너지를 스스로 얻습니다.

4 전선을 통해 전기 에너지가 전등으로 들어와 빛에너지로 전환됩니다. 전기 에너지가 빛에너지로 전환될 때 일부는 열에너지로도 전환됩니다.

5 햇빛은 빛에너지와 열에너지와 관련이 있고, 다리미는 전기 에너지와 열에너지와 관련이 있습니다. 날아가는 새는 위치 에너지, 운동 에너지와 관련이 있습니다.

6 폭포의 물은 위치 에너지를 가지고 있으며, 물이 아래로 떨어지는 과정에서 위치 에너지는 운동 에너지로 전환됩니다. 대부분의 현상에는 여러 가지 에너지가 동시에 나타납니다.

7 미끄럼틀을 타고 내려올 때와 롤러코스터의 ㉠ 부분은 높은 곳에 있던 물체가 가진 위치 에너지가 아래로 내려오면서 운동 에너지로 전환됩니다.

8 위에서 아래로 내려온 롤러코스터가 가진 운동 에너지가 롤러코스터를 다시 높은 곳으로 올려줍니다. 높은 곳으로 올라갈수록 운동 에너지는 줄어들고 위치 에너지는 증가합니다.

9 가장 윗부분에 잠시 멈춘 놀이 기구가 아래로 떨어질 때 놀이 기구에 타고 있던 사람의 위치 에너지는 운동 에너지로 전환됩니다.

10 광고, 안내 등을 하는 전광판은 전기 에너지가 빛에너지로 전환되어 글자나 그림 등을 보여줍니다.

[채점 TIP] 전기 에너지가 빛에너지로 전환된다는 내용을 쓰거나 빛에너지와 일부는 열에너지로 전환된다는 내용을 쓰면 정답으로 합니다.

11 식물은 생물이 직접 이용할 수 없는 태양의 빛에너지를 광합성을 통해 양분 속의 화학 에너지로 바꾸어 저장함으로써 생태계를 구성하는 모든 생물이 이용할 수 있게 됩니다.

12 연료의 화학 에너지가 운동 에너지로 전환되어 자동차가 달릴 수 있습니다.

채점 TIP 달리는 자동차는 화학 에너지가 운동 에너지로 전환되고, 멈춰 있는 자동차는 에너지 전환이 일어나지 않는다고 쓰면 정답으로 합니다.

13 위로 던져 올린 공은 운동 에너지를 가지고 높이 올라가면서 위치 에너지로 전환됩니다. 그 공이 다시 떨어지는 과정에서 위치 에너지는 운동 에너지로 전환됩니다.

운동 에너지가 위치 에너지로 전환됩니다.

위치 에너지가 운동 에너지로 전환됩니다.

14 열기구는 연료를 태우며 피운 불로 큰 풍선 안의 공기를 데움으로써 가벼워진 공기에 의해 높은 곳으로 올라갈 수 있게 만들어진 장치입니다. 열기구 연료의 화학 에너지는 불의 열에너지로 전환되며, 공기를 데운 열에너지가 운동 에너지와 위치 에너지로 전환되면서 열기구가 떠오르면서 움직입니다.

15 식물은 태양의 빛에너지를 이용해 화학 에너지를 만듭니다. 우리가 생활에서 이용하는 에너지는 대부분 태양의 빛에너지로부터 에너지 형태가 전환된 것입니다.

16 에너지 소비 효율 등급은 1∼5등급으로 나뉘며, 에너지 소비 효율 등급이 1등급인 제품이 에너지를 가장 효율적으로 이용하는 제품입니다.

17 벽 사이에 단열재를 넣으면 바깥 온도의 영향을 차단하여 집 안의 열이 빠져나가지 않도록 막을 수 있습니다.

─(내용 플러스)
건축물에서 에너지를 효율적으로 이용하는 예
• 단열재를 사용하거나 외벽을 두껍게 만들어 바깥 온도의 영향을 차단하여 집 안의 열이 빠져나가지 않도록 막습니다.
• 이중창을 설치해 건물 안의 열에너지가 빠져나가지 않도록 합니다.

18 낙엽을 떨어뜨리면 추운 겨울날 생명 유지를 위한 에너지를 적게 쓸 수 있습니다.

채점 TIP 추운 겨울날 에너지를 적게 쓸 수 있어 에너지 효율을 높인다는 내용을 쓰면 정답으로 합니다.

19 돌고래는 몸통이 유선형이어서 물속에서 저항을 적게 받아 헤엄치기 쉽습니다. 다람쥐는 겨울잠을 잠으로써 먹이가 부족한 추운 겨울날 생명 유지 및 체온 유지를 위한 화학 에너지를 적게 쓸 수 있습니다.

─(내용 플러스)
황제펭귄의 허들링
황제펭귄이 서로 몸을 밀착시켜 체온을 나누며 추위를 이겨내는 방법입니다. 무리 전체가 돌면서 바깥쪽에 서 있는 황제펭귄이 체온이 낮아지면 안쪽에 있는 황제펭귄과 자리를 바꾸면서 전체 집단의 체온을 계속 유지합니다.

20 전등은 전기 에너지를 빛에너지로 전환해 이용하지만 에너지 전환 과정 중 의도하지 않은 열에너지도 발생합니다. 필요한 에너지로 전환된 비율이 높을수록 에너지 효율이 높으므로 빛에너지로 가장 많이 전환되는 발광 다이오드[LED]등이 에너지 효율이 가장 높고, 백열등이 에너지 효율이 가장 낮습니다.

서술형 문제

106~107쪽

1 ⑩ 에너지가 클수록 더 많은 일을 할 수 있기 때문에 로봇 장난감에 넣는 전지의 개수를 늘리면 로봇 장난감을 더 오래 움직일 수 있습니다. **2** ⑩ 선풍기는 전기 에너지가 운동 에너지로 전환되어 날개가 돌아가게 하고, 다리미는 전기 에너지가 열에너지로 전환되어 옷의 주름을 펴는 데 이용됩니다. **3** ⑩ 불을 붙이기 전의 화학 에너지(탄소)가 불을 붙인 후 빛에너지와 열에너지로 전환됩니다. **4** ⑩ 태호의 운동 에너지는 당근을 먹어 얻게 된 화학 에너지로부터 전환되었고, 당근의 화학 에너지는 태양의 빛에너지로부터 전환되었습니다. **5** ⑩ 전기 에너지를 공급하는 발전 과정에서 생태계에 영향을 미치거나 환경 오염이 발생하기도 하므로 에너지를 효율적으로 이용하면 환경을 보호할 수 있습니다. **6** (1) 열에너지 (2) ⑩ 벽면 사이에 단열재를 설치하면 바깥 온도의 영향을 차단하여 집 안의 열이 빠져나가지 않으므로 에너지를 절약할 수 있습니다. **7** ⑩ 겨울잠을 자면서 생명 유지 및 체온 유지를 위한 자신의 화학 에너지를 더 효율적으로 이용하기 때문에 먹이를 먹지 않고도 살 수 있습니다. **8** ⑩ 전등은 전기 에너지를 빛에너지로 전환해 이용하는 기구이므로, 빛의 밝기가 같다면 사용한 전기 에너지의 양이 가장 적은 ⓒ 제품이 에너지를 가장 효율적으로 이용하는 전등입니다.

1 에너지가 클수록 더 많은 일을 할 수 있습니다. 로봇 장난감에 넣는 전지의 개수를 늘리면 전기 에너지가 커져서 더 많은 일을 할 수 있습니다. 병렬연결된 전지의 개수를 늘리면 로봇 장난감을 더 오래 움직이게 할 수 있습니다.

채점 기준

상	에너지가 커져 더 오래 움직일 수 있다는 내용을 쓴 경우
중	에너지가 커진다는 내용으로만 쓴 경우

2 선풍기는 전기 에너지가 운동 에너지로 전환되어 날개가 돌아가게 하고, 다리미는 전기 에너지가 열에너지로 전환되어 옷의 주름을 펴는 데 이용됩니다. 이처럼 같은 형태의 에너지도 상황에 따라 다른 에너지로 전환됩니다.

채점 기준

상	선풍기는 전기 에너지가 운동 에너지로 전환되어 날개가 돌아가고, 다리미는 전기 에너지가 열에너지로 전환되어 옷의 주름을 펴는 데 이용된다고 쓴 경우
중	선풍기는 전기 에너지가 운동 에너지로 전환되고, 다리미는 전기 에너지가 열에너지로 전환된다는 내용만 쓴 경우

(내용 플러스)
전기 에너지가 다른 형태의 에너지로 전환되는 예
• 선풍기: 전기 에너지 → 운동 에너지
• 다리미: 전기 에너지 → 열에너지
• 전등: 전기 에너지 → 빛에너지, 열에너지
• 롤러코스터: 전기 에너지 → 운동 에너지, 위치 에너지
• 전기난로: 전기 에너지 → 열에너지
• 텔레비전: 전기 에너지 → 빛에너지, 열에너지, 소리 에너지

3 막대에 탄소 물질을 붙여 만든 탄소봉은 탄소봉의 화학 에너지가 빛에너지와 열에너지로 전환되며 불꽃을 만듭니다.

채점 기준

상	불을 붙이기 전 화학 에너지가 불을 붙인 후 빛에너지와 열에너지로 전환된다고 쓴 경우
중	불을 붙이기 전 화학 에너지는 맞게 썼으나, 불을 붙인 후 빛에너지와 열에너지 중 전환되는 에너지를 한 가지만 쓴 경우

4 태호의 운동 에너지는 당근을 먹음으로써 얻게 된 화학 에너지로부터 전환되었습니다. 당근은 태양의 빛에너지를 이용해 광합성을 하여 양분을 얻으므로 당근의 화학 에너지는 태양의 빛에너지로부터 전환되었습니다. 태양은 지구의 주된 에너지원으로, 태양에서 온 빛에너지가 여러 가지 형태로 전환되어 우리 생활에 이용됩니다.

채점 기준

상	운동 에너지는 당근의 화학 에너지로부터 전환되었고, 당근의 화학 에너지는 태양의 빛에너지로부터 전환되었다는 내용을 모두 쓴 경우
하	운동 에너지는 당근으로부터, 당근의 에너지는 태양으로부터 전환되었다고만 쓴 경우

(내용 플러스)
에너지의 근원
지구에서 일어나는 현상 중에는 화산이나 지진처럼 지구 내부의 에너지에 의해 일어나는 현상, 태양과 달의 인력에 의한 현상도 일부 있지만, 대부분은 태양에서 온 빛에너지로 인해 일어납니다. 즉, 태양은 지구의 주된 에너지원입니다. 태양에서 온 에너지는 식물의 광합성 과정을 통해 화학 에너지로 저장된 뒤 다른 생물의 먹이가 되면서 체온을 일정하게 유지하는 열에너지와 몸을 움직이는 운동 에너지 등으로 전환됩니다. 또한 태양의 빛에너지는 물과 대기의 순환 현상을 일으키며 운동 에너지, 위치 에너지로 전환되기도 합니다.

5 에너지 소비 효율 등급이 1등급인 텔레비전을 사용하면 같은 효과를 내는 데 필요한 전기 에너지의 양이 줄어들게 되므로 에너지를 효율적으로 이용할 수 있습니다. 전기 에너지를 공급하는 발전 과정에서 생태계에 영향을 미치거나 환경 오염이 발생하기도 하므로 에너지를 효율적으로 이용하면 환경을 보호할 수 있습니다. 또 같은 효과를 내는 데 필요한 전기 에너지의 양이 줄어들게 되므로 전기 에너지를 아낄 수 있고, 의도하지 않은 방향으로 전환되는 에너지의 양을 줄일 수 있습니다.

채점 기준

상	전기 에너지를 효율적으로 이용하면 좋은 점을 알맞게 쓴 경우
중	에너지를 아낄 수 있다고만 쓴 경우

6 이중창을 설치하는 것과 같이 안쪽 벽과 바깥쪽 벽 사이의 단열재가 밖의 날씨가 추운 겨울에는 집 안의 열이 빠져나가 손실되는 것을 막아 주어 에너지가 절약됩니다. 또한 날씨가 더운 여름에는 밖의 뜨거운 열이 집 안으로 들어오지 못하여 냉방을 위한 에너지도 절약할 수 있습니다.

채점 기준

상	(1) 열에너지를 쓰고, (2) 바깥 온도의 영향을 차단하여 집 안의 열이 빠져나가지 않는다고 쓴 경우
중	(2) 단열재에 의한 에너지 절약 방법만 쓴 경우
하	(1) 열에너지만 쓴 경우

7 곰은 먹이를 구하기 어렵고 추운 겨울 동안 겨울잠을 잠으로써 자신의 화학 에너지를 효율적으로 이용합니다.

채점 기준

상	겨울잠을 자면서 화학 에너지를 효율적으로 이용하기 때문이라는 내용을 쓴 경우
중	겨울잠을 자면서 에너지를 적게 이용한다는 내용만 쓴 경우

(내용 플러스)
식물이나 동물이 환경에 적응하여 에너지를 효율적으로 이용하는 예
• 겨울눈: 겨울눈의 비늘은 추운 겨울에 열에너지가 빠져나가는 것을 줄여 주어 식물의 어린 싹이 얼지 않도록 해 줍니다.
• 겨울잠: 겨울잠을 잠으로써 먹이가 부족한 추운 겨울날 생명 유지 및 체온 유지를 위한 화학 에너지를 적게 쓸 수 있습니다. 식물이 가을날 낙엽을 떨어뜨리는 것도 비슷한 원리입니다.
• 북극곰의 털과 지방, 황제펭귄의 허들링 등이 있습니다.

8 가장 적은 양의 전기 에너지로 같은 빛의 밝기를 낼 수 있는 전등이 효율적이므로 ⓒ 제품이 가장 효율적이고, ⓛ 제품, ⊙ 제품 순입니다.

채점 기준

상	빛의 밝기가 같다면 사용한 전기 에너지의 양이 가장 적은 ⓒ 제품이 가장 효율적이라고 쓴 경우
중	사용한 전기 에너지의 양이 가장 적은 ⓒ 제품이 가장 효율적이라고만 쓴 경우
하	ⓒ 제품이라고만 쓴 경우

하이탑 초등 과학 6학년

정답과 해설

정답과 해설

1학기

2 지구와 달의 운동

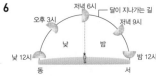

창의 서술형 문제 영재고·영재원 선발 대비 8~11쪽

1 예 북경은 오후 3시 50분입니다. 지구가 약 24시간에 한 바퀴씩 자전하므로 360°÷24=15°로 한 시간에 약 15°씩 움직인다는 것을 알 수 있습니다. 지구가 서쪽에서 동쪽으로 자전하므로, 서쪽으로 약 15° 떨어진 북경은 우리나라보다 1시간이 느립니다. **2** 예 북두칠성은 북극성을 중심으로 시계 반대 방향으로 1시간에 15°씩 움직입니다. 이것은 지구가 하루에 한 바퀴씩 서쪽에서 동쪽으로 자전하기 때문입니다. **3** 예 ㉠에서 ㉡ 위치로 지구가 90° 공전할 때 90° 자전하고, ㉡에서 ㉢ 위치로, ㉢에서 ㉣ 위치로 90°씩 공전할 때 90°씩 자전하므로 ㉠~㉣ 위치의 지구에서 태양을 향한 부분은 낮이 지속되고, 태양을 향하지 않은 부분은 밤이 지속될 것입니다. **4** 예 3월에는 태양이 물병자리를 지나갑니다. 3월에 태양이 물병자리에 위치하면 그 주변 별자리는 밝은 태양 빛 때문에 관측이 어렵고 반대편 별자리가 잘 관측되므로 9월에 태양이 지나가는 별자리인 사자자리를 밤 12시 무렵에 남쪽 하늘에서 관측할 수 있습니다. **5** 예 지구가 태양 주위를 서쪽에서 동쪽으로 공전하기 때문에 여러 날 동안 같은 시각에 관측한 사자자리가 하루에 약 1°씩 동쪽에서 서쪽으로 위치가 변합니다.

6

오후 3시 / 저녁 6시 / 저녁 9시 / 달이 지나가는 길 / 낮 / 밤 / 낮 12시 / 밤 12시 / 동 / 서

예 상현달이 점점 커져 보름달 모양이 되므로 약 7~8일 이후인 음력 15일 (음력 11/15) 무렵에 보름달을 관측할 수 있습니다. **7** 예 음력 8일 무렵 우리나라에서 관측되는 달의 모양은 상현달입니다. ㉠은 상현달이 아닌 하현달 모양이므로 북반구가 아닌 남반구 중위도에서 관측한 것입니다. ㉡은 상현달의 모양이 지는 방향에 나란하므로 적도에서 관측한 것입니다. ㉢은 상현달 모양으로 관측되므로 북반구에서 관측한 것이지만, 기울어져 지고 있지 않으므로 북극에서 관측한 것입니다. **8** 예 ㉠은 달이 태양과 반대편에 가깝게 위치하므로 보름달 모양에 가깝고, 태양이 달의 왼쪽에 위치하므로 달의 왼쪽편이 밝아야 합니다. 또한, 달의 공전을 생각하면 이미 보름달을 지나 하현달 위치로 가는 중간 모양입니다. ㉡은 달이 태양과 가까우므로 달이 거의 보이지 않고(삭의 모양에 가깝고), 태양이 달의 오른쪽에 위치하므로 달의 오른편이 밝으며, 달의 공전에 따라 달이 거의 보이지 않다가 상현달로 가는 중간인 초승달 모양입니다.

---

1 지구는 약 24시간에 한 바퀴씩 자전합니다. 따라서 360°÷24=15°로 지구는 한 시간에 약 15°씩 서쪽에서 동쪽(시계 반대 방향)으로 자전합니다. 북경은 우리나라보다 경도상 서쪽으로 15° 정도 떨어져 있어 우리나라보다 1시간 느리므로 북경의 시각은 3시 50분입니다.

채점 TIP 북경은 오후 3시 50분으로, 지구의 자전으로 지구는 한 시간에 약 15°씩 움직이므로 경도상 서쪽으로 15°정도 떨어진 북경은 우리나라보다 1시간이 느리다는 내용을 쓰면 정답으로 합니다.

2 지구 자전축의 연장선 멀리에 위치해 있는 북극성은 계절에 상관없이 일 년 내내 볼 수 있는 별입니다. 북쪽 하늘에 있는 별들은 북극성을 중심으로 시계 반대 방향으로 움직입니다.

채점 TIP 북두칠성은 북극성을 중심으로 시계 반대 방향으로 움직인다고 쓰고, 북두칠성의 움직임은 지구가 하루에 한 바퀴씩 서쪽에서 동쪽으로 자전하기 때문에 나타난다고 쓰면 정답으로 합니다.

(내용 플러스)

북극성

북두칠성

- 북극성은 북쪽 하늘의 작은곰자리에서 꼬리 끝부분에 있는 밝은 별입니다. 북극성은 지구 자전축의 연장선 멀리에 위치해 있기 때문에 움직이지 않는 것처럼 보이고 계절에 관계없이 일 년 내내 볼 수 있습니다.

- 북극성을 이용하면 방위를 찾을 수 있습니다. 북극성을 바라보고 양팔을 벌리면 오른쪽 팔이 가리키는 방향이 동쪽, 왼쪽 팔이 가리키는 방향이 서쪽, 등 뒤쪽의 방향이 남쪽입니다.

별의 일주 운동

별들이 북극성을 중심으로 하루에 한 바퀴씩 회전하는 현상을 별의 일주 운동이라고 합니다. 별의 일주 운동은 지구의 자전 때문에 나타나는 현상으로 방향은 지구 자전 방향의 반대인 동쪽에서 서쪽이며, 지표면에서 북극성을 바라보았을 때 시계 반대 방향이 됩니다. 우리나라(중위도)에서 별의 일주 운동을 관측하면 방향에 따라 그 모습이 다르게 나타납니다.

동쪽 하늘

▲ 지평선에서 오른쪽으로 비스듬히 떠오릅니다.

남쪽 하늘

▲ 지평선과 거의 나란하게 동쪽에서 서쪽으로 이동합니다.

서쪽 하늘

▲ 지평선에서 오른쪽으로 비스듬히 집니다.

북쪽 하늘

▲ 북극성을 중심으로 시계 반대 방향으로 회전합니다.

3 태양을 향한 지구 표면에 깃발을 꽂았다고 가정하면, 지구가 ㉠에서 ㉡으로 90°씩 공전할 동안 90°씩 자전하게 되므로 깃발이 꽂힌 지구의 표면은 여전히 태양 쪽을 향하게 됩니다. 지구가 ㉡ → ㉢ → ㉣ 위치로 이동할 때에도 마찬가지이므로 지구에 깃발이 꽂힌 표면은 항상 낮이 되고 그 반대편은 항상 밤이 됩니다.

채점 TIP ㉠~㉣ 위치의 지구에서 90°씩 태양 주위를 공전할 때 90°씩 자전하므로 태양을 향한 부분은 낮이 지속되고, 태양을 향하지 않은 부분은 밤이 지속된다는 내용을 쓰면 정답으로 합니다.

4 한낮에는 별자리가 눈으로 보이지 않지만 태양은 특정한 별자리 위에 머무르고 있습니다. 별자리 사이를 태양이 지나가는 길을 황도라고 하며, 황도상에 있는 12개의 별자리를 '황도 12궁'이라고 합니다.

채점 TIP 3월에 태양이 지나가는 별자리를 물병자리라고 쓰고, 3월에 잘 보이는 별자리는 태양의 반대쪽에 있는 사자자리라는 내용을 쓰면 정답으로 합니다.

┌─(내용 플러스)─────────────
│ **별자리**
│ 하늘의 별들을 찾아내기 쉽게 몇 개씩 이어서 그 형태에 동물, 물건, 인물의 이름 등을 붙인 것을 별자리라고 합니다. 지구 위의 한 장소에서 밤하늘을 보면, 시간이 지남에 따라 보이는 별자리의 위치가 달라집니다. 이것은 지구의 자전 때문에 나타나는 현상으로, 약 24시간 후에는 같은 별자리를 지난 번의 위치에서 볼 수 있습니다. 정확하게는 24시간이 아니라 하루에 3분 56초씩 빨라집니다. 이것은 지구가 태양 주위를 공전하기 때문이며, 이에 따라 계절이 변하면 매일 같은 시각에 보이는 별자리도 조금씩 달라집니다. 그리고 1년이 지나면 작년에 보았던 별자리가 같은 시각에 같은 자리에서 보이게 됩니다.
└──────────────────────

5 지구에서 태양을 보면 지구의 공전으로 태양이 별자리 사이를 서쪽에서 동쪽으로 이동해 가는 것처럼 보입니다. 그런데 같은 시각에 관측하면 태양의 움직임을 고정시킨 것이므로 태양이 움직이는 배경이 되는 별자리가 동쪽에서 서쪽으로 움직이게 되는 것입니다.

채점 TIP 지구가 태양을 중심으로 공전하기 때문에 여러 날 동안 같은 시각에 관측한 사자자리가 서쪽으로 위치가 조금씩 변한다는 내용을 쓰면 정답으로 합니다.

6 달은 스스로 빛을 내지 않는 천체입니다. 따라서 태양 빛이 비추는 부분은 밝고 반대쪽 부분은 어둡지만 달의 공전에 따라 태양 – 지구 – 달의 위치가 달라지면서 지구에서 보는 달의 모양이 달라집니다.

채점 TIP 상현달의 움직임을 알맞게 그리고, 보름달을 볼 수 있는 날은 약 7~8일 이후인 음력 15일이라는 내용을 쓰면 정답으로 합니다.

7 달의 모양이 변하는 과정은 북반구와 남반구에서 같지만 보이는 달의 모양은 북반구와 남반구에서 좌우가 반대입니다. 적도에서는 달이 수직으로 떠서 수직으로 지므로 뜨고 지는 방향은 달의 모양을 보고 알 수 있습니다. ㉡에서 보이는 달

과 같은 모양이 적도에서 보이는 경우는 하현달이 뜨거나 상현달이 지는 것입니다. ㉡ 달이 누워 있어 지는 모습이므로 보이는 달은 상현달입니다. 북극 지방에서 달을 보면 떠서 지지 않고 계속 관측자 주위를 돌게 됩니다. 이것은 태양이 지지 않고 계속 보이는 백야 현상과 비슷합니다.

채점 TIP ㉠은 남반구 중위도, ㉡은 적도, ㉢은 북극에서 관측한 것이라는 내용을 쓰면 정답으로 합니다.

8 지구에서 관측되는 달의 빛 반사면을 기준으로 달의 모양을 생각하면 중요한 네 가지 달의 모양(삭, 상현, 보름, 하현)을 기준으로 태양, 달, 지구의 위치를 알 수 있습니다.

채점 TIP ㉠은 보름달 모양에 가깝고, ㉡은 달이 거의 보이지 않거나 초승달 모양으로 보인다는 내용을 쓰면 정답으로 합니다.

┌─(내용 플러스)─────────────
│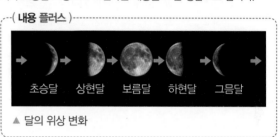
│ 초승달 → 상현달 → 보름달 → 하현달 → 그믐달
│ ▲ 달의 위상 변화
└──────────────────────

과학 탐구 대회 준비 에세이(ESSAY) 13쪽

1 🌓

2 예 달도 지구와 같이 서쪽에서 동쪽으로 자전하지만 달의 자전 주기와 공전 주기가 같기 때문에 달에서 지구를 보면 지구는 움직이지 않고 항상 같은 위치에 떠 있는 것처럼 보일 것입니다.

3 달의 지름은 지구 지름의 약 $\frac{1}{4}$로 달의 그림자 크기도 지구의 그림자 크기보다 작기 때문에 지구 전체를 가릴 수 없어서 일부 지역에서만 태양의 전체를 가리는 현상을 관측할 수 있습니다. 그러나 지구는 달보다 4배 크기 때문에 지구가 태양을 가리는 현상은 달 대부분의 지역에서 관측할 수 있습니다.

1 달에 간 사람이 지구를 향하고 있는 달의 아래쪽 면에서 지구를 보면 태양 빛을 받아 밝은 부분은 지구의 오른쪽입니다. 따라서 지구에서 보는 상현달과 비슷한 모양으로 그리면 정답이 됩니다.

2 달이 자전축을 중심으로 하루에 약 13°씩 서쪽에서 동쪽(시계 반대 방향)으로 한 달에 한 바퀴씩 회전하는 것을 달의 자전이라고 하고, 달이 일정한 길을 따라 지구 주위를 하루에 약 13°씩 서쪽에서 동쪽(시계 반대 방향)으로 한 달에 한 바퀴씩 회전하는 것을 달의 공전이라고 합니다. 달은 지구와 같이 서쪽에서 동쪽(시계 반대 방향)으로 자전하지만 달의 자전 주기와 공전 주기가 같기 때문에 달에서 지구를 보면 지구는 움직이지 않고 항상 같은 위치에 떠 있는 것처럼 보일 것입니다.

3 지구는 달보다 약 4배 크기 때문에 지구와 달의 그림자의 크기도 차이가 납니다.

(내용 플러스)

일식

지구상에서 볼 때 태양이 달에 의해서 가려지는 현상을 일식이라고 합니다. 일식 때는 태양과 지구 사이에 달이 들어가서 태양 빛에 의해서 생기는 달의 그림자가 지구에 생기고, 이 그림자 안에서는 태양이 달에 가려져 보입니다. 달의 그림자에는 내부의 아주 어두운 부분인 본그림자와 외부의 덜 어두운 부분인 반그림자가 있습니다. 지구상의 관측자가 본그림자와 안에 있으면 태양이 전부 달에 가려지는 개기 일식이 보이고, 관측자가 반그림자 안에 있을 때는 태양의 일부가 달에 의해서 가려지는 부분 일식이 보입니다. 달은 지구 주위를 타원 궤도로 공전하고 있으므로 지구와의 거리가 일정하지 않습니다. 지구에서 달까지의 거리가 멀어져 본그림자가 지구의 표면까지 미치지 않는 경우에는 본그림자의 원뿔이 연장된 곳에서는 태양이 달의 주위를 둘러싼 것 같은 금환 일식이 보입니다.

과학 탐구 대회 | 실전 | 에세이(ESSAY)   **14~15쪽**

예 달에서 보는 지구의 모습은 태양, 지구, 달의 위치에 따라 다양하게 변한다. 지구에서 관측할 때 달이 태양 앞으로 지나가면서 태양의 일부 또는 전체를 가리는 일식과 달이 지구 그림자 속으로 들어가 달의 일부가 보이지 않거나 전체가 가려지는 월식이 일어나는 것처럼 달에서도 지구가 태양을 가리는 모습과 달 그림자 속으로 지구가 들어가 지구의 모양이 변하는 현상을 관측할 수 있다. 하지만 지구가 달보다 4배 정도 크기 때문에 지구가 태양을 완전히 가리는 모습이 잘 나타나며, 달 그림자가 지구를 가리는 현상도 관측할 수 있다. 이러한 현상은 태양, 지구, 달의 위치가 일직선으로 배열될 때 나타난다. 시간에 따른 지구의 위치 변화는 지구에서 달을 볼 때와 다르다. 달은 지구의 자전에 의해 동쪽에서 떠서 서쪽으로 지는 것처럼 보이지만, 달에서 지구를 보면 항상 같은 위치에 떠 있는 것을 볼 수 있다. 달의 자전 주기와 공전 주기가 같아서 지구는 항상 같은 위치에 있으며, 시간에 따라 위치가 변하지 않는 것이다. 따라서 달의 한쪽 면에서만 지구를 볼 수 있다. 지구에서 달의 뒷면을 볼 수 없듯이 달의 뒷면에서는 지구를 볼 수 없다. 달에서 보면 지구는 항상 같은 위치에 떠 있지만 모습이 같지는 않다. 지구는 자전하고, 달은 지구 주위를 공전하기 때문에 지구의 모든 면을 볼 수 있다. 같은 위치에 떠 있지만 빙글빙글 도는 지구를 볼 수 있는 것이다. 이처럼 달에서 본 지구는 지구에서 본 달과는 다른 모습이다.

예 달에서 보는 지구의 모습은 태양, 지구, 달의 위치에 따라 다양하게 변한다. 지구에서 관측할 때 달이 태양 앞으로 지나가면서 태양의 일부 또는 전체를 가리는 일식과 달이 지구 그림자 속으로 들어가 달의 일부가 보이지 않거나 전체가 가려지는 월식이 일어나는 것처럼 달에서도 지구가 태양을 가리는 모습과 달 그림자 속으로 지구가 들어가 지구의 모양이 변하는 현상을 관측할 수 있다. 하지만 지구가 달보다 4배 정도 크기 때문에 지구가 태양을 완전히 가리는 모습이 잘 나타나며, 달 그림자가 지구를 가리는 현상도 관측할 수 있다. 이러한 현상은 태양, 지구, 달의 위치가 일직선으로 배열될 때 나타난다. 시간에 따른 지구의 위치 변화는 지구에서 달을 볼 때와 다르다. 달은 지구의 자전에 의해 동쪽에서 떠서 서쪽으로 지는 것처럼 보이지만, 달에서 지구를 보면 항상 같은 위치에 떠 있는 것을 볼 수 있다. 달의 자전 주기와 공전 주기가 같아서 지구는 항상 같은 위치에 있으며, 시간에 따라 위치가 변하지 않는 것이다. 따라서 달의 한쪽 면에서만 지구를 볼 수 있다. 지구에서 달의 뒷면을 볼 수 없듯이 달의 뒷면에서는 지구를 볼 수 없다. 달에서 보면 지구는 항상 같은 위치에 떠 있지만 모습이 같지는 않다. 지구는 자전하고, 달은 지구 주위를 공전하기 때문에 지구의 모든 면을 볼 수 있다. 같은 위치에 떠 있지만 빙글빙글 도는 지구를 볼 수 있는 것이다. 이처럼 달에서 본 지구는 지구에서 본 달과는 다른 모습이다.

3 여러 가지 기체

1 예 산소와 관련이 있습니다. ㉠ 비가 오면 땅속에 물이 들어가 산소를 얻기가 어렵기 때문에 지렁이가 숨을 쉬기 위해 땅 위로 올라오고, ㉡ 여름에 물의 온도가 올라가면 물속에 녹아 있는 산소의 양이 부족하기 때문에 물고기가 숨을 쉬기 위해 수면 위로 올라오기도 합니다. **2** 예 피스톤을 누르면 주사기 안에 있는 공기와 고무풍선 속의 공기가 압력을 받아 부피가 작아지기 때문에 고무풍선의 크기가 작아집니다. **3** 예 페트병을 얼음물에 넣어 온도를 낮추어 페트병 안 고무풍선 속 공기의 부피를 줄입니다. / 손으로 누르는 등의 방법으로 페트병 안 고무풍선 바깥쪽의 공기를 압축시켜 고무풍선의 부피를 줄입니다. **4** 예 오줌싸개 인형을 뜨거운 물에 넣으면 인형 속 기체의 부피가 커져 기체가 빠져나오고, 다시 인형을 찬물에 넣으면 인형 속 기체의 부피가 작아져 물이 인형 속으로 들어갑니다. 오줌싸개 인형을 꺼내어 인형에 뜨거운 물을 부으면 인형 속 기체의 부피가 커져 인형 속 물을 밀어내므로 인형 속에 들어 있던 물이 빠져나옵니다. **5** 예 음료수 캔을 가열하면 음료수 캔 속 공기의 부피가 커지며 이 음료수 캔을 찬물 속에 넣으면 캔 속의 공기가 식으면서 부피가 급격히 줄어들지만 음료수 캔의 입구를 막아 밖의 공기가 들어가지 못하기 때문에 음료수 캔이 찌그러집니다. **6** 예 질소 자체는 사람에게 해를 주지 않지만 밀폐된 공간의 공기 중 질소가 많아지면 상대적으로 산소의 양이 줄기 때문에 사람의 몸에 큰 해를 줄 수 있습니다. **7** 예 수소 대신 헬륨을 사용할 수 있습니다. 헬륨은 불에 타지 않아 폭발의 위험이 적기 때문에 비행선이나 풍선을 공중에 띄우기에 적당한 기체이기 때문입니다. **8** 예 탄산수소 나트륨을 가열하면 이산화 탄소가 발생합니다. 겉 표면이 갈색으로 변하고 끈끈한 질감이 있는 상태의 녹은 캐러멜에 탄산수소 나트륨을 넣고 빠르게 저어 주면 탄산수소 나트륨이 열에 의해 분해되어 발생한 이산화 탄소에 의해 부풀어 오릅니다.

1 지렁이는 피부를 통하여 숨을 쉬는데, 비가 오면 땅속에 물이 들어가므로 산소를 얻기가 어려워져 지렁이가 숨을 쉬기 위해 땅 위로 올라오게 됩니다. 온도가 높을수록 기체의 용해도가 낮아지므로, 더운 여름날 물의 온도가 올라가면 물속에 녹아 있는 산소의 양이 부족해지므로 물고기는 숨을 쉬기 위해 물 밖으로 머리를 내밀기도 합니다.

채점 TIP 산소와 관련이 있다고 쓰고, ㉠ 지렁이가 숨을 쉬기 위해 땅 위로 올라오고, ㉡ 물속의 산소의 양이 부족해 물고기가 숨을 쉬기 위해 수면 위로 올라온다는 내용을 쓰면 정답으로 합니다.

(내용 플러스)

산소의 성질
• 색깔과 냄새가 없습니다.
• 다른 물질이 타는 것을 돕는 성질이 있습니다.
• 금속을 녹슬게 하는 성질이 있습니다.

산소의 이용
• 잠수부, 소방관 등 숨 쉬기 어려울 때 사용하는 호흡 장치에 이용합니다.
• 금속을 자르거나 붙일 때 이용합니다.

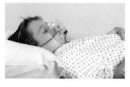 

▲ 산소 호흡 장치   ▲ 금속 용접

2 주사기 안에 있는 고무풍선이 피스톤에 직접 눌리지 않더라도 주사기 속의 공기에 가해지는 힘에 의해 고무풍선의 부피가 작아집니다. 주사기의 입구를 막으면 공기가 주사기 안에서 빠져나가지 못하므로 주사기 안에 들어 있는 공기의 양이 일정합니다. 따라서 피스톤을 누르면 힘을 받는 고무풍선 속 공기의 부피도 줄어들어 고무풍선의 크기가 작아집니다.

채점 TIP 피스톤을 누르는 힘에 의해 주사기 속의 공기와 고무풍선 속의 공기의 부피가 작아지기 때문에 고무풍선의 크기가 작아진다는 내용을 쓰면 정답으로 합니다.

3 풍선이 페트병 안쪽에 있기 때문에 직접 손을 댈 수 없고, 고무풍선이 페트병에 끼여 있기 때문에 고무풍선의 크기를 줄여야 아래로 내려오게 할 수 있습니다. 고무풍선의 크기를 줄이기 위해서는 고무풍선 속 공기의 부피를 줄여야 합니다.

채점 TIP 고무풍선을 아래로 내려오게 하기 위해 고무풍선 속 공기의 부피를 줄이는 알맞은 방법을 쓰면 정답으로 합니다.

(내용 플러스)

압력 변화에 따른 기체 부피의 변화
온도가 일정할 때 일정량의 기체의 부피는 압력에 반비례합니다.

온도 변화에 따른 기체 부피의 변화
압력이 일정할 때 일정량의 기체는 그 종류에 관계없이 온도가 높아지면 부피가 일정한 비율로 늘어납니다.

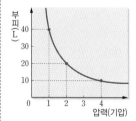 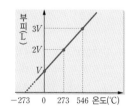

▲ 압력에 따른 기체의 부피   ▲ 온도에 따른 기체의 부피
　변화 그래프 예　　　　　　　 변화 그래프 예

4 오줌싸개 인형은 온도가 높아지면 기체의 부피가 커지고, 온도가 낮아지면 기체의 부피가 작아지는 성질을 이용합니다.

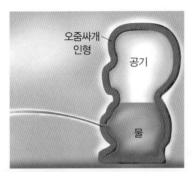

오줌싸개
인형

공기

물

채점 TIP 오줌싸개 인형을 뜨거운 물에 넣으면 기체의 부피가 커졌다가 찬물에 넣으면 기체의 부피가 작아지면서 물이 들어가고, 인형 위에 뜨거운 물을 부으면 기체의 부피가 커지면서 물이 나온다는 내용을 쓰면 정답으로 합니다.

5 물을 조금 넣은 음료수 캔을 가열하면 캔 내부의 온도가 올라갑니다. 이때 음료수 캔의 입구를 막으면 음료수 캔 내부는 부피가 늘어난 공기가 꽉 차 있고, 이 음료수 캔을 찬물에 넣으면 캔 내부의 공기가 식으면서 부피가 급격히 줄어들지만 밖의 공기가 들어가지 못하므로 음료수 캔이 찌그러집니다.

채점 TIP 음료수 캔을 가열하면 공기의 부피가 커지고, 음료수 캔을 찬물 속에 넣으면 공기가 식으면서 부피가 급격히 줄어들지만 밖의 공기가 들어가지 못하므로 음료수 캔이 찌그러진다는 내용을 쓰면 정답으로 합니다.

6 공기 중 산소의 양이 줄어들어도 유독 가스와 같이 사람이 즉시 반응을 보이지는 않지만, 공기 중 질소의 양이 증가하여 산소가 일정 농도 이상 감소하면 사람이 사망할 수도 있습니다.

채점 TIP 질소가 직접적인 해를 주지는 않지만 공기 중 질소의 양이 늘어나면 상대적으로 산소의 양이 줄어들기 때문이라는 내용을 쓰면 정답으로 합니다.

(내용 플러스)

질소의 이용
• 사과와 같은 과일을 신선하게 유지하는 데 이용합니다.
• 혈액, 세포 등을 보존할 때 이용합니다.
• 과자, 차, 분유, 견과류 등을 포장할 때 이용합니다.
• 비행기 타이어를 채우는 데 이용합니다.
• 자동차 에어백을 채우는 데 이용합니다.

---

7 힌덴부르크호가 제작될 당시에는 헬륨은 희귀한 기체이고 값이 매우 비싸 상대적으로 값이 저렴한 수소를 사용했습니다. 수소는 물을 분해하면 쉽게 얻을 수 있고 오염 물질이 나오지 않아 청정 연료로 이용되지만, 폭발 위험성이 있는 연료이기 때문에 안전한 사용법이 중요합니다.

채점 TIP 수소 대신 불에 타지 않아 폭발의 위험이 적은 헬륨을 사용할 수 있다는 내용을 쓰면 정답으로 합니다.

8 설탕 과자는 탄산수소 나트륨(베이킹 소다)이 녹으면서 발생하는 이산화 탄소가 기포 공간을 만들어서 과자를 부드럽게 만들어 줍니다.

채점 TIP 탄산수소 나트륨이 열에 의해 분해되어 이산화 탄소가 발생하면서 설탕 과자가 부풀어 오른다는 내용을 쓰면 정답으로 합니다.

과학 탐구 대회 준비 발명품 **22쪽**

1 예 온도가 높아져 유리 용기 안 기체(공기)의 부피가 증가하면 물의 높이가 낮아지고, 온도가 낮아져 기체(공기)의 부피가 감소하면 물의 높이가 높아집니다. **2** 예 유리 용기가 굵으면 기체의 부피 증가에 따른 물의 높이 변화가 아주 작지만 유리 용기가 가늘면 기체의 부피가 아주 조금만 변해도 물의 높이 변화를 관찰할 수 있습니다. 유리 용기가 가늘수록 더 정확하게 온도 변화를 알 수 있는 장점이 있습니다.

1 온도가 올라가면 기체는 부피가 증가하므로 물은 아래로 밀려 내려갑니다. 현대의 온도계와 반대라고 할 수 있습니다.

2 넓이가 넓은 유리잔과 좁은 유리잔에 물을 부으면 좁은 유리잔은 물을 조금만 부어도 물이 올라가는 높이 차이를 알 수 있듯이 좁은 유리 용기는 온도 변화에 따라 높이 차이가 많이 나게 됩니다.

과학 탐구 대회 준비 발명품 **23쪽**

1 예 화재 감지기에 물을 뿌리거나 얼음 등을 닿게 하여 온도를 낮추면 감열실 속 기체의 부피가 감소하여 주접점과 보조 접점이 떨어져 화재 경보가 울리지 않습니다. **2** 예 불이 나면 연기가 많아지므로 연기를 감지할 수 있을 것입니다. / 불이 나면 불꽃이 일어나므로 불꽃의 빛을 감지할 수 있을 것입니다.

1 감열실 속 기체의 부피를 감소시켜야 하므로 온도를 낮추면 해결할 수 있습니다.

2 불이 났을 때와 불이 나지 않았을 때의 다른 점은 연기와 불꽃, 온도 변화 등입니다.

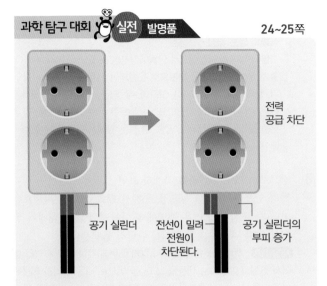

전력
공급 차단

공기 실린더

전선이 밀려 전원이 차단된다.

공기 실린더의 부피 증가

- **발명품 이름** ㉣ 열 감지 콘센트
- **발명품이 활용되는 장소** 콘센트
- **발명품을 만들게 된 동기**

전기에 의해 발생한 화재에 대한 뉴스를 보면서 우리집 콘센트에서 불이 나면 어떻게 될까라는 생각을 해 보았을 때 해결책이 없다고 생각했습니다. 만약 콘센트에 연결된 전기만 차단할 수 있다면 전기에 의한 화재가 나지 않을 것이라 생각하여 발명품을 만들게 되었습니다.

- **발명품이 작동하는 과정**
  1. 콘센트와 연결된 전기 제품에서 문제가 생깁니다.
  2. 전자 제품에 연결된 콘센트까지 온도가 높아져 뜨거워집니다.
  3. 콘센트의 온도가 높아지면 콘센트에 연결된 공기 실린더의 부피가 증가합니다.
  4. 공기 실린더가 부풀어 올라 전선을 밀어 전원을 차단합니다.
  5. 전원이 차단되면 전기 제품에 전류가 흐르지 않기 때문에 화재가 발생하지 않습니다.

- **발명품에 대한 설명**

모든 집에는 전체 전원을 차단하는 누전 차단기가 있지만 전기에 의한 화재는 항상 일어날 수 있습니다. 그래서 화재에 적극적으로 대처하기 위해 벽에 연결된 콘센트에 전원을 차단하는 장치를 만들었습니다. 뜨거운 열이 계속 나는데도 전류가 계속 흐르면 큰 화재가 발생할 수 있지만 전류를 차단한다면 과전류에 의한 화재를 막을 수 있습니다. 공기 실린더는 온도가 올라가면 부풀어 오르는 재질로 만들어 온도 변화에 의해 부피가 급격히 증가하면 연결되어 있는 전선을 밀어 콘센트에 전류가 끊기게 되는 발명품입니다. 온도가 낮아지면 공기 실린더의 부피가 다시 감소하여 전선이 다시 연결되어 콘센트에 전류가 흐를 수 있습니다.

4 식물의 구조와 기능

1 ㉣ 물이 많지 않은 메마른 땅에서 수염뿌리의 뿌리를 땅속 깊이 내리지 못하기 때문에 수염뿌리를 가진 민들레는 줄기를 지지하지 못하고 잘 자라지 못할 것입니다. 그리고 뿌리를 땅속 깊이 내리지 못하여 땅속 깊은 곳에 있는 물을 흡수하지 못하여 말라 죽을 것입니다. **2** ㉣ 고구마가 충분한 햇빛을 받지 못하면 광합성이 활발하게 일어나지 않아 양분을 만들 수 없기 때문에 뿌리에 저장할 양분이 부족하여 고구마의 크기가 커지지 못할 것입니다. **3** ㉣ 갯벌의 흙은 매우 곱고 단단하지 않습니다. 갯벌 속에만 뿌리를 내려서는 단단하게 서 있지 못하기 때문에 갯벌 위로 수많은 뿌리를 뻗어서 단단하게 몸을 지탱할 수 있게 해 주는 것입니다. 또한 물 밖으로 나온 뿌리를 이용하여 호흡을 합니다. **4** ㉣ 줄기의 껍질을 고리 모양으로 둥글게 벗겨 내면 양분이 이동하는 통로(체관)가 제거되어 잎에서 만든 양분이 껍질을 벗겨 낸 부분의 아래쪽으로 이동하지 못합니다. 양분이 껍질을 벗겨 낸 부분의 위쪽에 쌓여 두껍게 부풀어 오릅니다. **5** ㉣ 동물은 호흡할 때 산소가 필요합니다. 따라서 밀폐된 유리종 속의 생쥐는 산소를 모두 쓰면 죽게 됩니다. 식물은 광합성을 할 때 이산화 탄소를 사용하여 산소를 만들어 내므로 생쥐가 식물과 함께 있으면 광합성으로 만들어진 산소를 이용하여 호흡할 수 있기 때문에 생쥐와 식물 모두 살 수 있습니다. **6** ㉣ 기온이 높아지면 식물은 식물체 내의 온도가 높아지지 않도록 하기 위해 잎에서 증산 작용이 활발하게 일어납니다. 증산 작용이 활발하게 일어나기 위해서는 면적이 넓고 큰 잎이 유리하므로 활엽수가 많아질 것입니다. **7** ㉣ 동물들이 버찌를 먹으면 그 안의 씨가 동물의 배설물과 함께 몸 밖으로 나와 멀리 퍼져 벚나무가 번식하게 되는데, 동물들이 싫어하는 맛으로 변한다면 동물들이 먹지 않아 벚나무의 번식이 어려워질 것입니다. **8** ㉣ 온실을 밀폐하여 곤충이 들어가지 못하게 했기 때문에 벌, 나비 등과 같은 곤충에 의한 꽃가루받이가 일어나지 못해 열매가 생기지 못한 것입니다. 곤충에 의한 꽃가루받이를 하지 못하는 경우에는 사람이 직접 꽃가루받이를 해 주어야 합니다.

---

1 수염뿌리는 잔뿌리를 발달시켜 땅 표면 가까이에 있는 물과 무기 양분을 흡수합니다. 곧은뿌리는 굵고 단단한 원뿌리가 발달하고 그 주변에 곁뿌리가 있습니다. 따라서 민들레의 곧은뿌리는 물이 많지 않은 메마른 땅속에서 깊이 뿌리를 내려 줄기를 지지하고, 땅속 깊은 곳에 있는 물은 흡수할 수 있습니다. 만약 메마른 땅에서 민들레의 뿌리가 수염뿌리로

바뀐다면 뿌리를 메마른 땅에 깊게 내리지 못하기 때문에 줄기를 지지하지 못하고 쓰러지거나 땅속 깊은 곳에서 물을 흡수하지 못하여 말라 죽을 것입니다.

채점 TIP 수염뿌리는 민들레의 줄기를 지지하지 못하고 쓰러질 것이고, 땅속 깊이 뿌리를 내리지 못하기 때문에 물을 흡수하지 못할 것이라는 내용을 쓰면 정답으로 합니다.

---(**내용 플러스**)---

뿌리의 생김새

• 곧은뿌리: 원뿌리와 가느다란 구분이 뚜렷하며, 가운데의 굵은 원뿌리가 곧게 뻗어 있고 원뿌리에 가는 곁뿌리가 여러 개 있는 뿌리를 곧은뿌리라고 합니다. 쌍떡잎식물 ⑩ 민들레, 배추, 봉숭아, 무궁화

▲ 곧은뿌리

• 수염뿌리: 원뿌리와 곁뿌리의 구분 없이 굵기가 비슷한 가늘고 긴 뿌리들이 모여 난 뿌리를 수염뿌리라고 합니다. 수염뿌리는 원뿌리에 비해 식물체를 잘 지지하지는 못하지만 땅 표면 가까이에 있는 물은 더 잘 흡수하는 장점을 가지고 있습니다. ⑩ 벼, 강아지풀, 옥수수

▲ 수염뿌리

뿌리의 구조

• 표피: 뿌리 가장 바깥쪽에 있는 한 겹의 세포층으로, 뿌리 내부를 보호합니다.
• 피층: 표피 안쪽에 있는 여러 겹의 세포층입니다.
• 내피: 피층 안쪽에 있는 한 겹의 세포층입니다.
• 관다발: 뿌리에서 흡수한 물과 무기 양분의 이동 통로인 물관과 잎에서 만들어진 유기 양분의 이동 통로인 체관이 모여 있는 부분입니다.

뿌리가 하는 일

• 뿌리의 흡수 기능: 땅속으로 뻗어 물을 흡수합니다.
• 뿌리의 지지 기능: 식물체가 쓰러지지 않게 지지합니다.
• 뿌리의 저장 기능: 잎에서 만든 양분을 저장하기도 합니다.

2 뿌리 식물은 광합성 결과 만들어진 양분 중 사용하고 남은 양분을 뿌리에 저장하는 식물입니다. 광합성을 하기 위해서는 햇빛이 필요합니다. 햇빛이 충분히 비치지 않는 곳에서는 광합성이 잘 일어나지 않아 양분을 많이 만들 수 없고, 양분을 많이 만들지 못하면 뿌리에 저장을 하지 못합니다.

채점 TIP 햇빛을 충분히 받지 못하면 광합성이 활발하게 일어나지 못해 양분을 많이 만들 수 없으므로, 뿌리에 저장할 양분이 없기 때문에 고구마의 크기가 커지지 못한다는 내용을 쓰면 정답으로 합니다.

---(**내용 플러스**)---

식물의 양분 저장

식물의 잎에서 광합성으로 만들어진 양분은 줄기를 거쳐 뿌리, 줄기, 열매 등 필요한 부분으로 운반되어 사용되거나 뿌리, 줄기, 열매 등에 저장됩니다. 고구마, 무, 당근, 인삼 등은 잎에서 만든 양분을 뿌리에 저장하고, 감자, 토란 등은 잎에서 만든 양분을 줄기에 저장합니다. 땅콩, 콩 등은 잎에서 만든 양분을 열매에 저장합니다.

3 맹그로브 나무의 뿌리를 자세히 보면 껍질에 수많은 구멍이 뚫려 있으며, 이러한 구멍을 통해서 맹그로브 나무는 호흡합니다. 또한 부드러운 갯벌에 단단하게 뿌리를 내리기 위해서 갯벌 위로 수많은 뿌리를 단단하게 뻗습니다.

채점 TIP 갯벌의 흙은 단단하지 않기 때문에 갯벌 위로 뿌리를 뻗어서 몸을 지지한다는 내용을 쓰고, 물 밖으로 나온 뿌리를 이용하여 호흡을 한다는 내용까지 쓰면 정답으로 합니다.

---(**내용 플러스**)---

뿌리의 변형

• 호흡뿌리: 맹그로브나 낙우송 등과 같이 물가에 사는 식물이 호흡을 위해 땅 위나 수면 위로 뻗은 뿌리입니다.
• 버팀뿌리: 옥수수와 같이 땅에서 가까운 줄기의 마디에서 뿌리가 나와 식물이 쓰러지지 않도록 지지해 주는 뿌리입니다.
• 부착뿌리: 담쟁이덩굴이나 능소화 등과 같이 벽이나 나무줄기 등에 단단히 붙을 수 있는 뿌리입니다.
• 기생뿌리: 겨우살이나 새삼 등과 같이 다른 식물의 줄기에서 물과 양분을 흡수할 수 있도록 변형된 뿌리입니다.

4 잎에서 광합성으로 만들어진 양분은 체관을 통해 이동하므로 체관이 제거되면 이동하지 못합니다. 물이 이동하는 물관은 제거되지 않았기 때문에 뿌리에서 흡수한 물은 잎으로 이동할 수 있습니다.

채점 TIP 양분이 이동하는 통로(체관)가 제거되어 양분이 껍질을 벗겨 낸 부분의 아래쪽으로 이동하지 못하고 쌓였기 때문이라는 내용을 쓰면 정답으로 합니다.

---(**내용 플러스**)---

관다발

식물에게 필요한 물과 양분의 이동 통로로, 뿌리, 줄기, 잎맥으로 연결되어 있으며, 가는 관(물관, 체관)이 여러 개 모여 다발을 이루고 있습니다. 쌍떡잎식물과 외떡잎식물은 관다발의 배열이 다릅니다.

▲ 쌍떡잎식물의 관다발

▲ 외떡잎식물의 관다발

• 체관: 잎에서 만든 유기 양분이 이동하는 통로입니다.
• 물관: 뿌리에서 흡수한 물과 무기 양분이 이동하는 통로입니다.
• 형성층: 세포 분열이 활발하게 일어나 줄기를 굵어지게 하는 부분으로 쌍떡잎식물에만 있습니다.

특수한 기능을 수행하는 줄기

• 번식 줄기: 잎과 줄기 사이에 구슬눈(주아)이 생기고 이것이 땅에 떨어져 싹이 틉니다. 예 참나리, 마

• 가시 줄기: 가지의 일부가 가시로 변해 초식 동물로부터 몸을 보호합니다. 가시는 잎이나 턱잎, 나무의 껍질 등이 변해서 되기도 합니다. 이 중 줄기가 변해서 된 가시는 잘 떨어지지 않는 특징이 있습니다. 예 탱자나무, 주엽나무

• 저장 줄기: 광합성으로 만들어진 양분을 저장합니다. 감자나 토란 등은 땅속으로 이어진 줄기 부분에 양분이 저장된 것으로 햇빛에 노출될 경우 엽록소가 생겨 초록색으로 변합니다. 연꽃 역시 뿌리처럼 보이는 굵은 부분이 줄기이고 줄기 사이에 수염뿌리가 달려 있습니다. 예 감자, 토란, 연꽃

5 동물은 호흡할 때 산소가 필요하고, 식물은 광합성을 할 때 햇빛, 물, 이산화 탄소가 필요합니다. 식물은 광합성 결과 산소를 내놓고, 동물은 호흡할 때 산소를 들이마시고 이산화 탄소를 내보내며, 식물은 광합성을 할 때 이산화 탄소를 이용합니다.

채점 TIP 생쥐가 호흡할 때 필요한 산소를 식물이 광합성으로 만들어 내기 때문이라는 내용을 쓰면 정답으로 합니다.

(내용 플러스)

광합성

• 식물이 빛과 이산화 탄소, 뿌리에서 흡수한 물을 이용하여 스스로 양분(포도당)을 만드는 것입니다.

$$물 + 이산화\ 탄소 \xrightarrow{\text{빛에너지}} 포도당 + 산소$$

광합성으로 통해 생성되는 최초의 양분은 포도당으로, 포도당은 녹말로 바뀌어 잎에 일시적으로 저장됩니다. 광합성 결과 생성된 산소 중 일부는 식물 자체의 호흡에 쓰이고 나머지는 기공을 통해 공기 중으로 배출됩니다. 식물은 광합성으로 만들어진 양분 중 사용하고 남은 양분을 다양한 형태로 저장하는데, 대부분의 식물은 양분을 녹말의 형태로 저장합니다. 광합성은 주로 식물의 잎에서 일어나며, 빛의 세기, 온도, 이산화 탄소의 농도가 모두 최적의 상태일 때 광합성량은 최대가 됩니다.

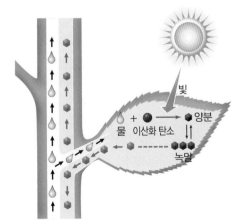

▲ 광합성과 양분의 이동

6 잎에서 일어나는 증산 작용은 햇빛이 강하고, 온도가 높으며, 바람이 잘 불거나 식물체에 수분이 많이 있을 때 활발하게 일어납니다. 여름철에는 증산 작용이 활발하게 일어나는 것이 유리하기 때문에 넓고 큰 잎이 많은 활엽수가 유리하고, 겨울철에는 증산 작용이 일어나지 않는 것이 유리하기 때문에 가늘고 긴 잎이 많은 침엽수가 유리합니다. 기온이 높아져 날씨가 더워지면 활엽수가 식물의 생존에 유리합니다.

채점 TIP 기온이 높아지면 증산 작용이 활발하게 일어나는 넓고 큰 잎이 유리하므로 활엽수가 많아질 것이라는 내용을 쓰면 정답으로 합니다.

7 과육이 발달한 열매는 일반적으로 동물이 열매를 먹고 씨가 동물의 배설물과 함께 몸 밖으로 나와 멀리 퍼뜨리는 방법으로 번식합니다. 열매가 맛이 없어지면 동물이 먹지 않아 씨를 퍼뜨릴 수 없게 될 것입니다.

채점 TIP 벚나무의 열매인 버찌는 동물에게 먹힌 후 그 동물의 배설물과 함께 밖으로 나와 멀리 퍼지는 방법으로 씨를 퍼뜨리는 데 동물들이 싫어하는 맛으로 변한다면 동물들이 먹지 않아 씨를 멀리 퍼뜨릴 수 없다는 내용을 쓰면 정답으로 합니다.

(내용 플러스)

인공 수분

과수나 원예식물의 열매를 잘 맺게 하기 위하여 인공적으로 수분(꽃가루받이)을 시키는 일을 인공 수분이라고 합니다. 과수의 수분은 주로 곤충에 의해 이루어지는데, 곤충의 수가 적거나 수분수가 가까이 있지 않을 경우에는 인공 수분의 효과가 높습니다. 인공 수분의 방법은 꽃가루를 채취할 꽃을 따서 꽃자루를 잡고 수분하려는 꽃의 암술머리에 꽃가루가 묻도록 돌리면서 가볍게 접촉하는 것이 좋습니다. 채소의 경우 날씨가 나빠서 곤충이 많이 날아오지 않을 경우에는 수박이나 호박 등에 인공 수분을 하기도 하며, 온실에서 기르는 멜론의 경우에는 반드시 인공 수분을 해야 합니다.

8 광합성을 할 수 있어 양분이 있으면 식물은 잘 자랍니다. 하지만, 열매를 맺기 위해서는 꽃가루받이(수분)가 되어야 합니다. 식물은 스스로 꽃가루받이를 할 수 없기 때문에 곤충, 새, 바람 등의 도움을 받아야 하지만 온실의 공간이 밀폐되어 있으면 곤충이나 새가 들어갈 수 없습니다. 온실에서는 사람이 인공적으로 꽃가루받이를 해 줍니다.

채점 TIP 온실을 밀폐하여 곤충이나 새가 들어가지 못해 과일나무에서 꽃가루받이가 이루어지지 않았기 때문이라는 내용을 쓰면 정답으로 합니다.

(내용 플러스)

식물이 씨를 퍼뜨리는 다양한 방법
- 가벼운 솜털이 있어 바람에 날려서 퍼집니다. ㈜ 민들레, 박주가리, 버드나무
- 날개가 있어 빙글빙글 돌며 날아갑니다. ㈜ 단풍나무, 가죽나무
- 가벼운 솜털이 있어 바람에 날려서 퍼집니다. ㈜ 민들레, 박주가리, 버드나무
- 열매 껍질이 터지며 씨가 튀어 나갑니다. ㈜ 봉숭아, 제비꽃, 괭이밥, 콩
- 갈고리가 있어 동물의 털이나 사람의 옷에 붙어서 퍼집니다. ㈜ 도깨비바늘, 도꼬마리, 가막사리, 우엉
- 동물에게 먹힌 뒤 씨가 똥과 함께 나와 퍼집니다. ㈜ 벚나무, 참외, 찔레꽃, 겨우살이
- 물에 떠서 이동합니다. ㈜ 코코야자, 연꽃
- 동물이 땅에 저장한 뒤 찾지 못해 싹이 틉니다. ㈜ 잣나무, 상수리나무

과학 탐구 대회 준비 과학 토론   33쪽

1 ㈜ 자극을 기억하기 때문에 파리지옥은 감각모를 한 번만 건드릴 때에는 반응하지 않고 30초 안에 두 번 건드릴 때에만 잎을 닫는 반응이 나타납니다. **2** ㈜ 식물이 지능이 있다고 생각합니다. 왜냐하면 지능이 있기 때문에 외부 자극에 파리지옥은 잎을 오므려 먹이를 잡고, 미모사는 잎을 접어 천적으로부터 잎을 보호하기 때문입니다. / ㈜ 식물은 지능이 없다고 생각합니다. 왜냐하면 식물에게 지능이 있다면 외부 자극의 변화에 따라 반응이 다양하게 달라져야 하지만 자극이 변해도 반응은 항상 같기 때문입니다. **3** ㈜ 지능과 관련된 식물의 움직임 자료, 외부 문제를 해결하는 능력에 대한 자료, 학습 능력과 관련있는 자료 등

1 지능은 문제에 대해 합리적으로 사고하고 해결하는 인지적인 능력과 학습 능력을 포함하는 총체적인 능력을 말합니다. 파리지옥이 외부 자극에 의해 어떻게 반응하는지를 생각해 보면 답을 쉽게 찾을 수 있습니다.

2 식물이 지능이 있다고 생각하면 지능이 있는 까닭에 대해, 지능이 없다고 생각하면 지능이 없는 까닭에 대해 자신의 생각을 주어진 자료를 바탕으로 논리적으로 씁니다.

3 식물에 지능이 있는지, 없는지에 대해 결정하기 위해서는 지능이 있다고 생각하는 것에 대한 자료와 지능이 없다고 생각하는 것에 대한 자료를 같이 비교해 분석하는 것이 좋습니다.

과학 탐구 대회 실전 과학 토론   34~35쪽

• **주장**

㈜ 1) 식물에 지능이 있어 외부의 자극에 지능적인 판단에 의해 행동으로 움직입니다.

㈜ 2) 식물은 지능이 없으며, 움직임은 외부의 자극에 대한 반응일 뿐입니다.

• **근거 및 까닭**

㈜ 1) [식물에 지능이 있다는 주장]

식물이 자극에 의해 움직이는 것은 식물에 지능이 있다는 증거입니다. 파리지옥과 미모사는 세포에 물이 들어가거나 나오는 방법으로 외부 자극에 대해 움직입니다. 사람의 경우 몸이 움직일 때 외부 자극에 대해 감각 기관에서 자극을 받아들이고 뇌에서 판단하여 뇌의 전기적 신호가 근육 세포에 전달되어 근육을 오므리거나 펴게 합니다. 식물에 사람의 뇌와 같은 기관이 없다 하더라도 외부의 자극을 판단하여 세포에 신호를 주어 세포가 움직이게 하는 것입니다. 파리지옥의 잎이 닫히거나 미모사의 잎이 접히는 것은 외부 자극에 대한 반응이 내부의 신호에 의해 일어난 것으로 볼 수 있습니다. 파리지옥은 그 신호를 30초 안에 두 번 건드리는 것으로 결정하여 그 조건이 맞을 때마다 신호를 전달하게 하는 것이고, 미모사는 반복적인 자극이 주어질 때의 조건을 인지하여 더 이상 잎을 접는 행동을 하지 않는 것입니다. 따라서 식물이 조건을 생각하고, 문제를 해결하는 과정으로 보았을 때 식물은 지능이 있다고 생각합니다.

㈜ 2) [식물은 지능이 없다는 주장]

식물에 외부 자극에 의해 움직이는 것은 식물에 지능이 있는 것이 아니라 자극에 대해 반응한 것일 뿐입니다. 자극에 대해 직접적인 움직임을 보이는 식물을 예로 들어 봅시다. 파리지옥의 경우 30초 안에 잎 안쪽의 감각모를 두 번 건드리는 자극에 의해 잎이 닫힙니다. 만약 파리지옥이 지능이 있어서 기억을 할 수 있다면 파리지옥은 환경에 따라 잎이 닫히는 자극의 정도가 달라져야 할 것입니다. 먹이인 파리가 빠르게 움직여 한 번의 자극만 준다면 파리지옥은 한 번의 자극만으로도 잎을 닫아야 하는데 파리지옥은 항상 두 번의 자극으로만 닫힙니다. 미모사의 경우 반복적으로 자극을 주었을 때 잎을 접지 않은 까닭을 지능보다는 에너지가 부족함으로 인해 더 이상 접지 못한다고 생각하면 미모사의 움직임 역시 지능에 의한 것이 아님을 알 수 있습니다. 또한, 만약 미모사에 지능이 있다면 바람에 의한 자극인지, 천적에 의한 자극인지를 구분할 수 있어야 하지만 어떠한 자극에도 똑같이 반응하는 것으로 보아 지능이 있다고 판단할 수 없습니다. 위의 근거로 파리지옥이나 미모사와 같은 식물은 지능이 없다고 생각합니다.

• 상대 의견에 대한 예상 질문

(예) 1)

– 식물에 지능이 있다면 왜 외부 자극을 구분하지 못할까?

– 식물에 지능이 있다는 확실한 근거는 무엇일까?

– 식물에 지능이 있다면 왜 특정한 식물만 움직임이 있을까?

(예) 2)

– 식물에 지능이 없다면 어떻게 외부의 자극에 모든 세포가 반응할 수 있게 신호를 전달할까?

– 식물에 지능이 없다면 과학적인 근거는 무엇일까?

– 식물에 지능이 없다면 스스로 외부 자극에 반응하고 각 세포들이 행동하는 까닭은 무엇일까?

토론을 할 때 상대방의 의견에 반박하기 위한 질문 리스트를 만들어 보는 것이 중요합니다.

5 빛과 렌즈

창의 서술형 문제 　영재고·영재원 선발 대비 　38~41쪽

1 예 첫 번째 프리즘을 통과하여 여러 가지 색으로 나누어진 빛은 두 번째 프리즘을 통과시키면 색에는 변화가 없지만 색깔에 따라 꺾이는 정도가 달라 색이 나타나는 범위가 더 확대됩니다.　**2** ⓒ, 예 빛이 공기와 얼음의 경계에서 한 번 꺾인 후 얼음과 물의 경계에서 한 번 더 꺾여 공기와 물의 경계에서 한 번만 꺾인 빛보다 더 꺾여 진행하기 때문입니다.

3 (1)

(2) 예 빨대 표면에서 반사되어 나오는 빛은 물속에서 공기 중으로 나올 때 물과 공기의 경계에서 굴절해 사람의 눈으로 들어옵니다. 그런데 사람은 눈으로 들어온 빛의 연장선에 빨대(빨대가 물에 잠긴 부분)가 있다고 생각하므로, 물속에 잠긴 빨대가 실제보다 떠 보이고 물과 공기의 경계에서 꺾인 것처럼 보입니다.　**4** 예 물을 넣어도 보이지 않던 동전이 물에 설탕을 넣어 녹이면 동전이 보입니다.　**5** ⓒ과 ⓔ, 예 렌즈로 가까이 있는 물체를 보았을 때 바로 선 모양으로 상이 크게 보이는 것, 물체에서 렌즈를 점점 멀리할 때 상의 크기가 점점 커지다가 어느 순간에 잘 보이지 않고 이후 상이 작게 보이는 것, 렌즈로 멀리 있는 물체를 보았을 때 거꾸로 선 모양으로 상이 작게 보이는 것이 볼록 렌즈입니다.　**6** 예 볼록 렌즈의 반을 가려도 나머지 반으로 빛이 들어가기 때문에 빛의 양만 줄어 스크린에 나타난 전구의 상은 어두워 보일 뿐 전구는 검은색 종이로 가리기 전과 같은 모양으로 보입니다.　**7** 예 구슬이 투명한 둥근 그릇의 물 표면 가까이에 있을 때보다 물의 중간에 있을 때 구슬이 더 커 보입니다. 둥근 그릇 속 물이 볼록 렌즈의 역할을 하기 때문에 물의 중간으로 들어갈수록 볼록 렌즈가 두꺼워지는 것과 같기 때문입니다.　**8** 예 볼록 렌즈로 만든 안경은 볼록 렌즈가 빛을 굴절시켜 눈의 망막보다 뒤쪽에 맺히는 물체의 상을 망막 쪽으로 당겨 상이 망막에 맺히게 하는 역할을 하기 때문입니다.

1 햇빛은 여러 가지 색의 빛이 합성되어 있는 백색광인데, 햇빛이 프리즘을 통과하면 색깔에 따라 굴절되는 정도가 달라 여러 가지 색으로 나뉩니다. 한 번 통과한 빛을 다시 프리즘을 통과시킨다고 색이 또 나누어지지는 않고 색깔에 따라 꺾이는 정도가 달라 색이 더 퍼져 보입니다.

채점 TIP 처음 프리즘에서 나누어진 색이 두 번째 프리즘에서 또

나누어지지는 않고 색깔에 따라 꺾이는 정도가 달라 색이 더 퍼져 보인다는 내용을 쓰면 정답으로 합니다.

(내용 플러스)

빛의 합성
빨간색, 초록색, 파란색을 빛의 삼원색이라고 하는데, 빨간색과 초록색 빛이 합쳐지면 노란색, 초록색과 파란색 빛이 합쳐지면 청록색, 빨간색과 파란색 빛이 합쳐지면 자홍색 빛이 됩니다. 이와 같이 서로 다른 색의 빛을 합하면 다양한 색이 만들어지는데, 이를 빛의 합성이라고 합니다.

▲ 빛의 삼원색과 합성

2 빛은 두 물질의 굴절률(굴절 정도)의 차이에 의해서 굴절하기 때문에 굴절률의 차이에 의해 공기와 얼음의 경계에서 한 번 꺾인 빛이 얼음과 물의 경계에서 한 번 더 꺾이게 되어 기존 방향보다 더 꺾여 진행하게 됩니다.
채점 TIP ㉡을 옳게 쓰고, 빛이 공기와 얼음의 경계에서 한 번 꺾이고, 얼음과 물의 경계에서 한 번 더 꺾이기 때문이라는 내용을 쓰면 정답으로 합니다.

(내용 플러스)

굴절하는 정도를 굴절률이라고 합니다. 굴절률은 물질의 종류에 따라 다른데, 빛의 진행 속력이 느릴수록 굴절하는 정도가 큽니다. 공기, 얼음, 물의 순서로 굴절률이 크므로, 빛이 공기와 얼음의 경계에서 한 번 꺾인 후 다시 얼음과 물의 경계에서 굴절률이 큰 한 번 더 꺾이게 되어 공기와 물의 경계에서 한 번만 꺾인 빛보다 더 꺾여 나아갑니다.

공기

얼음
물

3 빨대가 공기 중에 있든 물속에 있든 빨대에서 반사된 빛은 빨대 표면의 모든 점에서 모든 방향으로 나아갑니다. 빨대가 꺾여 보인다는 것은 꺾인 빨대의 표면에서 반사되어 나오는 빛 중에서 일부가 눈에 들어온다는 것입니다. 물 밖의 공기 중에 있는 빨대의 표면에서 나온 빛은 같은 공기 중에 있으므로 굴절 없이 눈에 도달하지만 물에 잠긴 빨대의 표

면에서 나오는 빛은 물과 공기의 경계에서 굴절률이 큰 물쪽으로 굴절되어 눈에 도달합니다. 그러나 사람의 뇌는 빛이 눈에 들어오기 전의 경로는 전혀 인식하지 못하고 눈에 직진해 들어오는 빛만 인식하게 됨으로써 빨대의 부분은 물에 잠긴 빛이 눈에 들어오는 경로의 연장선에 있는 것으로 인식하게 됩니다. 이러한 까닭으로 눈에 보이는 빨대는 꺾여 보이고, 물속에 있는 빨대는 실제 깊이보다 더 얕아 보이게 됩니다.
채점 TIP (1) 물이 있는 수조 속의 빨대가 꺾여 보이는 모습을 옳게 그리고, (2) 물속에서 나온 빛이 물과 공기의 경계에서 굴절되기 때문에 빨대가 꺾여서 실제보다 떠 보이고 꺾인 것처럼 보인다는 내용을 쓰면 정답으로 합니다.

4 설탕물은 그냥 물보다 굴절률이 더 큽니다. 동전 표면에서 반사된 빛이 설탕물과 공기의 경계에서 더 꺾여 진행하므로 사람의 눈에는 동전이 더 위로 떠서 보이기 때문에 보이지 않던 동전이 보이게 됩니다.
채점 TIP 설탕을 넣어 녹이면 물을 넣어도 보이지 않던 동전이 보인다는 내용을 쓰면 정답으로 합니다.

5 볼록 렌즈는 가운데 부분이 가장자리보다 두꺼운 렌즈입니다. 볼록 렌즈로 태양 빛의 초점을 검은색 종이에 모으면 종이를 태울 수 있습니다.
채점 TIP ㉢과 ㉤을 쓰고, 볼록 렌즈로 물체를 보았을 때 상이 보이는 모습, 볼록 렌즈로 빛을 한곳으로 모을 수 있는 등의 볼록 렌즈를 확인할 수 있는 방법 세 가지를 쓰면 정답으로 합니다.

(내용 플러스)

볼록 렌즈의 여러 가지 모양

▲ 평면 볼록 렌즈   ▲ 양면 볼록 렌즈   ▲ 오목 볼록 렌즈

(내용 플러스)

볼록 렌즈의 특징
• 볼록 렌즈는 렌즈의 가운데 부분이 가장자리보다 두껍습니다.
• 볼록 렌즈를 통해 가까이 있는 물체를 보면 바로 모양으로 상이 실제보다 크게 보이고, 물체에서 볼록 렌즈를 점점 멀리하면 상의 크기가 점점 커지다가 어느 순간에 잘 보이지 않고 이후 상이 작게 보이며, 볼록 렌즈를 더 멀리하면 거꾸로 선 모양으로 상이 작게 보입니다.
• 볼록 렌즈는 빛을 굴절시켜 한 점으로 모읍니다.

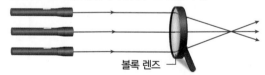

볼록 렌즈

▲ 빛이 볼록 렌즈의 가장자리를 통과하면 두꺼운 가운데 부분으로 꺾여 나아가고, 빛이 볼록 렌즈의 가운데 부분을 통과하면 꺾이지 않고 그대로 나아갑니다.

6 볼록 렌즈의 일부를 가리더라도 전구의 한 점에서 나온 빛이 렌즈의 나머지 부분으로 들어가기 때문에 스크린에 맺힌 전구의 모양은 그대로입니다. 이때 볼록 렌즈를 많이 가릴수록 볼록 렌즈를 통과하는 빛의 양이 줄어들어 전구의 밝기는 더 어두워집니다.

채점 TIP 가려지지 않은 렌즈의 나머지 반으로 들어가는 빛의 양만 줄어들어 상이 어두워지지만 전구의 모양은 그대로 보인다는 내용을 쓰면 정답으로 합니다.

7 물의 중간 부분에 가까워질수록 구슬이 더 확대되어 보이는 것은 볼록 렌즈에 의한 상의 확대로, 렌즈의 두께가 두꺼울수록 커지기 때문입니다. 물의 표면 가까이에 있을 때보다 물의 중간으로 들어갈수록 물이 만드는 렌즈의 두께가 두꺼워지는 효과가 있기 때문에 구슬의 모습이 더 크게 보입니다.

채점 TIP 물의 표면 가까이보다 물의 중간에 있을 때 둥근 그릇 속 물의 두께가 더 두꺼워 볼록 렌즈의 두께가 더 두꺼운 효과가 있기 때문에 구슬이 물의 표면 가까이에 있을 때보다 물의 중간에 있을 때 더 크게 보인다는 내용을 쓰면 정답으로 합니다.

┌─(내용 플러스)
볼록 렌즈의 구실을 할 수 있는 것
볼록 렌즈의 구실을 할 수 있는 것에는 물방울, 유리 막대, 물이 담긴 둥근 어항, 물이 담긴 둥근 유리잔, 물이 담긴 투명 지퍼 백 등이 있습니다. 볼록 렌즈의 구실을 할 수 있는 것의 공통점은 가운데 부분이 가장자리보다 두껍고 투명하여 빛을 통과시킬 수 있다는 것입니다.

▲ 유리 막대   ▲ 물이 담긴 둥근 어항

8 원시는 먼 곳에 있는 글씨나 물체는 잘 보이지만 가까이 있는 물체는 잘 보이지 않는 현상입니다. 수정체의 두께가 얇아 상이 망막의 뒤쪽에 맺히게 되면, 이 상을 망막에 맺히게 하기 위해 볼록 렌즈를 이용하여 빛의 굴절을 조절합니다.

채점 TIP 원시는 물체의 상이 망막보다 뒤쪽에 맺히기 때문에 볼록 렌즈를 사용하여 물체의 상이 망막에 맺히게 한다는 내용을 쓰면 정답으로 합니다.

---

1 예 탄소 나노 큐브가 빽빽하게 배열되어 있어서 그 사이로 들어온 빛이 바깥으로 빠져나가지 못하므로 빛이 반사되지 못하고 대부분이 흡수됩니다.   **2** 예 전기 파리채에 칠하고 싶습니다. 그 까닭은 파리를 잡을 때 파리채를 휘두르면 빛이 반사되어 파리는 파리채가 오는 것을 알아채고 도망가기 때문에 잡기가 쉽지 않습니다. 만약 파리채를 반타블랙 물감으로 칠하면 움직이는 파리채에서 빛이 반사되지 않으므로 파리는 파리채가 움직이는 것을 볼 수 없어서 피하지 못할 것입니다. / 예 숨바꼭질을 할 때 잘 보이지 않게 되면 쉽게 찾을 수 없을 것 같아서 옷에 칠하고 싶습니다.   **3** 예 반타블랙은 다른 물질보다 빛 흡수율이 좋아서 태양 전지판에 칠해 태양광 발전에 이용하면 대부분의 태양광선을 흡수하여 효율을 높일 수 있을 것입니다.   **4** 예 반타블랙의 빛 흡수율이 정말로 99 %인지 확인하고 싶습니다. / 다른 검은색 물감과 비교하여 흡수율이 얼마나 차이나는지 측정해 보고 싶습니다. / 빛의 세기에 따라 빛 흡수율이 얼마나 차이나는지 확인하고 싶습니다.

1 반타블랙(Vantablack)은 수직으로 정렬된 탄소 나노 큐브 배열의 약자입니다. 키가 큰 나무로 가득한 숲의 아래쪽이 어두운 것처럼 수직으로 빽빽하게 밀도가 높은 탄소 나노 튜브들로 구성되어 있는 반타블랙은 그 사이로 들어온 빛이 빠져나갈 수 없는 구조입니다.

2 숨기거나 잘 보이지 않게 해야 하는 것이 무엇이 있는지 생각해 보는 것으로 문제를 해결할 수 있습니다.

3 태양 전지는 태양 광선의 빛에너지를 전기 에너지로 바꾸는 장치입니다. 따라서 반타블랙을 태양 전지판에 칠해 태양광 발전에 이용하면 대부분의 태양 광선을 흡수할 수 있을 것입니다. 반타블랙은 태양광 발전 분야, 우주 항공 분야, 무기 분야 등 여러 가지 분야에서 적용을 위한 시험 중에 있습니다.

┌─(내용 플러스)
태양광 발전
태양광 발전은 발전기의 도움 없이 태양 전지를 이용하여 태양빛을 직접 전기 에너지로 바꾸는 발전 방식입니다. 태양광 발전은 공해가 없고, 필요한 장소에 필요한 만큼만 발전할 수 있으며, 유지 보수가 쉽다는 장점이 있습니다. 반면에 전력 생산량이 일조량에 의존하고, 설치 장소가 한정적이며, 초기 투자비와 발전 단가가 높은 단점이 있습니다.

4 탐구를 진행하기 전에 탐구 주제를 정하고 가설을 설정하는 것이 매우 중요합니다. 가설 설정 전에 어떤 주제로 탐구를 할 것인지 결정하고, 그것을 가설로 바꾸어 탐구를 진행하는 하는 것이 탐구의 시작입니다.

· 탐구 과정

① 가로 10 cm, 세로 10 cm인 정사각형의 종이를 여러 장 준비합니다.

② 검은색 물감과 검은색 펜을 각각의 종이에 골고루 칠합니다.

③ 검은색 도화지의 경우 가로 10 cm, 세로 10 cm인 정사각형으로 잘라 둡니다.

④ 조도계를 준비하여 빛의 밝기에 따라 조도계가 잘 작동하는지 확인합니다.

⑤ 검은색 박스를 이용하여 어둠상자를 만들고 외부의 빛이 들어가지 못하게 합니다.

⑥ 손전등을 고정하고 빛을 45° 각도로 종이에 비춥니다.

⑦ 종이에서 반사된 빛이 45°가 되도록 조도계의 조도 감지 센서 부분을 고정합니다.

⑧ 손전등에서 조도계로 직접적으로 빛이 전달되지 못하도록 손전등과 조도계 사이를 가림막으로 막습니다.

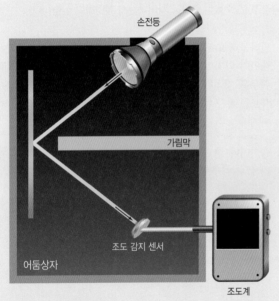

▲ 조도 측정 실험 장치

⑨ 수채화 물감, 포스터 물감, 아크릴 물감, 사인펜, 매직펜을 각각 칠한 종이와 검은색 도화지, 반타블랙 종이로 바꿔 가면서 조도를 측정하여 기록합니다.

⑩ 측정한 값을 비교하여 빛 흡수율을 비교합니다.

1학기 심화 문제 끝! 이제는 2학기 심화 문제로 출발!

1 전기의 이용

창의 서술형 문제 | 영재고·영재원 선발 대비 | 48~51쪽

1 예 멀티탭 각각의 콘센트의 전기 회로가 병렬연결되어 있어서 하나의 콘센트의 전선이 끊어져도 다른 콘센트의 전선으로 전류가 흐를 수 있기 때문에 나머지 전기 제품은 제대로 작동이 될 수 있습니다. **2** 예 직렬연결되어 있는 ㉠과 ㉡ 전구의 밝기가 같고, 병렬연결되어 있는 ㉢과 ㉣ 전구의 밝기가 같습니다. 그리고 ㉠과 ㉡은 한 전선에 두 개가 연결되어 있기 때문에 한 전선에 한 개씩 연결된 ㉢과 ㉣ 각각의 전구보다 어둡습니다. **3** 예 전구에 불이 켜지는 것은 ㉡, ㉢, ㉣, ����이고, 불이 켜지지 않는 것은 ㉠, ㉤입니다. 전지 한 개, 전구 두 개가 직렬연결된 ㉡ 전기 회로와 전지 두 개가 병렬연결되고, 전구 두 개가 직렬연결된 ㉮ 전기 회로는 전구의 밝기가 같습니다. 전구 한 개, 전지 한 개가 연결된 ㉢ 전기 회로와 전구한 개, 전지 두 개가 병렬연결된 ㉣ 전기 회로의 전구의 밝기가 같습니다. **4** 예 전지 두 개를 직렬연결하면 전동기가 회전을 많이 하여 강한 바람이 나오는 선풍기를 만들 수 있습니다. 전지 두 개를 병렬연결하면 직렬연결할 때보다 전동기가 회전을 적게 하지만 오래 사용할 수 있는 선풍기를 만들 수 있습니다. **5** 예 ㈎ 전기 회로의 ㉠ 전구의 필라멘트가 끊어지면 전기 회로가 끊어져 전류가 흐르지 못해 ㉡ 전구에 불이 켜지지 않습니다. ㈏ 전기 회로의 ㉢ 전구의 필라멘트가 끊어져도 ㉣ 전구는 전지와 끊어지지 않은 다른 길로 연결되어 있기 때문에 전류가 흘러 전구에 불이 켜집니다. **6** 예 나침반 위에 있는 전선에 전류가 위쪽으로 흐르면 나침반 바늘이 왼쪽으로 움직이지만, 같은 방향으로 나침반 아래에 있는 전선에 흐르는 전류에 의해 나침반 바늘은 오른쪽으로 움직이려고 합니다. 서로 반대 방향으로 움직이려는 힘의 크기가 같기 때문에 나침반 바늘은 움직이지 않고 처음 방향을 그대로 향할 것입니다. **7** 예 12개보다 많이 붙으며, 약 15~16개 정도로 예상합니다. 직렬연결한 전지의 개수가 많아질수록 전자석에 붙는 시침바늘의 개수가 늘어난 것으로 보아 전자석의 세기가 세진다는 것을 알 수 있습니다. **8** 예 교류 전류가 흐르면 전자석의 극은 계속 바뀌며, 둥근 영구 자석과 같은 극일 때는 밀리고, 둥근 영구 자석과 다른 극일 때는 끌어당겨집니다.

1 멀티탭의 내부에서 여러 개의 전기 회로가 병렬연결되어 있어서 하나의 콘센트의 전선이 끊어져도 다른 콘센트의 전선으로 전류가 흐를 수 있기 때문에 다른 전기 제품은 사용할

수 있습니다.

채점 TIP 멀티탭의 전선이 병렬연결되어 있기 때문에 하나의 콘센트 전선이 끊어져도 다른 콘센트는 사용할 수 있다는 내용을 쓰면 정답으로 합니다.

┌─ **내용 플러스** ──────────────
멀티탭
플러그를 꽂을 수 있는 콘센트가 부족할 때 사용하는 것으로, 한쪽은 콘센트에 꽂아 전원을 연결할 수 있는 플러그로 되어 있고, 코드로 연결된 나머지 한쪽은 플러그를 꽂을 수 있는 삽입구를 두 개 이상 설치한 전기 기구입니다. 코드가 없는 일체형과 각 삽입구마다 스위치를 설치한 절약형, 멀티탭 몸체에 안전용 차단기를 설치한 것 등 다양한 제품이 있습니다. 멀티탭을 이용해 전기 기구를 많이 사용하거나 문어발식으로 계속 연결해서 사용하면 전기 안전 사고의 위험이 높으므로 주의해야 합니다.
└──────────────────────────────

2 전기 회로에서 전구 두 개 이상을 한 줄로 연결하는 방법을 전구의 직렬연결이라고 하고, 전기 회로에서 전구 두 개 이상을 여러 개의 줄에 나누어 한 개씩 연결하는 방법을 전구의 병렬연결이라고 합니다. 전구의 병렬연결이 전구의 직렬연결보다 전구가 밝습니다. ㉠과 ㉡ 전구는 한 줄로 연결하였으므로 전구의 직렬연결이고, ㉠과 ㉡ 전구, ㉢ 전구, ㉣ 전구는 각각 다른 줄에 나누어 연결하였으므로 전구의 병렬연결입니다. 직렬연결한 ㉠과 ㉡ 전구의 밝기가 같고, 병렬연결한 ㉢과 ㉣ 전구의 밝기가 같습니다. ㉠과 ㉡, ㉢, ㉣은 세 개의 전선에 나누어져 병렬연결되어 있습니다. 따라서 한 전선에 두 개의 전구가 연결된 ㉠과 ㉡의 밝기는 ㉢과 ㉣ 각각의 밝기보다 어둡습니다.

채점 TIP ㉠과 ㉡ 전구의 밝기가 같고, ㉢과 ㉣ 전구의 밝기가 같지만 ㉠과 ㉡ 전구의 밝기보다 ㉢과 ㉣ 전구의 밝기가 더 밝다는 내용을 쓰면 정답으로 합니다.

3 전구에 불이 켜지려면 전지, 전선, 전구가 끊어지지 않게 연결하고, 전지는 전지의 (+)극과 전지의 (−)극에 각각 연결하며, 전기 부품의 도체끼리 연결해야 합니다. ㉠과 ㉤ 전기 회로는 전기 회로가 끊어져 있어 전류가 흐르지 않아 전구에 불이 켜지지 않습니다. ㉡, ㉢, ㉣, ㉮ 전기 회로는 전기 회로가 끊어지지 않게 연결되어 있어 전구에 불이 켜집니다. 전지 한 개, 전구 두 개가 직렬연결된 ㉡ 전기 회로와 전지 두 개가 병렬연결되고 전구 두 개가 직렬연결된 ㉮ 전기 회로는 전구의 밝기가 같습니다. 전지 한 개와 전구 한 개가 연결된 ㉢ 전기 회로와 전지 두 개가 병렬연결되고 전구 한 개가 연결된 ㉣ 전기 회로는 전구의 밝기가 같습니다.

채점 TIP 전구에 불이 켜지는 것과 켜지지 않는 것을 옳게 분류하고, 전구에 불이 켜지는 것 중 전구의 밝기를 옳게 비교하여 쓰면 정답으로 합니다.

2권
2학기

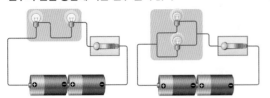
4 전지를 직렬연결하면 전압이 높아져서 강한 힘을 낼 수 있고, 전지를 병렬연결하면 전지를 오래 사용할 수 있습니다.

채점 TIP 전지 두 개를 직렬연결하면 강한 바람이 나오게 할 수 있고, 병렬연결하면 오래 사용할 수 있다는 내용을 쓰면 정답으로 합니다.

5 (가) 전기 회로는 전구 두 개가 직렬연결되어 있으므로 전구의 필라멘트가 끊어지면 전류가 흐르지 못해 다른 전구도 불이 켜지지 않습니다. (나) 전기 회로의 ㉢ 전구와 ㉣ 전구는

직렬연결, ㉤ 전구와 ㉥ 전구는 직렬연결되었고, ㉢과 ㉣ 전구, ㉤과 ㉥ 전구는 각각 다른 줄에 나누어 병렬연결되었으므로, ㉢ 전구의 필라멘트가 끊어져도 ㉤ 전구는 다른 줄에 연결되었기 때문에 전구에 불이 켜집니다. ㉣ 전구는 ㉢ 전구와 직렬연결되었으므로 ㉢ 전구의 필라멘트가 끊어지면 전기 회로가 끊어져 전류가 흐르지 못하므로 전구에 불이 켜지지 않습니다.

채점 TIP ㉣ 전구는 전류가 흐르지 못해 불이 켜지지 않고, ㉤ 전구는 ㉢ 전구와 다른 길로 연결되어 있어 전류가 흐르기 때문에 불이 켜진다는 내용을 쓰면 정답으로 합니다.

6 전류가 (+)극에서 (−)극으로 위쪽으로 흐르면 나침반 위에 있는 전선에 의해 나침반 바늘은 왼쪽으로 움직입니다. 반면 나침반 아래에 있는 전선에서 전류가 위쪽으로 흐르면 나침반 바늘은 오른쪽으로 움직입니다. 서로 반대 방향으로 움직이려고 하는 나침반 바늘은 결국 움직이지 않고 처음의 방향을 그대로 유지합니다.

채점 TIP 나침반 위의 전선에서 흐르는 전류에 의해 나침반 바늘이 움직이는 방향과 나침반 아래의 전선에서 흐르는 전류에 의해 나침반 바늘이 움직이는 방향이 반대이기 때문에 같은 크기의 힘에 의해 나침반 바늘은 처음의 방향을 그대로 향한다는 내용을 쓰면 정답으로 합니다.

7 전자석에 직렬연결한 전지의 개수가 많을수록 전류가 많이 흐르므로 전자석의 세기가 세져 시침바늘이 더 많이 붙습니다.

채점 TIP 전자석에 붙는 시침바늘의 개수가 12개보다 많게 적당한 개수로 예상하고, 직렬연결한 전지의 개수가 많을수록 전자석의 세기가 세진다는 내용을 쓰면 정답으로 합니다.

8 스피커는 둥근 영구 자석에 의해 전자석이 밀리거나 끌어당겨지면서 전자석이 얇은 판을 진동시켜 소리를 발생시킵니다.

채점 TIP 교류 전류가 흐르면 전자석의 극이 바뀌게 되어 둥근 영구 자석에 의해 밀리거나 끌어당겨진다는 내용을 쓰면 정답으로 합니다.

1 예 직렬연결한 전기 회로에서는 어디에서나 같은 세기의 전류가 흐르므로 ㉠, ㉡, ㉢ 전류계로 측정한 전류의 세기는 모두 같습니다.   2 예 병렬연결에서는 전하의 흐름이 반으로 나뉘기 때문에 전류의 세기가 반으로 줄어듭니다. 나뉘기 전의 전선과 연결된 ㉠과 ㉣ 전류계의 측정값은 동일하지만, 나뉘어 병렬연결된 ㉡과 ㉢ 두 전류계에서는 기존 측정값의 반으로 줄어듭니다. (㉠ = ㉣ > ㉡ = ㉢)   3 예 ㉢ 전류계의 전류의 세기는 5 A(암페어), ㉣ 전류계의 전류의 세기는 6 A(암페어)입니다. ㉣의 전류는 ㉡과 ㉢으로 나뉘어 흐르다가 ㉠에서는 다시 합쳐져 흐르기 때문입니다.

1 전기 회로에서 전류가 흐를 때 전자는 없어지거나 새로 생기지 않기 때문에 직렬연결한 전기 회로에서 전선에 흐르는 전류의 세기 값은 일정합니다.

2 병렬연결에서는 두 전구가 연결된 전선에 흐르는 전류의 세기를 합하면 전선이 나뉘기 전의 전류의 세기와 같습니다.

3 전류는 병렬연결에서는 나뉘어 흐르다가 전선이 만나면 다시 합쳐져서 원래 값으로 돌아옵니다. 전류가 흐르는 길이 두 개로 나뉜다고 항상 흐르던 전류의 세기가 반으로 똑같이 나뉘어 흐르는 것은 아니며, 전선에 연결된 저항에 따라 전류의 세기가 나뉘는 정도가 달라집니다.

• 탐구 결과

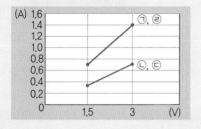

• 탐구 결론

예 • 전구의 병렬연결에서 전류는 나뉘어 흐르지만, 전압은 같습니다.
• 전압이 커지면 전구에 흐르는 전류의 세기 값도 증가합니다.
• 전압과 전류는 비례 관계입니다.

2 계절의 변화

1 예 우리나라에서 태양은 남쪽 하늘을 지나가므로 '표'의 그림자는 북쪽으로 생깁니다. 따라서 '규'를 남북 방향으로 설치해야 그림자 길이를 측정할 수 있습니다. 24절기 기준은 지구의 북반구 기준이고, 지구의 남반구는 북반구와 계절이 반대이기 때문에 규표에서 정한 규값을 반대로 읽고 우리나라와 비교하여 반대로 해석합니다.   2 예 지구는 편평하지 않고 둥글기 때문에 같은 시각이라도 지역별로 태양 고도가 다릅니다. 우리나라는 서울보다 제주도가 더 남쪽에 위치하고 있기 때문에 같은 시각에 측정한 태양 고도는 제주도가 서울보다 더 높습니다.   3 예 태양 전지판에 태양 광선이 수직으로 비추는 것이 발전 효율이 가장 높습니다. 따라서 봄철 태양의 남중 고도가 52 °이므로 태양 전지판과 바닥 사이의 경사각은 약 38 °로 하는 것이 가장 효율적입니다.   4 예 태양의 남중 고도가 높으면 낮의 길이는 길어지고, 태양의 남중 고도가 낮으면 낮의 길이는 짧아집니다. 태양의 남중 고도가 가장 낮은 12월말 경에 낮의 길이가 가장 짧아졌다가 이후에 점점 길어집니다.   5 예 손전등 빛을 90 °로 비추면 단위 면적당 받는 빛의 양이 많기 때문에 온도가 가장 높습니다. 손전등을 비추는 각도가 작아질수록 빛이 닿는 면적이 넓어져 온도가 낮아집니다.   6 예 지구가 ㉡ 위치일 때 북극은 여름이며, 태양의 남중 고도가 높아 북극에서 백야 현상을 가장 잘 관측할 수 있습니다.   7 예 ㉢의 모습입니다. 지구가 ㉠ 위치에 있을 때 북반구는 여름이고 ㉡ 위치에 있을 때 북반구는 겨울이므로 그 중간 지점은 가을입니다. 남반구에 위치해 있는 호주는 북반구와 계절이 반대이기 때문에 호주의 계절은 봄이 됩니다. 8 예 지구 자전축의 기울기가 0 °가 되면 태양의 남중 고도가 거의 일정하여 태양으로부터 받는 빛에너지양이 크게 변하지 않아 계절 변화가 뚜렷하게 나타나지 않을 것입니다. 지구 자전축의 북극 방향이 태양 쪽을 향하여 90 ° 기울어지면 지구의 북반구는 항상 더운 계절이고 남반구는 항상 추운 계절이 됩니다. 중위도 지방은 태양의 고도가 항상 일정하여 지구의 (타원) 공전 궤도에서 태양과 가까울 때 더운 계절(여름), 태양에서 멀 때 추운 계절(겨울)이 될 것입니다.

1 규표는 태양이 남중할 때 막대기의 그림자를 측정해 일 년의 길이를 측정하고, 24절기를 알기 위한 관측 기구입니다. 받침석 위에 돌로 만든 규를 남북 방향으로 설치하고, 청동 재질의 표를 세웠습니다. 규표는 태양이 남중할 때 막대기의 그림자 길이를 측정하는 기구입니다. 하루 중 태양이 정

남쪽에 위치하면 태양이 남중했다고 하므로, '표'의 그림자는 북쪽으로 생깁니다. 따라서 '규'를 남북 방향으로 설치해야 막대기의 그림자 길이를 측정할 수 있습니다. 남반구 중위도에서 규표를 사용할 경우, 24절기는 지구의 북반구 기준이고 지구의 남반구는 북반구와 계절이 반대이므로, 규표에서 정한 값을 반대로 읽고 우리나라와 비교하여 반대로 해석하면 됩니다.

채점 TIP 우리나라에서는 태양이 남쪽 하늘에 있을 때 태양 고도가 가장 높으므로 '규'가 남북 방향을 향하도록 설치하고, 남반구의 중위도에서는 우리나라와 반대로 결괏값을 읽고 해석한다는 내용을 쓰면 정답으로 합니다.

2 지구가 편평한 모양이라면 같은 시각에 측정한 태양 고도는 어느 곳에서나 같지만 지구의 모양이 둥글기 때문에 각 지역의 위도 차이에 따라 태양 고도가 달라집니다.

채점 TIP 지구가 둥글기 때문에 태양 고도가 다르다는 내용을 쓰면 정답으로 합니다.

3 태양 전지판은 햇빛과 수직(90°)이 되도록 설치할 때 발전 효율이 최대가 됩니다. 즉, 태양의 남중 고도 차이 때문에 위도에 따라 태양 전지판의 경사각을 다르게 설치해야 하며 지형도 고려해야 합니다.

채점 TIP 봄에 태양의 남중 고도가 52°이므로 태양 빛과 태양 전지판이 수직이 되기 위해서 태양 전지판의 경사각을 38°로 한다는 내용을 쓰면 정답으로 합니다.

4 태양의 남중 고도가 높아지면 낮의 길이가 길어지고, 태양의 남중 고도가 낮아지면 낮의 길이가 짧아집니다. 낮의 길이는 12월 22일 무렵인 동지에 가장 짧고 그 이후부터는 조금씩 길어져 6월 21일인 하지에 가장 깁니다.

채점 TIP 태양의 남중 고도가 높으면 낮의 길이가 길고, 태양의 남중 고도가 낮으면 낮의 길이가 짧으며, 12월 22일 무렵부터 6월 21일 무렵까지 낮이 길어진다는 내용을 쓰면 정답으로 합니다.

5 빛의 전체 양은 같지만 단위 면적당 받는 빛의 양은 90°로 비추었을 때가 60°, 30°로 비추었을 때보다 더 많으므로 비스듬히 비추었을 때보다 온도가 더 높습니다.

채점 TIP 손전등 빛을 90°로 비추면 단위 면적당 받는 빛의 양이 가장 많기 때문에 온도가 가장 높고, 각도가 작아질수록 온도가 낮아진다는 내용을 쓰면 정답으로 합니다.

6 백야 현상은 고위도 지방에서 여름철에 태양이 지평선 아래로 내려가지 않는 현상입니다. 북극 지방에서는 하지, 남극 지방에서는 동지 무렵에 잘 일어납니다. 북극의 여름철에 백야 현상이 나타날 때 겨울철인 남극에서는 오랫동안 밤만 계속되고 해가 뜨지 않는 극야 현상이 나타납니다.

채점 TIP 지구가 ⓒ 위치일 때 북극이 여름이며, 태양의 남중 고도가 높아 북극에서 백야 현상을 관측할 수 있다고 쓰면 정답으로 합니다.

(**내용 플러스**)

위도

위도는 적도를 기준으로 북쪽 또는 남쪽으로 떨어져 있는 정도를 말합니다. 위도는 적도로부터 남쪽으로 90°(남극), 북쪽으로 90°(북극)로 나누어져 있습니다. 남위와 북위 0°~ 30° 지역은 저위도 지역, 남위와 북위 30°~ 60° 지역은 중위도 지역, 남위와 북위 60°~ 90° 지역은 고위도 지역입니다. 지구의 자전축이 23.5° 기울어져 있기 때문에 고위도 지역에서는 몇 달씩 해가지지 않는 백야 현상이 나타나기도 합니다.

7 지구의 자전축이 기울어져 있어 생기는 태양의 남중 고도 변화로 인한 태양 에너지양의 차이가 계절이 변합니다.

채점 TIP ㉣을 옳게 쓰고, 북반구가 여름과 겨울의 중간인 가을일 때 남반구의 호주는 봄이 된다는 내용을 쓰면 정답으로 합니다.

8 지구 자전축의 기울기가 0°로 변한다면 지구의 중위도 지방에서는 태양의 고도가 일 년 내내 같기 때문에 지구와 태양과의 거리가 가까울 때는 여름, 지구와 태양과의 거리가 멀 때는 겨울이 될 것입니다. 지구 자전축의 기울기가 90°로 변한다면 극지방에서는 일 년 내내 태양 고도가 90°가 되므로 매우 더워질 것이고, 적도 지방에서는 태양이 항상 지평선에 걸쳐 있게 되므로 항상 추운 날씨가 될 것입니다.

채점 TIP 지구 자전축의 기울기가 금성과 비슷해지면 지구 자전축이 기울어지지 않고 수직(90°)인 상태일 때와 비슷한 상황이 나타나고, 천왕성과 같이 기울어지면 북반구는 항상 낮이고 남반구는 항상 밤이라는 등의 내용을 비교하여 쓰면 정답으로 합니다.

과학 탐구 대회 준비 에세이 ESSAY   63쪽

1 (1) ㉠, ㉢, ㉣, ㉤, ㉥, ㉦ (2) ㉡   **2** 예 수성은 태양 주위를 공전하는 동안 태양 고도가 거의 변하지 않습니다. 수성의 적도 지역은 태양의 남중 고도가 항상 90° 정도로 고정되어 있고, 극지방은 0° 정도이기 때문에 수성은 계절의 변화가 없습니다. 지역에 따라 적도 지방은 항상 여름이고, 극지방은 항상 겨울일 것입니다.   **3** 예 천왕성은 공전 주기가 약 84년입니다. 공전 궤도면과 자전축이 비슷해서 약 42년은 태양 빛이 비추고, 약 42년은 태양 빛이 비추지 않습니다. 약 42년 동안 태양 고도는 0°부터 180°로 변하게 되어 봄, 여름, 가을이 나타나고, 그 이후 약 42년 동안은 태양 빛이 비추지 않아 겨울이 지속됩니다.

1 태양계 행성은 대부분 공전 방향과 같은 방향(서쪽에서 동쪽)으로 자전합니다. 금성은 다른 행성과 반대 방향(동쪽에서 서쪽)으로 자전합니다.

2 수성은 태양을 한 바퀴 공전하는 동안 태양의 남쪽 고도가 거의 변하지 않습니다. 태양의 남쪽 고도가 거의 변하지 않는다는 것은 계절의 변화가 나타나지 않는 것을 의미합니다. 수성 표면의 위치에 따라 태양 고도가 다르므로 위치에 따라 온도가 달라질 것입니다. 실제로는 수성의 자전 주기가 매우 길어서 태양 빛을 받는 쪽이 더운 계절(여름), 태양 빛을 받지 않는 쪽이 추운 계절(겨울)이 됩니다.

3 천왕성은 공전 궤도면과 자전축이 비슷한 상태로 공전합니다. 천왕성은 약 42년 동안 낮, 약 42년 동안 밤이라고 하지만 태양 고도 변화를 계절과 연결한다면 약 84년 주기로 봄, 여름, 가을, 겨울이 나타난다고 할 수 있습니다.

과학 탐구 대회 실전 에세이 ESSAY 64~65쪽

예 태양계 행성 중 자전축의 기울기가 비슷한 지구, 화성, 토성, 해왕성은 봄, 여름, 가을, 겨울이 나타난다. 하지만 화성은 지구보다 봄에서 겨울까지의 기간이 두 배 길고, 토성은 봄에서 이듬해 봄까지 29년이 걸리며, 해왕성은 165년이 걸린다. 대부분 계절이 변하는 데 걸리는 시간이 지구보다 긴 까닭은 행성의 공전 주기 때문이다. 자전축이 기울어져 있고, 공전 주기가 10년이라면 봄부터 겨울까지 변하는 데 10년이 걸린다. 수성, 금성, 목성은 자전축이 거의 기울어지지 않아서 계절의 변화가 없다. 모든 지역에서 태양 고도가 변하지 않아 극지방은 태양이 거의 지평선에 떠 있고, 적도 지방은 밤과 낮은 있지만 태양이 높게 뜰 때에는 태양 고도가 90° 정도이기 때문에 아주 뜨거워진다. 이 행성들의 공전 주기는 수성은 88일, 금성은 225일, 목성은 12년이지만 공전 궤도 중 어떤 위치에 있어도 태양 고도는 동일하다. 태양계 행성 중 공전 주기가 84년인 천왕성은 공전 궤도면과 자전축이 거의 비슷하기 때문에 42년 동안은 태양 빛이 비추고, 42년 동안은 태양 빛이 비추지 않는다. 42년 동안 태양의 남중 고도는 0°부터 180°로 변하면서 계절이 변하고 이후 42년 동안은 태양 빛이 비추지 않아 겨울이 지속된다. 태양계 행성은 자전축이 기울어진 정도에 따라 지구, 화성, 토성, 해왕성은 태양의 남중 고도 변화가 있고 수성, 금성, 목성은 태양 고도 변화가 없다. 천왕성은 공전에 따라 태양 빛이 비추는 지역이 달라서 사계절이 뚜렷하게 나타난다.

예 태양계 행성 중 자전축의 기울기가 비슷한 지구, 화성, 토성, 해왕성은 봄, 여름, 가을, 겨울이 나타난다. 하지만 화성은 지구보다 봄에서 겨울까지의 기간이 두 배 길고, 토성은 봄에서 이듬해 봄까지 29년이 걸리며, 해왕성은 165년이 걸린다. 대부분 계절이 변하는 데 걸리는 시간이 지구보다 긴 까닭은 행성의 공전 주기 때문이다. 자전축이 기울어져 있고, 공전 주기가 10년이라면 봄부터 겨울까지 변하는 데 10년이 걸린다. 수성, 금성, 목성은 자전축이 거의 기울어지지 않아서 계절의 변화가 없다. 모든 지역에서 태양 고도가 변하지 않아 극지방은 태양이 거의 지평선에 떠 있고, 적도 지방은 밤과 낮은 있지만 태양이 높게 뜰 때에는 태양 고도가 90° 정도이기 때문에 아주 뜨거워진다. 이 행성들의 공전 주기는 수성은 88일, 금성은 225일, 목성은 12년이지만 공전 궤도 중 어떤 위치에 있어도 태양 고도는 동일하다. 태양계 행성 중 공전 주기가 84년인 천왕성은 공전 궤도면과 자전축이 거의 비슷하기 때문에 42년 동안은 태양 빛이 비추고, 42년 동안은 태양 빛이 비추지 않는다. 42년 동안 태양의 남중 고도는 0°부터 180°로 변하면서 계절이 변하고 이후 42년 동안은 태양 빛이 비추지 않아 겨울이 지속된다. 태양계 행성은 자전축이 기울어진 정도에 따라 지구, 화성, 토성, 해왕성은 태양의 남중 고도 변화가 있고 수성, 금성, 목성은 태양 고도 변화가 없다. 천왕성은 공전에 따라 태양 빛이 비추는 지역이 달라서 사계절이 뚜렷하게 나타난다.

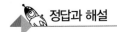

3 연소와 소화

창의 **서술형 문제**　영재고·영재원 선발 대비　68~71쪽

1 예 초가 고체 상태에서 가열되어 액체 상태로 변하고, 액체 상태의 초는 심지를 타고 올라가 기체 상태로 변해서 타게 되는데, 연소를 돕는 심지가 없으면 초가 열에 의해 녹기는 하지만 불꽃을 내면서 타지는 않습니다. **2 예** 성냥불을 켜면 처음에는 성냥이 급격하게 연소하지만, 성냥이 모두 타고 나면 더 이상 탈 물질이 없어서 연소가 일어나지 않을 것입니다. 산소는 직접 타지 않고 다른 물질의 연소를 돕는 물질이기 때문입니다. **3 예** 아궁이에 탈 물질인 나무를 넣고 불을 붙이면 산소를 포함한 공기가 공급되어 발화점 이상이 된 나무가 연소하며, 나무가 연소한 후에 따뜻해진 공기가 방바닥 아래를 지나면서 방을 따뜻하게 하고 굴뚝을 통해 빠져나가는 원리입니다. **4 예** 물을 종이컵에 넣어서 가열할 때 알코올램프의 불꽃에서 내는 열이 종이컵 속의 물을 가열하는 데 먼저 이용되어 온도가 종이컵의 발화점까지 도달하지 못하므로 종이컵이 타지 않습니다. **5 예** 물이 담긴 둥근 어항과 페트병은 볼록 렌즈의 구실을 합니다. 빛을 한 곳으로 모으는 볼록 렌즈로 햇빛을 한 곳으로 모아 비추면 직접 불을 붙이지 않아도 물질의 온도가 올라가 발화점에 도달하여 그 물질을 태울 수 있기 때문에 둥근 어항과 페트병 근처의 종이에 햇빛이 모아져 온도가 올라가 화재가 발생한 것입니다. **6 예** 고체인 드라이아이스가 기체인 이산화 탄소로 변하여 공기 중 산소의 공급을 막기 때문에 촛불이 꺼집니다. **7 예** 공기 중 이산화 탄소의 농도가 증가하면 상대적으로 산소의 농도가 감소하여 불이 꺼지며, 소화액이 나오면서 드라이아이스로 변하는 것은 냉각 효과가 있어 물질의 온도를 발화점 미만으로 낮추는 효과가 있습니다. **8 예** 기름이 연소할 때 물을 뿌리면 물이 기름 아래로 깔리면서 기름을 밀어내 뭉치게 하여 불이 더 잘 타오르게 합니다. 또한, 기름 아래 깔린 물은 고온의 기름과 접촉할 때 급격하게 팽창하며 수증기로 변하여 기름을 튀어 오르게 하여 화재를 더 확대시킬 수도 있습니다.

1 초는 초의 성분인 파라핀이 타는 것입니다. 초는 녹은 액체 상태의 파라핀이 심지를 타고 올라가서 뜨거운 온도에 의해 기체가 된 후 연소가 일어납니다. 따라서 심지가 없으면 열로 인해 초가 녹기는 하지만 불꽃을 내면서 타지는 않습니다. 초가 고체에서 액체(촛농)로는 변하지만, 액체에서 기체로 변하기 힘듭니다. 초의 심지는 연료의 이동과 공급을 돕는 역할을 합니다.

채점 TIP 초가 고체 상태에서 액체 상태로 변하고, 액체 상태의 초

가 심지를 타고 올라가 기체 상태로 변하면서 타는데, 심지가 없으면 불꽃을 내면서 탈 수 없다는 내용을 쓰면 정답으로 합니다.

---(내용 플러스)---

초의 연소

고체 상태의 초는 촛불의 열에 의해 녹으면서 모세관 현상(액체 속에 폭이 좁고 긴 관을 넣었을 때, 관 내부의 액체 표면이 외부의 표면보다 높거나 낮아지는 현상)으로 심지에 액체 상태로 흡수됩니다. 불이 붙은 심지에서는 액체 상태의 초 일부가 기체로 상태가 변하면서 공기 중의 산소와 결합하는 산화 반응이 일어납니다. 초에 불을 붙이고 초의 심지 근처에 알루미늄박으로 만든 관을 가져다 대면 관의 반대편으로 흰 연기가 나오는 것을 볼 수 있습니다. 이 흰 연기에는 기체 상태의 파라핀, 김, 그을음 등이 포함되어 있습니다. 흰 연기에 점화기의 불꽃을 가까이하면 불이 붙은 것을 볼 수 있는데 이는 초가 기체 상태로 연소하기 때문입니다.

---

2 물질이 산소와 빠르게 반응하여 빛과 열을 내는 현상을 연소라고 합니다. 연소가 일어나기 위해서는 공기 중의 산소, 발화점 이상의 온도, 탈 물질이 필요합니다. 산소가 가득 찬 방이라도 탈 물질이 없다면 연소가 일어나지 않습니다.

채점 TIP 처음에는 성냥이 잘 타지만, 성냥이 모두 타고 나면 탈 물질이 없어서 더 이상 연소가 일어나지 않는다는 내용을 쓰면 정답으로 합니다.

---(내용 플러스)---

완전 연소와 불완전 연소

• 완전 연소: 산소가 충분해 탈 물질이 완전 연소하는 반응입니다. 가정에서 난방을 하거나 요리할 때에 주로 사용하는 천연가스는 완전 연소해 모두 수증기와 이산화 탄소 같은 기체로 바뀌고 찌꺼기가 남지 않습니다.

> 화석 연료 + 충분한 산소 ⟶ 물 + 이산화 탄소

• 불완전 연소: 산소의 공급이 충분하지 못해 탈 물질이 완전 연소하지 못하고 중간 생성물로 바뀌는 현상입니다. 일산화 탄소가 발생하거나 그을음이 생기는 것이 바로 그 예입니다.

> 화석 연료 + 불충분한 산소
> ⟶ 물 + 이산화 탄소 + 일산화 탄소 + 그을음

---

3 아궁이는 불을 붙이면 아래쪽에서 산소가 포함된 공기가 들어가고, 위쪽으로는 연소 후 산소가 부족한 공기가 나가도록 되어 있습니다. 아궁이에서는 데워진 공기가 굴뚝으로 나갑니다.

채점 TIP 탈 물질인 나무가 아궁이에 공급된 산소를 만나고, 발화점 이상의 온도가 되어 연소하면 따뜻해진 공기가 방바닥을 지나면서 방을 따뜻하게 하고 굴뚝을 통해 빠져나간다고 쓰면 정답으로 합니다.

4 종이컵을 가열한 열이 종이컵 속의 물로 전달되고, 물은 끓어서 수증기가 되면서 열을 빼앗아가므로 종이컵에 계속 열이 가해지더라도 종이는 발화점에 도달하지 못하여 타지 않습니

다. 종이컵 속의 물이 끓어서 모두 증발하여 종이컵 속에 물이 없다면 알코올램프의 불꽃에서 내는 열이 종이컵의 온도를 발화점까지 높이는 데 이용되고 종이컵이 타게 됩니다.

채점 TIP 가열된 열이 종이컵 속의 물로 전달되어 종이컵이 발화점까지 도달하지 못하므로 종이컵이 타지 않는다는 내용을 쓰면 정답으로 합니다.

5 가운데 부분이 가장자리보다 두껍고 투명하여 빛을 통과시킬 수 있는 물체는 볼록 렌즈의 구실을 할 수 있습니다. 물이 담긴 둥근 어항과 페트병이 베란다를 통해 거실로 들어오는 햇빛을 모으는 볼록 렌즈 구실을 하여 불에 잘 타는 종이에 우연히 초점이 맞아 화재가 발생한 것입니다.

채점 TIP 물이 담긴 둥근 어항과 페트병이 볼록 렌즈 구실을 하여 햇빛을 모아 발화점에 도달한 종이에서 화재가 발생했다는 내용을 쓰면 정답으로 합니다.

6 이산화 탄소는 공기보다 무거우며 물질이 타는 것을 막는 성질이 있습니다. 드라이아이스는 고체 상태의 이산화 탄소로, 상온에서 쉽게 기체 상태로 변합니다. 드라이아이스를 넣은 컵 속에 기체 상태의 이산화 탄소가 발생하므로, 빨대를 촛불 가까이 가져가면 빨대를 통해 나온 기체인 이산화 탄소가 공기 공급을 막아 촛불이 꺼집니다.

채점 TIP 고체인 드라이아이스가 기체인 이산화 탄소로 변하여 산소의 공급을 막기 때문이라는 내용을 쓰면 정답으로 합니다.

─(내용 플러스)─
분말 소화기
소화 분말이 타는 물체의 표면을 감싸면서 산소의 공급을 막기 때문에 불이 꺼집니다. 분말 소화기 사용 후에는 분말이 남아 뒤처리가 힘든 단점이 있습니다.

분말 소화기 사용 방법

❶ 소화기를 불이 난 곳으로 옮깁니다.
❷ 소화기의 안전핀을 뽑습니다.
❸ 바람을 등지고 소화기의 고무관이 불 쪽을 향하도록 잡습니다.
❹ 소화기의 손잡이를 움켜쥐고 불을 끕니다.

7 이산화 탄소 소화기는 이산화 탄소를 압축해 액체로 만든 것이 들어 있는 소화기로, 이산화 탄소가 산소 공급을 막아 불이 꺼집니다. 소화액이 나오면서 드라이아이스로 변해 냉각 효과도 있습니다. 이산화 탄소가 나오면서 온도가 낮아져 동상의 위험이 있으며, 밀폐된 공간에서는 사용하면 안됩니다.

채점 TIP 이산화 탄소가 산소의 공급을 막고, 드라이아이스가 발화점 미만으로 온도를 낮추는 효과가 있다는 내용을 쓰면 정답으로 합니다.

8 기름으로 생긴 화재에 물을 뿌리면 뜨거운 온도 때문에 물이 수증기로 변하면서 기름과 섞여 유증기로 변하며, 유증기 때문에 화재가 더 크게 번질 수 있습니다. 주방에서 기름을 사용하여 요리하다가 화재가 발생했을 때 베이킹 소다를 뿌리거나 마요네즈, 배춧잎 등으로 덮는 방법 등이 산소를 차단하고 온도를 발화점 미만으로 낮추는 데 더 효과적인 소화 방법입니다.

채점 TIP 기름이 탈 때 물을 뿌리면 불이 더 크게 번질 수 있기 때문이라는 내용을 쓰면 정답으로 합니다.

─(내용 플러스)─
물질에 따른 소화 방법

구분	소화 방법
나무, 종이, 옷, 플라스틱류	•물을 뿌려 물질의 온도를 발화점 미만으로 낮춥니다. •담요나 이불 등 두꺼운 천으로 덮습니다. •분말 소화기를 사용합니다. •이산화 탄소 소화기를 사용합니다.
가연성 액체나 천연가스	•분말 소화기를 사용합니다. •이산화 탄소 소화기를 사용합니다.
전기 기구나 전선	•콘센트에 연결된 전기꽂이를 뽑거나 누전 차단기를 내립니다. •이산화 탄소 소화기를 사용합니다.
철분, 마그네슘 등 금속	•모래를 뿌립니다. •특수 소화기를 사용합니다.

과학 탐구 대회 준비 과학 토론 73쪽

1 예 강원도 산불에서의 탈 물질은 소나무의 송진, 솔방울, 낙엽 등이었고, 강한 바람으로 많은 산소가 공급되어 발화점 이상의 온도가 되었습니다.
2 예 산불의 원인 분석하기, 산불을 방지하기 위한 방법과 피해를 최소화하기 위한 방안 찾기

1 물질이 타려면 탈 물질, 산소, 발화점 이상의 온도가 필요합니다. 강원도 산불이 크게 번지는 데 영향을 끼친 것으로 소나무의 송진, 솔방울, 낙엽, 강한 바람 등을 들 수 있습니다. 소나무는 기름과 비슷한 정도로 불에 잘 타는 소나무의 송진은 산불의 연료 역할을 하고, 바람을 타고 솔방울이 불똥 역할을 해 화재를 확산시켰으며, 산의 두껍게 쌓인 낙엽도 산불의 연료 역할을 했습니다. 또 강한 바람으로 많은 산소가 공급되어 발화점 이상의 온도가 되었습니다.

2 과학 토론은 주어진 상황과 논제를 잘 이해하는 것이 가장 중요합니다.

과학 탐구 대회 🐵 실전 과학 토론   74~75쪽

• 주장

㉺ 산불은 산에 인접한 주택과 산에 사는 식물과 동물 등의 생태계를 파괴하는 등 커다란 피해를 줍니다. 따라서 산불을 미리 예방하는 것이 가장 핵심이라 생각하여 열 감지 센서를 이용하여 신호를 전달하고, 산속 낙엽을 제거하면 산불이 크게 번지지 않도록 방지할 수 있다고 생각합니다.

• 문제 원인

㉺ [강원도 산불이 크게 번진 원인]

1. 낮은 강수량으로 인해 나무가 마른 상태였습니다.
2. 지역 특성에 의한 강한 바람(남쪽 고기압과 북쪽 저기압 사이에 강한 서풍 발생)이 불었습니다.
3. 소나무가 많은 지역으로 송진이 연료 역할, 솔방울이 불똥 역할을 했습니다.
4. 두껍게 쌓인 낙엽은 불이 붙기 좋은 조건이었습니다.
5. 화재 면적이 넓고, 야간에 발생하여 진화의 어려움이 있었습니다.

• 해결 방안

㉺ 태양열을 이용한 열 감지 센서를 만들어 나무 위나 산의 구조물(전봇대, 바위) 등에 달아 놓아 산의 온도가 평상시보다 높아질 경우 신호 송신 모듈을 이용하여 소방청에 신호를 전달합니다. 여러 센서가 연쇄적으로 작용하기 때문에 산불의 방향도 정확하게 감지할 수 있습니다. 강원도에서 발생한 산불이 크게 번졌던 원인 중 저녁에 발생해 빠르게 대처하지 못하는 상황도 있었기 때문에 저녁에는 낮에 태양 빛에 의해 충전된 충전지로 열 감지 센서가 작동되게 할 수 있습니다.

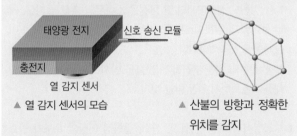

▲ 열 감지 센서의 모습   ▲ 산불의 방향과 정확한 위치를 감지

㉺ 낙엽 제거를 통해 산불을 예방하고, 산불이 났을 경우에도 불이 번지는 것을 방지합니다. 산의 낙엽은 산불의 가장 큰 원인은 아니지만 불이 크게 번지게 하는 역할을 한다고 생각합니다. 산의 낙엽을 정기적으로 긁어내어 산속에 낙엽이 많이 쌓이지 않도록 합니다. 긁어낸 낙엽은 잘게 부수고 뭉쳐서 비닐하우스나 난로의 연료로 이용하고, 퇴비로 사용될 수 있도록 미생물과 혼합하여 밭이나 논에 영양분으로 제공할 수 있습니다.

4 우리 몸의 구조와 기능

창의 서술형 문제   영재고·영재원 선발 대비   78~81쪽

1 ㉺ 손가락뼈는 여러 개의 뼈가 관절로 연결되어 있으며, 손가락뼈가 관절로 되어 있기 때문에 뼈를 움직여 구부리거나 펼 수 있고, 물체를 쉽게 잡을 수 있습니다. **2** 은주, ㉺ 팔 안쪽 근육의 길이가 줄어들어야 팔을 구부릴 수 있는데 안쪽 근육을 움직일 수 없으므로 팔을 구부릴 수 없을 것입니다. **3** ㉺ 큰창자, 설사는 무르고 물기가 많은 변으로, 몸속 소화 기관인 작은창자와 큰창자에서 수분을 정상적으로 흡수하지 못한 것입니다. 보기의 소화 기관 중 수분을 흡수하는 역할은 큰창자가 하기 때문에 큰창자에 이상이 생긴 것입니다. **4** ㉺ 높은 산은 공기가 부족한 환경으로, 고도가 높아질수록 산소의 양이 적어집니다. 따라서 우리 몸에 필요한 산소를 공급하기 위해서 호흡이 빨라지고, 또 호흡으로 들이마신 산소를 온몸에 빨리 순환시키기 위해서 심장이 빨리 뛰게 됩니다. **5** ㉺ 동맥은 정맥보다 혈관벽이 두껍습니다. 동맥은 심장의 펌프 작용으로 혈액이 온몸으로 나가는 혈관으로, 혈액이 강한 압력으로 뿜어져 나오기 때문에 정맥보다 혈관벽이 두껍습니다. **6** ㉺ 운동을 하면 땀이 많이 배출됩니다. 따라서 땀을 통해 배출되는 수분량이 많아지면 오줌으로 배출되는 수분량이 적어져 소변량이 줄어듭니다. **7** ㉺ 혈액 속의 노폐물을 걸러 주는 콩팥에 이상이 생긴 것입니다. 콩팥이 혈액 속의 노폐물을 걸러 주지 못하면 노폐물이 몸속에 쌓여 독성을 나타내기 때문에 혈액 투석 장치를 사용해서 인공적으로 혈액 속의 노폐물을 걸러 주어야 합니다. **8** ㉺ 앞에 가던 자동차가 멈추는 것(자극)을 눈으로 보면 자극을 전달하는 신경계를 통해 자극이 뇌로 전달되면 뇌에서 자동차를 멈추라는 명령을 내립니다. 이 명령은 명령을 전달하는 신경계를 통해 운동 기관인 발로 전달되어 브레이크를 밟게 됩니다. 따라서 자극이 전달되어 반응을 하기까지에는 어느 정도의 시간이 걸리기 때문에 앞차와의 거리가 떨어져 있어야 사고를 예방할 수 있습니다.

1 손가락뼈는 하나의 뼈가 아니라 관절로 되어 있어서 뼈를 움직여 구부리거나 펼 수 있기 때문에 물체를 쉽게 잡을 수 있습니다.

채점 TIP 손가락뼈가 하나가 아닌 여러 개로 구성되어 관절로 연결되어 있어서 뼈를 움직일 수 있고, 물체를 쉽게 잡을 수 있다는 등의 관절로 되어 있어서 편리한 점을 쓰면 정답으로 합니다.

-(내용 플러스)-

우리 몸의 뼈

뼈는 우리 몸의 형태를 만들어 주고, 몸을 지지하는 역할을 하며, 심장이나 폐, 뇌 등을 보호합니다. 우리 몸을 구성하는 뼈는 종류아와 생김새가 다양하며, 움직임도 서로 다릅니다.

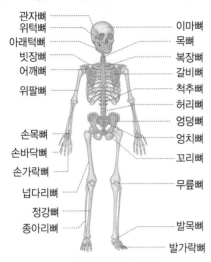

▲ 우리 몸의 다양한 뼈

구분	특징
머리뼈	바가지 모양으로 둥급니다.
척추뼈	짧은뼈가 이어져 기둥을 이룹니다.
갈비뼈	휘어져 있고, 좌우로 둥글게 연결되어 공간을 만듭니다.
팔뼈	길이가 길고, 아래쪽 뼈는 긴뼈 두 개로 이루어져 있습니다.
다리뼈	팔뼈보다 더 길고 두꺼우며, 아래쪽 뼈는 긴뼈 두 개로 이루어져 있습니다.

2 팔 안쪽 근육이 줄어들면 뼈가 따라 올라와 팔이 구부러지고, 팔 안쪽 근육이 늘어나면 뼈가 따라 내려가 팔이 펴집니다. 뼈는 스스로 움직이지 못하고 연결된 근육의 길이가 늘어나거나 줄어들면서 움직입니다. 팔 안쪽 근육에 이상이 생기면 팔을 잡아당길 수 없어 구부릴 수 없게 됩니다.

채점 TIP '근육'를 쓰고, 팔 안쪽 근육에 문제가 생기면 팔을 구부릴 수 없다는 내용을 쓰면 정답으로 합니다.

-(내용 플러스)-

근육이 하는 일

길이가 줄어들거나 늘어나면서 뼈를 움직이게 합니다.

3 큰창자의 길이는 1.5 m 정도로 작은창자의 약 $\frac{1}{4}$이지만, 작은창자보다 지름이 두 배 정도 더 크기 때문에 큰창자라고 합니다. 큰창자의 역할은 주로 작은창자를 지나 온 소화 불가능한 음식물 찌꺼기로부터 수분을 흡수하는 것입니다.

채점 TIP 큰창자를 골라 쓰고, 큰창자의 역할이 수분을 흡수하는 것이므로 수분을 흡수하지 못한 큰창자에 이상이 생긴 것이라는 내용을 쓰면 정답으로 합니다.

-(내용 플러스)-

소화 기관

음식물을 잘게 쪼개는 과정을 소화라고 합니다. 입, 식도, 위, 작은창자, 큰창자, 항문 등은 소화 기관이고, 간, 쓸개, 이자는 소화를 도와주는 기관입니다. 우리 몸속에 들어간 음식물은 입, 식도, 위, 작은창자, 큰창자의 순서로 이동합니다. 이 과정에서 음식물은 점차 잘게 쪼개져서 영양소와 수분은 몸속으로 흡수되고, 나머지는 항문으로 배출됩니다. 소화 기관에 이상이 생기면 설사, 위장병, 변비 등이 생깁니다.

4 산소가 부족해지면 산소를 더 원활하게 공급하기 위해서 호흡이 빨라지며, 들이마신 산소를 에너지가 필요한 온몸에 빨리 전달하기 위해서 심장이 더 빨리 뛰게 됩니다.

채점 TIP 높은 산에서는 산소의 양이 적어져 몸에 필요한 산소를 공급하기 위해 호흡이 빨라지고, 산소를 온몸에 순환시키기 위해 심장이 빨리 뛴다는 내용을 쓰면 정답으로 합니다.

5 심장으로부터 나온 혈액은 동맥을 거쳐 몸의 각 부분의 모세 혈관으로 이동하고, 각 기관의 모세 혈관을 거친 혈액은 정맥을 거쳐 심장으로 돌아갑니다.

채점 TIP 동맥은 심장의 펌프 작용으로 혈액이 온몸으로 나가는 혈관으로, 정맥보다 혈관벽이 두껍다는 내용을 쓰면 정답으로 합니다.

-(내용 플러스)-

순환 기관

혈액의 이동에 관여하는 심장과 혈관을 순환 기관이라고 합니다. 심장에서 나온 혈액은 온몸을 거쳐 다시 심장으로 돌아오는 순환 과정을 반복합니다. 혈액은 혈관을 따라 이동하며 우리 몸에 필요한 영양소와 산소를 온몸으로 운반합니다. 심장이 멈춘다면 혈액이 이동하지 못해 몸에 영양소와 산소를 공급하지 못합니다. 소화 기관에 이상이 생기면 심장병, 빈혈 등이 생깁니다.

구분	특징
심장	• 주먹 모양으로 크기도 자신의 주먹과 비슷하며, 몸통 가운데에서 왼쪽으로 약간 치우쳐 있습니다. • 펌프 작용으로 혈액을 온몸으로 순환시킵니다.
혈관	• 가늘고 긴 관이 복잡하게 얽힌 모양으로 온몸에 퍼져 있습니다. • 혈관에는 심장에서 나가는 혈액이 흐르는 동맥, 심장으로 들어가는 혈액이 흐르는 정맥, 동맥과 정맥을 연결해 주는 아주 가는 혈관인 모세 혈관이 있습니다. 모세 혈관은 주변의 세포에 산소와 영양분을 공급하고 세포에서 생긴 이산화 탄소와 노폐물을 받습니다. • 혈액이 이동하는 통로입니다.

▲ 순환 기관

심장

혈관

6 생명 활동을 유지하는 과정에서 생긴 노폐물을 몸 밖으로 내보내는 과정을 배설이라고 하며, 배설에 관여하는 콩팥, 방광 등을 배설 기관이라고 합니다. 배설 기관인 콩팥은 혈액에 있는 노폐물을 걸러 내고, 방광은 콩팥에서 걸러 낸 노폐물을 모아 두었다가 오줌으로 몸 밖으로 내보냅니다. 땀은 체온 조절을 위해 땀샘에서 분비되는 액체로 몸속 노폐물 배출, 체온 유지, 긴장 완화 등의 중요한 기능을 합니다.

채점 TIP 운동을 하면서 배출된 땀으로 수분량이 줄어들어 오줌으로 배출될 양이 줄어든다는 내용을 쓰면 정답으로 합니다.

7 인공적으로 혈액 속 노폐물을 걸러 낸다는 것은 몸속에서 노폐물을 걸러 내는 기관인 콩팥에 이상이 생긴 것입니다.

채점 TIP 콩팥에 이상이 생겨 몸속 노폐물을 걸러 낼 수 없기 때문에 혈액 투석 장치를 사용하여 인공적으로 혈액 속의 노폐물을 걸러 내야 한다는 내용을 쓰면 정답으로 합니다.

8 감각 기관이 받아들인 자극이 자극을 전달하는 신경계를 지나 뇌로 전달되고, 뇌가 자극을 감지하고 판단해 명령을 내리면 명령을 전달하는 신경계를 통해 명령이 운동 기관으로 전달됩니다.

채점 TIP 자극이 자극을 결정하는 신경계를 통해 전달된 후 명령을 전달하는 신경계를 통해 운동 기관에 전달되어 운동 기관이 반응하기까지 어느 정도의 시간이 걸리기 때문에 안전거리 확보를 해야 사고를 예방할 수 있다는 내용을 쓰면 정답으로 합니다.

─(**내용 플러스**)─

우리 몸이 자극에 반응하는 과정
날아오는 공을 보는 것과 같이 주변으로부터 전달된 자극을 느끼고 받아 들이는 우리 몸의 눈, 귀, 코, 혀, 피부와 같은 기관을 감각 기관이라고 합니다. 감각 기관이 받아들인 자극은 온몸에 퍼져 있는 신경계를 통해 전달됩니다. 신경계는 전달된 자극을 해석하여 행동을 결정하고, 운동 기관에 명령을 내립니다.

예 공놀이를 할 때 자극에 반응하는 과정

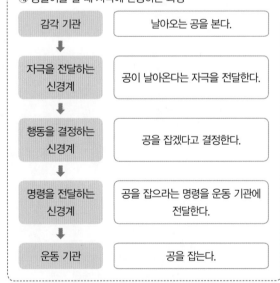

1 폐의 크기에 따라 몸속으로 산소를 받아들일 수 있는 양이 다릅니다. 산소의 농도가 높아지면 몸속으로 산소를 받아들이는 양도 많아지므로 지금보다 폐가 작아도 될 것이라고 추측할 수 있습니다.

─(**내용 플러스**)─

폐포
보통 허파꽈리라고 부르며 기도의 맨 끝부분에 있는 포도송이 모양의 작은 공기 주머니입니다. 폐포는 수많은 모세혈관으로 덮여 있으며 탄력 있고 얇은 한 층의 막으로 되어 있습니다. 폐포에서 산소와 이산화 탄소의 가스 교환이 효율적으로 이루어지기 위해서는 넓은 표면적이 필요한데, 표면적이 넓으면 넓을수록 많은 수의 모세혈관이 분포하고 폐포 속에 함유할 수 있는 공기의 양도 많아지므로 폐포의 면적이 호흡의 양을 결정해준다고 볼 수 있습니다. 약 3~5 억 개로 이루어진 폐포의 면적은 약 70~100 ㎡로, 이는 테니스 코트 혹은 농구 경기장 절반에 해당되는 넓이라고 합니다.

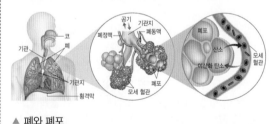

▲ 폐와 폐포

2 대기압이 낮아진다는 것은 공기의 압력이 낮아진다는 것으로 공기의 밀도와 관련이 있습니다. 대기압에 의해 누르는 힘이 줄어든다면 뼈가 지금보다 덜 단단해도 몸을 지탱할 수 있을 것입니다.

─(**내용 플러스**)─

공기 무게에 의해 생기는 대기의 압력을 대기압이라고 합니다. 대기압은 76 cm의 수은 기둥이 누르는 압력이며, 이것은 약 1000 km 높이의 공기 기둥이 누르는 압력과 같습니다.

3 몸집이 아주 큰 공룡은 심장의 크기가 크고, 큰 심장에서 혈액을 밀어내는 혈압이 컸을 것입니다.

---

1 예 폐는 공기 중의 산소를 받아들이는 기관입니다. 이 기관에서 이산화 탄소와 산소의 교환이 일어납니다. 산소의 농도가 지금보다 높을 경우 표면적이 현재 사람의 폐처럼 넓을 필요가 없어서 폐포가 발달되지 않을 수도 있고, 폐의 크기가 지금보다 작아질 수도 있을 것입니다. **2** 예 누르는 힘이 작아져 뼈에 자극이 줄어들므로 뼈가 현재보다 약해질 것입니다. **3** 예 몸집이 큰 공룡은 아주 큰 심장을 가지고 있었을 것입니다. 큰 심장은 혈액을 밀어내는 힘인 혈압이 커서 긴 목을 지나 머리까지 혈액이 이동할 수 있을 것이기 때문입니다.

예 이 행성의 공기 중 산소 비율이 지구의 4분의 1 정도이기 때문에 생물이 호흡하여 산소를 받아들이기 위해서는 폐의 기능이 지구에서보다 4배 더 효과적이어야 한다. 폐포가 더 많아야 하고, 폐의 크기가 지구의 생물보다 더 커야 호흡에 필요한 많은 양의 산소를 몸으로 받아 들일 수 있을 것이다. 또한 폐포는 더 많은 모세 혈관으로 둘러싸여 있어야 효율적으로 산소와 이산화 탄소의 교환을 할 수 있으므로 이 생물의 폐는 몸에서 많은 부분을 차지하여야 한다. 몸길이 5 m 정도의 생물이 지구보다 대기압이 2배가 높은 곳에서 살기 위해서는 대기압을 견딜 수 있도록 뼈가 더 튼튼해야 하며, 근육도 더 커야 뼈를 움직여 이동할 수 있을 것이다. 또한 대기압이 몸을 누르는 힘이 커서 움직임이 어려울 수 있기 때문에 활동하려면 많은 에너지가 사용될 것이다. 몸길이가 5 m와 같이 큰 동물은 지구의 생물보다 심장의 크기가 더 커야 한다. 그 까닭은 심장이 커야 혈액을 밀어내는 힘이 커지므로 심장에서 나온 혈액이 동물의 큰 몸의 가장 먼 세포까지 이동할 수 있기 때문이다. 이렇게 심장이 커지면 심장에서 펌프 작용으로 혈액을 밀어낼 때의 큰 혈압을 견딜 수 있게 동맥 혈관의 벽도 두껍고 혈관의 크기도 커야 할 것이다.

예	이		행	성	의		공	기		중		산	소		비	율	이
지	구	의		4	분	의		1		정	도	이	기		때	문	에
생	물	이		호	흡	하	여		산	소	를		받	아	들	이	기
위	해	서	는		폐	의		기	능	이		지	구	에	서	보	다
4	배		더		효	과	적	이	어	야		한	다	.	폐	포	가
더		많	아	야		하	고	,	폐	의		크	기	가		지	구	의
생	물	보	다		더		커	야		호	흡	에		필	요	한	많
은		양	의		산	소	를		몸	으	로		받	아		들	일
수		있	을		것	이	다	.	또	한		폐	포	는		더	많
은		모	세		혈	관	으	로		둘	러	싸	여		있	어	야
효	율	적	으	로		산	소	와		이	산	화		탄	소	의	교
환	을		할		수		있	으	므	로		이		생	물	의	폐
는		몸	에	서		많	은		부	분	을		차	지	하	여	야
한	다	.															
	몸	길	이		5	m		정	도	의		생	물	이		지	구	보
다		대	기	압	이		2	배	가		높	은		곳	에	서	살
기		위	해	서	는		대	기	압	을		견	딜		수		있	도
록		뼈	가		더		튼	튼	해	야		하	며	.	근	육	도
더		커	야		뼈	를		움	직	여		이	동	할		수		있
을		것	이	다	.	또	한		대	기	압	이		몸	을		누	르
는		힘	이		커	서		움	직	임	이		어	려	울		수
있	기		때	문	에		활	동	하	려	면		많	은		에	너	지

가		사	용	될		것	이	다	.								
	몸	길	이	가		5	m	와		같	이		큰		동	물	은
지	구	의		생	물	보	다		심	장	의		크	기	가		더
커	야		한	다	.	그		까	닭	은		심	장	이		커	야
혈	액	을		밀	어	내	는		힘	이		커	지	므	로		심	장
에	서		나	온		혈	액	이		동	물	의		큰		몸	의
가	장		먼		세	포	까	지		이	동	할		수		있	기
때	문	이	다	.	이	렇	게		심	장	이		커	지	면		심	장
에	서		펌	프		작	용	으	로		혈	액	을		밀	어	낼
때	의		큰		혈	압	을		견	딜		수		있	게		동	맥
혈	관	의		벽	도		두	껍	고		혈	관	의		크	기	도
커	야		할		것	이	다	.									

5 에너지와 생활

1 예 물레방아에서는 높은 곳에서 떨어지는 물의 위치 에너지가 방아를 찧는 운동 에너지로 전환됩니다. 물이 떨어지는 높이를 높게 하면 물의 위치 에너지가 커지고, 이 에너지를 이용해 더 많은 운동 에너지를 낼 수 있습니다.　**2** 예 ㉠은 사람 몸속의 화학 에너지가 손잡이를 돌리는 운동 에너지로 전환되고, 이 운동 에너지가 선풍기 날개의 운동 에너지, 날개가 돌아가면서 나는 소리 에너지, 날개가 돌아가면서 발생하는 열에너지 등으로 전환됩니다. ㉡은 전지의 전기 에너지가 선풍기 날개의 운동 에너지, 소리 에너지, 열에너지 등으로 전환됩니다.　**3** 예 병을 흔든 횟수가 많아지면 팔의 운동 에너지로 모래의 온도 변화가 더 큰 것을 보고, 운동 에너지는 열에너지로 전환되며, 운동 에너지가 많을수록 전환되는 열에너지가 많다는 것을 알 수 있습니다.　**4** 예 ㉠과 ㉣ 롤러코스터가 도착점에 도착할 수 없습니다. 에너지의 손실이 없다면 롤러코스터는 출발점의 높이와 같은 높이까지만 올라올 수 있는데, ㉠은 중간 레일이 출발점보다 높아 롤러코스터가 올라갈 수 없고, ㉣은 처음의 위치 에너지가 최대인 출발점보다 중간 레일과 도착점이 높기 때문에 롤러코스터가 올라갈 수 없기 때문입니다.　**5** 예 에너지는 새로 만들어지거나 소멸되지 않기 때문에 물을 끌어올리는 에너지가 수차를 돌리는 운동 에너지로 100 % 전환되고 장치가 계속 작동해야 하지만, 물과 스크루, 또는 물과 수차 사이의 마찰이 있기 때문에 처음 전달받은 에너지의 일부가 열에너지와 소리 에너지 등으로 전환되어 에너지 손실이 발생하기 때문입니다.　**6** 예 태양의 빛(열)에너지에 의해 증발된 물이 댐의 높은 곳으로 올라간 후 위치 에너지를 갖게 되고, 물이 떨어지면서 전환된 운동 에너지는 터빈을 돌려 발전기에서 전기 에너지로 전환됩니다. 이 전기 에너지는 컴퓨터에서 빛에너지, 열에너지, 소리 에너지 등으로 전환됩니다.　**7** 예 더운 사막 지역에 사는 사막여우는 몸속 열을 몸 밖으로 내보내 체온이 올라가는 것을 막기 위해 위해 귀가 커지는 등의 표면적이 넓어졌지만, 추운 북극 지역에 사는 북극여우는 열 손실을 줄이기 위해 귀의 크기를 줄이는 등의 표면적이 작아지고 또 털을 통해 보온을 하여 에너지 효율을 높입니다.　**8** 예 같은 양의 전기 에너지에서 형광등은 빛에너지로의 전환이 약 40~50 % 정도이고 나머지는 열에너지로 손실되지만, 발광 다이오드[LED]등은 약 90 % 정도가 빛에너지로 전환되고 열에너지로의 손실은 10 % 정도로 적어 에너지 효율이 더 높기 때문입니다.

1 물레방아는 떨어지는 물의 힘으로 바퀴를 돌려 곡식을 찧는 기구로, 큰 나무 바퀴와 굴대에 방아와 공이를 장치하여 바퀴가 돌 때마다 공이가 오르내리며 곡식을 찧습니다. 물레방아는 높은 곳에서 떨어지는 물의 위치 에너지가 방아를 찧는 운동 에너지로 전환됩니다. 높은 곳에 있는 물체일수록 위치 에너지를 많이 가지고 있으므로, 물이 떨어지는 높이를 높게 하면 더 많은 에너지를 낼 수 있습니다.

채점 TIP 물레방아는 물의 위치 에너지에서 운동 에너지로의 전환을 이용하고, 물의 떨어지는 높이 차를 크게 한다는 등의 더 많은 에너지를 낼 수 있는 방법을 쓰면 정답으로 합니다.

2 ㉠에서는 사람 몸속의 화학 에너지가 손잡이를 돌리는 운동 에너지로 전환되고, 손잡이를 돌리는 운동 에너지가 선풍기 날개의 운동 에너지, 소리 에너지, 열에너지 등으로 전환됩니다. ㉡에서는 전지의 전기 에너지가 선풍기 날개의 운동 에너지, 소리 에너지, 열에너지 등으로 전환됩니다.

채점 TIP ㉠에서는 사람이 손잡이를 돌리는 운동 에너지, ㉡에서는 전지의 전기 에너지가 선풍기 날개의 운동 에너지로 전환되어 바람(바람의 운동 에너지)이 나온다는 내용을 쓰면 정답으로 합니다.

---「 **내용 플러스** 」---

에너지 전환

에너지에는 운동 에너지, 위치 에너지, 빛에너지, 열에너지, 화학 에너지 등 다양한 형태가 있으며, 에너지는 다른 형태로 바뀔 수 있습니다. 이처럼 에너지의 형태가 바뀌는 것을 에너지 전환이라고 합니다. 에너지 전환을 이용해 우리는 필요한 형태의 에너지를 얻을 수 있습니다.

움직이는 범퍼카	전기를 이용해 자동차를 움직이는 놀이 기구입니다. 따라서 이 과정에서 전기 에너지는 운동 에너지로 전환됩니다.
떠오르는 열기구	열기구는 연료를 태우며 피운 불로 큰 풍선 안의 공기를 데움으로써 가벼워진 공기에 의해 높은 곳으로 올라갈 수 있게 만들어진 장치입니다. 따라서 연료의 화학 에너지는 불의 열에너지로 형태가 전환되고, 공기를 데운 이 열에너지는 열기구의 운동 에너지, 위치 에너지로 전환됩니다.
달리는 아이	화학 에너지가 운동 에너지로 전환됩니다.
반짝반짝 빛이 나는 전광판	전기 에너지가 빛에너지로 전환됩니다.
광합성을 하는 나무	햇빛을 받아 광합성을 함으로써 양분을 만들어 에너지를 얻습니다. 광합성을 하는 과정에서 태양의 빛에너지가 나무의 화학 에너지로 바뀝니다.
떨어지는 낙하 놀이 기구	꼭대기에 올라가 있던 낙하 놀이 기구가 떨어질 때 놀이 기구에 타고 있던 사람의 위치 에너지는 운동 에너지로 전환됩니다.
자동차가 달릴 때	연료의 화학 에너지는 운동 에너지로 전환됩니다.

3 병을 흔든 횟수는 운동 에너지의 양에 해당하며 병 속 모래의 온도 변화는 발생하는 열에너지입니다. 병을 많이 흔들수록 온도가 높아지는 것으로 보아 운동 에너지가 많을수록 전환되는 열에너지도 많아지는 것을 알 수 있습니다.

채점 TIP 운동 에너지가 많을수록 전환되는 열에너지가 많다는 내용을 쓰면 정답으로 합니다.

4 롤러코스터는 위치 에너지가 운동 에너지로 전환되어 움직이면서 다시 위치 에너지로 전환됩니다. 마찰에 의한 에너지의 손실이 없다고 할 때에도 롤러코스터는 전기 에너지를 이용하여 출발점까지 올라간 후 움직이기 전 위치 에너지가 최대일 때의 높이보다 더 높게 올라갈 수는 없습니다.

채점 TIP ⓒ은 중간 레일이 처음의 위치 에너지가 최대인 곳보다 높고, ⓔ은 중간 레일과 도착점이 처음의 위치 에너지가 최대인 곳보다 높기 때문에 도착점에 도착할 수 없다는 내용을 쓰면 정답으로 합니다.

(내용 플러스)

롤러코스터에서의 에너지 전환
롤러코스터는 전기 에너지로 출발하거나 멈춥니다. 롤러코스터가 출발할 때 전기 에너지는 운동 에너지와 위치 에너지로 전환되며 달리는 중 철길의 높낮이가 달라짐에 따라 운동 에너지와 위치 에너지는 서로 전환됩니다. 높은 곳에서 낮은 곳으로 내려갈 때에는 위치 에너지가 운동 에너지로 전환되며, 낮은 곳에서 높은 곳으로 올라갈 때에는 운동 에너지가 위치 에너지로 전환됩니다.

---

5 제 1종 영구 기관은 외부에서 에너지의 공급이 없어도 계속해서 일을 할 수 있다고 생각하는 가상적인 기관으로, 실제로는 제작이 불가능합니다.

채점 TIP 물과 스크루, 물과 수차 사이의 마찰이 있기 때문에 에너지 손실이 발생하기 때문이라는 내용을 쓰면 정답으로 합니다.

6 태양의 빛(열)에너지(물의 증발) → 물의 위치 에너지(높은 곳의 물) → 물의 운동 에너지(댐을 열면 물이 떨어진다.) → 터빈의 운동 에너지(터빈이 돌아간다.) → 전기 에너지 → 컴퓨터에서의 빛에너지, 열에너지, 소리 에너지 등으로 전환됩니다.

채점 TIP 태양의 빛(열)에너지가 물의 위치 에너지로 전환되고, 물의 위치 에너지가 물의 운동 에너지며, 물의 운동 에너지가 전기 에너지로 전환된 뒤 컴퓨터의 빛에너지 에너지, 열에너지의 등으로 전환된다는 내용을 쓰면 정답으로 합니다.

7 같은 동물이라도 에너지 흡수가 필요한 환경이 있고 반대로 에너지를 방출해야 하는 환경이 있어 그 환경에 따라 적응하여 생김새가 달라집니다.

채점 TIP 사막여우는 열을 내보내기 위해 귀가 크고, 북극여우는 열 손실을 줄이기 위해 귀가 작다는 등의 에너지 효율과 관련지어 쓰면 정답으로 합니다.

8 발광 다이오드[LED]등이 형광등보다 빛에너지로의 에너지 전환 효율이 높기 때문입니다. 발광 다이오드[LED]등은 제품 가격이 비싸지만 더 오래 사용할 수 있고, 전기 에너지도 많이 사용하지 않으며, 열에너지 등 다른 에너지로 전환되어 손실되는 비율이 낮기 때문에 에너지 효율이 높습니다.

채점 TIP 형광등보다 발광 다이오드[LED]등이 열에너지로의 손실이 적고 대부분 빛에너지로 전환되기 때문에 에너지 효율이 더 높다는 내용을 쓰면 정답으로 합니다.

과학 탐구 대회 준비 발명품 92쪽

1 예 냉장고, 냉동고, 에어컨 등이 있습니다. **2** 예 냉각을 하기 위해 반대편에서는 열이 발생하는 것이 단점입니다. 냉각기를 만들기 위해서는 반대편에서 열이 나오는 것을 잘 처리해야 하는 단점이 있습니다.

1 전기 제품 중 냉장고, 냉동고, 에어컨 등은 한쪽에서 열을 흡수하여 다른 쪽을 차갑게 해 주는 기기입니다.

2 열과 냉각이 함께 발생하는 것은 단점이 될 수 있습니다. 반대인 경우에도 뜨겁게 만들어야 하는데 한쪽 면은 차갑게 되는 것은 단점이 될 수 있습니다.

2권
2학기

과학 탐구 대회 준비 발명품 93쪽

1 예 ① 열전 소자와 전류계를 연결합니다.
② 어떠한 조건도 없을 때 전류계로 전류의 세기를 측정합니다.
③ 얼음이 들어 있는 물을 열전 소자의 한쪽에 닿게 합니다.
④ 1분이 지났을 때 전류계로 전류의 세기를 측정합니다.
⑤ 얼음이 들어 있는 물을 없애고, 핫 플레이트를 열전 소자의 다른 면에 닿게 합니다.
⑥ 1분이 지났을 때 전류계로 전류의 세기를 측정합니다.
⑦ 얼음이 들어 있는 물과 핫 플레이트를 양쪽에 붙입니다.
⑧ 1분이 지났을 때 전류계로 전류의 세기를 측정합니다.

1 전류계를 사용해도 되고, 발광 다이오드[LED]등이나 전구를 사용하여 전기가 발생되는지 확인하는 것도 좋습니다.

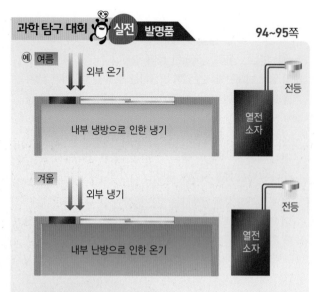

예 여름
외부 온기
전등
내부 냉방으로 인한 냉기
열전 소자

겨울
외부 냉기
전등
내부 난방으로 인한 온기
열전 소자

- **발명품 이름** 예 베란다 발전기

- **발명품이 활용되는 장소** 베란다

- **발명품을 만들게 된 동기**

  항상 여름과 겨울에는 집 안과 밖의 온도 차이가 많이 납니다. 베란다 유리창에는 집 안과 밖의 온도 차이로 인해 성에가 끼거나 응결되어 물방울이 맺히는 것을 보았습니다. 열전 소자를 이용하면 베란다 내부와 외부의 온도 차이로 에너지를 만들 수 있을 것이라는 생각이 들어 발명품을 만들게 되었습니다.

- **발명품이 작동하는 과정**

  열전 소자를 베란다에 설치하여 여름에는 내부 냉방으로 인한 냉기와 외부 온기로 인한 온도 차이를 이용하여 에너지를 만들고, 겨울에는 내부 난방으로 인한 온기와 외부 냉기의 온도 차이를 이용하여 에너지를 만들 수 있습니다. 그리고 발전된 전기 에너지는 베란다 전등을 밝히는 데 사용할 수도 있습니다. 이 발명품은 베란다 내부와 외부의 열에너지 차이를 전기 에너지로 이용하는 발명품입니다.

- **발명품 활용 방안**

[예 1] 자동차

자동차는 겨울에 내부의 온도와 외부의 온도 차이가 많이 나므로, 자동차에 열전 소자를 연결하면 전기를 얻을 수 있을 것입니다.

[예 2] 컴퓨터

컴퓨터는 열을 많이 내는 장치이므로, 열전 소자를 이용하여 열을 내리게 할 수 있습니다.

어려운 심화 문제 클리어!
이제 나도 과학에
자신감이 생겼어!